W9-BAS-813

OXFORD LIBRARY OF SPANISH TEXTS

UNDER THE GENERAL EDITORSHIP OF

AURELIO M. ESPINOSA

PROFESSOR AND EXECUTIVE HEAD OF THE DEPARTMENT
OF ROMANIC LANGUAGES, STANFORD UNIVERSITY

VOLUME TWO

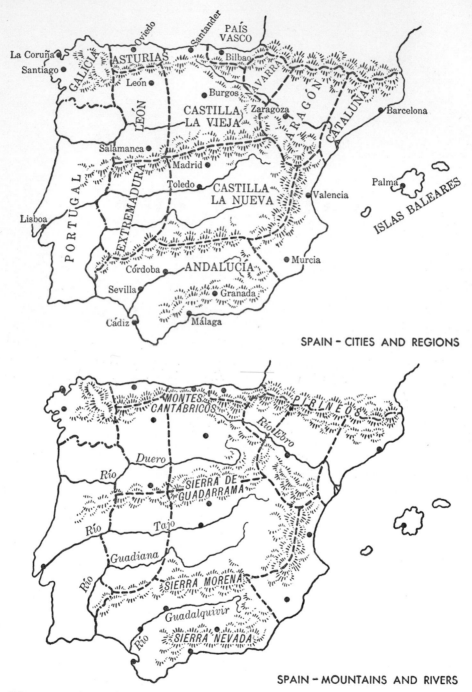

SPAIN – CITIES AND REGIONS

SPAIN – MOUNTAINS AND RIVERS

(Note to student: Cover the upper map; then name the cities and regions on the lower one. Next try naming the rivers and mountains on the upper map without looking at the lower one.)

REPRESENTATIVE

Spanish Authors

A FIRST BOOK OF SPANISH LITERATURE

—————————————————————————————————

WALTER T. PATTISON

ASSOCIATE PROFESSOR OF ROMANCE LANGUAGES, UNIVERSITY OF MINNESOTA

IN TWO VOLUMES
VOLUME TWO

OXFORD UNIVERSITY PRESS

NEW YORK   TORONTO

To

THE MEMORY OF MY FATHER

GEORGE HENRY PATTISON

AUGUST 28, 1868–MAY 2, 1939

Y aunque la vida murió,
Nos dejó harto consuelo
Su memoria.

Preface

THIS book was written to meet the demand for an adequate textbook for the first course in Spanish literature. Hence it has been our aim to bring together into two volumes all the materials necessary for the two semesters or quarters in which this course is normally given. Obviously, to give a selection from every notable author is out of the question, especially since we believe that each author included should be represented by a passage of sufficient length to enable the student to form a critical opinion of him. Our hope is that all periods of literature and all important genres are well illustrated.

We have felt also that students in their first literary course should not have to puzzle out strange spellings. What advantage is gained by retaining the orthography *yua* for *iba?* We have, therefore, tried to follow this general rule — to modernize spelling but not to substitute modern for archaic words. The reader will find such words as *adeliñar* or *des que* in the texts and the vocabulary, but he will not find such forms as *difinición* or *baxo*. The question of spelling and of ancient pronunciation will cause him enough difficulty when he reaches advanced classes; at this level he should have a chance to appreciate great writings as literature.

Despite this general rule, we have been forced to make occasional exceptions in order not to destroy the rhyme or rhythm of poetry. We have also deliberately left unaltered the orthography of the ballads and the selections from the *Quijote*. Thus our text makes no pretense to being scientific. The justification of such a procedure is wholly a pedagogical one.

It gives us great pleasure to acknowledge here the help and encouragement we have received from many sources. Our thanks are especially due to the authors Pío Baroja, Azorín, and Juan Ramón Jiménez for permission to print selections from their works; and to the heirs of Valle-Inclán, Rubén Darío, and Antonio Machado for similar courtesies. We wish to acknowledge our debt to Señora Doña Olga Domingo de Texidor for her help in locating the writers now resident in Madrid. The encouragement of my colleagues at Minnesota and the constant helpfulness of the members of the staff of the Oxford University Press will always be remembered. But above all, a tribute must be paid to the unfailing devotion and indefatigable application of my wife, without whom this task would have been impossible.

W. T. P.

Minneapolis, Minnesota
April 1942

Contents

VOLUME TWO

ix

REPRESENTATIVE SPANISH AUTHORS

The Eighteenth Century in Spain

History

IN general, the eighteenth century in Spain was an epoch of inactivity
in all lines. The nation seemed to be exhausted after a period of violent
expansion and constant wars during which Spain discovered and colonized
America, fought the Turks in the Mediterranean, the French in both Italy
and France, the Flemish and Dutch in the Low Countries, and the English
on the sea. Spain needed a long and profound rest. Even the population
had fallen from some ten millions to about six millions during the course
of the seventeenth century. While pursuing its double ideal of one universal religion and a single universal monarchy, Spain had struggled
against practically the whole world.

Spain's decadence was also of an economic nature, and the country
needed to replenish its stores and build up its national wealth. The gold
from America, which had flowed into Spain in great quantities, had passed
through Spain and ended in the coffers of the Italian bankers. Very little
manufacturing took place in Spain itself. The well-to-do preferred luxurious imported articles, and the poor, glorying in the great deeds of the Spanish military forces, had developed a distaste for manual work and had
conceived the idea that the only honorable ways of earning one's bread
were by following the career of soldier, writer, priest, or government
official. Heavy taxes had to be imposed to carry on the disastrous military
campaigns. The most nefarious of these was the *alcabala*, a 10 per cent
sales tax which affected every article, either manufactured or raw material,
each time it changed hands. Furthermore, the expulsion of the Jews in
1492 and of the *moriscos* early in the seventeenth century was an economic
mistake, as these classes had more industrial initiative than the other
Spaniards.

In the last place, the monarchs steadily declined in quality from generation to generation until the famous Hapsburg line ended with the impotent
Carlos II, in 1700.

The eighteenth century opens, then, with a new line of kings ascending
the Spanish throne, of whom the first, Felipe V, was the grandson of
Louis XIV of France, consequently a Frenchman and a Bourbon. Although the Bourbon kings ruled Spain down to 1931, they were always looked
on as outsiders or foreigners by the Spaniards. We may also say that they

represented an idea of monarchy quite different from that of the earlier Spanish kings, who had felt themselves to be representatives of God and, as a result, responsible to His high authority. The Bourbon concept is best seen in the phrase said to be used by Louis XIV, the greatest monarch of that line: '*L'état, c'est moi*';[1] or, on passing some decree, giving as his reason: '*car c'est notre bon plaisir*.'[2] It is obvious that the Bourbons always thought of their rule as absolute and personal, a policy which was continued by the Spanish branch of the line.

We must, however, give the eighteenth-century monarchs credit for representing an enlightened despotism. They brought many institutions into Spain which had already been established elsewhere, notably in France. Among these were the *Biblioteca Nacional* (1711), the *Academia Española*[3] (1714), and the *Academia de Medicina* (1734). Considerable advance was made in scholarship, manufacturing techniques, and the rudimentary science of the day. This policy of enlightenment reached its high point during the reign of Carlos III (1759–88); but immediately afterwards the decadence of the Bourbon line began with Carlos IV (1788–1808), who left the government of the nation to Godoy, a common soldier raised to the rank of prime minister, and a royal favorite through the attachment the queen had for him.

Intellectual and literary currents

As in most periods of Spanish intellectual history, there was a struggle between two conflicting ideas: one, the desire of a few cultured people of the upper classes to bring Spain, which they felt to be benighted and behind the times, abreast of contemporary thought; and the other, *casticismo*, or the clinging to good old Spanish ways of thinking and doing. The members of the first group were looked down upon as partisans of the always unpopular French cause; hence their name *afrancesados*. In reality, it was out of patriotism they tried to bring in new ideas from outside, in the hope of seeing Spain equal what they considered to be the brilliant civilization of the rest of Europe.

As French thought dominated all of Europe, naturally they turned to French theories of literature and attempted to propagate them in Spain. During the seventeenth century the French had developed a school of literature called *classicism*, which still dominated their literary productions in the eighteenth century. This was what the *afrancesados* attempted to

---

[1] 'I am the state.'
[2] 'for it is our good pleasure'
[3] A group of 36 literary men, whose object was to decide on all disputed questions of language. Its dictionary, although not perfect, is the best in existence. Election to this group is a great honor, although the Spaniards have never revered their *Academia* to the same extent as the French their corresponding institution, *L'Académie française*.

introduce into Spain, with very little success, due to the fact that classicism was in no way compatible with Spanish temperament or with the literature the Spaniards had been used to in the past.

Classicism may be defined as a restrained, mature, authoritarian point of view towards life and literature. It starts from the premise that the ancient Greek and Latin authors were better writers than any modern man could be. Consequently, the modern must imitate the essence of their work. Fundamentally, classicism strove for universality in plots, ideas, and characters. Thus, it depicted things, people, and ideas which could be true not just at the present time, but in any age, and not just in one nation, but anywhere in the world. It tended to reject original ideas and new or unique characters. Originality was not considered to be a virtue among the classicists, for the very cornerstone of their literary theory was imitation. Often they were content merely to retell a story from ancient literature in their modern language. Due to their feeling that they must always subject themselves to the authority of the 'ancients' they inherited certain restraints, most notable of which are the rules for the different forms, or genres, of literature. Each genre was subject to a series of strict limitations, among which the outstanding example is the three unities (time, place, and action) which governed the drama.

We have already emphasized the individualism of the Spaniard. As the classicists, in their effort to attain universality, sacrificed everything exceptional, picturesque, or individual, they were necessarily running contrary to the current of Spanish feeling. In reality, they achieved no successes at all in Spain until the eighteenth century was three-quarters over, and even in the last quarter of that century and the beginning of the nineteenth, such successes as they did attain were only minor ones. The first drama acted in Spain, written according to classic rules, appeared in 1770 (*Hormesinda*, of Nicolás Fernández de Moratín) and ran only six nights. Only one classical tragedy had any real success (*Raquel*, of Vicente García de la Huerta, 1778). The classical comedy achieved only two notable successes, both plays of Leandro Fernández de Moratín (*La comedia nueva*, 1792, and *El sí de las niñas*, 1806). The two important schools of lyric poetry of the century, namely those of Salamanca and Sevilla, did not come into being until the century was three-quarters spent. In fact, only one classical work of any significance comes earlier in the century, Luzán's *Arte poética* (1737), in which he laid down the rules by which he hoped his compatriots would produce classic masterpieces.

The great masses of the people of Spain were always opposed to the innovations of the *afrancesados*, although they did little to produce a literature of their own. However, they maintained a constant preference for the dramas of the Golden Age, which continued to be acted in the theaters throughout this period. These dramas had nothing in common with classicism, as they respected none of the rules so sacred to that school. Furthermore, the immense success of the playwright Ramón de la Cruz is a reflection of the popular taste, for he made no attempt to abide by rules, but followed the deep-seated Spanish tendency towards pictorial realism. His little one-act plays, or *sainetes*, which continue the tradition of the *pasos* of Lope de Rueda and the *entremeses* of Cervantes, simply show some picturesque or characteristic detail of Madrid life. The same type of realism abounds in the works of Leandro Fernández de Moratín, which leads us to believe that his comedies owe their success not to their adherence to the forms of classicism, but to their ingrained *españolismo*. García de la Huerta's successful tragedy was also only externally classic, for its subject matter was a legend from the Spanish Middle Ages which had already been treated in a Spanish drama of the Golden Age. In fact, much of the success of the play lay in its hidden attack on French dominance in politics at the very time that the author was following the French lead in literature. The best works of the lyric poets also are generally those in which they adhere least strictly to classicism. Thus, we find that the school of Sevilla, whose members were doctrinaire classicists, is far less important than that of Salamanca, some of whose members, such as Meléndez Valdés, Cadalso, and Cienfuegos, showed many moments of independence and originality.

The influence of France and of classicism continued in Spain until the death of the most despotic of the Spanish monarchs, Fernando VII (1833), primarily because he exiled some 40,000 men who were liberal in politics and consequently liberal also in their literary point of view. Therefore, the new literary current, known as *romanticism*, which was developing in France and England in the early nineteenth century, was not free to appear in Spain until the death of the monarch had made possible the return of these exiles. Logically, we should consider the first third of the nineteenth century as belonging to the eighteenth century in literature and intellectual history.

The Nineteenth Century in Spain

WHEN we try to find some unifying or connecting idea running through the history of nineteenth-century Spain, we are confronted with such political chaos and intellectual conflict that our task seems practically impossible. The history of the century is a kaleidoscopic succession of ministers; kings who abdicate, are deposed, or restored; civil wars, assassinations, and military dictators.

The century opens with Carlos IV reigning. Under his prime minister, Godoy, a policy of close alliance with France was followed, which brought disaster to Spain in the destruction of its fleet in the battle of Trafalgar in 1805. With the invasion of Napoleon in 1808, Carlos IV abdicated in favor of his son Fernando VII (1808–33). At first a prisoner of Napoleon, he was set free by the Spanish liberals who, during the king's absence, drew up the famous Constitution of 1812, declaring that the people were the true sovereigns, subjecting the king to the will of elected ministers, and making all citizens equal before the law.

The whole century was a battle to put these reforms into force. No sooner did the liberals win an apparent victory than the king and other traditional forces undid their triumph by swinging the nation back to despotic absolutism. Throughout the rule of Fernando VII, the nation moved like a restless pendulum between the two extremes of personal rule by the king and advanced liberalism.

At the time of Fernando's death in 1833, many liberals were living in exile outside of Spain, while in the country, the Carlist party, which believed in the strictest adherence to old traditions, was in power. Thus, the beginning of the reign of Isabel II (1833–68) is also the beginning of a civil war between the liberals, who supported Isabel, and the Carlists, who desired the absolute rule of her uncle, Don Carlos. Isabel repaid the liberals in a way typical of Spanish monarchs, for soon after having gained the throne through their support, she rejected the constitution which they wished to impose and ruled by personal whim and decree. She was finally deposed in 1868, largely because of her immoral private life.

Spain now found itself in the curious situation of believing in monarchial government (the Cortes voted three to one in favor of a monarchy) and not being able to find a king. The crown was offered to three princes who turned it down. After two years had passed in these futile attempts,

Amadeo de Saboya was persuaded to take over the ruling of the nation in 1870, but on the very day he landed in Spain, his chief supporter, General Prim, was assassinated. In spite of Amadeo's sincere efforts to bring some order to the country, he failed, and abdicated in 1873. The same Cortes which had voted for a monarchy only five years before now voted for the establishment of a republic. It was doomed to failure, because its leaders were idealistic and impractical theorists. Chief among them was Pi y Margall, a believer in federalism, by which each region of Spain would be practically independent, being only loosely bound to the central government. But when even single villages set themselves up as independent states, chaos could be the only result, and in desperation the country called back the Bourbon line, in the person of the son of Isabel II, Alfonso XII (1874–85).

Alfonso proved himself a conscientious monarch, and the country, which had gone through a second Carlist war during the unsettled years preceding his restoration, was now in need of a complete rest. Political strife was held down and the country made rapid industrial progress. Alfonso XII died while still young, during an epidemic of cholera. At this time Alfonso XIII, the last king of Spain, was not even born. Therefore, during his minority, which covers the rest of the nineteenth century, the policies of his father were continued, and the country paid greater attention to economic development than to the conflicts of political factions. However, the progress of a quarter of a century was checked by the disastrous defeat of Spain by the United States in the Spanish-American War (1898).

Even from this brief account the unrest and turbulence which ran throughout nineteenth-century Spain will be apparent. We can never understand this century unless we realize that fundamentally it is a great struggle between the traditionalists and the liberals. The fight to establish the Constitution of 1812 is symbolic of the fight which ran through all aspects of life. On one hand there were entrenched and well-organized traditionalists, who may be subdivided into three classes: first of all, the king and the nobility dependent upon him, who wished to maintain all of their old privileges; in the second place, the clergy and church; and in the third place, especially in the second half of the century, the wealthy. The liberal side, which was always advanced or even radical in its thought, was largely unorganized. It consisted at the beginning of the century mainly of intellectuals whose ambition was to give the country a constitutional monarchy, but as time went on these intellectuals allied themselves with labor movements and demanded much more — namely, the abolition of the monarchy and the establishment of a democratic form of government. Spain never has had a numerous middle class, which in other countries did much to check the ambitions of the two extremes.

One other great force in Spanish life, the army, remains to be described. We must remember that the army in Spain, with its large number of officers and its political generals, has always wielded a powerful hand in the formation of internal policy. Generals often deposed the constitutional government and stepped into power, moved by a desire to cut red tape and believing that they were called on to serve the country through a temporary dictatorship. During the early part of the century, the army was definitely a force for liberalism, yet in later years it lines up on the opposite side. How can we explain this change? The ideal of the army seems to have been a constitutional monarchy, so while the king exercised absolute power, it was against him, hence somewhat liberal. But when the country moved towards a democracy, the army again was against that movement, hence somewhat conservative.

The conflict we have outlined manifests itself constantly in Spanish literature of the nineteenth century. Early in the century, the desire to get rid of the oppressive Bourbon monarch, Fernando VII, was identified in the minds of the liberals with their desire to get rid of French classicism, and the triumph of liberalism seemed to them akin to the liberalization of literature by romanticism. Later on, many of the novelists wrote tendentious works of propaganda. For example, we see Fernán Caballero defending the church and the good old way of living; Pereda, in *Peñas arriba*, upholds the old-fashioned virtues and simple life of the country; while on the other hand, Galdós, in *Doña Perfecta*, attacks savagely the benighted ways and backward religion of a small Spanish town; and Larra, in his *cuadros de costumbres*, is constantly criticizing outmoded Spanish ways.

We will not understand the literature of this century unless we realize that it, as every other manifestation of life, was a battlefield where the traditionalists and the liberals were constantly attempting to wrest victory from the other camp.

Romanticism

WE have already seen that up to 1833 a general tendency in literature, called classicism, was being advocated in Spain by the small, cultured upper class. Classicism, with its conservative, mature, well-proportioned point of view towards life, was a submission to society's point of view. The author showed more deference to other people's feelings than to his own.

But a revolt developed throughout Europe against the classic point of view — a revolt which came to be called romanticism, at first derisively, because of the frequence of the adjective 'romantic' in the works of one of the early adherents of the movement. Romanticism deliberately opposed every rule of classicism. Thus, romanticism was primarily an exuberant, youthful point of view in which the individual stressed the value of his own feelings and thoughts as opposed to those usually accepted by the group. In its opposition to classicism at every point, romanticism found its inspiration in national legends, usually of the Middle Ages (as opposed to inspiration from the ancient Greek and Roman classics). It found its characters in unusual men, often outcasts from society and oppressed by fate (rather than in the typical, universal man of classicism). Where classicism showed restraint in form (i.e. rules), romanticism imposed no rules at all. While the classic author restrained his personal emotion and concealed his own personality, the romantic author gave free rein to both personality and emotions, which were usually melancholy, since the real world always fell far short of his dreams.

Romanticism swept over Europe about the beginning of the nineteenth century, but did not reach Spain in force until considerably later. As we have seen, all the liberals in politics, who were also liberals in literature, had been exiled by Fernando VII, and at his death swarmed back into Spain and immediately began producing in the new liberal literary vein. But in Spain romanticism was no particular surprise. The Spanish literature of the Golden Age had not adhered to any set of rules; furthermore, the classicism of the eighteenth century had gained no real hold here. Thus, the Spaniards felt that the movement was more of a return to their own national tradition and a patriotic release from the tyranny of an imposed foreign literature than an outright literary revolt.

The productions of romanticism in Spain are not very numerous, as it lasted only to about 1845. While attempts were made to write romantic novels after the pattern of Walter Scott or Dumas *père*, none was successful. Lyric poetry produced four great names: Espronceda, Rivas, Zorrilla, and the later, but still romantic poet, Bécquer. In the drama, a series of plays appeared between 1834 and 1837, including as its chief successes: *La conjuración de Venecia*, by Martínez de la Rosa; *Macías*, by Larra; *Don Álvaro*, by the Duque de Rivas; *El trovador*, by García Gutiérrez; and *Los amantes de Teruel*, by Hartzenbusch. A few years later (1844) Zorrilla revived the romantic drama in his masterpiece, *Don Juan Tenorio*.

All in all, the production of romanticism in Spain was small, and here, as in the rest of the world, its emphasis on the exceptional, picturesque, and imaginative elements of life often led one into an unreal, fantastic world which could not possibly exist. Yet the elements of romanticism which lived on in later days, after the movement itself was spent, are sufficient to justify it in our eyes. Furthermore, its works, although often disturbingly unreal and melodramatic, contain many real beauties.

José de Esproceda

ESPRONCEDA (1808–42), one of the greatest lyric poets of the romantic period and of the whole century, lived a life very similar to that of the heroes of romantic works. From his childhood he was a rebellious liberal. As a student he founded a political society against the tyrannical Fernando VII, for which he was imprisoned. Still untamed despite this punishment, he had to flee into exile when only eighteen because of his plotting against the king. He first went to Lisbon, then to England, where he fell in love with a married woman, Teresa Mancha de Bayo. Espronceda joined her in Paris where he showed his contempt for social laws by persuading her to leave her husband for him. There he fought at the barricades in the Revolution of 1830, enlisted in an army which was to set Poland free but which was soon dissolved, and finally joined an army to liberate Spain from the rule of Fernando VII. At the latter's death in 1833, Espronceda returned to Madrid with Teresa, whom, however, he soon abandoned. She died in 1839, and our poet survived her by only three years. He published but three slim volumes of poetry during his life.

Espronceda has often been called the Byron of Spain, and there is undoubtedly a considerable amount of imitation of Byron in his work. Whether or not his Byronic attitude of rebellion against the world is real or merely a pose is a matter of debate. What is certain is that he hoped to get much more out of life than he actually found in it. In a passage recalling his youthful aspirations he exclaims:

> Yo me arrojé, cual rápido cometa,
> En alas de mi ardiente fantasía:
> Doquier mi arrebatada mente inquieta
> Dichas y triunfos encontrar creía.

As we shall see in the *Canto a Teresa*, this ardent yearning for glory, liberty, and happiness was never satisfied. Consequently, Espronceda feels that he has been cheated by life. His melancholy is that of one who believes that life has nothing but disappointments to offer him. Again, in the *Canción del pirata* he shows an outcast from society, but one who glories in his isolation. We cannot doubt that Espronceda identified himself with this hero, as with the heroes of *El mendigo*, *El verdugo*, *El reo de muerte*, and his other poems on social outcasts.

228

In two longer poems, *El estudiante de Salamanca*, a reworking of the Don Juan theme,* and *El diablo mundo*, a protest against the senselessness of a world which can offer the protagonist but one disillusionment after another, Espronceda reaches his greatest heights as a poet and a thinker. It must be confessed, however, that it is chiefly as a poet that he triumphed. The ever present music in his verse and his great variety of meters have done more to give him the high place which he deserves than any profundity of thought. Rather than original thought, the content of his work is conventional romanticism, just as his life was one of typical romantic rebellion.

José de Espronceda

Canción del pirata

Con diez cañones por banda,
Viento en popa a toda vela
No corta el mar, sino vuela
Un velero bergantín:
Bajel pirata[1] que llaman   5
Por su bravura el *Temido*,
En todo mar conocido
Del uno al otro confín.

La luna en el mar riela,
En la lona gime el viento,   10
Y alza en blando movimiento
Olas de plata y azul;
Y ve el capitán pirata,[1]
Cantando alegre en la popa,
Asia[2] a un lado, al otro Europa[2]   15
Y allá a su frente Stambul.[2]

«Navega, velero mío,
Sin temor,
Que ni enemigo[1] navío,
Ni tormenta, ni bonanza   20
Tu rumbo a torcer alcanza,
Ni a sujetar tu valor.

«Veinte presas[3]
Hemos hecho
A despecho   25
Del inglés,

Y han rendido
Sus pendones
Cien naciones[4]
A mis pies.   30

«Que es mi barco mi tesoro,
Que es mi Dios la libertad,
Mi ley la fuerza y el viento,
Mi única patria la mar.

«Allá muevan feroz guerra   35
Ciegos reyes
Por un palmo más de tierra:
Que[5] yo tengo aquí por mío
Cuanto abarca el mar bravío,
A quien nadie impuso leyes.   40

«Y no hay playa,
Sea cualquiera,
Ni bandera
De esplendor,[6]
Que no sienta   45
Mi derecho,
Y dé pecho[7]
A mi valor.

«Que es mi barco mi tesoro,
Que es mi Dios la libertad,   50
Mi ley la fuerza y el viento,
Mi única patria la mar.

* See Vol. I, p. 119.
[1] An adjective here
[2] Objects of *ve* (l. 13)
[3] prizes, captured ships

[4] Subject of *han rendido*
[5] Omit in translating
[6] *bandera de esplendor*, glorious flag
[7] to pay tribute

«A la voz de '(¡barco viene!)[8]
 Es de ver[9]
Como vira y se previene 55
A todo trapo[10] a escapar:
Que yo soy el rey del mar,
Y mi furia es de temer.

«En las presas
 Yo divido 60
 Lo cogido[11]
 Por igual:
 Sólo quiero
 Por riqueza
 La belleza 65
 Sin rival.

«Que es mi barco mi tesoro,
Que es mi Dios la libertad,
Mi ley la fuerza y el viento,
Mi única patria la mar. 70

«¡Sentenciado estoy a muerte!
 Yo me río:
No me abandone la suerte,
Y al mismo que me condena,
Colgaré de alguna entena, 75
Quizá en su propio navío.

«Y si caigo,
 ¿Qué es la vida?
 Por perdida

Ya la di,[12] 80
Cuando el yugo[13]
 Del esclavo,
 Como un bravo,
 Sacudí.

«Que es mi barco mi tesoro, 85
Que es mi Dios la libertad,
Mi ley la fuerza y el viento,
Mi única patria la mar.

«Son mi música mejor
 Aquilones, 90
El estrépito y temblor
De los cables sacudidos,
Del negro mar los bramidos
Y el rugir de mis cañones.

«Y del trueno 95
Al son[14] violento,
Y del viento
Al rebramar,
Yo me duermo
 Sosegado 100
 Arrullado
 Por el mar.

«Que es mi barco mi tesoro,
Que es mi Dios la libertad,
Mi ley la fuerza y el viento, 105
Mi única patria la mar.»

El diablo mundo

CANTO II

A Teresa: Descansa en paz[1]

¿Por qué volvéis a la memoria mía,
Tristes recuerdos del placer perdido,
A aumentar la ansiedad y la agonía
De este desierto corazón herido?

¡Ay, que[2] de aquellas horas de alegría, 5
Le quedó al corazón sólo un gemido,
Y el llanto que al dolor los ojos niegan,
Lágrimas son de hiel que el alma anegan!

[8] ship ahoy
[9] you should see
[10] Here, sail
[11] the booty (what is taken)
[12] considered
[13] Object of sacudí
[14] sound. Translate l. 96 before l. 95, and l. 98 before l. 97.

[1] This canto has nothing whatever to do with the main theme of El diablo mundo. Espronceda himself inserted this note: 'Este canto es un desahogo de mi corazón; sáltelo el que no quiera leerlo sin escrúpulo, pues no está ligado de manera alguna con el poema.' Why is this statement typically romantic?
[2] for

¿Dónde volaron ¡ay! aquellas horas
De juventud, de amor y de ventura, 10
Regaladas de músicas sonoras,
Adornadas de luz y de hermosura?
Imágenes[3] de oro bullidoras,[4]
Sus alas de carmín y nieve pura,
Al sol de mi esperanza desplegando, 15
Pasaban ¡ay! a mi alredor cantando.

Gorjeaban los dulces ruiseñores,
El sol iluminaba mi alegría,
El aura susurraba entre las flores,
El bosque mansamente respondía, 20
Las fuentes murmuraban sus amores . . .
¡Ilusiones[5] que llora el alma mía!
¡Oh! ¡cuán süave resonó en mi oído
El bullicio del mundo y su ruído!

Yo amaba todo: un noble senti-
       miento   25
Exaltaba mi ánimo, y sentía
En mi pecho un secreto movimiento,
De grandes hechos generoso guía:
La libertad con su inmortal aliento,
Santa diosa mi espíritu encendía, 30
Contino[6] imaginando en mi fe pura
Sueños de gloria al mundo[7] y de ven-
       tura.

El valor y la fe del caballero,[8]
Del trovador el arpa y los cantares,
Del gótico castillo el altanero   35
Antiguo torreón, do[9] sus pesares
Cantó tal vez con eco lastimero,
¡Ay! arrancada de sus patrios lares,[10]
Joven cautiva, al rayo de la luna,
Lamentando su ausencia y su for-
       tuna:[11]   40

El dulce anhelo del amor que
       aguarda
Tal vez inquieto y con mortal recelo,
La forma bella que cruzó gallarda,
Allá en la noche, entre el medroso
       velo;[12]
La ansiada cita que en llegar se tarda 45
Al impaciente y amoroso anhelo,
La mujer y la voz de su dulzura,
Que inspira al alma celestial ternura;

A un tiempo mismo en rápida tor-
       menta,
Mi alma alborotaban de contino,[6] 50
Cual[13] las olas que azota con violenta
Cólera, impetuoso torbellino:[14]
Soñaba al héroe ya, la plebe atenta
En mi voz escuchaba su destino,
Ya al caballero, al trovador soñaba, 55
Y de gloria y de amores suspiraba.

Yo desterrado en extranjera playa,
Con los ojos, extático seguía
La nave audaz que argentada raya[15]
Volaba al puerto de la patria mía: 60
Yo cuando en Occidente el sol des-
       maya,[16]
Solo y perdido en la arboleda umbría,
Oír pensaba el armonioso acento
De una mujer, al suspirar del viento.

¡Una mujer![17] En el templado rayo 65
De la mágica luna se colora,[18]
Del sol poniente al lánguido desmayo,
Lejos entre las nubes se evapora;[19]
Sobre las cumbres que florece[20] el
       mayo,
Brilla fugaz al despuntar la aurora, 70

[3] The poet recalls the lovely dreams of his youth, which, like brilliantly colored butter-flies, fluttered around him.
[4] seething, teeming
[5] youthful dreams
[6] Poetic for *continuo*. In l. 31, an adjective modifying *yo* in l. 25. Translate, constantly.
[7] in the world
[8] knight-at-arms. All the ideas expressed in this stanza and the next are thoughts which assaulted the young poet's mind and offered themselves as subjects for poems. Grammatically all these nouns are subjects of *alborotaban*, l. 50.
[9] Poetic for *donde*

[10] household gods, home
[11] bad fortune
[12] veil (of night)   [13] like
[14] Subject of *azota*
[15] silvery line; translate, along a foamy track
[16] to faint, swoon, disappear. Here present tense used for imperfect.
[17] This is a purely fantastic woman (cf. ll. 75–6) whose presence is felt by Espronceda in all the beauties of nature. She represents a longed-for, perfect being; hence the perfect beauty of nature suggests her to his mind.
[18] Translate, she shows herself
[19] to disappear
[20] to cover with flowers

Cruza tal vez por entre el bosque umbrío,
Juega en las aguas del sereno río.

   ¡Ay! aquella mujer, tan sólo aquélla
Tanto delirio[21] a realizar alcanza,
Y esa mujer tan cándida y tan bella, 75
Es mentida ilusión de la esperanza:
Es el alma que vívida destella[22]
Su luz al mundo cuando en él se lanza,
Y el mundo con su magia y galanura,
Es espejo no más de su hermosura: 80

   ¡Oh llama[23] santa! ¡celestial anhelo!
¡Sentimiento purísimo! memoria
Acaso triste de un perdido cielo,
¡Quizá esperanza de futura gloria!
¡Huyes y dejas llanto y desconsuelo! 85
¡Oh mujer! que en imagen ilusoria
Tan pura, tan feliz, tan placentera,
Brindó el amor a mi ilusión primera . . . !

   ¡Oh Teresa! ¡Oh dolor! Lágrimas
   mías,
¡Ah! ¡dónde estáis que no corréis a
   mares![24]   90
¿Por qué, por qué como en mejores días
No consoláis vosotras mis pesares?
¡Oh! los que no sabéis las agonías
De un corazón, que penas a millares
¡Ay! desgarraron, y que ya no llora, 95
¡Piedad tened de mi tormento ahora!

   ¿Quién pensara jamás, Teresa mía,
Que fuera eterno manantial de llanto,
Tanto inocente amor, tanta alegría,
Tantas delicias y delirio tanto?   100
¿Quién pensara jamás[25] llegase un día,
En que perdido el celestial encanto,
Y caída la venda de los ojos,
Cuanto diera placer causara enojos?

   Aun parece, Teresa, que te veo   105
Aérea como dorada mariposa,
En sueño delicioso del deseo,
Sobre tallo gentil temprana rosa,
Del amor venturoso devaneo,
Angélica, purísima y dichosa,   110
Y oigo tu voz dulcísima, y respiro
Tu aliento perfumado en tu suspiro.

   Y aun miro aquellos ojos que robaron
A los cielos su azul, y las rosadas
Tintas sobre la nieve, que envidiaron 115
Las de mayo serenas alboradas;[26]
Y aquellas horas[27] dulces que pasaron
Tan breves ¡ay! como después lloradas,
Horas de confianza y de delicias,
De abandono, y de amor, y de cari-
   cias.   120

   Que así las horas rápidas pasaban,
Y pasaba a la par[28] nuestra ventura;
Y nunca nuestras ansias[29] las contaban,
Tú embriagada en mi amor, yo en tu
   hermosura:
Las horas[30] ¡ay! huyendo nos mira-
   ban,   125
Llanto tal vez vertiendo de ternura,
Que nuestro amor y juventud veían,
Y temblaban las horas que vendrían.

   Los años ¡ay! de la ilusión pasaron;
Las dulces esperanzas que trajeron, 130
Con sus blancos[31] ensueños se llevaron[32]
Y el porvenir de oscuridad vistieron;
Las rosas del amor se marchitaron,
Las flores en abrojos convirtieron,
Y de afán tanto y tan soñada gloria, 135
Sólo quedó una tumba, una memoria.

   ¡Pobre Teresa! al recordarte siento
Un pesar tan intenso . . . ! embarga[33]
   impío

[21] so much ecstatic dreaming (as the young poet had)
[22] to flash. The candid soul projects its purity into its imaginations; it expects the things of the world to have its own purity.
[23] flame (fire of idealistic love)
[24] Translate, in rivers
[25] Read, que jamás
[26] dawn. Normal word order: que las serenas alboradas de mayo envidiaron.

[27] Object of miro, l. 113
[28] a la par, at the same time
[29] yearning (of love)
[30] The hours (or Time) are now personified; they pity the lovers because they foresee their misfortunes.
[31] candid, pure
[32] Subject, años
[33] to check, hold back. Subject, sentimiento

Mi quebrantada voz mi sentimiento,
Y suspira tu nombre el labio mío: 140
Para[34] allí su carrera el pensamiento,
Hiela mi corazón punzante frío,
Ante mis ojos la funesta losa,
Donde vil polvo tu beldad reposa.

Y tú feliz, que hallaste en la muerte   145
Sombra a que[35] descansar en tu camino,
Cuando llegabas mísera a perderte,
Y era llorar tu único destino:
Cuando en tu frente la implacable suerte
Grababa de los réprobos el sino[36]...! 150
¡Feliz! la muerte te arrancó del suelo,
Y otra vez ángel te volviste al cielo.

Roída de recuerdos de amargura,
Árido el corazón sin ilusiones,

La delicada flor de tu hermosura   155
Ajaron del dolor los Aquilones:
Sola, y envilecida, y sin ventura,
Tu corazón secaron las pasiones,
Tus hijos ¡ay! de ti se avergonzaran,[37]
Y hasta el nombre de madre[38] te nega-
    ran.   160

Los ojos escaldados de tu llanto,
Tu rostro cadavérico y hundido,
Único desahogo en tu quebranto,
El histérico ¡ay! de tu gemido:
¿Quién, quién, pudiera en infortunio
    tanto,   165
Envolver tu desdicha en el olvido,
Disipar tu dolor y recogerte
En su seno de paz? ¡Sólo la muerte!

[34] A verb   [35] shade in which
[36] Poetic license for *signo*
[37] The r-form of the imperfect subjunctive is used here for the pluperfect indicative, a literary construction.

[38] After breaking with Espronceda, Teresa left her two children — one by her husband and the other by our poet — and eventually became a woman of the streets.

Mariano José de Larra

WHEN at the age of twenty-eight Larra (1809–37) committed suicide in desperation over a tragic life and an unhappy love affair, he was looked on mainly as a promising young man. Today he is generally regarded as the most representative Spanish romantic author, the *hombre-cumbre* of the movement.

The tragedy of his life dates from his childhood. An unwanted child of a young mother and an old father, he was loved by neither. His father, a doctor and a sympathizer of the French, went into exile in 1813, along with the deposed Joseph Bonaparte. The precocious youngster studied in French schools in Bordeaux and probably in Paris from 1813 to 1818, forgetting completely his Spanish during this time. The event which finished the formation of his character was a tragic love affair in Valladolid when he was sixteen years old. Although we are inadequately informed about this episode of his life, we know that it was a terrific shock to the youth and caused his immediate departure from his family to gain an independent living in Madrid. There he lived a bohemian existence, gradually attaining literary prestige and achieving success first as a dramatist, then as a journalist. For the newspapers and magazines of the time he wrote criticism on the theater, political satires, and *cuadros de costumbres*, which latter represent the best of his production. They are little familiar essays, describing some characteristic phase of Spanish life, generally satirical in tone, with the reform of national customs in view. His marriage in 1829 was unhappy from the beginning; the very next year he was engaged in an illicit love affair which was to terminate with his suicide in 1837. The last three years of his life saw him grow more and more bitter. At his funeral, which was attended by all the literary figures of the day, Zorrilla read some impassioned verses which brought him his first recognition.

Larra's tragedy was fundamentally one of inner contradiction. His French education had taught him to believe in logic and progress, qualities which he hoped to bring into Spain, but whose introduction he always found blocked by elements inherent in Spanish character itself. He shared this character and, along with it, a profound love for Spain. Consequently he found himself often wanting progress which would do away with the very things he most intimately loved. His logic forced him to criticize many traits of Spanish nature and gave him a reputation among his contemporaries as an acid critic, even anti-Spanish in his attacks. They refer to his '*tristeza y amargura*' and his '*sarcástica sonrisa.*' But underneath, Larra's real desire was to better Spain. He was not content with inferior things; and part of his desperation derived from the fact that his country was not realizing the great possibilities he felt lay in it. Despite his reputation for sarcasm, under this protective armor he was really a timid man, anxious for friendship and love.

Larra's reputation depends partly on the fascination of his life, partly on the fact that he foreshadows the very ideas concerning Spain which have been in vogue in the twentieth century, and partly in the intrinsic artistic worth of his productions. Larra is both a thinker and a master of self-expression. Because of these two qualities, his popularity has risen in recent years to the point of a veritable cult.

Mariano José de Larra

La sociedad

Es cosa generalmente reconocida que el hombre es *animal social*, y yo, que no concibo que las cosas puedan ser sino del modo que son, yo, que no creo que pueda suceder sino lo que sucede, no trato, por consiguiente, de negarlo. Puesto que vive en sociedad, social es sin duda. No pienso adherirme a la opinión de los escritores malhumorados que han querido probar que el hombre habla por una aberración, que su verdadera posición es la de los cuatro pies, y que comete un grave error en buscar y fabricarse todo género de comodidades, cuando pudiera pasar pendiente de las bellotas de una encina el mes, por ejemplo, en que vivimos.[1]

Hanse[2] apoyado para fundar semejante opinión en que la sociedad le roba parte de su libertad,[3] si no toda: pero tanto valdría decir que el frío no es cosa natural, porque incomoda. Lo más que concederemos a los abogados[4] de la vida salvaje es que la sociedad es de todas las necesidades de la vida la peor: eso sí. Ésta es una desgracia, pero en el mundo feliz que habitamos casi todas las desgracias son verdad; razón por la cual nos admiramos siempre que vemos tantas investigaciones para buscar ésta.[5] A nuestro modo de ver no hay nada más fácil que encontrarla: allí donde está el mal, allí está la verdad. Lo malo es lo cierto. Sólo los bienes son ilusión.[6]

. . .

Pero como no basta estar convencidos de las cosas para convencer de ellas a los demás, inútilmente hacía yo las anteriores reflexiones a un primo mío que quería entrar en el mundo[7] hace tiempo, joven, vivaracho, inex-

[1] This *cuadro de costumbres* was published in January 1835. Of course, this would be an especially bad month in which to live a 'natural' life.
[2] *se han*
[3] Rousseau and his followers declared that the natural man was free, good, and happy; but that living in a civilized social group robbed mankind of these qualities. Larra refers to them and answers them neatly in the next line.
[4] champion, advocate
[5] *la verdad*
[6] A good expression of Larra's bitter attitude.
[7] social world, high society

perto, y por consiguiente alegre. Criado
en el colegio, y versado en los autores
clásicos, traía al mundo llena la cabeza
de las virtudes que en los poemas y
comedias se encuentran. Buscaba un
Pílades;[8] toda amante le parecía una
Safo,[9] y estaba seguro de encontrar una
Lucrecia[10] el día que la necesitase.
Desengañarle era una crueldad. ¿Por
qué no había de ser feliz mi primo unos
días como lo hemos sido todos? Pero
además hubiera sido imposible. Limi-
téme, pues, a tomar sobre mí el cuidado
de introducirle en el mundo, dejando
a los demás el de desengañarle de él.

Después de haber presidido[11] al
cúmulo de pequeñeces indispensables,
al lado de las cuales nada es un corazón
recto, un alma noble, ni aun una buena
figura, es decir, después de haberse
proporcionado unos cuantos fraques y
cadenas, pantalones colán[12] y mi-
colán,[13] reloj, sortijas y media docena
de onzas[14] siempre en el bolsillo,
primeras virtudes en sociedad, intro-
dújelo por fin en las casas de mejor tono.
Un poco de presunción, un personal[15]
excelente, suficiente atolondramiento
para no quedarse nunca sin conversación, un modo de bailar semejante al
de una persona que anda sin gana, un
bonito frac, seis apuestas de a[16] onza en
el écarté,[17] y todo el desprecio posible
de las mujeres, hablando con los
hombres, le granjearon el afecto y la
amistad verdadera de todo el mundo.
Es inútil decir que quedó contento de
su introducción.

— Es encantadora — me dijo — la
sociedad. ¡Qué alegría! ¡Qué generosidad! ¡Ya tengo amigos, ya tengo
amante!!!

A los quince días conocía a todo

Madrid; a los veinte, no hacía caso ya
de su antiguo consejero. Alguna vez
llegó a mis oídos que afeaba mi filo-
sofía y mis descabelladas ideas, como
las llamaba.

— Preciso es que sea muy malo mi
primo — decía — para pensar tan mal
de los demás.

A lo cual solía yo responder para mí:

— Preciso es que sean muy malos
los demás para haberme obligado a
pensar tan mal de ellos.

Cuatro años habían pasado desde
la introducción de mi primo en la
sociedad: habíale perdido ya de vista,
porque yo hago con el mundo lo que
se hace con las pieles en verano: voy
de cuando en cuando, para que no
entre el olvido en mis relaciones, como
se sacan aquéllas tal cual vez[18] al aire
para que no se albergue en sus pelos la polilla. Había, sí, sabido mil
aventuras suyas de estas que, por
una contradicción inexplicable, honran
mientras sólo las sabe todo el mundo
en confianza, y que desacreditan
cuando las llega a saber alguien de
oficio:[19] pero nada más. Ocurrióme
en esto[20] noches pasadas[21] ir a matar
a una casa la polilla de mi relación;
y a pocos pasos encontréme con mi
primo. Parecióme no tener todo el
buen humor que en otros tiempos le
había visto; no sé si me buscó él a mí,
si le busqué yo a él; sólo sé que a pocos
minutos paseábamos el salón de bra-
cero,[22] y alimentando el siguiente diálogo:

— ¿Tú en el mundo? — me dijo.

— Sí, de cuando en cuando vengo:
cuando veo que se amortigua mi odio,
cuando me siento inclinado a pensar
bien, cuando empiezo a echarle menos,

---

[8] A character noted for his faithful friendship; hence, a friend
[9] A poetess and charming lady
[10] A model wife   [11] Subject, *yo*
[12] French *collant*, tight-fitting
[13] moderately tight
[14] gold coin worth about $8

[15] personality
[16] *de a*, at the rate of
[17] A card game
[18] *tal cual vez*, once in a while
[19] officially
[20] *en esto*, at this point in the matter
[21] a few nights ago   [22] arm in arm

me presento una vez, y me curo para otra temporada. Pero, ¿tú no bailas?

— Es ridículo: ¿quién va a bailar en un baile?

— Sí por cierto... ¡Si fuera en otra parte! Pero observo desde que falto a esta casa multitud de caras nuevas... que no conozco...

— Es decir, que faltas a todas las casas de Madrid... porque las caras son las mismas; las casas son las diferentes; y por cierto que no vale la pena de variar de casa para no variar de gente.

— Así es — respondí —, que falto a todas. Quisiera, por tanto, que me instruyeses... ¿Quién es, por ejemplo, esa joven...? Linda por cierto... Baila muy bien... Parece muy amable...

— Es la baroncita viuda de * * *. Es una señora que, a fuerza de ser hermosa y amable, a fuerza de gusto en el vestir, ha llegado a ser aborrecida de todas las demás mujeres. Como su trato es harto fácil, y no abriga más malicia que la que cabe en veintidós años, todos los jóvenes que la ven se creen con derecho a ser correspondidos; y como al llegar a ella se estrellan, desgraciadamente, los más de sus cálculos en su virtud (porque aunque la ves tan loca al parecer, en el fondo es virtuosa), los unos han dado en llamar coquetería su amabilidad; los otros, por venganza, le dan otro nombre peor. Unos y otros hablan infamias de ella; debe, por consiguiente, a su mérito y a su virtud el haber perdido la reputación. ¿Qué quieres? ¡Ésa es la sociedad!

— ¿Y aquélla de aquel aspecto grave, que se remilga tanto cuando un hombre se la acerca? Parece que teme que la vean los pies según se baja el vestido a cada momento.

— Ésa ha entendido mejor el mundo.

Ésa responde con bufidos[23] a todo galán. Una casualidad rarísima me ha hecho descubrir dos relaciones que ha tenido en menos de un año; nadie las sabe sino yo; es casada, pero como brilla poco su lujo, como no es una hermosura de primer orden, como no se pone en evidencia, nadie habla mal de ella. Pasa por la mujer más virtuosa de Madrid. Entre las dos se pudiera hacer una maldad completa: la primera tiene las apariencias y ésta la realidad. ¿Qué quieres? ¡En la sociedad siempre triunfa la hipocresía! Mira, apartémonos: quiero evitar el encuentro de ese que se dirige hacia nosotros: me encuentra en la calle y nunca me saluda; pero en sociedad es otra cosa: como es tan desairado estar de pie, sin hablar con nadie, aquí me habla siempre. Soy su amigo para estos recursos, para los momentos de fastidio; también en el Prado[24] se me suele agregar cuando no ha encontrado ningún amigo más íntimo. Ésa es la sociedad.

— Pero observo que huyendo de él nos hemos venido al écarté. ¿Quién es aquel que juega a la derecha?

— ¿Quién ha de ser? Un amigo mío íntimo, cuando yo jugaba. Ya se ve, ¡perdía[25] con tan buena fe! Desde que no juego no me hace caso. ¡Ay! Éste viene a hablarnos.

Efectivamente, llegósenos un joven con aire marcial y muy amistoso.

— ¿Cómo le tratan a usted?... — le preguntó mi primo.

— Picaramente; diez onzas he perdido. ¿Y a usted?

— Peor todavía; adiós.

Ni siquiera nos contestó el perdidoso.[26]

— Hombre, si no has jugado — le dije a mi primo —, ¿cómo dices...?

— Amigo, ¿qué quieres? Conocí que me venía a preguntar si tenía suelto.[27]

---

[23] snort (of indignation)
[24] The fashionable promenade of Madrid
[25] Subject, *yo*
[26] loser
[27] change, small money

En[28] su vida ha tenido diez onzas; la sociedad es para él una especulación: lo que no gana lo pide . . .

— Pero ¿ y qué inconveniente había en prestarle? Tú que eres tan generoso . . .

— Sí, hace cuatro años; ahora no presto ya hasta que no me paguen lo que me deben; es decir, que ya no prestaré nunca. Ésa es la sociedad. Y, sobre todo, ese que nos ha hablado . . .

— ¡Ah, es cierto! Recuerdo que era antes tu amigo íntimo: no os separabais.

— Es verdad, y yo le quería: me lo encontré a mi entrada en el mundo; teníamos nuestros amores en una misma casa,[29] y yo tuve la torpeza de creer simpatía lo que era comunidad de intereses. Le hice todo el bien que pude, ¡inexperto de mí![30] Pero de allí a poco puso los ojos en mi bella, me perdió[31] en su opinión y nos hizo reñir. Él no logró nada, pero desbarató mi felicidad. Por mejor decir, me hizo feliz; me abrió los ojos.

— ¿Es posible?

— Ésa es la sociedad. Era mi amigo íntimo. Desde entonces no tengo más que amigos; íntimos, estos pesos duros[32] que traigo en el bolsillo; son los únicos que no venden; al revés, compran.

— ¿Y tampoco has tenido más amores?

— ¡Oh, eso sí! De eso he tardado más en desengañarme. Quise a una que me quería sin duda por vanidad, porque a poco de quererla me sucedió un fracaso que me puso en ridículo, y me dijo que no podía arrostrar el ridículo; luego quise frenéticamente a una casada; ésa sí, creí que me quería sólo por mí; pero hubo hablillas, que promovió precisamente aquella fea que ves allí, que como no puede tener amores, se complace en desbaratar los ajenos; hubieron de llegar a oídos del marido, que empezó a darla mala vida: entonces mi apasionada me dijo que empezaba el peligro y que debía concluirse el amor; su tranquilidad era lo primero. Es decir, que amaba más a su comodidad que a mí. Ésa es la sociedad.

— ¿Y no has pensado nunca en casarte?

— Muchas veces; pero a fuerza de conocer maridos, también me he desengañado.

— Observo que no llegas a hablar a las mujeres.

— ¿Hablar a las mujeres en Madrid? Como en general no se sabe hablar de nada, sino de intrigas amorosas; como no se habla de artes, de ciencias, de cosas útiles; como ni de política se entiende, no se puede uno dirigir ni sonreír tres veces a una mujer; no se puede ir dos veces a su casa sin que digan: «Fulano hace el amor a mengana.» Esta expresión pasa a sospecha, y dicen con una frase, por cierto bien poco delicada: «¿Si estará metido con fulana?»[33] Al día siguiente esta sospecha es ya una realidad, un compromiso. Luego hay mujeres que porque han tenido una desgracia o una flaqueza, que se ha hecho pública por este hermoso sistema de sociedad, están siempre acechando la ocasión de encontrar cómplices o imitadoras que las disculpen, las cuales ahogan la vergüenza en la murmuración. Si hablas a una bonita, la pierdes; si das conversación a una fea, quieres atrapar su dinero. Si gastas chanzas con la parienta de un ministro, quieres un empleo. En una palabra, en esta sociedad de ociosos y habladores nunca se concibe la idea de que puedas hacer nada inocente, ni con buen fin, ni aun sin fin.

---

[28] Supply *nunca* before *en*.
[29] Here, family
[30] Translate, inexperienced as I was
[31] to ruin, lower

[32] *pesos duros*, dollars; cf. the proverb: *No hay más amigo que Dios y un duro en el bolsillo.*
[33] *Si . . . fulana*, suppose he's carrying on with so and so

Al llegar aquí no pude menos de recordar a mi primo sus expresiones de hacía cuatro años: «Es encantadora la sociedad: ¡qué alegría! ¡Qué generosidad! ¡Ya tengo amigos, ya tengo amante!!!»

Un apretón de manos me convenció de que me había entendido.

—¿Qué quieres? —me añadió de allí a un rato—; nadie quiere creer sino en la experiencia: todos entramos buenos en el mundo, y todo andaría bien si nos buscáramos los de una edad; pero nuestro amor propio nos pierde: a los veinte años queremos encontrar amigos y amantes en las personas de treinta, es decir, en las que han llevado el chasco[34] antes que nosotros, y en los que ya no creen: como es natural, le llevamos entonces nosotros, y se le pegamos luego a los que vienen detrás. Ésa es la sociedad; una reunión de víctimas y de verdugos. ¡Dichoso aquel que no es verdugo y víctima a un tiempo! ¡Pícaros, necios, inocentes! ¡Más dichoso aún, si hay excepciones, el que puede ser excepción![35]

Vuelva usted mañana [1]

Gran persona debió de ser el primero que llamó pecado mortal a la pereza. Nosotros, que ya en uno de nuestros artículos anteriores estuvimos más serios de lo que nunca nos habíamos propuesto, no entraremos ahora en largas y profundas investigaciones acerca de la historia de este pecado, por más que[2] conozcamos que hay pecados que pican en[3] historia, y que la historia de los pecados sería un tanto cuanto[4] divertida. Convengamos solamente en que esta institución[5] ha cerrado y cerrará las puertas del cielo a más de un cristiano.

Estas reflexiones hacía yo casualmente no hace muchos días, cuando se presentó en mi casa un extranjero de estos que, en buena o en mala parte, han de tener siempre de nuestro país una idea exagerada e hiperbólica; de estos que, o creen que los hombres aquí son todavía los espléndidos, francos, generosos y caballerescos seres de hace dos siglos, o que son aun las tribus nómadas[6] del otro lado del Atlante:[7] en el primer caso vienen imaginando que nuestro carácter se conserva tan intacto como nuestras ruinas; en el segundo, vienen temblando por esos caminos, y preguntan si son los ladrones que los han de despojar los individuos de algún cuerpo de guardia establecido precisamente para defenderlos de los azares de un camino, comunes a todos los países.

Verdad es que nuestro país no es de aquellos que se conocen a primera ni a segunda vista. . . . Como quiera que entre nosotros mismos se hallen muchos en esta ignorancia de los verdaderos resortes que nos mueven, no tendremos derecho para extrañar que los extranjeros no los puedan tan fácilmente penetrar.

Un extranjero de éstos fué el que se presentó en mi casa, provisto de competentes cartas de recomendación

[34] *llevar un chasco*, to be disappointed
[35] We see that Larra has no hope of reforming society; he merely satirizes it and gives us to understand that the man who really knows social life is always disillusioned about it. Thus a note of hopeless bitterness runs through this essay
[1] In several of his *cuadros de costumbres* Larra takes a commonly used phrase, such as this one, as his subject. In it he sees reflected a Spanish trait which he proceeds to illustrate in the essay.
[2] *por más que*, however much
[3] to enter into, border on
[4] *un tanto cuanto*, a bit, rather
[5] That is, *pereza*
[6] nomad (referring to the Berbers)
[7] Atlas Mountains

para mi persona. Asuntos intrincados de familia, reclamaciones[8] futuras, y aun proyectos vastos concebidos en París de invertir aquí sus cuantiosos caudales en tal cual[9] especulación industrial o mercantil, eran los motivos que a nuestra patria le conducían.

Acostumbrado a la actividad en que viven nuestros vecinos, me aseguró formalmente que pensaba permanecer aquí muy poco tiempo, sobre todo si no encontraba pronto objeto seguro en que invertir su capital. Parecióme el extranjero digno de alguna consideración, trabé[10] presto amistad con él, y lleno de lástima, traté de persuadirle a que se volviese a su casa cuanto antes,[11] siempre que seriamente trajese otro fin que no fuese el de pasearse.[12] Admiróle la proposición, y fué preciso explicarme más claro.

— Mirad — le dije — monsieur Sans-délai[13] — que así se llamaba —; vos venís decidido a pasar quince días, y a solventar en ellos vuestros asuntos.

— Ciertamente — me contestó —. Quince días, y es mucho. Mañana por la mañana buscamos un genealogista para mis asuntos de familia; por la tarde revuelve sus libros, busca mis ascendientes, y por la noche ya sé quién soy. En cuanto a mis reclamaciones, pasado mañana las presento fundadas en los datos que aquél me dé, legalizados en debida forma; y como será una cosa clara y de justicia innegable (pues sólo en este caso haré valer[14] mis derechos), al tercer día se juzga el caso y soy dueño de lo mío. En cuanto a mis especulaciones, en que pienso invertir mis caudales, al cuarto día ya habré presentado mis proposiciones. Serán buenas o malas, y admitidas o desechadas en el acto,[15] y son cinco días; en el sexto, séptimo y octavo, veo

lo que hay que ver en Madrid; descanso el noveno; el décimo tomo mi asiento en la diligencia, si no me conviene estar más tiempo aquí, y me vuelvo a mi casa; aun me sobran de los quince, cinco días.

Al llegar aquí monsieur Sans-délai, traté de reprimir una carcajada que me andaba retozando ya hacía rato en el cuerpo, y si mi educación[16] logró sofocar mi inoportuna jovialidad, no fué bastante a impedir que se asomase a mis labios una suave sonrisa de asombro y de lástima que sus planes ejecutivos me sacaban al rostro mal de mi grado.[17]

— Permitidme, monsieur Sans-délai — le dije entre socarrón y formal —, permitidme que os convide a comer para el día en que llevéis quince meses de estancia en Madrid.

— ¿Cómo?

— Dentro de quince meses estáis aquí todavía.

— ¿Os burláis?

— No, por cierto.

— ¿No me podré marchar cuando quiera? ¡Cierto que la idea es graciosa!

— Sabed que no estáis en vuestro país, activo y trabajador.

— ¡Oh! Los españoles que han viajado por el extranjero han adquirido la costumbre de hablar mal siempre de su país por hacerse superiores a sus compatriotas.

— Os aseguro que en los quince días con que contáis no habréis podido hablar siquiera a una sola de las personas cuya cooperación necesitáis.

— ¡Hipérboles! Yo les comunicaré a todos mi actividad.

— Todos os comunicarán su inercia.

Conocí que no estaba el señor de Sans-délai muy dispuesto a dejarse convencer sino por la experiencia, y

---

[8] claims (to an estate or inheritance)
[9] *tal cual*, some . . . or other
[10] Here, to form
[11] as soon as possible
[12] Here, to amuse himself

[13] Without-Delay (French)
[14] *hacer valer;* here, to enforce
[15] *en el acto*, immediately
[16] breeding
[17] *mal de mi grado*, against my will

callé por entonces, bien seguro de que no tardarían mucho los hechos en hablar por mí.

Amaneció el día siguiente, y salimos entrambos a buscar un genealogista, lo cual sólo se pudo hacer preguntando de amigo en amigo y de conocido en conocido: encontrámoslo por fin, y el buen señor, aturdido de ver nuestra precipitación, declaró francamente que necesitaba tomarse algún tiempo; instósele,[18] y por mucho favor nos dijo definitivamente que nos diéramos una vuelta por allí dentro de unos días. Sonreíme y marchámonos. Pasaron tres días; fuimos.

— Vuelva usted mañana — nos respondió la criada —, porque el señor no se ha levantado todavía.

— Vuelva usted mañana — nos dijo al siguiente día —, porque el amo acaba de salir.

— Vuelva usted mañana — nos respondió el otro —, porque el amo está durmiendo la siesta.

— Vuelva usted mañana — nos respondió al lunes siguiente —, porque hoy ha ido a los toros.

¿Qué día, a qué hora se ve a un español? Vímosle por fin, y — vuelva usted mañana — nos dijo —, porque se me ha olvidado. Vuelva usted mañana, porque no está en limpio.[19]

A los quince días ya estuvo; pero mi amigo le había pedido una noticia del apellido Díez, y él había entendido Díaz, y la noticia no servía. Esperando nuevas pruebas,[20] nada dije a mi amigo, desesperado ya de dar jamás con sus abuelos.

Es claro que faltando este principio no tuvieron lugar las reclamaciones.

Para las proposiciones que acerca de varios establecimientos y empresas utilísimas pensaba hacer, había sido preciso buscar un traductor; por los mismos pasos que el genealogista nos hizo pasar el traductor; de mañana en mañana nos llevó hasta el fin del mes. Averiguamos que necesitaba dinero diariamente para comer, con la mayor urgencia; sin embargo, nunca encontraba momento oportuno para trabajar. El escribiente hizo después otro tanto con las copias, sobre[21] llenarlas de mentiras, porque un escribiente que sepa escribir no le hay en este país.

No paró aquí; un sastre tardó veinte días en hacerle un frac, que le había mandado llevarle en veinticuatro horas; el zapatero le obligó con su tardanza a comprar botas hechas;[22] la planchadora necesitó quince días para plancharle una camisola, y el sombrerero, a quien le había enviado su sombrero a variar el ala,[23] le tuvo dos días con la cabeza al aire y sin salir de casa.

Sus conocidos y amigos no le asistían a una sola cita, ni avisaban cuando faltaban, ni respondían a sus esquelas. ¡Qué formalidad y qué exactitud!

— ¿Qué os parece de esta tierra, monsieur Sans-délai? — le dije al llegar a estas pruebas.

— Me parece que son hombres singulares . . .

— Pues así son todos. No comerán por no llevar la comida a la boca.

Presentóse, con todo, yendo y viniendo días, una proposición de mejoras para un ramo[24] que no citaré, quedando recomendada eficacísimamente.[25] A los cuatro días volvimos a saber el éxito de nuestra pretensión.[26]

— Vuelva usted mañana — nos dijo el portero —. El oficial de la mesa[27] no ha venido hoy.

— Grande causa le habrá detenido — dije yo entre mí.

---

[18] Usually se le instó   [19] clear
[20] proofs. Here referring to the family tree.
[21] besides [22] ready-made [23] brim
[24] branch of the government, government office

[25] Translate, it being very well recommended.
[26] proposition
[27] department (of an office)

Fuímonos a dar un paseo, y nos encontramos ¡qué casualidad! al oficial de la mesa en el Retiro,[28] ocupadísimo en dar una vuelta con su señora al hermoso sol de los inviernos claros de Madrid. Martes era el día siguiente, y nos dijo el portero:

— Vuelva usted mañana, porque el señor oficial de la mesa no da audiencia hoy.

— Grandes negocios habrán cargado sobre él — dije yo.

Como soy el diablo y aun he sido duende,[29] busqué ocasión de echar una ojeada por el agujero de una cerradura. Su señoría estaba echando un cigarrito al brasero y con una charada del *Correo*[30] entre manos, que le debía costar trabajo acertar.

— Es imposible verle hoy — le dije a mi compañero —; su señoría está, en efecto, ocupadísimo.

Diónos audiencia el miércoles inmediato, y ¡qué fatalidad! el expediente[31] había pasado a informe,[32] por desgracia, a la única persona enemiga indispensable de monsieur y de su plan, porque era quien debía salir en él perjudicado. Vivió el expediente dos meses en informe, y vino tan informado[33] como era de esperar. Verdad es que nosotros no habíamos podido encontrar empeño para una persona muy amiga del informante. Esta persona tenía unos ojos muy hermosos, los cuales sin duda alguna le hubieran convencido en sus ratos perdidos de la justicia de nuestra causa.

Vuelto de informe, se cayó en la cuenta[34] en la sección de nuestra bendita oficina de que el tal expediente no correspondía a aquel ramo; era preciso rectificar este pequeño error; pasóse al ramo, establecimiento y mesa correspondiente, y hétenos[35] caminando después de tres meses a la cola[36] siempre de nuestro expediente, como hurón que busca el conejo, y sin poderlo sacar muerto ni vivo de la huronera. Fué el caso al llegar aquí que el expediente salió del primer establecimiento y nunca llegó al otro.

— De aquí se remitió con fecha tantos — decían en uno.

— Aquí no ha llegado nada — decían en otro.

— ¡Voto va![37] — dije yo a monsieur Sans-délai —, ¿sabéis que nuestro expediente se ha quedado en el aire como el alma de Garibay,[38] y que debe de estar ahora posado como una paloma sobre algún tejado de esta activa población?

Hubo que hacer otro. ¡Vuelta a[39] los empeños! ¡Vuelta a la prisa! ¡Qué delirio!

— Es indispensable — dijo el oficial con voz campanuda — que esas cosas vayan por sus trámites regulares.

Es decir, que el toque[40] estaba, como el toque del ejercicio militar, en llevar nuestro expediente tantos o cuantos años de servicio.

Por último, después de cerca de medio año de subir y bajar, y estar a la firma o al informe, o a la aprobación, o al despacho, o debajo de la mesa y de volver siempre mañana, salió con una notita al margen que decía: «A pesar de la justicia y utilidad del plan del exponente, negado.»

— ¡Ah, ah, monsieur Sans-délai! — exclamé riéndome a carcajadas —, éste es nuestro negocio.

Pero monsieur Sans-délai se daba a todos los oficinistas, que es como si dijéramos a todos los diablos.

— ¿Para esto he echado yo viaje

---

[28] The largest park of Madrid
[29] hobgoblin. Larra alludes to a magazine he had published named *El duende satírico del día*.
[30] A newspaper [31] plan, proposition
[32] Translate, had been sent to the office of investigation and appraisal

[33] appraised [34] *caer en la cuenta*, to realize
[35] Translate, behold us
[36] tail; here, after, in pursuit of [37] I swear!
[38] A man whose soul was condemned to wander on the earth, going neither to heaven nor hell.
[39] again [40] crux, the important point

tan largo? ¿Después de seis meses no habré conseguido sino que me digan en todas partes diariamente: *Vuelva usted mañana?* ¿Y cuando este dichoso *mañana* llega, en fin, nos dicen redondamente que no? ¿Y vengo a darles dinero? ¿Y vengo a hacerles favor? Preciso es que la intriga más enredada se haya fraguado para oponerse a nuestras miras.

— ¿Intriga, monsieur Sans-délai? No hay hombre capaz de seguir dos horas una intriga. La pereza es la verdadera intriga; os juro que no hay otra: ésa es la gran causa oculta: es más fácil negar las cosas que enterarse de ellas.

Al llegar aquí, no quiero pasar en silencio algunas razones de las que me dieron para la anterior negativa, aunque sea una pequeña digresión.

— Ese hombre se va a perder — me decía un personaje muy grave y muy patriótico.

— Ésa no es una razón — le repuse —; si él se arruina, nada se habrá perdido en concederle lo que pide; él llevará el castigo de su osadía o de su ignorancia. . . .

— Puede perjudicar a los que hasta ahora han hecho de otra manera, eso mismo que ese señor extranjero quiere hacer.

— ¿A los que lo han hecho de otra manera, es decir, peor?

— Sí, pero lo han hecho.

— Sería lástima que se acabara el modo de hacer mal las cosas. Con que, porque siempre se han hecho las cosas del modo peor posible, ¿será preciso tener consideraciones con los perpetuadores del mal? Antes se debiera mirar si podrían perjudicar los antiguos al moderno.

— Así está establecido; así se ha hecho hasta aquí; así lo seguiremos haciendo.

— Por esa razon deberían darle a usted papilla todavía como cuando nació.

— En fin, señor, es un extranjero.

— ¿Y por qué no lo hacen los naturales del país?

— Con esas socaliñas vienen a sacarnos la sangre.

— Señor mío — exclamé, sin llevar mas adelante mi paciencia —; está usted en un error harto general. Usted es como muchos que tienen la diabólica manía de empezar siempre por poner obstáculos a todo lo bueno, y el que pueda que los venza. Aquí tenemos el loco orgullo de no saber nada, de quererlo adivinar todo y no reconocer maestros. Las naciones que han tenido, ya que no el saber, deseos de él, no han encontrado otro medio que el de recurrir a los que sabían más que ellas.

— Un extranjero — seguí — que corre a un país que le es desconocido para arriesgar en él sus caudales, pone en circulación un capital nuevo, contribuye a la sociedad, a quien hace un inmenso beneficio con su talento y su dinero. Si pierde, es un héroe; si gana, es muy justo que logre el premio de su trabajo, pues nos proporciona ventajas que no podíamos acarrearnos solos. Ese extranjero que se establece en este país no viene a sacar de él dinero, como usted supone; necesariamente se establece y se arraiga en él, y a la vuelta de[41] media docena de años, ni es extranjero ya, ni puede serlo; sus más caros intereses y su familia le ligan al nuevo país que ha adoptado; toma cariño al suelo donde ha hecho su fortuna, al pueblo donde ha escogido acaso una compañera; sus hijos son españoles, y sus nietos lo serán; en vez de extraer el dinero, ha venido a dejar un capital suyo que traía, invirtiéndole y haciéndole producir; ha dejado otro capital de talento, que vale por lo menos tanto como el del dinero; ha dado de comer a los pocos o muchos

---

[41] *a la vuelta de*, after

naturales de quien ha tenido necesariamente que valerse; ha hecho una mejora, y hasta ha contribuído al aumento de la población con su nueva familia. Convencidos de estas importantes verdades, todos los gobiernos sabios y prudentes han llamado a sí a los extranjeros: a su grande hospitalidad ha debido siempre la Francia en gran parte su alto grado de esplendor; a los extranjeros de todo el mundo que ha llamado la Rusia ha debido el llegar a ser una de las primeras naciones en muchísimo menos tiempo que el que han tardado otras en llegar a ser las últimas; a los extranjeros han debido los Estados Unidos . . .[42] Pero veo por gestos[43] de usted — concluí interrumpiéndome oportunamente a mí mismo — que es muy difícil convencer al que está persuadido de que no se debe convencer. ¡Por cierto, si usted mandara,[44] podríamos fundar en usted grandes esperanzas! . . .

¿Tendrá razón, perezoso lector (si es que has llegado ya a esto que estoy escribiendo), tendrá razón el buen monsieur Sans-délai en hablar mal de nosotros y de nuestra pereza? ¿Será cosa de que vuelva el día de mañana con gusto a visitar nuestros hogares? Dejemos esta cuestión para mañana, porque ya estarás cansado de leer hoy; si mañana u otro día no tienes, como sueles, pereza de volver a la librería, pereza de sacar tu bolsillo y pereza de abrir los ojos para hojear los pocos folletos que tengo que darte ya, te contaré como a mí mismo, que todo esto veo y conozco y callo mucho más, me ha sucedido muchas veces, llevado de esta influencia, hija del clima y *de otras causas*, perder de pereza

más de una conquista amorosa; abandonar más de una pretensión empezada y las esperanzas de más de un empleo, que me hubiera sido acaso, con más actividad, poco menos que asequible; renunciar, en fin, por pereza de hacer una visita justa o necesaria, a relaciones sociales que hubieran podido valerme de mucho en el transcurso de mi vida; te confesaré que no hay negocio que yo pueda hacer hoy que no deje para mañana; te referiré que me levanto a las once, y duermo siesta; que paso haciendo el quinto pie de una mesa[45] de un café hablando o roncando, como buen batueco, las siete y las ocho horas seguidas; te añadiré que cuando cierran el café, me arrastro lentamente a mi tertulia diaria (porque de pereza no tengo más que una), y[46] un cigarrito tras otro me alcanzan[47] clavado en un sitial, y bostezando sin cesar, las doce o la una de la madrugada; que muchas noches no ceno de pereza, y de pereza no me acuesto; en fin, lector de mi alma, te declararé que de tantas veces como estuve en esta vida desesperado ninguna me ahorqué y siempre fué de pereza. Y concluyo por hoy confesándote que ha más de tres meses que tengo, como la primera entre mis apuntaciones, el título de este artículo que llamé: *Vuelva usted mañana;* que todas las noches y muchas tardes he querido durante este tiempo escribir algo en él, y todas las noches apagaba mi luz diciéndome a mí mismo con la más pueril credulidad en mis propias resoluciones: *¡Eh, mañana le escribiré!* Da gracias a que llegó por fin este mañana, que no es del todo malo; pero ¡ay de aquel *mañana* que no ha de llegar jamás![48]

---

[42] Larra's arguments sound a little old-fashioned, but they show his interest in economic progress and his lack of sympathy for a purely nationalistic point of view. Such statements caused him to be called 'un-Spanish.'
[43] expression
[44] to be in power (in the government)
[45] Translate, holding up a café table
[46] Supply, smoking

[47] Subject, *las doce o la una*
[48] After his severe criticism of Spaniards for a character trait of which his logical mind disapproves, Larra has to admit that he, too, shares the same character. We see that he would like to change the very roots of Spanish nature, but knows perfectly well that he cannot. This is the basic conflict within him, the source of his pessimism.

José Zorrilla

ZORRILLA (1817–93) was one of the few romantic poets to live a long life. As a young man he ran away from his family to Madrid, where he lived a bohemian existence for several years. He attained sudden fame at the age of twenty for his verses to Larra, which we have given here. Perhaps this meteoric rise was due as much to the impassioned way in which he read them as to their intrinsic worth, for he himself tells us that he broke down when halfway through the poem and had to hand the manuscript to a friend to finish. Zorrilla's greatest literary success was the play *Don Juan Tenorio* (1844).[1] His marriage was unhappy, and he left Madrid, partly to escape his wife, to live in Paris (1850–54) and in Mexico (1854–66). He was a favorite of the emperor Maximilian. After his return to Spain he found that he belonged to a forgotten generation. During his last years he suffered constantly from poverty.

There is an essential contradiction in Zorrilla's make-up for, despite his romantic escapades as a young man and his life-long adherence to the romantic school in literature, fundamentally Zorrilla is a conservative. The two great sources of his inspiration always were religion and the fatherland. He himself tells us: '*Al publicar el segundo* [tomo] *he tenido presentes dos cosas, la Patria en que nací y la Religión en que vivo. Español, he buscado en nuestro suelo mis inspiraciones. Cristiano, he creído que mi religión encierra más poesía que el paganismo.*' This conservative credo was written only one year after Larra's death, during the high period of Zorrilla's bohemianism. We can understand that he came later to look on the verses that he wrote for Larra as morally wrong, for Larra's suicide branded him as sacrilegious to the Catholic Zorrilla:

> Broté como una hierba corrompida
> Al borde de la tumba de un malvado
> Y mi primer cantar fué a un suicida
> ¡Agüero fué, por Dios, bien desdichado!

(Introduction to *Obras completas*, 1884)

Zorrilla's best poetic works are those in which he seeks inspiration in his fatherland, goes back into the legendary past of the nation and brings in the religious traditions and popular beliefs of the people. These poems,

[1] See Vol. I, p. 119

most of which run to several hundred lines and combine lyric feeling with dramatic elements in their presentation, he calls *Leyendas*. Zorrilla was a man of the people — another reason why this form, essentially popular, should be his best mode of expression.

Zorrilla wrote poetry almost as easily as he talked; hence he has the advantage of spontaneity, but the disadvantage of writing entirely too much. There is no intensity of feeling or condensation of emotion in his productions. On the other hand he is a master of musical, flowing verse and beautiful imagery.

José Zorrilla

A la memoria de Larra

Ese vago clamor que rasga[1] el viento
Es la voz funeral de una campana;
Vano remedo del postrer lamento
De un cadáver sombrío y macilento
Que en sucio polvo dormirá mañana.   5

Acabó su misión sobre la tierra,
Y dejó su existencia carcomida,
Como una virgen al placer perdida
Cuelga el profano velo en el altar.
Miró en el tiempo el porvenir vacío,   10
Vacío ya de ensueños y de gloria,
Y se entregó a ese sueño sin memoria
Que nos lleva a otro mundo a despertar.

Era una flor que marchitó el estío,
Era una fuente que agotó el verano;   15
Ya no se siente su murmullo vano,[2]
Ya está quemado el tallo de la flor;
Todavía su aroma se percibe,
Y ese verde color de la llanura,
Ese manto de hierba y de frescura,   20
Hijos son del arroyo creador.[3]

Que[4] el poeta en su misión,
Sobre la tierra que habita
Es una planta maldita
Con frutos de bendición.[5]   25

[1] Here, to pierce   [2] light
[3] Even though the poet or artist disappears like the flower or the brook, the world is more beautiful for his having been here.
[4] for
[5] The poet is a man set apart, 'cursed' by his very genius and 'mission' to enlighten mankind. This typically romantic idea is well expressed by the French poet, Alfred de Vigny, in his *Moïse*, where the man of exceptional genius (Moses) is represented as being crushed by this burden.

Duerme[6] en paz en la tumba solitaria,
Donde no llegue a tu cegado oído
Más que la triste y funeral plegaria
Que otro poeta cantará por ti.
Ésta será una ofrenda de cariño,   30
Más grata, sí, que la oración de un hombre,
Pura como la lágrima de un niño,
Memoria del poeta que perdí.

Si existe un remoto cielo,
De los poetas mansión,   35
Y sólo le queda al suelo
Ese retrato[7] de hielo,
Fetidez y corrupción,
¡Digno presente,[8] por cierto,
Se deja a la amarga vida!   40
¡Abandonar un desierto
Y darle a la despedida
La fea prenda[9] de un muerto!

Poeta:[10] si[11] en el *no ser*
Hay un recuerdo de ayer,   45
Una vida como aquí
Detrás de ese firmamento . . .
Conságrame un pensamiento
Como el que tengo de ti.

[6] An imperative. Zorrilla now addresses Larra directly.
[7] Here, body
[8] present. Note the romantic disillusionment with life, exactly as we saw it in Espronceda.
[9] garment, i.e. the body

[10] Larra also wrote poetry, but in addressing him here as *poeta* Zorrilla is using the word loosely in the sense of 'creative writer,' not uncommon in Spanish.
[11] This if-clause parallels the one beginning in l. 34. The former sentence was incomplete, having been broken off by the long parenthetical exclamation contained in ll. 39–43.

The Romantic Drama and the Duque de Rivas

A SERIES of important dramas appeared in the first years following the introduction of romanticism into Spain (see p. 227). (see p. 227) These works have always attracted considerable attention, perhaps even more than they merit on the basis of their intrinsic worth, because they stand as symbols of the revolt against worn-out classicism. All these plays have a common characteristic in the fact that they break all classic rules, and since the number of classic restrictions in this genre was particularly great, it was natural that the romanticists chose it as a field in which to show their rebellious spirit. They set out to undo the earlier restraints so systematically and thoroughly that this breaking of rules became practically a new set of rules in itself. Thus it was indispensable for the play to have a setting which shifted from place to place, and its action had to cover a period of several years. Many duels, murders, and suicides had to take place on the stage, simply because they were prohibited in the classic drama. A mixture of prose and verse, and elaborately detailed stage settings were also used because the older school would not tolerate them.

There is also a certain atmosphere common to all these plays — an atmosphere of immense and fatal passion, great sacrifices, bitter vengeance, impenetrable mystery, cruel murders, and tragic suicides. All this melodramatic element is taken in deadly earnest, although secondary comic scenes are brought in to relieve the gloom of the principal action, again in open contradiction to the classic precepts. The fundamental plot is always tragic; there is no such thing as a romantic comedy. We must admit that occasionally we like to escape from humdrum existence to this fantastic, tortured world, but that as a steady diet its lack of variety soon satiates our appetite.

Aside from the freedom it brought, the romantic drama had certain good points which were to remain as a part of theatrical technique to the present day. Chief among these was the use of realistic stage settings, which, combined with realistic minor characters, formed a sharp contrast with the unreality of the main plot. We shall see in *Don Álvaro* that the scenes at the water-seller's booth, in the inn, and in the monastery when alms are being distributed are picturesque little *cuadros de costumbres* skilfully woven into the plot. These same scenes also sparkle with delicious humor.

Not only are the settings realistic; they are picturesque. In the case of *Don Álvaro*, the fact that the Duque de Rivas was himself a painter made him see his settings as a series of tableaux and made him realize that one element — light — was of the greatest importance in producing a picturesque effect. We shall see in *Don Álvaro* that practically none of the scenes takes place in full daylight. The stage directions almost always indicate moonlight, sunset, a dark, stormy night, et cetera. So the use of light and the use of Nature to convey moods (another romantic innovation) are in his case practically one and the same thing.

Against this picturesque background stalks the romantic hero with somber majesty. He is the same person in all romantic plays, for the individualistic traits he receives from one play to another are almost negligible. Gallant, generous, and brave, he attracts to himself, as if by predestination, the heroine's love and makes of passion the very mainspring of his existence. But in every case he is separated from the heroine by a fatal mystery. He is an outcast from society because of his obscure origin. Of course he always turns out to be of the highest nobility, but this revelation comes when Fate has already sealed his and his beloved's doom. He knows or instinctively feels his nobility and inherent greatness and longs for a role in society and a marriage at the level of his aspirations; but as uncomprehending society refuses to take him at his own value, he is plunged in a frustrated melancholy. He feels that the only reason he does not occupy the high station of which he dreams is that a malignant and adverse Fate is always working against him.

The question of Fate has never been more discussed than in the case of *Don Álvaro*, whose very sub-title is *La fuerza del sino*. We must admit, however, that the Duque de Rivas probably never guessed that Fate in his drama would be a matter of debate. He was simply working out a dramatic and animated theme in which Fate was expected to play a role. We usually think of Fate in the drama as the inevitable. The misfortunes which it brings on are inescapable. Try as the hero may, he finds himself blocked at every turn by some new calamity. But in *Don Álvaro* Fate takes on much more the appearance of Chance. A gun goes off and, as if by accident, kills a man; or the characters meet in unexpected places, apparently by mere coincidence. Thus, the comparison of Don Álvaro with Oedipus, the outstanding victim of Fate in the Greek theater, does not make sense. Furthermore, the Duque de Rivas makes it clear to us that Don Álvaro is essentially Christian, and for a Christian the denial of free will, implicit in Fatalism, is heresy.

Another theory is that Don Álvaro is a bad Christian and that all of his sufferings spring from an initial sin, his attempted elopement with the heroine. If this were so, instead of Fate we should be confronted with

Divine Justice. Yet we must not forget that Don Álvaro's intentions were perfectly honorable and that although he was overriding the social law of parental authority, he intended to fulfil punctiliously the religious law of marriage.

We believe that Don Álvaro, like all the romantic heroes, is merely deluding himself. Feeling that he deserves a higher place in life than society is willing to give him, and being essentially a weak man, he proclaims that his lack of success is due not to himself but to Fate.

The author of *Don Álvaro*, Ángel de Saavedra (1791–1865), who later inherited the title of Duque de Rivas, presents in his life one of those contrasts so peculiarly Spanish. As a young man he fought bravely for the liberal cause and suffered ten years' exile for his political beliefs, but adhered to a strictly conservative, classical point of view in his poetry and plays. Shortly after his return to Spain, when he had just won a reputation as one of the leading romantic writers, he inherited his title and immediately reversed the position of his youth. He was now a conservative in politics (being a member of the *senado* and holding positions as minister and ambassador) but liberal (romantic) in literature.

The deciding factor in his change from classicism to romanticism was the five years of exile spent in Malta, where one of his friends, Sir John Hookham Frere, a former British ambassador to Portugal and Spain, introduced him not only to the English romanticists but to Spanish literature of the Middle Ages and Golden Age. It was during his stay in Malta that he began to write *El moro expósito*, published immediately after his return to Madrid (1834), and generally considered the first work of Spanish romanticism, although in reality some romantic novels had been published earlier. *El moro expósito* is a long half-epic, half-lyric reworking of the story of the *Siete infantes de Lara* (see Vol. I, p. 12). However, Rivas treats the legend very freely, making Mudarra, the Moorish half-brother of the Infantes, the central figure and converting him into a typical romantic hero. A secondary theme of the poem is the contrast between the brilliant, warm, Moorish civilization of Córdoba (Rivas' native city) and the cold, puritanical, Christian civilization of Burgos. This theme is announced in the sub-title, *Córdoba y Burgos en el siglo décimo*. Finally, the prologue of the work, written by Rivas' friend Alcalá Galiano, was a manifesto, although a mild and restrained one, of the Spanish romantic school.

One year after the publication of *El moro expósito*, the Duque de Rivas' *Don Álvaro* was played in Madrid. Although not the first of the romantic dramas, it is certainly better than any except Zorrilla's *Don Juan Tenorio*. Yet its animated, picturesque scenes and gloomy grandeur achieved only a mild success; in fact the play ran only eleven nights in the first year. It was originally written in prose while Rivas was in France during the latter part of his exile and was to be translated into French for production in Paris. From this rough draft, Rivas, after his return to Madrid, produced the play as we know it in the remarkably short period of two weeks.

One final work of Rivas remains to be described. In 1841 he brought out the *Romances históricos*, a series of eighteen independent ballads, most of which deal with historical figures, such as the medieval king, Pedro el Cruel, Columbus, Cortés, or Carlos V. Some critics believe that Rivas reaches his peak in these *romances*.

We must not look in Rivas for any philosophical or political thought, such as we found in Larra. Rivas is first and foremost a literary man and his one ambition is to create works of beauty. In this he excelled because of his gift as a versifier, his warm Andalusian spirit, and his artist's appreciation of the picturesque and colorful.

Duque de Rivas

Don Álvaro o La fuerza del sino[1]

Drama original en cinco jornadas en prosa y verso[2]

PERSONAJES

DON ÁLVARO	UN ALCALDE
EL MARQUÉS DE CALATRAVA	UN ESTUDIANTE
DON CARLOS DE VARGAS, *su hijo*	UN MAJO
DON ALFONSO DE VARGAS, *ídem*	MESONERO
DOÑA LEONOR, *ídem*	MESONERA
CURRA, *criada*	LA MOZA DEL MESÓN
PRECIOSILLA, *gitana*	EL TÍO TRABUCO, *arriero*
UN CANÓNIGO	EL TÍO PACO, *aguador*
EL PADRE GUARDIÁN DEL CONVENTO DE	EL CAPITÁN PREBOSTE
LOS ÁNGELES	UN SARGENTO
EL HERMANO MELITÓN, *portero del mismo*	UN ORDENANZA A CABALLO
PEDRAZA Y OTROS OFICIALES	DOS HABITANTES DE SEVILLA
UN CIRUJANO DE EJÉRCITO	SOLDADOS ESPAÑOLES, ARRIEROS, LUGA-
UN CAPELLÁN DE REGIMIENTO	REÑOS Y LUGAREÑAS

Los trajes son los que se usaban a mediados del siglo pasado.

JORNADA PRIMERA

La escena es en Sevilla y sus alrededores.

La escena[3] representa la entrada del antiguo puente de barcas de Triana, el que estará practicable a la derecha. En primer término, al mismo lado, un aguaducho o barraca de tablas y lonas, con un letrero que diga: *Agua de Tomares:* dentro

---

[1] Verdi, on making our play into an opera, used the title, *La forza del destino.*
[2] See Vol. II, p. 323, n. 40.

[3] The stage setting emphasizes picturesque elements: the water-stand (*aguaducho*) in the foreground, the river with its ancient pontoon

habrá un mostrador rústico con cuatro grandes cántaros, macetas de flores, vasos, un anafre con una cafetera de hoja de lata y una bandeja con azucarillos. Delante del aguaducho habrá bancos de pino. Al fondo se descubrirá de lejos parte del arrabal de Triana, la huerta de los Remedios con sus altos cipreses, el río y varios barcos en él, con flámulas y gallardetes. A la izquierda se verá en lontananza la Alameda. Varios habitantes de Sevilla cruzarán en todas direcciones durante la escena. El cielo demostrará el ponerse el sol en una tarde de Julio, y al descorrerse el telón aparecerán: El Tío[4] Paco detrás del mostrador en mangas de camisa; El Oficial, bebiendo un vaso de agua y de pie; Preciosilla, a su lado templando una guitarra; El Majo y los Dos Habitantes de Sevilla sentados en los bancos.

ESCENA PRIMERA

OFICIAL

Vamos, Preciosilla, cántanos la rondeña. Pronto, pronto: ya está bien templada.

PRECIOSILLA

Señorito, no sea su merced tan súpito. Déme antes esa mano, y le diré la buenaventura.

OFICIAL

Quita, que no quiero tus zalamerías. Aunque efectivamente tuvieras la habilidad de decirme lo que me ha de suceder, no quisiera oírtelo . . . Sí, casi siempre conviene el ignorarlo.

MAJO (*Levantándose.*)

Pues yo quiero que me diga la buenaventura esta prenda. He aquí mi mano.

PRECIOSILLA

Retire usted allá esa porquería . . . Jesús, ni verla quiero, no sea que se encele aquella niña de los ojos grandes.

MAJO (*Sentándose.*)

¡Qué se ha de encelar de ti, pendón![5]

PRECIOSILLA

Vaya, saleroso, no se cargue usted de estera,[6] convídeme a alguna cosita.

MAJO

5 Tío Paco, déle usted un vaso de agua a esta criatura, por mi cuenta.

PRECIOSILLA

¿Y con panal?

OFICIAL

10 Sí, y después que te refresques el garguero y que te endulces la boca, nos cantarás las corraleras.

(*El aguador sirve un vaso de agua con* 15 *panal a* Preciosilla, *y el* Oficial *se sienta junto al* Majo.)

HABITANTE 1.º

¡Hola! Aquí viene el señor canónigo.

ESCENA II

CANÓNIGO

Buenas tardes, caballeros.

HABITANTE 2.º

Temíamos no tener la dicha de ver a su merced esta tarde, señor canónigo.

---

bridge and ships in the middle distance, and the quaint suburb of Triana against the sunset in the background. The human beings also represent types noted for their picturesqueness and their connection with Sevilla, the most animated city of Andalucía. The bull-fighting popular dandy (*majo*), the Gipsy fortune-teller and singer (*Preciosilla*), the army officer (*oficial*), with gruff but hale language, are all part of the local color.

Furthermore, the naming of various places within or near Sevilla (*Tomares* and *Utrera*, small towns near by; *la Alameda*, a promenade in the city; *la Borcinería*, a quarter of the city) serves to heighten the same impression.

Certainly the first glimpse of the stage would suffice to tell the audience that this is not a classical play.

[4] 'Old' Paco
[5] How could she be jealous of you, you miserable creature!
[6] *no . . . estera*, don't get upset

CANÓNIGO

(*Sentándose y limpiándose el sudor.*)

¿Qué persona de buen gusto, viviendo en Sevilla, puede dejar de venir todas las tardes de verano a beber la deliciosa 5 agua de Tomares, que con tanta limpieza y pulcritud nos da el tío Paco, y a ver un ratito este puente de Triana, que es lo mejor del mundo?

HABITANTE 1.°

Como ya se está poniendo el sol . . .

CANÓNIGO

Tío Paco, un vasito de la fresca.

TÍO PACO

Está usía muy sudado; en descansando[7] un poquito le daré el refrigerio.

MAJO

Dale a su señoría agua templada.

CANÓNIGO

No, que hace mucho calor.

MAJO

Pues yo templada la he bebido, para tener el pecho suave[8], y poder entonar 25 el rosario por el barrio de la Borcinería, que a mí me toca esta noche.

OFICIAL

Para suavizar el pecho, mejor es un trago de aguardiente. 30

MAJO

El aguardiente es bueno para sosegarlo después de haber cantado la letanía.

OFICIAL

Yo lo tomo antes y después de mandar el ejercicio.[9]

PRECIOSILLA

(*Habrá estado punteando la guitarra y dirá al* Majo:)

Oiga usted, rumboso, ¿y cantará usted esta noche la letanía delante del balcón 10 de aquella persona? . . .

CANÓNIGO

Las cosas santas se han de tratar santamente. Vamos. ¿Y qué tal los toros de ayer?

MAJO

15 El toro berrendo de Utrera salió un buen bicho,[10] muy pegajoso[11] . . . Demasiado.

HABITANTE 1.°

20 Como que se me figura que le tuvo usted asco.[12]

MAJO

Compadre, alto allá, que yo soy muy duro de estómago[13] . . . Aquí está mi 25 capa (*Enseña un desgarrón.*) diciendo por esta boca[14] que no anduvo muy lejos.

HABITANTE 2.°

No fué la corrida tan buena como la anterior.

PRECIOSILLA

Como que ha faltado en ella don Álvaro[15] el indiano,[16] que a caballo y a pie es el mejor torero que tiene España.

---

[7] after resting (an antiquated construction)
[8] to have my throat clear
[9] military drill
[10] 'critter,' beast
[11] pugnacious
[12] *tener asco*, to be sickened by, be repelled by
[13] I have a strong stomach
[14] rip (The rip from the bull's horn indicates a close call and bespeaks valor.)

[15] From here to the end of the scene the author builds up our interest in Don Álvaro and characterizes him for us. He took part in the bull fights as an amateur, as did many noblemen of former times.
[16] A Spaniard who returned to Spain from America was known as an *indiano*, since America was generally called *las Indias*. *Inaianos* were traditionally rich and often mysterious.

MAJO

Es verdad que es todo un hombre, muy duro con el ganado y muy echado adelante.

PRECIOSILLA

Y muy buen mozo.

HABITANTE 1.º

¿Y por qué no se presentaría ayer en la plaza?

OFICIAL

Harto tenía que hacer con estarse llorando el mal fin de sus amores.

MAJO

Pues qué, ¿lo ha plantado ya la hija del señor Marqués? . . .

OFICIAL

No: doña Leonor no lo ha plantado a él, pero el Marqués la ha trasplantado a ella.

HABITANTE 2.º

¿Cómo? . . .

HABITANTE 1.º

Amigo, el Sr. Marqués de Calatrava tiene mucho copete[17] y sobrada vanidad para permitir que un advenedizo sea su yerno.

OFICIAL

¿Y qué más podía apetecer su señoría que el ver casada a su hija (que con todos sus pergaminos[18] está muerta de hambre) con un hombre riquísimo, y cuyos modales están pregonando que es un caballero?

PRECIOSILLA

¡Si los señores de Sevilla son vanidad y pobreza todo en una pieza! Don Álvaro

es digno de ser marido de una emperadora . . ¡Qué gallardo! . . ¡Qué formal y qué generoso! . . . Hace pocos 5 días que le dije la buenaventura (y por cierto no es buena[19] la que le espera si las rayas de la mano no mienten), y me dió una onza de oro como un sol de mediodía.

TÍO PACO

10 Cuantas veces viene aquí a beber, me pone sobre el mostrador una peseta columnaria.[20]

MAJO

¡Y vaya un hombre valiente! Cuando 15 en la Alameda Vieja le salieron aquella noche los siete hombres más duros que tiene Sevilla, metió mano[21] y me[22] los acorraló a todos contra las tapias del picadero.

20

OFICIAL

Y en el desafío que tuvo con el capitán de artillería se portó como un caballero.[23]

PRECIOSILLA

25 El Marqués de Calatrava es un vejete tan ruin, que por no aflojar la mosca,[24] y por no gastar . . .

OFICIAL

Lo que debía hacer don Álvaro era 30 darle una paliza que . . .

CANÓNIGO

Paso, paso,[25] señor militar. Los padres tienen derecho de casar a sus hijas con 35 quien les convenga.

OFICIAL

¿Y por qué no le ha de convenir don Álvaro? ¿Porque no ha nacido en Sevilla? . . . Fuera de Sevilla nacen 40 también caballeros.

---

[17] tener copete, to be haughty, proud
[18] parchments, i.e. patents of nobility
[19] The first inkling of the evil Fate which awaits our hero.
[20] A silver coin, made in America, which had two columns on one side
[21] Supply: to his sword

[22] The dative of interest; omit in translating
[23] Notice how each person praises Don Álvaro according to his own character and interests.
[24] aflojar la mosca, to loosen his purse-strings
[25] slowly, take it easy

CANÓNIGO

Fuera de Sevilla nacen también caballeros, sí señor; pero . . . ¿lo es don Álvaro? . . . Sólo sabemos que ha venido de Indias hace dos meses, y que ha traído dos negros y mucho dinero . . . ¿Pero quién es? . . .

HABITANTE 1.°

Se dicen tantas y tales cosas de él . . .

HABITANTE 2.°

Es un ente muy misterioso.[26]

TÍO PACO

La otra tarde estuvieron aquí unos señores hablando de lo mismo, y uno de ellos dijo que el tal don Álvaro había hecho sus riquezas siendo pirata . . .

MAJO

¡Jesucristo!

TÍO PACO

Y otro, que don Álvaro era hijo bastardo de un grande de España y de una reina mora . . .

OFICIAL

¡Qué disparate!

TÍO PACO

Y luego dijeron que no, que era . . . no lo puedo declarar . . . finca . . . o brinca . . . una cosa así . . . así como . . . una cosa muy grande allá de la otra banda.[27]

OFICIAL

¿Inca?

TÍO PACO

Sí, señor, eso, Inca . . . Inca.

CANÓNIGO

Calle usted, tío Paco, no diga sandeces.

TÍO PACO

Yo nada digo, ni me meto en honduras;[28] para mí cada uno es hijo de sus obras, y en siendo buen cristiano y caritativo .

PRECIOSILLA

Y generoso y galán.

OFICIAL

El vejete roñoso del Marqués de Calatrava hace muy mal en negarle su hija.

CANÓNIGO

Señor militar, el señor Marqués hace muy bien. El caso es sencillísimo. Don Álvaro llegó hace dos meses; nadie sabe quién es. Ha pedido en casamiento a doña Leonor, y el Marqués, no juzgándolo buen partido para su hija, se la ha negado. Parece que la señorita estaba encaprichadilla, fascinada, y el padre la ha llevado al campo, a la hacienda que tiene en el Aljarafe, para distraerla. En todo lo cual el señor Marqués se ha portado como persona prudente.[29]

OFICIAL

¿Y don Álvaro, qué hará?

CANÓNIGO

Para acertarlo debe buscar otra novia: porque si insiste en sus descabelladas pretensiones, se expone a que los hijos del señor Marqués vengan, el uno de la Universidad, y el otro del regimiento, a sacarle de los cascos los amores de doña Leonor.

[26] One of the indispensable characteristics of the romantic hero
[27] the other side (of the ocean)
[28] *meter en honduras*, to get in deep water
[29] The Canon, who we discover is a friend of the Marqués, states the latter's objections against Don Álvaro; but in a larger sense he represents the antagonism of the respectable middle class towards the romantic hero, who was always an outcast, at odds with staid respectability.

OFICIAL

Muy partidario soy de don Álvaro,
aunque no le he hablado en mi vida, y
sentiría verlo empeñado en un lance
con don Carlos, el hijo mayorazgo del 5
Marqués. Le he visto el mes pasado en
Barcelona, y he oído contar los dos
últimos desafíos que ha tenido ya: y se
le puede ayunar.[30]

CANÓNIGO

Es uno de los oficiales más valientes
del regimiento de Guardias Españolas,
donde no se chancea en esto de lances
de honor.

HABITANTE 1.º   15

Pues el hijo segundo del señor Marqués,
el don Alfonso, no le va en zaga.[31] Mi
primo, que acaba de llegar de Salamanca, me ha dicho que es el coco[32] de
la Universidad, más espadachín que 20
estudiante, y que tiene metidos en un
puño[33] a los matones sopistas.

MAJO

¿Y desde cuándo está fuera de Sevilla
la señorita doña Leonor?

OFICIAL

Hace cuatro días que se la llevó el padre
a su hacienda, sacándola de aquí a las
cinco de la mañana, después de haber
estado toda la noche hecha la casa un 30
infierno.

PRECIOSILLA

¡Pobre niña! . . . ¡Qué linda que es y
qué salada![34] . . . Negra suerte le
espera . . . Mi madre le dijo la buenaventura, recién nacida, y siempre que
la nombra se le saltan las lágrimas[35] . . .
Pues el generoso don Álvaro . . .

HABITANTE 1.º

En nombrando el ruin de Roma, luego
asoma[36] . . . allí viene don Álvaro.

ESCENA III

(Empieza a anochecer, y se va obscureciendo el teatro. Don Álvaro sale
embozado en una capa de seda, con un
gran sombrero blanco, botines y espuelas; cruza lentamente la escena mirando
con dignidad y melancolía a todos lados,
y se va por el puente. Todos lo observan
en gran silencio.[37])

ESCENA IV

MAJO

¿Adónde irá a estas horas?

CANÓNIGO

A tomar el fresco al Altozano.

TÍO PACO

Dios vaya con él.

MILITAR

¿A que[38] va al Aljarafe?

TÍO PACO

Yo no sé, pero como estoy siempre aquí
de día y de noche, soy un vigilante
centinela de cuanto pasa por esta[39]
puente . . . Hace tres días que a media
tarde pasa por ella hacia allá un negro
con dos caballos de mano, y que don
Álvaro pasa a estas horas; y luego a las
cinco de la mañana vuelve a pasar hacia
acá, siempre a pie, y como media hora
después pasa el negro con los mismos
caballos llenos de polvo y de sudor.

---

[30] *se le puede ayunar*, one can get along without
(fighting) him
[31] *no le va en zaga*, doesn't trail behind him;
is as good as he   [32] bogeyman
[33] *tiene metidos en un puño*, he has under his
thumb   [34] charming
[35] A premonition of the adverse Fate which
hangs over Leonor too

[36] Proverb: Speaking of the devil . . .
[37] Don Álvaro's silent passage across the
stage, after so careful a preparation, serves to
incite our curiosity all the more. The situation
is tensely dramatic.
[38] What do you bet that
[39] Modern Spanish: *el puente*

CANÓNIGO

¿Cómo? . . . ¿Qué me cuenta usted, tío Paco? . . .

TÍO PACO

Yo nada, digo lo que he visto; y esta 5
tarde ya ha pasado el negro, y hoy no
lleva dos caballos, sino tres.

HABITANTE 1.º

Lo que es[40] atravesar el puente hacia
allá a estas horas, he visto yo a don
Álvaro tres tardes seguidas.

MAJO

Y yo he visto ayer a la salida de Triana
al negro con los caballos.

HABITANTE 2.º

Y anoche, viniendo yo de San Juan de 20
Alfarache, me paré en medio del olivar
a apretar las cinchas a mi caballo, y
pasó a mi lado, sin verme y a escape,[41]
don Álvaro, como alma que llevan los
demonios, y detrás iba el negro. Los 25
conocí por la jaca torda, que no se
puede despintar . . . ¡Cada relámpago
que daban las herraduras![42] . . .

CANÓNIGO (Levantándose y aparte.)

¡Hola! ¡hola![43] . . . Preciso es dar
aviso al señor Marqués.

MILITAR

Me alegrara de que la niña traspusiese[44] 35
una noche con su amante, y dejara al
vejete pelándose las barbas.[45]

CANÓNIGO

Buenas noches, caballeros; me voy, que
empieza a ser tarde. (Aparte yéndose.) 40
Sería faltar a la amistad no avisar al

instante al Marqués de que don Álvaro
le ronda la hacienda. Tal vez podemos
evitar una desgracia.

ESCENA V

(El teatro representa una sala colgada
de damasco, con retratos de familia,
escudos de armas y los adornos que se
estilaban en el siglo pasado, pero todo
deteriorado, y habrá dos balcones,[46] uno
cerrado y otro abierto y practicable, por
el que se verá un cielo puro, iluminado
por la luna, y algunas copas de árboles.
Se pondrá en medio una mesa con
tapete de damasco, y sobre ella habrá
una guitarra, vasos chinescos con flores,
y dos candeleros de plata con velas,
únicas luces que alumbrarán la escena.
Junto a la mesa habrá un sillón. Por la
izquierda entrará el Marqués de Calatrava con una palmatoria en la mano,
y detrás de él Doña Leonor, y por la
derecha entra la Criada.)

MARQUÉS

(Abrazando y besando a su hija.)
Buenas noches, hija mía;
Hágate una santa el cielo.
Adiós, mi amor, mi consuelo,
Mi esperanza, mi alegría.
No dirás que no es galán
Tu padre. No descansara
Si hasta aquí no te alumbrara
Todas las noches . . . Están
Abiertos estos balcones, (Los cierra.)
Y entra relente . . . Leonor . . .
¿Nada me dice tu amor?
¿Por qué tan triste te pones?

DOÑA LEONOR

(Abatida y turbada.)[47]
Buenas noches, padre mío.

[40] Lo que es, As for
[41] at full speed
[42] What sparks their shoes gave forth!
[43] Well, well!
[44] trasponer, to run away
[45] pelarse las barbas, to pull out one's beard
[46] window

[47] From the beginning of this scene Leonor is overwrought; she knows what is planned for this very night. Her disturbance increases in proportion to the kindness her father shows to her, for she becomes more reluctant to hurt him. So in this scene we have the motivation for her hesitance in the next one.

MARQUÉS

Allá para Navidad
Iremos a la ciudad,
Cuando empiece el tiempo frío.
Y para entonces traeremos
Al estudiante, y también
Al capitán. Que les den
Permiso a los dos haremos.
¿No tienes gran impaciencia
Por abrazarlos?

DOÑA LEONOR

            ¿Pues no?
¿Qué más puedo anhelar yo?

MARQUÉS

Los dos lograrán licencia.
Ambos tienen mano franca,
Condicion[48] que los abona,[49]
Y Carlos, de Barcelona,
Y Alfonso, de Salamanca,
Ricos presentes te harán.
Escríbeles tú, tontilla,
Y algo que no haya en Sevilla
Pídeles, y lo traerán.

DOÑA LEONOR

Dejarlo será mejor
A su gusto delicado.

MARQUÉS

Lo tienen, y muy sobrado:
Como tú quieras, Leonor.

CURRA

Si como a usted, señorita,
Carta blanca[50] se me diera,
A don Carlos le pidiera
Alguna bata bonita
De Francia. Y una cadena
Con su broche de diamante
Al señorito estudiante,
Que en Madrid la hallará buena.

MARQUÉS

Lo que gustes, hija mía.
Sabes que el ídolo eres
De tu padre . . . ¿No me quieres?
            (La abraza y besa tiernamente.)

DOÑA LEONOR

¡Padre! . . . ¡Señor! . . . (Afligida.)

MARQUÉS

                    La alegría
5 Vuelva a ti, prenda del alma;
Piensa que tu padre soy,
Y que de continuo estoy
Soñando tu bien . . . La calma
10 Recobra, niña . . . En verdad
Desde que estamos aquí
Estoy contento de ti.
Veo la tranquilidad
Que con la campestre vida
15 Va renaciendo en tu pecho,
Y me tienes satisfecho;
Sí, lo estoy mucho, querida.
Ya se me ha olvidado todo;
Eres muchacha obediente,
20 Y yo seré diligente
En darte un buen acomodo.[51]
Sí, mi vida . . . ¿quién mejor
Sabrá lo que te conviene,
Que un tierno padre, que tiene
25 Por ti el delirio mayor?

DOÑA LEONOR

(Echándose en brazos de su padre con gran
            desconsuelo.)
¡Padre amado! . . . ¡Padre mío!

30   MARQUÉS

Basta, basta . . . ¿Qué te agita?
            (Con gran ternura.)
Yo te adoro, Leonorcita;
No llores . . . ¡Qué desvarío!
35
            DOÑA LEONOR

¡Padre! . . . ¡Padre!

            MARQUÉS

40 (Acariciándola y desasiéndose de sus brazos.)
                    Adiós, mi bien.
A dormir, y no lloremos.
Tus cariñosos extremos
El cielo bendiga, amén.
45 (Vase el Marqués, y queda Leonor muy
      abatida y llorosa sentada en el sillón.)

---

[48] trait, character
[49] to bring credit to

[50] carte blanche, a free hand
[51] match, marriage

ESCENA VI

(Curra *va detrás del* Marqués, *cierra la
puerta por donde aquél se ha ido, y vuelve
cerca de* Leonor.)

CURRA

¡Gracias a Dios! . . . Me temí
Que todito se enredase,
Y que Señor[52] se quedase
Hasta la mañana aquí.
¡Qué listo cerró el balcón! . . .
Que por el del palomar[53]
Vamos las dos a volar,
Le dijo su corazón.
Abrirlo sea lo primero; (*Ábrelo.*)
Ahora lo segundo es
Cerrar las maletas. Pues
Salgan ya de su agujero.

(*Saca* Curra *unas maletas y ropa, y se
pone a arreglarlo todo sin que en ello repare*
doña Leonor.)

DOÑA LEONOR

¡Infeliz de mí! . . . ¡Dios mío!
¿Por qué un amoroso padre,
Que por mí tanto desvelo
Tiene, y cariño tan grande,
Se ha de oponer tenazmente
(¡Ay, el alma se me parte! . . .)
A que yo dichosa sea,
Y pueda feliz llamarme? . . .
¿Cómo, quien tanto me quiere,
Puede tan crüel mostrarse?
Más dulce mi suerte fuera
Si aun me viviera mi madre.

CURRA

¿Si viviera la señora? . . .
Usted está delirante.
Más vana que Señor era;
Señor al cabo es un ángel.
¡Pero ella! . . . Un genio tenía
Y un copete . . . Dios nos guarde.

Los señores de esta tierra
Son todos de un mismo talle.
Y si alguna señorita
Busca un novio que le cuadre,
5 Como no esté en pergaminos
Envuelto,[54] levantan tales
Alaridos . . . ¿Mas qué importa
Cuando hay decisión bastante . . .?
Pero no perdamos tiempo;
10 Venga usted, venga a ayudarme,
Porque yo no puedo sola . . .

DOÑA LEONOR

15 ¡Ay, Curra! . . . ¡Si penetrases
Cómo tengo el alma! Fuerza
Me falta hasta para alzarme
De esta silla . . . ¡Curra amiga!
Lo confieso, no lo extrañes:
20 No me resuelvo, imposible . . .
Es imposible. ¡Ah! . . . ¡Mi padre!
Sus palabras cariñosas,
Sus extremos, sus afanes,
Sus besos y sus abrazos,
25 Eran agudos puñales
Que el pecho me atravesaban.
Si se queda un solo instante
No hubiera más resistido . . .
Ya iba a sus pies a arrojarme,
30 Y confundida, aterrada,
Mi proyecto a revelarle;
Y a morir, ansiando sólo
Que su perdón me acordase.[55]

CURRA

35 ¡Pues hubiéramos quedado
Frescas, y echado un buen lance![56]
Mañana vería usted
40 Revolcándose en su sangre,
Con la tapa de los sesos
Levantada, al arrogante,
Al enamorado, al noble
Don Álvaro. O arrastrarle[57]
45 Como un malhechor, atado,
Por entre estos olivares

[52] *Señor* is the Marqués.
[53] the window of the dovecot, i.e. of our
little nest
[54] *Como no esté en pergaminos envuelto*, if he isn't
wrapped in parchments; i.e. if he isn't of an
old noble line

[55] to accord, give
[56] *Pues . . . lance*, Well, we would have been
in a fine fix and have acted very cleverly (if we
had followed your plan)!
[57] Or (you would see them) dragging him

A la cárcel de Sevilla;
Y allá para Navidades
Acaso, acaso en la horca.

DOÑA LEONOR

¡Ay, Curra! . . . El alma me partes.

CURRA

Y todo esto, señorita,
Porque la desgracia grande
Tuvo el infeliz de veros,
Y necio[58] de enamorarse
De quien no le corresponde,
Ni resolución bastante
Tiene para . . .

DOÑA LEONOR

Basta, Curra;
No mi pecho despedaces.
¿Yo a su amor no correspondo?
Que le correspondo sabes . . .
Por él mi casa y familia,
Mis hermanos y mi padre
Voy a abandonar, y sola . . .

CURRA

Sola no, que yo soy alguien,
Y también Antonio va,
Y nunca en ninguna parte
La dejaremos . . . ¡Jesús![59]

DOÑA LEONOR

¿Y mañana?

CURRA

Día grande.
Usted la adorada esposa
Será del más adorable,
Rico y lindo caballero
Que puede en el mundo hallarse,
Y yo la mujer de Antonio:
Y a ver tierras muy distantes
Iremos ambas . . . ¡Qué bueno!

DOÑA LEONOR

¿Y mi anciano y tierno padre?

CURRA

¿Quién? . . . ¿Señor? . . . Rabiará un
poco,
Pateará, contará el lance
5 Al Capitán general
Con sus pelos y señales;[60]
Fastidiará al Asistente[61]
Y también a sus compadres
El canónigo, el jurado
10 Y los vejetes maestrantes;
Saldrán mil requisitorias
Para buscarnos en balde,
Cuando nosotras estemos
Ya seguritas en Flandes.
15 Desde allí escribirá usted,
Y comenzará a templarse
Señor, y a los nueve meses,
Cuando sepa hay un infante[62]
Que tiene sus mismos ojos,
20 Empezará a consolarse.
Y nosotras chapurrando,[63]
Que no nos entienda nadie,
Volveremos de allí a poco,
A que con festejos grandes
25 Nos reciban, y todito
Será banquetes y bailes.

DOÑA LEONOR

¿Y mis hermanos del alma?
30

CURRA

¡Toma! ¡toma! . . . Cuando agarren
Del generoso cuñado,
Uno con que hacer alarde[64]
De vistosos uniformes,
35 Y con que rendir beldades;
Y el otro para libracos,
Merendonas y truhanes,
Reventarán de alegría.
40

DOÑA LEONOR

No corre en tus venas sangre.
¡Jesús, y qué cosas tienes!

CURRA

Porque digo las verdades.[65]

[58] and (being) foolish (enough) to
[59] What an idea!
[60] *Con sus pelos y señales*, with all its details
[61] governor (He will ask the governor to send the police after the elopers.)   [62] baby

[63] to talk brokenly a foreign language
[64] *hacer alarde*, to make a show
[65] The servant girl regards the whole escapade as a lark; but the sensitive, high-bred heroine foresees misfortune, which to a con-

DOÑA LEONOR

¡Ay desdichada de mí!

CURRA

Desdicha por cierto grande
El ser adorado dueño[66]
Del mejor de los galanes.
Pero vamos, señorita,
Ayúdeme usted, que es tarde.

DOÑA LEONOR

Sí, tarde es, y aún no parece   10
Don Álvaro . . . ¡Oh, si faltase
Esta noche! . . . ¡Ojalá! . . . ¡Cielos! . . .
Que jamás estos umbrales
Hubiera pisado, fuera
Mejor . . . No tengo bastante
Resolución . . . Lo confieso.
Es tan duro el alejarse
Así de su casa . . . ¡Ay triste!
  (*Mira el reloj y sigue en inquietud.*)
Las doce han dado . . . ¡Qué tarde   20
Es ya, Curra! No, no viene.
¿Habrá en esos olivares
Tenido algún mal encuentro?
Hay siempre en el Aljarafe
Tan mala gente . . . ¿Y Antonio
Estará alerta?

CURRA

            Indudable
Es que está de centinela . . .

DOÑA LEONOR

¡Curra! . . . ¿Qué suena? . . . ¿Es-
  cuchaste?
  (*Con gran sobresalto.*)

CURRA

Pisadas son de caballos.

DOÑA LEONOR

¡Ay! él es . . . (*Corre al balcón.*)

CURRA

Si que faltase
Era imposible . . .[67]

DOÑA LEONOR

       ¡Dios mío! (*Muy agitada.*)   5

CURRA

Pecho al agua,[68] y adelante.

ESCENA VII

(Don Álvaro en cuerpo,[69] con una
jaquetilla de mangas perdidas sobre una
rica chupa de majo, redecilla, calzón de
ante,[70] etc., entra por el balcón y se echa
en brazos de Leonor.)   15

DON ÁLVARO

  (*Con gran vehemencia.*)
¡Ángel consolador del alma mía! . . .
¿Van ya los santos cielos   20
A dar corona eterna a mis desvelos? . . .
Me ahoga la alegría
¿Estamos abrazados
Para no vernos nunca separados? . . .
Antes, antes la muerte,   25
Que de ti separarme y que perderte.

DOÑA LEONOR

¡Don Álvaro! (*Muy agitada.*)

DON ÁLVARO   30

      Mi bien, mi Dios, mi todo.
¿Qué te agita y te turba de tal modo?
¿Te turba el corazón ver que tu amante
Se encuentra en este instante
Más ufano que el sol? . . . ¡Prenda   35
   adorada!

DOÑA LEONOR

Es ya tan tarde . . .

---

siderable extent originates in her very character.
  [66] *Desdicha . . . dueño,* It certainly is a great
misfortune to be the adored possessor
  [67] Word order: *Si era imposible que faltase . . .*
  [68] Proverbial expression: Courage!

[69] in indoor dress
[70] *una jaquetilla . . . ante,* a short jacket with
sleeves open from the shoulder over a fancy
waistcoat such as worn by the local dandies, a
hairnet, buckskin breeches

DON ÁLVARO

¿Estabas enojada
Porque tardé en venir? De mi retardo
No soy culpado, no, dulce señora;
Hace más de una hora
5 Que despechado aguardo
Por estos rededores
La ocasión de llegar, y ya temía
Que de mi adversa estrella los rigores
Hoy deshicieran la esperanza mía.
Mas no, mi bien, mi gloria, mi consuelo;
Protege nuestro amor el santo cielo,
Y una carrera eterna de ventura,
Próvido[71] a nuestras plantas asegura.
El tiempo no perdamos.
¿Está ya todo listo? Vamos, vamos.

CURRA

Sí: bajo del balcón, Antonio, el guarda,
Las maletas espera;
Las echaré al momento. (*Va hacia el* 20
balcón.)

DOÑA LEONOR

(*Resuelta.*)
Curra, aguarda,
Deténte . . . ¡Ay Dios! ¿No fuera,
Don Álvaro, mejor? . . .

DON ÁLVARO

¿Qué, encanto mío? . . .
¿Por qué tiempo perder? La jaca torda,
La que, cual dices tú, los campos 30
borda,[72]
La que tanto te agrada
Por su obediencia y brío,
Para ti está, mi dueño, enjaezada,
Para Curra el overo, 35
Para mí el alazán gallardo y fiero .
¡Oh, loco estoy de amor y de alegría!
En San Juan de Alfarache, preparado
Todo, con gran secreto, lo he dejado.
El sacerdote en el altar espera;

Dios nos bendecirá desde su esfera;
Y cuando el nuevo sol en el Oriente,
Protector de mi estirpe soberana,
Numen eterno en la región indiana,[73]
5 La regia pompa de su trono ostente,
Monarca de la luz, padre del día,
Yo tu esposo seré, tú esposa[74] mía.

DOÑA LEONOR

10 Es tan tarde . . . ¡Don Álvaro!

DON ÁLVARO (*A Curra.*)

Muchacha,
¿Qué te detiene ya? Corre, despacha:
15 Por el balcón esas maletas, luego . . .

DOÑA LEONOR

¡Curra, Curra, deténte! (*Fuera de sí.*)
¡Don Álvaro!

DON ÁLVARO

¡Leonor!!!

DOÑA LEONOR

¡Dejadlo os ruego
Para mañana!
25

DON ÁLVARO

¿Qué?

DOÑA LEONOR

Más fácilmente . . .

DON ÁLVARO

(*Demudado y confuso.*)
¿Qué es esto, qué, Leonor? ¿Te falta
ahora
Resolución? . . . ¡Ay, yo desventurado![75]

DOÑA LEONOR

40 ¡Don Álvaro! ¡Don Álvaro!!!

---

[71] benevolent (modifies *cielo*)
[72] embroiders, i.e. traverses daintily
[73] The sun was the god of the Incas and the ancestor of their royal line. What are we to understand when Don Alvaro says: *protector de mi estirpe?*

[74] Don Álvaro's intention is to comply with religious law by marrying Leonor. Remember that in Catholic Spain marriage is a sacrament of the church. Don Álvaro is not so much of a rebel as many romanticists, for example Espronceda.   [75] unhappy me!

DON ÁLVARO

¡Señora!

DOÑA LEONOR

¡Ay! Me partís el alma . . .

DON ÁLVARO

Destrozado
Tengo yo el corazón . . . ¿Dónde está,
    dónde,
Vuestro amor, vuestro firme juramento? 10
Mal con vuestra palabra corresponde
Tanta irresolución en tal momento.
Tan súbita mudanza . . .
No os conozco, Leonor. ¿Llevóse el
    viento
De mi delirio toda la esperanza?
Sí, he cegado en el punto
En que alboraba[76] el más risueño día.
Me sacarán difunto
De aquí, cuando inmortal salir creía.
Hechicera engañosa,
¿La perspectiva hermosa
Que falaz me ofreciste así deshaces?
¡Pérfida! ¿Te complaces
En levantarme al trono del Eterno
Para después hundirme en el in-
    fierno? . . .
¡Sólo me resta ya![77] . . .

DOÑA LEONOR

(Echándose en sus brazos.)
            No, no, te adoro.
¡Don Álvaro! . . . ¡Mi bien! . . . Va-
    mos, sí, vamos.

DON ÁLVARO

¡Oh mi Leonor! . . .

CURRA

El tiempo no perdamos.

DON ÁLVARO

¡Mi encanto! ¡Mi tesoro!
(Doña Leonor, muy abatida, se apoya
en el hombro de don Álvaro, con muestras de
desmayarse.)

Mas ¿qué es esto? ¡Ay de mí! ¡Tu
    mano yerta!
Me parece la mano de una muerta . . .
Frío está tu semblante,
5 Como la losa de un sepulcro helado . . .

DOÑA LEONOR

¡Don Álvaro!

DON ÁLVARO

¡Leonor! (Pausa.) Fuerza bastante
Hay para todo en mí . . .[78] ¡Desven-
    turado!
La conmoción conozco que te agita,
Inocente Leonor. Dios no permita
15 Que por debilidad en tal momento
Sigas mis pasos y mi esposa seas.
Renuncio a tu palabra y juramento;
Hachas de muerte las nupciales teas
Fueran para los dos . . . Si no me amas,
20 Como yo te amo a ti . . . Si arrepen-
    tida . . .

DOÑA LEONOR

Mi dulce esposo, con el alma y vida
25 Es tuya tu Leonor; mi dicha fundo
En seguirte hasta el fin del ancho
    mundo.
Vamos; resuelta estoy, fijé mi suerte;
30 Separarnos podrá sólo la muerte.
    (Van hacia el balcón, cuando de repente se
oye ruido, ladridos, y abrir y cerrar puertas.)

DOÑA LEONOR

¡Dios mío! ¿Qué ruido es éste? ¡Don
35 Álvaro!!!

CURRA

Parece que han abierto la puerta del
patio . . . y la de la escalera . . .

DOÑA LEONOR

40 ¿Se habrá puesto malo mi padre? . . .

CURRA

¡Qué! No, señora; el ruido viene de
otra parte.

---

[76] Poetic for alboreaba
[77] Some such word as morir would complete
this fragmentary sentence.

[78] He has strength enough even to give up
Leonor.

DOÑA LEONOR

¿Habrá llegado alguno de mis hermanos?

DON ÁLVARO

Vamos, vamos, Leonor, no perdamos 5 ni un instante.

(*Vuelve hacia el balcón, y de repente se ve por él el resplandor de hachones de viento, y se oye galopar caballos.*)

DOÑA LEONOR

¡Somos perdidos! . . . Estamos descubiertos . . . Imposible es la fuga. 10

DON ÁLVARO

Serenidad es necesario en todo caso. 15

CURRA

¡La Virgen del Rosario nos valga y las ánimas benditas! . . . ¿Qué será de mi pobre Antonio? (*Se asoma al balcón y grita.*) ¡Antonio! ¡Antonio!

DON ÁLVARO

¡Calla, maldita! no llames la atención hacia este lado; entorna el balcón.
(*Se acerca el ruido de puertas y pisadas.*)

DOÑA LEONOR

¡Ay desdichada de mí! Don Álvaro, escóndete . . . aquí . . . en mi alcoba . . .

DON ÁLVARO (*Resuelto.*)

No, yo no me escondo . . . No te abandono en tal conflicto. (*Prepara una pistola.*) Defenderte y salvarte es mi obligación.

DOÑA LEONOR

(*Asustadísima.*)

¿Qué intentas? ¡Ay! Retira esa pistola, 35 que me hiela la sangre . . . ¡Por Dios, suéltala! . . . ¿La dispararás contra mi buen padre? . . . ¿Contra alguno de mis hermanos? . . . ¿Para matar a alguno de los fieles y antiguos criados de 40 esta casa?

DON ÁLVARO

(*Profundamente confuso.*)

No, no, amor mío . . . La emplearé en dar fin a mi desventurada vida.

DOÑA LEONOR

¡Qué horror! ¡Don Álvaro!

ESCENA VIII

(*Ábrese la puerta con estrépito, después de varios golpes en ella, y entra el Marqués, en bata y gorro, con un espadín desnudo en la mano, y detrás dos criados mayores con luces.*)

MARQUÉS (*Furioso.*)

¡Vil seductor! . . . ¡Hija infame!

DOÑA LEONOR

(*Arrojándose a los pies de su padre.*)
20 ¡Padre!!! ¡Padre!!!

MARQUÉS

No soy tu padre . . . Aparta . . . Y tú, vil advenedizo . . .

DON ÁLVARO

25 Vuestra hija es inocente . . . Yo soy el culpado . . . Atravesadme el pecho. (*Hinca una rodilla.*)

MARQUÉS

Tu actitud suplicante manifiesta lo bajo 30 de tu condición . . .

DON ÁLVARO (*Levantándose.*)

¡Señor Marqués! . . . ¡Señor Marqués! . . .

MARQUÉS (*A su hija.*)

Quita, mujer inicua. (*A Curra, que le sujeta el brazo.*) ¿Y tú, infeliz . . . osas tocar a tu señor? (*A los criados.*) Ea, echaos sobre ese infame, sujetadle, atadle . . .

DON ÁLVARO (*Con dignidad.*)

Desgraciado del que[79] me pierda el respeto.

(*Saca una pistola y la monta.*)

DOÑA LEONOR

(*Corriendo hacia don* Álvaro.)

¡Don Álvaro! . . . ¿Qué vais a hacer?

MARQUÉS

Echaos sobre él al punto.

DON ÁLVARO

¡Ay de vuestros criados si se mueven! Vos sólo tenéis derecho para atravesarme el corazón.

MARQUÉS

¿Tú morir a manos de un caballero? No; morirás a las del verdugo.

DON ÁLVARO

¡Señor Marqués de Calatrava! Mas ¡ah! no: tenéis derecho para todo . . . Vuestra hija es inocente . . . Tan pura como el aliento de los ángeles que rodean el trono del Altísimo. La sospecha a que puede dar origen mi presencia aquí a tales horas concluya con mi muerte; salga envolviendo mi cadáver como si fuera mi mortaja[80] . . . Sí, debo

morir . . . , pero a vuestras manos. (*Pone una rodilla en tierra.*) Espero resignado el golpe, no lo resistiré; ya me tenéis desarmado.

5 (*Tira la pistola, que al dar en tierra se dispara y hiere al* Marqués, *que cae moribundo en los brazos de su hija y de los criados, dando un alarido.*)

MARQUÉS

10 Muerto soy . . . ¡Ay de mí! . . .

DON ÁLVARO

¡Dios mío! ¡Arma funesta![81] ¡Noche terrible!

DOÑA LEONOR

15 ¡Padre, padre!!!

MARQUÉS

Aparta; sacadme de aquí . . . , donde muera sin que esta vil me contamine con tal nombre . . .

20 LEONOR

¡Padre! . . .

MARQUÉS

25 Yo te maldigo.[82]

(*Cae* Leonor *en brazos de don* Álvaro, *que la arrastra hacia el balcón.*)

JORNADA SEGUNDA

La escena es en la villa de Hornachuelos y sus alrededores.

ESCENA PRIMERA

(Es de noche, y el teatro representa la cocina de un mesón de la villa de Hornachuelos. Al frente estará la chimenea y el hogar. A la izquierda la

30 puerta de entrada; a la derecha dos puertas practicables. A un lado una mesa larga de pino, rodeada de asientos toscos, y alumbrado todo por un gran candilón. El Mesonero y el Alcalde 35 aparecerán sentados gravemente al

---

[79] Woe upon the one who
[80] *salga . . . mortaja*, may it (the suspicion) leave (this house) shrouding my corpse as if it were my winding sheet
[81] Fatal weapon! (Don Álvaro feels that Fate is acting against him, cf. p. 262, l. 9a, where many people would see nothing but Chance.

But does not Fate work through chance events? Still, in the workings of Fate we expect a certain inevitability which is lacking here.
[82] The curse which the Marqués places upon his daughter with his dying breath adds more gloom to her already unhappy prospects.

fuego. La Mesonera, de rodillas guisando. Junto a la mesa, el Estudiante cantando y tocando la guitarra. El Arriero que habla, cribando cebada en el fondo del teatro. El Tío Trabuco, tendido en primer término sobre sus jalmas. Los Dos Lugareños, las Dos Lugareñas, la Moza y uno de los Arrieros, que no habla, estarán bailando seguidillas. El otro Arriero, que no habla, estará sentado junto al Estudiante y jaleando a las que bailan. Encima de la mesa habrá una bota de vino, unos vasos y un frasco de aguardiente.[83])

ESTUDIANTE

(*Cantando en voz recia al son de la guitarra, y las tres parejas bailando con gran algazara.*)

  Poned en estudiantes
vuestro cariño,
que son, como discretos,
agradecidos.
  Viva Hornachuelos,
vivan de sus muchachas
los ojos negros.
  Dejad a los soldados,
que es gente mala,
y así que dan el golpe
vuelven la espalda.[84]
  Viva Hornachuelos,
vivan de sus muchachas
los ojos negros.

MESONERA

(*Poniendo una sartén sobre la mesa.*)
Vamos, vamos, que se enfría . . . (*A la criada.*) Pepa, al avío.

ARRIERO (*El del cribo.*)

Otra coplita.

ESTUDIANTE

(*Dejando la guitarra.*)
Abrenuntio.[85] Antes de todo, la cena.

---

[83] Again we have a setting and a group of minor characters which are very picturesque. Notice how the latter again bring in the exposition of the act.

MESONERA

Y si después quiere la gente seguir bailando y alborotando, váyanse al corral o la calle, que hay una luna clara como de día. Y dejen en silencio el mesón, que si unos quieren jaleo, otros quieren dormir. Pepa, Pepa . . . ¿no digo que basta ya de zangoloteo? . . .

TÍO TRABUCO

(*Acostado en sus arreos.*)
Tía Colasa, usted está en lo cierto. Yo por mí, quiero dormir.

MESONERO

Sí, ya basta de ruido. Vamos a cenar. Señor Alcalde, eche su merced la bendición, y venga a tomar una presita.

ALCALDE

Se agradece, señor Monipodio.

MESONERA

Pero acérquese su merced.

ALCALDE

Que eche la bendición el señor licenciado.

ESTUDIANTE

Allá voy, y no seré largo, que huele el bacalao a gloria. *In nomine Patris et Filii et Spiritus Sancti.*

TODOS

Amén.
(*Se van acomodando alrededor de la mesa todos menos Trabuco.*)

MESONERA

Tal vez el tomate no estará bastante cocido, y el arroz estará algo duro . . . Pero con tanta babilonia no se puede. . .

---

[84] *y así . . . espalda*, as soon as they get their way, they turn elsewhere
[85] I renounce, I give up (a Latin word, appropriate for a student)

ARRIERO

Está diciendo comedme, comedme.[86]

ESTUDIANTE

(*Comiendo con ansia.*)
Está exquisito . . . especial; parece ambrosía . . .

MESONERA

Alto allá, señor bachiller; la tía Ambrosia[87] no me gana a mí a guisar, ni sirve para descalzarme el zapato; no, señor.

ARRIERO

La tía Ambrosia es más puerca que una telaraña.

MESONERO

La tía Ambrosia es un guiñapo, es un paño de aporrear moscas;[88] se revuelven las tripas de[89] entrar en su mesón, y compararla con mi Colasa no es regular.[90]

ESTUDIANTE

Ya sé yo que la señora Colasa es pulcra, y no lo dije por tanto.[91]

ALCADE

En toda la comarca de Hornachuelos no hay una persona más limpia que la señora Colasa, ni un mesón como el del señor Monipodio.

MESONERA

Como que cuántas comidas de boda se hacen en la villa pasan por estas manos que ha de comer la tierra. Y de las bodas de señores, no le parezca a usted,[92] señor bachiller . . . Cuando se casó el escribano[93] con la hija del regidor .

ESTUDIANTE

Con que se le puede decir a la señora Colasa, *tu das mihi epulis accumbere divum.*[94]

MESONERA

Yo no sé latín, pero sé guisar . . . Señor Alcalde, moje siquiera una sopa . . .[95]

ALCALDE

Tomaré, por no despreciar, una cucharadita de gazpacho, si es que lo hay.

MESONERO

¿Cómo que si lo hay?

MESONERA

¿Pues había de faltar donde yo estoy? . . . ¡Pepa! (*A la Moza.*) Anda a traerlo. Está sobre el brocal del pozo, desde media tarde, tomando el fresco. (*Vase la Moza.*)

ESTUDIANTE

(*Al arriero, que está acostado.*)
¡Tío Trabuco, hola, Tío Trabuco! ¿No viene usted a hacer la razón?[96]

TÍO TRABUCO

No ceno.

ESTUDIANTE

¿Ayuna usted?

TÍO TRABUCO

Sí, señor, que es viernes.

MESONERO

Pero un traguito

TÍO TRABUCO

Venga. (*Le alarga el* Mesonero *la bota, y bebe un trago el* Tío Trabuco.) ¡Jú!

---

[86] The food is saying: 'Eat me.'
[87] This scene serves as comic relief from the heavy tragedy of the main plot. The peasants confuse *ambrosía* (ambrosia, food of the gods) with *Ambrosia*, a rival innkeeper.
[88] a cloth for swatting flies, i.e. a foul creature
[89] *se . . . de*, one's insides are upset by
[90] proper

[91] *no . . . tanto*, I wasn't speaking seriously
[92] *no le parezca a usted*, I want you to know
[93] The humor lies in the class of people the hostess considers as *señores*.
[94] Latin: You allow me to recline at the banquets of the gods. From Virgil's *Aeneid*.
[95] *moje . . . sopa*, dip in at least one sop
[96] *hacer la razón*, to eat

Esto es zupia. Alárgueme usted, tío Monipodio, el frasco del aguardiente para enjuagarme la boca. (*Bebe y se acurruca.*)

(*Entra la Moza con una fuente de gazpacho.*) 5

MOZA

Aquí está la gracia de Dios.[97]

TODOS

Venga, venga.

ESTUDIANTE

Parece, señor Alcalde, que esta noche hay mucha gente forastera en Hornachuelos.

ARRIERO

Las tres posadas están llenas.

ALCALDE

Como es el jubileo de la Porciúncula,[98] y el convento de San Francisco de los 20 Ángeles, que está aquí en el desierto, a media legua corta, es tan famoso . . . viene mucha gente a confesarse con el padre Guardián, que es un siervo de Dios. 25

MESONERA

Es un santo.

MESONERO

(*Toma la bota y se pone de pie.*)

Jesús; por la buena compañía, y que 30 Dios nos dé salud y pesetas en esta vida, y la gloria en la eterna. (*Bebe.*)

TODOS

Amén. (*Pasa la bota de mano en mano.*)

35

ESTUDIANTE (*Después de beber.*)

Tío Trabuco, Tío Trabuco, ¿está usted con los angelitos?[99]

TÍO TRABUCO

Con las malditas pulgas y con sus voces de usted, ¿quién puede estar sino con los demonios?

ESTUDIANTE

Queríamos saber, Tío Trabuco, si esa personilla de alfeñique,[100] que ha venido con usted y que se ha escondido de nosotros, viene a ganar el jubileo.

TÍO TRABUCO

Yo no sé nunca a lo que van ni vienen los que viajan conmigo.

ESTUDIANTE

Pero . . . ¿es gallo, o gallina?

TÍO TRABUCO

Yo de los viajeros no miro más que la moneda, que ni es hembra ni es macho.

ESTUDIANTE

Sí, es género epiceno, como si dijéramos hermafrodita . . . Pero veo que es usted muy taciturno, Tío Trabuco.

TÍO TRABUCO

Nunca gasto saliva en lo que no me importa; y buenas noches, que se me va quedando la lengua dormida, y quiero guardarle el sueño; sonsoniche.[101]

ESTUDIANTE

Pues, señor, con el Tío Trabuco no hay emboque.[102] Dígame usted, nostrama[103] (*A la* Mesonera.), ¿por qué no ha venido a cenar el tal caballerito?

MESONERA

Yo no sé.

ESTUDIANTE

Pero, vamos, ¿es hembra o varón?

---

[97] *la gracia de Dios,* the food

[98] A festival commemorating the foundation of the Franciscan order at the Porziuncula sanctuary in Italy. Many persons visit Franciscan monasteries on this date (August 2) to receive plenary indulgence.

[99] *con los angelitos,* asleep

[100] a sweetmeat; here, a delicate person

[101] be quiet (thieves' slang)

[102] a narrow entrance; hence, you can't worm your way into his confidence

[103] Popular speech for *nuestra ama*

MESONERA

Que sea lo que sea, lo cierto es que le vi el rostro, por más que se lo recataba, cuando se apeó del mulo, y que lo tiene como un sol; y eso que traía los ojos, de llorar y de polvo, que daba compasión.

ESTUDIANTE

¡Oiga!

MESONERA

Sí, señor; y en cuanto se metió en ese cuarto, volviéndome siempre la espalda, me preguntó cuánto había de aquí al convento de los Ángeles, y yo se lo enseñé desde la ventana, que, como está tan cerca, se ve clarito, y . . .

ESTUDIANTE

¡Hola, con que es pecador que viene al jubileo!

MESONERA

Yo no sé; luego, se acostó; digo, se echó en la cama, vestido, y bebió antes un vaso de agua con unas gotas de vinagre.

ESTUDIANTE

Ya, para refrescar el cuerpo.

MESONERA

Y me dijo que no quería luz, ni cena, ni nada, y se quedó como rezando el Rosario entre dientes. A mí me parece que es persona muy . . .

MESONERO

Charla, charla . . . ¿Quién diablos te mete en hablar de los huéspedes? . . . ¡Maldita sea tu lengua!

MESONERA

Como el señor licenciado quería saber . . .

ESTUDIANTE

Sí, señora Colasa; dígame usted . . .

MESONERO (*A su mujer.*)

¡Chitón! [104]

ESTUDIANTE

Pues, señor, volvamos al Tío Trabuco. Tío Trabuco, Tío Trabuco!
(*Se acerca a él y le despierta.*)

TÍO TRABUCO

¡Malo! . . . ¿Me quiere usted dejar en paz?

ESTUDIANTE

Vamos, dígame usted, esa persona ¿cómo viene en el mulo, a mujeriegas o a horcajadas?

TÍO TRABUCO

¡Ay, qué sangre! . . . De cabeza.

ESTUDIANTE

Y dígame usted, ¿de dónde salió usted esta mañana, de Posadas o de Palma?

TÍO TRABUCO

Yo no sé sino que tarde o temprano voy al cielo.

ESTUDIANTE

¿Por qué?

TÍO TRABUCO

Porque ya me tiene usted en el purgatorio.

ESTUDIANTE (*Se ríe.*)

¡Ah, ah, ah! . . . ¿Y va usted a Extremadura?

TÍO TRABUCO

(*Se levanta, recoge sus jalmas y se va con ellas muy enfadado.*)
No, señor, a la caballeriza, huyendo de usted, y a dormir con mis mulos, que no saben latín ni son bachilleres.

ESTUDIANTE (*Se ríe.*)

¡Ah, ah, ah! Se atufó . . . ¡Hola, Pepa, salerosa! ¿Y no has visto tú al escondido?

[104] Sh! not a word!

MOZA

Por la espalda.

ESTUDIANTE

¿Y en qué cuarto está?

MOZA

(*Señala la primera puerta de la derecha.*)
En ése . . .

ESTUDIANTE

Pues ya que es lampiño, vamos a pintarle unos bigotes con tizne . . . Y cuando se despierte por la mañana reiremos un poco.
(*Se tizna los dedos y va hacia el cuarto.*)

ALGUNOS

Sí . . ., sí.

MESONERO

No, no.

ALCALDE (*Con gravedad.*)

Señor estudiante, no lo permitiré yo, pues debo proteger a los forasteros que llegan a esta villa, y administrarles justicia como a los naturales de ella.

ESTUDIANTE

No lo dije por tanto,[105] señor Alcalde . . .

ALCALDE

Yo sí. Y no fuera malo saber quién es el señor licenciado, de dónde viene y adónde va, pues parece algo alegre de cascos.

ESTUDIANTE

Si la justicia me lo pregunta de burlas o de veras, no hay inconveniente en decirlo, que aquí se juega limpio. Soy el bachiller Pereda, graduado por Salamanca, *in utroque*,[106] y hace ocho años que curso sus escuelas, aunque pobre, con honra, y no sin fama. Salí de allí hace más de un año, acompañando a mi amigo y protector el señor licenciado Vargas,[107] y fuimos a Sevilla, a vengar la muerte de su padre el marqués de Calatrava, y a indagar el paradero de su hermana, que se escapó con el matador. Pasamos allí algunos meses, donde también estuvo su hermano mayor, el actual marqués, que es oficial de Guardias. Y como no lograron su propósito, se separaron jurando venganza. Y el licenciado y yo nos vinimos a Córdoba, donde dijeron que estaba la hermana. Pero no la hallamos tampoco, y allí supimos que había muerto en la refriega que armaron los criados del Marqués, la noche de su muerte, con los del robador y asesino, y que éste se había vuelto a América. Con lo que marchamos a Cádiz, donde mi protector, el licenciado Vargas, se ha embarcado para buscar allá al enemigo de su familia. Y yo me vuelvo a mi universidad a desquitar el tiempo perdido y a continuar mis estudios; con los que, y la ayuda de Dios, puede ser que me vea algún día gobernador del Consejo o arzobispo de Sevilla.

ALCALDE

Humos[108] tiene el señor bachiller, y ya basta; pues se ve en su porte y buena explicación que es hombre de bien y que dice verdad.

MESONERA

Dígame usted, señor estudiante, ¿y qué, mataron a ese marqués?

ESTUDIANTE

Sí.

MESONERA

¿Y lo mató el amante de su hija y luego la robó? ¡Ay! Cuéntenos su merced esa historia, que será muy divertida; cuéntcla su merced . . .

---

[105] See note 91
[106] Latin: in both (subjects), i.e. civil and canon law

[107] Leonor's brother
[108] vanity, high ambition

MESONERO

¿Quién te mete a ti en saber vidas
ajenas? ¡Maldita sea tu curiosidad!
Pues que ya hemos cenado, demos
gracias a Dios, y a recogerse.   5
(*Se ponen todos en pie, y se quitan el sombrero
          como que rezan.*)
Eh, buenas noches; cada mochuelo a su
olivo.[109]

ALCALDE

Buenas noches, y que haya juicio y
silencio.

ESTUDIANTE

Pues me voy a mi cuarto.
(*Se va a meter en el del viajero incógnito.*)

MESONERO

¡Hola! No es ése; el de más allá.

ESTUDIANTE

Me equivoqué.
    (*Vanse el Alcalde y los Lugareños; entra
el Estudiante en su cuarto; la Moza, el
Arriero y la Mesonera retiran la mesa y*   25
*bancos, dejando la escena desembarazada.
El Mesonero se acerca al hogar, y queda
todo en silencio y solos el Mesonero y
Mesonera.*)

ESCENA II

MESONERO

Colasa, para medrar
En nuestro oficio, es forzoso
Que haya en la casa reposo
Y a ninguno incomodar.
Nunca meterse a oliscar
Quiénes los huéspedes son;
No gastar conversación   40
Con cuantos llegan aquí;
Servir bien, decir *no* o *sí*,
Cobrar la mosca,[110] y chitón.

MESONERA

No, por mí no lo dirás;
Bien sabes que callar sé.
Al bachiller pregunté . . .

MESONERO

Pues eso estuvo de más.

MESONERA

También ahora extrañarás
Que entre en ese cuarto a ver   10
Si el huésped ha menester
Alguna cosa, marido;
Pues es, sí, lo he conocido,
Una afligida mujer.
(*Toma un candil y entra la* Mesonera *muy*   15
     recatadamente en el cuarto.)

MESONERO

Entra, que entrar es razón,
Aunque temo, a la verdad,
Que vas por curiosidad,   20
Más bien que por compasión.

MESONERA

    (*Saliendo muy asustada.*)
¡Ay, Dios mío! Vengo muerta;   25
Desapareció la dama;
Nadie he encontrado en la cama,
Y está la ventana abierta.

MESONERO

¿Cómo? ¿cómo? . . . ¡Ya lo sé! . . .   30
La ventana al campo da,
Y como tan baja está,
Sin gran trabajo se fué.
(*Andando hacia el cuarto donde entró la mujer,
     quedándose él a la puerta.*)   35
Quiera Dios no haya cargado[111]
Con la colcha nueva.

MESONERA (*Dentro.*)

                    Nada,
Todo está aquí . . . ¡Desdichada!
Hasta dinero ha dejado . . .
Sí, sobre la mesa un duro.

---

[109] Proverbial expression: Every owl to his
olive tree, i.e. everyone to his bed.

[110] to collect the cash
[111] to run off with

MESONERO

Vaya entonces en buen hora.

MESONERA

(*Saliendo a la escena.*)
No hay duda: es una señora
Que se encuentra en grande apuro.

MESONERO

Pues con bien[112] la lleve Dios,
Y vámonos a acostar,
Y mañana no charlar,
Que esto quede entre los dos.
Echa un cuarto en el cepillo[113]
De las ánimas, mujer;
Y el duro véngame a ver;
Échamelo en el bolsillo.

ESCENA III

(El teatro representa una plataforma
en la ladera de una áspera montaña.
A la izquierda precipicios y derrum-
baderos. Al frente un profundo valle
atravesado por un riachuelo, en cuya
margen se ve, a lo lejos, la villa de
Hornachuelos, terminando el fondo en
altas montañas. A la derecha, la
fachada del convento[114] de los Ángeles,
de pobre y humilde arquitectura. La
gran puerta de la iglesia, cerrada, pero
practicable, y sobre ella una claraboya
de medio punto[115] por donde se verá el
resplandor de las luces interiores; más
hacia el proscenio, la puerta de la
portería, también practicable y cerrada;
en medio de ella una mirilla o gatera,
que se abre y se cierra, y al lado el cordón de una campanilla. En medio de la
escena habrá una gran cruz de piedra
tosca y corroída por el tiempo, puesta
sobre cuatro gradas que puedan servir
de asiento. Estará todo iluminado por
una luna clarísima. Se oirá dentro de
la iglesia el órgano, y cantar maitines al
coro de frailes, y saldrá como subiendo

por la izquierda doña Leonor, muy
fatigada y vestida de hombre con un
gabán de mangas, sombrero gacho y
botines.)

DOÑA LEONOR

5 Sí . . . ya llegué . . . Dios mío,
Gracias os doy rendida.
(*Arrodíllase al ver el convento.*)
En ti, Virgen Santísima, confío;
10 Sed el amparo de mi amarga vida.
Este refugio es sólo
El que puedo tener de polo a polo.
(*Álzase.*)
No me queda en la tierra
15 Más asilo y resguardo
Que los áridos riscos de esta sierra:
En ella estoy . . . ¿Aún tiemblo y me
     acobardo? . . .
(*Mira hacia el sitio por donde ha venido.*)
20 ¡Ah! . . . Nadie me ha seguido,
Ni mi fuga veloz notada ha sido.
No me engañé; la horrenda historia mía
Escuché referir en la posada . . .
Y ¿quién, cielos, sería
25 Aquel que la contó? ¡Desventurada!
Amigo dijo ser de mis hermanos . . .
¡Oh cielos soberanos! . . .
¿Voy a ser descubierta?
Estoy de miedo y de cansancio muerta.
30 (*Se sienta mirando en rededor y luego al cielo.*)
¡Qué asperezas! ¡Qué hermosa y clara
     luna!
¡La misma que hace un año
Vió la mudanza atroz de mi fortuna,
35 Y abrirse los infiernos en mi daño!
(*Pausa larga.*)
No fué ilusión . . . Aquel que de mí
     hablaba
Dijo que navegaba
40 Don Álvaro, buscando nuevamente
Los apartados climas de Occidente.
¡Oh Dios! ¿Y será cierto?
Con bien arribe de su patria al puerto.
(*Pausa.*)
45 ¿Y no murió la noche desastrada
En que yo, yo . . . manchada

---

[112] with good fortune
[113] alms-box for masses in behalf of the souls in purgatory

[114] monastery
[115] *una . . . punto*, a semicircular window

Con la sangre infeliz del padre mío,
Le seguí . . . le perdí? . . . ¿Y huye el
   impío?
¿Y huye el ingrato? . . . ¿Y huye y me
   abandona?[116]   5
   (*Cae de rodillas.*)
¡Oh Madre santa de piedad! Perdona,
Perdona, le olvidé. Sí, es verdadera,
Lo es mi resolución. Dios de bondades,
Con penitencia austera,
Lejos del mundo en estas soledades   10
El furor expiaré de mis pasiones.
¡Piedad, piedad, Señor, no me aban-
   dones!
   (*Queda en silencio y como en profunda* 15
meditación, recostada en las gradas de la
cruz, y después de una larga pausa continúa:)
Los sublimes acentos de ese coro
De bienaventurados,
Y los ecos pausados   20
Del órgano sonoro,
Que cual[117] de incienso vaporosa nube
Al trono santo del eterno sube,
Difunden en mi alma
Bálsamo dulce de consuelo y calma.   25
   (*Se levanta resuelta.*)
¿Qué[118] me detengo, pues? . . . Corro
   al tranquilo . . .
Corro al sagrado asilo . . .
   (*Va hacia el convento y se detiene.*)   30
Mas ¿cómo a tales horas? . . . ¡Ah! . . .
   No puedo
Ya dilatarlo más; hiélame el miedo
De encontrarme aquí sola. En esa aldea
Hay quien mi historia sabe.   35
En lo posible cabe
Que descubierta con la aurora sea.
Este santo prelado
De mi resolución está informado,
Y de mis infortunios . . . Nada temo.   40
Mi confesor de Córdoba hace días
Que las desgracias mías
Le escribió largamente.
Sé de su caridad el noble extremo;
Me acogerá indulgente.   45
¿Qué dudo, pues, qué dudo? . . .

Sed, oh Virgen santísima, mi escudo.
(*Llega a la portería y toca la campanilla.*)

ESCENA IV

(*Se abre la mirilla que está en la
puerta, y por ella sale el resplandor de
un farol que da de pronto en el rostro
de doña Leonor, y ésta se retira como
asustada. El hermano Melitón habla
toda esta escena dentro.*)

HERMANO MELITÓN

¿Quién es?

DOÑA LEONOR

Una persona a quien interesa mucho,
mucho, ver al instante al reverendo
padre Guardián.

HERMANO MELITÓN

¡Buena hora de ver al padre Guardián!
. . . La noche está clara y no será ningún caminante perdido. Si viene a
ganar el jubileo, a las cinco se abrirá la
iglesia; vaya con Dios; él le ayude.

DOÑA LEONOR

Hermano, llamad al padre Guardián.
Por caridad.

HERMANO MELITÓN

¡Qué caridad a estas horas! El padre
Guardián está en el coro.

DOÑA LEONOR

Traigo para su reverencia un recado
muy urgente del padre Cleto, defini-
dor[119] del convento de Córdoba, quien
ya le ha escrito sobre el asunto de que
vengo a hablarle.

HERMANO MELITÓN

¡Hola! . . . ¿Del padre Cleto, el de-
finidor del convento de Córdoba? Eso
es distinto . . . Iré, iré a decírselo al

---

[116] Despite her resolution to take up a hermit's life, the eternal feminine in her is
resentful at Álvaro's neglect.

[117] like   [118] For *por qué*
[119] A member of the governing body of the
monastery

padre Guardián. Pero dígame, hijo:
¿el recado y la carta, son sobre aquel
asunto con el padre General,[120] que está
pendiente allá en Madrid?

DOÑA LEONOR

Es una cosa muy interesante.

HERMANO MELITÓN

Pero ¿para quién?.

DOÑA LEONOR

Para la criatura más infeliz del mundo.

HERMANO MELITÓN

¡Mala   recomendación! . . .   Pero,
bueno, abriré la portería, aunque es
contra regla, para que entréis a esperar.

DOÑA LEONOR

No, no, no puedo entrar . . . ¡¡Jesús!!

HERMANO MELITÓN

Bendito sea su santo nombre . . . ¿Pero
sois algún excomulgado? . . . Si no, es
cosa rara preferir el esperar al raso.[121]
En fin, voy a dar el recado, que pro-
bablemente no tendrá respuesta. Si no
vuelvo, buenas noches; ahí a la bajadita[122] está la villa, y hay un buen
mesón: el de la tía Colasa.
(*Ciérrase la ventanilla, y doña* Leonor
queda muy abatida.)

ESCENA V

DOÑA LEONOR

¿Será tan negra y dura
Mi suerte miserable,
Que este santo prelado
Socorro y protección no quiera darme?
La rígida aspereza
Y las dificultades
Que ha mostrado el portero
Me pasman de terror, hielan mi sangre.
Mas no; si da el aviso

Al reverendo padre,
Y éste es tan dulce y bueno
Cual dicen todos, volará a ampararme.
¡Oh Soberana Virgen,
5 De desdichados Madre!
Su corazón ablanda
Para que venga pronto a consolarme.
     (*Queda en silencio: da la una el reloj del
convento: se abre la portería, en la que
10 aparecen el* Padre Guardián *y el hermano*
Melitón *con un farol; éste se queda en la
puerta y aquél sale a la escena.*)

ESCENA VI

PADRE GUARDIÁN

15 ¿El que me busca quién es?

DOÑA LEONOR

Yo soy, Padre, que quería . . .

PADRE GUARDIÁN

Ya se abrió la portería;
20 Entrad en el claustro, pues.

DOÑA LEONOR

     (*Muy sobresaltada.*)
¡Ah! . . . Imposible, padre, no.

PADRE GUARDIÁN

¡Imposible! . . . ¿Qué decís? . . .

DOÑA LEONOR

30 Si que os hable permitís,
Aquí sólo puedo yo.

PADRE GUARDIÁN

Si os envía el padre Cleto,
Hablad, que es mi grande amigo.

35 DOÑA LEONOR

Padre, que sea sin testigo,
Porque me importa el secreto.

PADRE GUARDIÁN

40 ¿Y quién? . . . Mas ya os entendí.
Retiraos, fray Melitón,

[120] Head of the religious order
[121] in the open air

[122] *a la bajadita,* right at the foot of the hill

Y encajad ese portón;
Dejadnos solos aquí.

HERMANO MELITÓN

¿No lo dije? Secretitos.
Los misterios ellos solos,
Que los demás somos bolos[123]
Para estos santos benditos.

PADRE GUARDIÁN

¿Qué murmura?

HERMANO MELITÓN

Que está tan
Premiosa[124] esta puerta ... y luego ...

PADRE GUARDIÁN

Obedezca, hermano lego.

HERMANO MELITÓN

Ya me la echó de guardián.[125]
(Ciérrase la puerta y vase.)

ESCENA VII

PADRE GUARDIÁN

(Acercándose a Leonor.)
Ya estamos, hermano, solos.
¿Mas por qué tanto misterio?
¿No fuera más conveniente
Que entrarais en el convento?
No sé qué pueda impedirlo ...
Entrad, pues, que yo os lo ruego;
Entrad, subid a mi celda;
Tomaréis un refrigerio,
Y después ...

DOÑA LEONOR

No, padre mío.

PADRE GUARDIÁN

¿Qué os horroriza? ... No entiendo ...

DOÑA LEONOR

(Muy abatida.)
Soy una infeliz mujer.

123 stupid
124 hard to close
125 He has put on the airs of an Abbot.

PADRE GUARDIÁN

(Asustado.)
¡Una mujer! ... ¡Santo cielo!
¡Una mujer! ... A estas horas,
5 En este sitio ... ¿Qué es esto?

DOÑA LEONOR

Una mujer infelice,[126]
Maldición del universo,
Que a vuestras plantas rendida
10   (Se arrodilla.)
Os pide amparo y remedio,
Pues vos podéis libertarla
De este mundo y del infierno.

PADRE GUARDIÁN

15 Señora, alzad. Que son grandes
          (La levanta.)
Vuestros infortunios creo,
Cuando os miro en este sitio
Y escucho tales lamentos.
20 ¿Pero qué apoyo, decidme,
Qué amparo prestaros puedo
Yo, un humilde religioso,
Encerrado en estos yermos?

DOÑA LEONOR

25 ¿No habéis, padre, recibido
La carta que el padre Cleto ...

PADRE GUARDIÁN

(Recapacitando.)
30 ¿El padre Cleto os envía? ...

DOÑA LEONOR

A vos, cual solo[127] remedio
De todos mis infortunios;
35 Si benigno[128] los intentos
Que a estos montes me conducen
Permitís tengan efecto.

PADRE GUARDIÁN

(Sorprendido.)
40 ¿Sois doña Leonor de Vargas? ...
¿Sois por dicha? ... ¡Dios eterno!

126 Poetic form for infeliz   127 as the only
128 Modifies the understood subject of permitís

DOÑA LEONOR

(*Abatida.*)

¡Os horroriza el mirarme!

PADRE GUARDIÁN

(*Afectuoso.*)

No, hija mía, no por cierto,
Ni permita Dios que nunca
Tan duro sea mi pecho,
Que a los desgraciados niegue
La compasión y el respeto.

DOÑA LEONOR

¡Yo lo[129] soy tanto!

PADRE GUARDIÁN

   Señora,
Vuestra agitación comprendo.
No es extraño, no. Seguidme,
Venid. Sentaos un momento
Al pie de esta cruz; su sombra
Os dará fuerza y consuelos.
(*Lleva el* Guardián *a doña Leonor, y se*
  sientan al pie de la cruz.)

DOÑA LEONOR

¡No me abandonéis, oh, padre!

PADRE GUARDIÁN

No, jamás; contad conmigo.

DOÑA LEONOR

De este santo monasterio
Desde que el término piso,
Más tranquila tengo el alma,
Con más libertad respiro.
Ya no me cercan, cual hace
Un año, que hoy se ha cumplido,
Los espectros y fantasmas
Que siempre en redor[130] he visto.
Ya no me sigue la sombra
Sangrienta del padre mío,
Ni escucho sus maldiciones,
Ni su horrenda herida miro,
Ni . . .

PADRE GUARDIÁN

¡Oh, no lo dudo, hija mía!
Libre estáis en este sitio
De esas vanas ilusiones,
5 Aborto de los abismos.
Las insidias del demonio,
Las sombras a que da brío
Para conturbar al hombre,
No tienen aquí dominio.

10   DOÑA LEONOR

Por eso aquí busco ansiosa
Dulce consuelo y auxilio,
Y de la Reina del cielo
Bajo el regio manto abrigo.

15   PADRE GUARDIÁN

Vamos despacio, hija mía;
El padre Cleto me ha escrito
La resolución tremenda
Que al desierto os ha traído;
20 Pero no basta.

   DOÑA LEONOR

   Sí basta;
Es inmutable . . . lo fío,
Es inmutable.

25   PADRE GUARDIÁN

   ¡Hija mía!

   DOÑA LEONOR

Vengo resuelta, lo he dicho,
A sepultarme por siempre
30 En la tumba de estos riscos.

   PADRE GUARDIÁN

¡Cómo!

   DOÑA LEONOR

35   ¿Seré la primera? . . .
No lo seré, padre mío.
Mi confesor me ha informado
De que en este santo sitio,
40 Otra mujer infelice
Vivió muerta para el siglo.[131]

---

[129] Antecedent: *desgraciada*
[130] *en redor*, poetic for *alrededor*

[131] the secular world

Resuelta a seguir su ejemplo
Vengo en busca de su asilo:
Dármelo sin duda puede
La gruta que le dió abrigo,
Vos la protección y amparo
Que para ello necesito,
Y la soberana Virgen
Su santa gracia y su auxilio.

PADRE GUARDIÁN

No os engañó el padre Cleto,
Pues diez años ha vivido
Una santa penitente
En este yermo tranquilo,
De los hombres ignorada,
De penitencias prodigio.
En nuestra iglesia sus restos
Están, y yo los estimo
Como la joya más rica
De esta casa que, aunque indigno,
Gobierno en el santo nombre
De mi padre San Francisco.
La gruta que fué su albergue,
Y a que reparos precisos
Se le hicieron, está cerca,
En ese hondo precipicio.
Aun existen en su seno
Los humildes utensilios
Que usó la santa, a su lado
Un arroyo cristalino
Brota apacible.

DOÑA LEONOR

       Al momento
Llevadme allá, padre mío.

PADRE GUARDIÁN

¡Oh, doña Leonor de Vargas!
¿Insistís?

DOÑA LEONOR

      Sí, padre, insisto.
Dios me manda . . .

PADRE GUARDIÁN

        Raras veces
Dios tan grandes sacrificios
Exige de los mortales.
Y ¡ay de aquel que de un delirio

En el momento, hija mía,
Tal vez se engaña a sí mismo!
Todas las tribulaciones
De este mundo fugitivo,
5 Son, señora, pasajeras,
Al cabo encuentran alivio.
Y al Dios de bondad se sirve,
Y se le aplaca lo mismo
En el claustro, en el desierto,
10 De la corte en el bullicio,
Cuando se le entrega el alma
Con fe viva y pecho limpio.

DOÑA LEONOR

15 No es un acaloramiento,
No un instante de delirio,
Quien me sugirió la idea
Que a buscaros me ha traído.
Desengaños de este mundo,
20 Y un año ¡ay Dios! de suplicios,
De largas meditaciones,
De continuados peligros,
De atroces remordimientos,
De reflexiones conmigo,
25 Mi intención han madurado
Y esfuerzo me han concedido
Para hacer voto solemne
De morir en este sitio.
Mi confesor venerable,
30 Que ya mi historia os ha escrito,
El Padre Cleto, a quien todos
Llaman santo, y con motivo,
Mi resolución aprueba;
Aunque, cual vos, al principio
35 Trató de desvanecerla
Con sus doctos raciocinios:
Y a vuestras plantas me envía
Para que me deis auxilio.
No me abandonéis, oh Padre;
40 Por el cielo os lo suplico;
Mi resolución es firme,
Mi voto inmutable y fijo,
Y no hay fuerza en este mundo
Que me saque de estos riscos.

45   PADRE GUARDIÁN

Sois muy joven, hija mía;
¿Quién lo que el cielo propicio
Aun nos puede guardar sabe?

DOÑA LEONOR

Renuncio a todo, lo he dicho.

PADRE GUARDIÁN

Acaso aquel caballero . . .

DOÑA LEONOR

¿Qué pronunciáis? . . . ¡oh martirio!
Aunque inocente, manchado
Con sangre del padre mío
Está, y nunca, nunca . . .

PADRE GUARDIÁN

           Entiendo.
Mas de vuestra casa el brillo,
Vuestros hermanos . . .

DOÑA LEONOR

         Mi muerte
Sólo anhelan vengativos.

PADRE GUARDIÁN

¿Y la bondadosa tía
Que en Córdoba os ha tenido
Un año oculta?

DOÑA LEONOR

       No puedo,
Sin ponerla en compromiso,
Abusar de sus bondades.

PADRE GUARDIÁN

Y qué, ¿más seguro asilo
No fuera, y más conveniente,
Con las esposas de Cristo,
En un convento? . . .

DOÑA LEONOR

       No, Padre;
Son tantos los requisitos
Que para entrar en el claustro
Se exigen . . . y . . . ¡oh! no, Dios mío,
Aunque me encuentro inocente,
No puedo, tiemblo al decirlo,
Vivir sino donde nadie
Viva y converse conmigo.

132 the Virgin Mary

Mi desgracia en toda España
Suena de modo distinto,
Y una alusión, una seña,
Una mirada, suplicios
5 Pudieran ser que me hundieran
Del despecho en el abismo.
No, jamás . . . Aquí, aquí sólo;
Si no me acogéis benigno,
Piedad pediré a las fieras
10 Que habitan en estos riscos,
Alimento a estas montañas,
Vivienda a estos precipicios.
No salgo de este desierto;
Una voz hiere mi oído,
15 Voz del cielo, que me dice:
Aquí, aquí; y aquí respiro.
      (Se abraza con la cruz.)
No, no habrá fuerzas humanas
Que me arranquen de este sitio.

20 PADRE GUARDIÁN

   (Levantándose y aparte.)
¡Será verdad, Dios eterno!
¿Será tan grande y tan alta
La protección que concede
25 Vuestra Madre Soberana132
A mí, pecador indigno,
Que cuando soy de esta casa
Humilde prelado, venga
Con resolución tan santa
30 Otra mujer penitente
A ser luz de estas montañas?
¡Bendito seáis, Dios eterno,
Cuya omnipotencia narran
Esos cielos estrellados,
35 Escabel de vuestras plantas!
¿Vuestra vocación es firme? . . .
¿Sois tan bienaventurada? . . .

DOÑA LEONOR

40 Es inmutable, y cumplirla
La voz del cielo me manda.

PADRE GUARDIÁN

Sea, pues, bajo el amparo
45 De la Virgen Soberana.
   (Extiende una mano sobre ella.)

DOÑA LEONOR

(*Arrojándose a las plantas del* padre
Guardián.)
¿Me acogéis? . . . ¡Oh Dios! . . .
¡Oh dicha!
¡Cuán feliz vuestras palabras
Me hacen en este momento! . . .

PADRE GUARDIÁN

(*Levantándola*)
Dad a la Virgen las gracias.
Ella es la que asilo os presta
A la sombra de su casa.
No yo, pecador protervo,
Vil gusano, tierra, nada. (*Pausa.*)

DOÑA LEONOR

Y vos, tan sólo vos, oh Padre mío,
Sabréis que habito en estas asperezas,
Ningún otro mortal.

PADRE GUARDIÁN

Yo solamente
Sabré quién sois. Pero que avise es
fuerza
A la comunidad de que la ermita
Está ocupada y de que vive en ella
Una persona penitente. Y nadie,
Bajo precepto santo de obediencia,
Osará aproximarse de cien pasos,
Ni menos penetrar la humilde cerca
Que a gran distancia la circunda en 30
torno.
La mujer santa, antecesora vuestra,
Sólo fué conocida del prelado,
También mi antecesor. Que mujer era,
Lo supieron los otros religiosos,
Cuando se celebraron sus exequias.
Ni yo jamás he de volver a veros:
Cada semana, sí, con gran reserva,
Yo mismo os dejaré junto a la fuente
La escasa provisión: de recogerla
Cuidaréis vos . . . Una pequeña es-
quila,
Que está sobre la puerta con su cuerda,
Calando a lo interior, tocaréis sólo
De un gran peligro en la ocasión 45
extrema,

O en la hora de la muerte. Su sonido,
A mí, o al que cual yo prelado sea,
Avisará, y espiritual socorro
Jamás os faltará . . . No, nada tema.
5 La Virgen de los Ángeles os cubre
Con su manto, será vuestra defensa
El ángel del Señor.

DOÑA LEONOR

Mas mis hermanos . . .
10 O bandidos tal vez . . .

PADRE GUARDIÁN

Y ¿quién pudiera
Atreverse, hija mía, sin que al punto
Sobre él tronara la venganza eterna?
15 Cuando vivió la penitente antigua
En este mismo sitio, adonde os lleva
Gracia especial del brazo omnipotente,
Tres malhechores, con audacia ciega,
Llegar quisieron al albergue santo;
20 Al momento una horrísona tormenta
Se alzó, enlutando el indignado cielo,
Y un rayo desprendido de la esfera
Hizo ceniza a dos de los bandidos,
Y el tercero, temblando, a nuestra
25 iglesia
Acogióse, vistió el escapulario,
Abrazando contrito nuestra regla,
Y murió a los dos meses.

DOÑA LEONOR

Bien: ¡oh Padre!
Pues que encontré donde esconderme
pueda
A los ojos del mundo, conducidme;
35 Sin tardanza llevadme . . .

PADRE GUARDIÁN

Al punto sea,
Que ya la luz del alba se avecina.
40 Mas antes entraremos en la iglesia;
Recibiréis mi absolución, y luego
El pan de vida y de salud eterna.[133]
Vestiréis el sayal de San Francisco,
Y os daré avisos que importaros puedan
45 Para la santa y penitente vida,
A que con gloria tanta estáis resuelta.

---

[133] *El pan . . . eterna*, communion wafer

Escena VIII

PADRE GUARDIÁN

¡Hola! . . . Hermano Melitón.
¡Hola! . . . despierte le digo;
De la iglesia abra el postigo.

HERMANO MELITÓN (*Dentro.*)

Pues qué, ¿ya las cinco son? . . .
    (*Sale bostezando.*)
Apostaré a que no han dado. (*Bosteza.*)

PADRE GUARDIÁN

La iglesia abra.

HERMANO MELITÓN

No es de día.

PADRE GUARDIÁN

¿Replica? . . . Por vida mía . . .

HERMANO MELITÓN

¿Yo? . . . en mi vida[134] he replicado.
5 Bien podía el penitente
Hasta las cinco esperar;
Difícil será encontrar
Un pecador tan urgente.
    (*Vase, y en seguida se oye descorrer el*
10 *cerrojo de la puerta de la iglesia, y se la ve*
abrirse lentamente.)

PADRE GUARDIÁN

(*Conduciendo a* Leonor *hacia la iglesia.*)
Vamos al punto, vamos.
15 En la casa de Dios, hermana, entremos,
Su nombre bendigamos,
En su misericordia conficmos.

JORNADA TERCERA

La escena es en Italia, en Veletri y sus alrededores.

ESCENA PRIMERA

(El teatro representa una sala corta,[135] alojamiento de oficiales calaveras. En las paredes estarán colgados en desorden uniformes, capotes, sillas de caballos, armas, etc.; en medio habrá una mesa con tapete verde, dos candeleros de bronce con velas de sebo; cuatro oficiales alrededor, uno de ellos con la baraja en la mano: algunas sillas desocupadas.)[136]

PEDRAZA (*Entra muy de prisa.*)
¡Qué frío está esto!

OFICIAL 1.º

Todos se han ido en cuanto me han desplumado:[137] no he conseguido tirar ni una buena talla.[138]

20 PEDRAZA

Pues precisamente va a venir un gran punto,[139] y si ve esto tan desierto y frío . . .

OFICIAL 1.º

¿Y quién es el pájaro?

TODOS

¿Quién?

30 PEDRAZA

El ayudante del General, ese teniente coronel que ha llegado con la orden de que al amanecer estemos sobre las armas.[140] Es gran aficionado, tiene 35 mucho rumbo,[141] y a lo que parece es blanquito.[142] Hemos cenado juntos en casa de la coronela, a quien ya le está

---

[134] never. Again Melitón introduces comic relief reminiscent of Shakespeare's gatekeeper in *Macbeth*.
[135] A setting occupying only the front of the stage, so that another set can be ready behind it.
[136] Once more the act starts with a picturesque scene serving to bring in suspense with respect to the main plot.

[137] to clean one out   [138] hand
[139] clever fellow (said ironically). Perhaps a play on words is intended, for *punto* can mean a 'better' in gambling. Compare the English word 'punter,' meaning 'better.'
[140] under arms
[141] *tener mucho rumbo*, to make a great splurge
[142] an easy mark (*blanco* means *target*)

echando requiebros, y el taimado de
nuestro capellán[143] lo marcó por suyo.
Le convidó con que viniera a jugar, y
ya lo trae hacia aquí.

OFICIAL 1.º

Pues, señores, ya es éste otro cantar.
Ya vamos a ser todos unos . . .[144] ¿Me
entienden ustedes?

TODOS

Sí, sí, muy bien pensado.

OFICIAL 2.º

Como que es de plana mayor,[145] y será
contrario de los pobres pilíes.[146]

OFICIAL 4.º

A él, y duro.

OFICIAL 1.º

Pues para jugar con él tengo baraja
preparada, más obediente que un
recluta y más florida[147] que el mes de
Mayo . . . (Saca una baraja del bolsillo.)
Y aquí está.

OFICIAL 3.º

¡Qué fino es usted, camarada!

OFICIAL 1.º

No hay que jugar ases ni figuras.[148] Y
al avío,[149] que ya suena gente en la
escalera. Tiro,[150] tres a la derecha,
nueve a la izquierda.

ESCENA II

(Entran Don Carlos de Vargas y el
Capellán)

CAPELLÁN

Aquí viene, compañeros,
Un rumboso aficionado.

TODOS

Sea, pues, muy bien llegado.
(Levantándose y volviéndose a sentar.)

DON CARLOS

Buenas noches, caballeros.
¡Qué casa tan indecente! (Aparte.)
Estoy, vive Dios, corrido
De verme comprometido
A alternar con esta gente.

OFICIAL 1.º

Sentaos.
(Se sienta don Carlos, haciéndole todos
lugar.)

CAPELLÁN

   Señor capitán, (Al banquero.)
¿Y el concurso?

OFICIAL 1.º

      Se afuñó (Barajando.)
En cuanto me desbancó.
Toditos repletos van.
Se declaró un juego eterno
Que no he podido quebrar,
Y siempre salió a ganar
Una sota del infierno.[151]
Veintidós veces salió
Y jamás a la derecha.

OFICIAL 2.º

El que nunca se aprovecha
De tales gangas[152] soy yo.

OFICIAL 3.º

Y yo en el juego contrario
Me empeñé, que nada vi,
Y ya sólo estoy aquí
Para rezar el rosario.

CAPELLÁN

Vamos.

---

[143] el taimado . . . capellán, our sly chaplain
[144] Complete the sentence with some word
such as santos (said ironically).
[145] plana mayor, general staff
[146] A word not in the dictionaries, probably
military slang for ordinary officers.

[147] flowery; but figuratively, select, carefully
chosen   [148] picture cards
[149] al avío, begin the preparations
[150] I deal
[151] una . . . infierno, a cursed jack
[152] easy pickings

PEDRAZA

Vamos.

OFICIAL 1.º

Tiro.

DON CARLOS

Juego.

OFICIAL 1.º

Tiro, a la derecha el as,
Y a la izquierda la sotita.

OFICIAL 2.º

Ya salió la muy maldita.
Por vida de Barrabás . . .

OFICIAL 1.º

Rey a la derecha, nueve
A la izquierda.

DON CARLOS

Yo lo gano.

OFICIAL 1.º

¡Tengo apestada la mano! (*Paga.*)
Tres onzas, nada se debe.
A la derecha la sota.

OFICIAL 4.º

Ya quebró.[153]

OFICIAL 3.º

Pegarle fuego.[154]

OFICIAL 1.º

A la izquierda siete.

DON CARLOS

Juego.

OFICIAL 2.º

Sólo el verla me rebota.

DON CARLOS

Copo.[155]

CAPELLÁN

¿Con carta tapada?[156]

OFICIAL 1.º

5 Tiro, a la derecha el tres.

PEDRAZA

¡Qué bonita carta es!

OFICIAL 1.º

10 Cuando sale descargada.[157]
A la izquierda el cinco.

DON CARLOS

(*Levantándose y sujetando la mano del que
talla.*)
15   No,
Con tiento, señor banquero,
              (*Vuelve su carta.*)
Que he ganado mi dinero,
Y trampas no sufro yo.

OFICIAL 1.º

20   ¿Cómo trampas? . . . ¿Quién osar . . .?

DON CARLOS

Yo: pegado tras del cinco
Está el caballo; buen brinco
25 Le hicisteis, amigo, dar.[158]

OFICIAL 1.º

Soy hombre pundonoroso,
Y esto una casualidad . . .

DON CARLOS

30 Ésta es una iniquidad;
Vos un taimado tramposo.

PEDRAZA

Sois un loco, un atrevido.

---

[153] At last it has broken (its streak of falling on the left).
[154] Burn it up!; Curse it!
[155] I cover (the entire amount of the bank).
[156] With a card still to be dealt?

[157] Probably a metaphor comparing the card to an unloaded (*descargado*) gun, hence harmless.
[158] The dealer slipped the *caballo* (queen) behind the five.

DON CARLOS

Vos un vil, y con la espada . . .

TODOS

Ésta es una casa honrada.

CAPELLÁN

Por Dios, no hagamos ruído.

DON CARLOS

(Echando a rodar la mesa.)
Abreviemos de razones.

TODOS (Tomando las espadas.)

¡Muera, muera el insolente!

DON CARLOS

(Sale defendiéndose.)
¿Qué puede con un valiente
Una cueva de ladrones?
(Salen de la estancia acuchillándose, y dos o
tres soldados retiran la mesa, las sillas y
desembarazan la escena.)

ESCENA III

(El teatro representa una selva en
noche muy obscura. Aparece al fondo
don Álvaro, solo, vestido de capitán de
granaderos; se acerca lentamente, y
dice con gran agitación.)

Don Álvaro solo.[159]

¡Qué carga tan insufrible
Es el ambiente vital,
Para el mezquino mortal
Que nace en signo terrible!
¡Qué eternidad tan horrible
La breve vida! ¡Este mundo,
Qué calabozo profundo
Para el hombre desdichado,
A quien mira el cielo airado
Con su ceño furibundo!

Parece, sí, que a medida
Que es más dura y más amarga,
Más extiende, más alarga
El destino nuestra vida.
5 Si nos está concedida
Sólo para padecer,
Y debe muy breve ser
La[160] del feliz, como en pena
De que su objeto no llena,[161]
10 ¡Terrible cosa es nacer!
    Al que tranquilo, gozoso
Vive entre aplausos y honores,
Y de inocentes amores
Apura el cáliz sabroso,
15 Cuando[162] es más fuerte y brioso,
La muerte sus dichas huella[163]
Sus venturas atropella;
Y yo que infelice soy,
Yo que buscándola voy,
20 No puedo encontrar con ella.
    ¿Mas cómo la he de obtener,
¡Desventurado de mí!
Pues cuando infeliz nací,
Nací para envejecer?
25 Si aquel día de placer
(Que uno sólo he disfrutado)
Fortuna hubiese fijado,[164]
¡Cuán pronto muerte precoz
Con su guadaña feroz
30 Mi cuello hubiera segado!
    Para engalanar mi frente,
Allá en la abrasada zona,
Con la espléndida corona
Del imperio de Occidente,
35 Amor y ambición ardiente
Me engendraron de concierto;[165]
Pero con tal desacierto,
Con tan contraria fortuna,
Que una cárcel fué mi cuna,
40 Y fué mi escuela el desierto.
    Entre bárbaros crecí,
Y en la edad de la razón,
A cumplir la obligación

---

[159] This famous soliloquy is Don Álvaro's
first revelation of his intimate feelings. Up to
this point, almost half-way through the play,
he has only appeared briefly, yet he has dominated the play. Now he meditates on the
cruel Fate which has ruled his existence.

[160] Supply: vida

[161] como . . . llena, as if in retribution for not
fulfilling its (Life's) objective (of suffering)

[162] at the very time that

[163] to trample underfoot

[164] Fortune had stopped its wheel, i.e. had
allowed me to remain happy with Leonor

[165] Another hint about his parentage, imply-
ing that he was heir to the Empire of the Incas.

Que un hijo tiene, acudí:
Mi nombre ocultando fuí
(Que es un crimen) a salvar
La vida, y así pagar
A los que a mí me la dieron.[166]
Que un trono soñando vieron
Y un cadalso al despertar.

    Entonces risueño un día,
Uno sólo, nada más,
Me dió el destino; quizás
Con intención más impía.
Así[167] en la cárcel sombría
Mete una luz el sayón,
Con la tirana intención
De que un punto el preso vea
El horror que lo rodea
En su espantosa mansión.

    ¡Sevilla!!! ¡Guadalquivir!!![168]
¡Cuál atormentáis mi mente! . . .
Noche en que vi de repente
Mis breves dichas huir!
¡Oh qué carga es el vivir! . . .
¡Cielos, saciad el furor! . . .
Socórreme, mi Leonor,
Gala del suelo andaluz,
Que ya eres ángel de luz
Junto al trono del Señor.[169]

    Mírame desde tu altura
Sin nombre en extraña tierra,
Empeñado en una guerra
Por ganar mi sepultura.
¿Qué me importa, por ventura,
Que triunfe Carlos o no?
¿Qué tengo de Italia en pro?
¿Qué tengo? ¡Terrible suerte!
Que en ella reina la muerte,
Y a la muerte busco yo.

    ¡Cuánto, oh Dios, cuánto se engaña
El que elogia mi ardor ciego,

Viéndome siempre en el fuego
De esta extranjera campaña!
Llámanme la prez de España,
Y no saben que mi ardor
5 Sólo es falta de valor,
Pues busco ansioso el morir
Por no osar el resistir
De los astros el furor.
    Si el mundo colma de honores
10 Al que mata a su enemigo,
El que lo[170] lleva consigo
¿Por qué no puede . . .?
           (*Óyese ruido de espadas.*)

15   DON CARLOS (*Dentro.*)

              ¡Traidores!!![171]

       VOCES (*Dentro.*)
¡Muera!

20   DON CARLOS (*Dentro.*)
    ¡Viles!

      DON ÁLVARO (*Sorprendido.*)
             ¡Qué clamores!

25   DON CARLOS (*Dentro.*)
¡Socorro!!!

        DON ÁLVARO
30   (*Desenvainando la espada.*)

          Dárselo quiero,
Que oigo crujir el acero;
Y si a los peligros voy
35 Porque desgraciado soy,
También voy por caballero.

    (*Éntrase*; suena ruido de espadas; *atra-
viesan dos hombres la escena como fugitivos,
y vuelven a salir* don Álvaro *y* don Carlos.)

---

[166] The first light on the central mystery of the play. We have wondered why Don Álvaro didn't tell the Marqués de Calatrava who he was. But now we see that even telling his name is a crime. Furthermore, Don Álvaro's parents are in mortal danger, and his trip to Spain is an attempt to save them.

[167] just so

[168] Remember that Rivas was an exile from his beloved Andalucía when he penned these lines. In his lyric poetry he frequently inserts passages in praise of his native region.

[169] He believes that Leonor is dead just as

she originally thought that Don Álvaro was killed on the night of their elopement.

[170] *Lo* refers to *enemigo;* the one who is his own enemy. Why can't he (take his own life)? Don Álvaro is again Christian (as he was in the matter of marriage) in his refusal to commit suicide. Again he differs from the general run of romantic characters and authors.

[171] The interrupting of Don Álvaro's meditation by some of the most violent action of the play is a clever dramatic device. The soliloquy could not be allowed to peter out to a weak ending.

ESCENA IV

DON ÁLVARO

Huyeron . . . ¿Estáis herido?

DON CARLOS

Mil gracias os doy, señor;
Sin vuestro heroico valor
De cierto estaba perdido;
Y no fuera maravilla:
Eran siete contra mí,
Y cuando grité, me vi
En tierra ya una rodilla.

DON ÁLVARO

¿Y herido estáis?

DON CARLOS (*Reconociéndose.*)[172]

Nada siento.
(*Envainan.*)

DON ÁLVARO

¿Quiénes eran?

DON CARLOS

Asesinos.

DON ÁLVARO

¿Cómo osaron tan vecinos
De un militar campamento? . . .

DON CARLOS

Os lo diré francamente:
Fué contienda sobre el juego.
Entré sin pensarlo, ciego,
En un casuco indecente . . .

DON ÁLVARO

Ya caigo, aquí, á mano diestra . . .

DON CARLOS

Sí.

DON ÁLVARO

Que extrañe perdonad,
Que un hombre de calidad,
Cual vuestro esfuerzo demuestra,

Entrara en tal gazapón,
Donde sólo va la hez,
La canalla más soez,
De la milicia borrón.[173]

5 DON CARLOS

Sólo el ser recién llegado
Puede, señor, disculparme;
Vinieron a convidarme,
Y accedí desalumbrado.

10 DON ÁLVARO

¿Con que ha poco estáis aquí?

DON CARLOS

Diez días ha que llegué
15 A Italia; dos sólo que
Al cuartel general fui.
Y esta tarde al campamento
Con comisión especial
Llegué de mi general,
20 Para el reconocimiento
De mañana. Y si no fuera
Por vuestra espada y favor,
Mi carrera sin honor
Ya terminada estuviera.
25 Mi gratitud sepa, pues,
A quién la vida he debido,
Porque el ser agradecido
La obligación mayor es
Para el hombre bien nacido.

30 DON ÁLVARO (*Con indiferencia.*)

Al acaso.[174]

DON CARLOS (*Con expresión.*)

Que me deis
Vuestro nombre a suplicaros
35 Me atrevo. Y para obligaros,
Primero el mío sabréis.
(Siento no decir verdad) (*Aparte.*)
Soy don Félix de Avendaña,
Que he venido a esta campaña
40 Sólo por curiosidad.
Soy teniente coronel,
Y del general Briones
Ayudante: relaciones
Tengo de sangre con él.

[172] feeling himself
[173] stain. Word order: *borrón de la milicia*

[174] (You owe your life) to chance.

DON ÁLVARO (*Aparte.*)

¡Qué franco es y qué expresivo!
Me cautiva el corazón.

DON CARLOS

Me parece que es razón
Que sepa yo por quién vivo,
Pues la gratitud es ley.

DON ÁLVARO

Soy . . . don Fadrique de Herreros,
Capitán de granaderos
Del regimiento del Rey.

DON CARLOS

(*Con grande admiración y entusiasmo.*)
¿Sois . . . ¡grande dicha es la mía!
Del ejército español
La gloria, el radiante sol
De la hispana valentía?

DON ÁLVARO

Señor . . .

DON CARLOS

Desde que llegué
A Italia, sólo elogiaros
Y prez de España llamaros
Por donde quiera escuché.
Y de español tan valiente
Anhelaba la amistad.

DON ÁLVARO

Con ella, señor, contad,
Que me honráis muy altamente.
Y según os he encontrado
Contra tantos combatiendo
Bizarramente, comprendo
Que seréis muy buen soldado.
Y la gran cortesanía
Que en vuestro trato mostráis,
Dice a voces que gozáis
De aventajada hidalguía.
     (*Empieza a amanecer.*)
Venid, pues, a descansar
A mi tienda.

DON CARLOS

Tanto honor,
Será muy corto, señor,
Que el alba empieza a asomar.
5 (*Se oye a lo lejos tocar generala a las bandas
     de tambores.[175]*)

DON ÁLVARO

Y por todo el campamento,
De los tambores el son
10 Convoca a la formación.
Me voy a mi regimiento.

DON CARLOS

Yo también, y a vuestro lado
Asistiré en la pelea,
15 Donde os admire y os vea
Como a mi ejemplo y dechado.

DON ÁLVARO

Favorecedor y amigo,
20 Si sois cual cortés valiente,[176]
Yo de vuestro arrojo ardiente
Seré envidioso testigo. (*Vanse.*)

ESCENA V

25 (El teatro representa un risueño
campo de Italia, al amanecer; se verá
a lo lejos el pueblo de Veletri y varios
puestos militares; algunos cuerpos de
tropa cruzan la escena, y luego sale una
30 compañía de infantería con el Capitán,
el Teniente y el Subteniente: don Carlos
sale a caballo con una ordenanza detrás
y coloca la compañía a un lado, avan-
35 zando una guerrilla al fondo del teatro.)

DON CARLOS

Señor capitán, permaneceréis aquí
hasta nueva orden; pero si los enemigos
40 arrollan[177] las guerrillas y se dirigen a
esa altura donde está la compañía de
Cantabria, marchad a socorrerla a todo
trance.

---

[175] *tocar . . . tambores,* the drum corps beat
the call to arms

[176] *Si . . . valiente,* If you are (as) brave as
(you are) courteous   [177] to crush

CAPITÁN

Está bien: cumpliré con mi obligación.
(*Vase* don Carlos.)

ESCENA VI

CAPITÁN

Granaderos, en su lugar, descanso.
Parece que lo entiende este ayudante.
(*Salen los oficiales de las filas y se reúnen,
mirando con un anteojo hacia donde suena
rumor de fusilería.*)

TENIENTE

Se va galopando al fuego como un
energúmeno y la acción se empeña[178]
más y más.

SUBTENIENTE

Y me parece que ha de ser muy caliente.

CAPITÁN

(*Mirando con el anteojo.*)
Bien combaten los granaderos del Rey.

TENIENTE

Como que llevan a la cabeza a la prez
de España, al valiente don Fadrique
de Herreros, que pelea como un desesperado.

SUBTENIENTE

(*Tomando el anteojo y mirando con él.*)
Pues los alemanes cargan[179] a la bayoneta y con brío; adiós, que nos desalojan
de aquel puesto. (*Se aumenta el tiroteo.*)

CAPITÁN (*Toma el anteojo.*)

A ver, a ver . . . ¡Ay! Si no me engaño, el capitán de granaderos del Rey
ha caído o muerto o herido; lo veo claro,
muy claro.

TENIENTE

Yo distingo que se arremolina la compañía . . . y creo que retrocede.

SOLDADOS

¡A ellos, a ellos!

CAPITÁN

Silencio. Firmes. (*Vuelve a mirar con el
5 anteojo.*) Las guerrillas también retro-
ceden.

SUBTENIENTE

Uno corre a caballo hacia allá.

10   CAPITÁN

Sí, es el ayudante . . . Está reuniendo
la gente y carga . . . ¡con qué denuedo! . . . nuestro es el día.

TENIENTE

15 Sí, veo huir a los alemanes.

SOLDADOS

¡A ellos!

CAPITÁN

Firmes, granaderos. (*Mira con el an-
20 teojo.*) El ayudante ha recobrado el
puesto, la compañía del Rey carga a la
bayoneta y lo arrolla todo.

TENIENTE

25 A ver, a ver. (*Toma el anteojo y mira.*)
Sí, cierto. Y el ayudante se apea del
caballo y retira en sus brazos al capitán
don Fadrique. No debe de estar más
que herido; se lo llevan hacia Veletri.

30   TODOS

Dios nos le conserve, que es la flor del
ejército.

CAPITÁN

Pero por este lado no va tan bien.
35 Teniente, vaya usted a reforzar con la
mitad de la compañía las guerrillas que
están en esa cañada; que yo voy a
acercarme a la compañía de Cantabria;
vamos, vamos.

[178] to become violent   [179] to charge

SOLDADOS

¡Viva España! ¡Viva España! ¡Viva Nápoles![180]

(*Marchan.*)

ESCENA VII

(El teatro representa el alojamiento de un oficial superior; al frente estará la puerta de la alcoba practicable y con cortinas. Entra don Álvaro herido y desmayado en una camilla, llevada por 10 cuatro granaderos, el Cirujano a un lado y don Carlos a otro, lleno de polvo y como muy cansado; un soldado traerá la maleta de don Álvaro y la pondrá sobre una mesa; colocarán la camilla 15 en medio de la escena, mientras los granaderos entran en la alcoba a hacer la cama.)

DON CARLOS

Con mucho, mucho cuidado,   20
Dejadle aquí, y al momento
Entrad a arreglar mi cama.
(*Vanse a la alcoba dos de los soldados y
    quedan otros dos.*)

CIRUJANO   25

Y que haya mucho silencio.

DON ÁLVARO

(*Volviendo en sí.*)
¿Dónde estoy? ¿Dónde?

DON CARLOS

(*Con mucho cariño.*)
                    En Veletri,
A mi lado, amigo excelso.
Nuestra ha sido la victoria,
Tranquilo estad.

DON ÁLVARO

                    ¡Dios eterno!
¡Con salvarme de la muerte,
Qué gran daño me habéis hecho!

DON CARLOS

No digáis tal, don Fadrique,
Cuando tan vano[181] me encuentro
De que salvaros la vida
5 Me haya concedido el cielo.

DON ÁLVARO

¡Ay, don Félix de Avendaña,
Qué grande mal me habéis hecho!
(*Se desmaya.*)

CIRUJANO

Otra vez se ha desmayado:
Agua y vinagre.

DON CARLOS

(*A uno de los soldados.*)
                    Al momento.
¿Está de mucho peligro? (*Al cirujano.*)

CIRUJANO

Este balazo del pecho,
En donde aun tiene la bala,
Me da muchísimo miedo;
Lo que es las otras heridas
No presentan tanto riesgo.

DON CARLOS

(*Con gran vehemencia.*)
Salvad su vida, salvadle;
Apurad todos los medios
30 Del arte, y os aseguro
Tal galardón . . . .

CIRUJANO

                    Lo agradezco:
35 Para cumplir con mi oficio
No necesito de cebo,[182]
Que en salvar a este valiente
Interés muy grande tengo.
(*Entra el soldado con un vaso de agua y
40 vinagre. El cirujano le rocía el rostro y le
aplica un pomito a las narices.*)

---

[180] Naples was once a viceroyalty of Spain. In the eighteenth century it became a separate kingdom under Spanish protection. At the time of the play there was a real battle (1744) at Velletri, near Rome, between the Neapolitans and Spaniards on one side and the Austrians on the other. King Carlos of Naples, mentioned soon, later became Carlos III of Spain, noted for his enlightened policies.

[181] proud   [182] bait; figuratively, incentive

DON ÁLVARO (*Vuelve en sí.*)

¡Ay!

DON CARLOS

Ánimo, noble amigo,
Cobrad ánimo y aliento: 5
Pronto, muy pronto curado
Y restablecido y bueno
Volveréis a ser la gloria,
El norte de los guerreros.
Y a vuestras altas hazañas   10
El Rey dará todo el premio
Que merecen. Sí, muy pronto
Lozano otra vez, cubierto
De palmas inmarchitables
Y de laureles eternos,   15
Con una rica encomienda[183]
Se adornará vuestro pecho
De Santiago o Calatrava.[184]

DON ÁLVARO (*Muy agitado.*)

¿Qué escucho? ¿Qué? ¡Santo cielo!
¡Ah! . . . no, no de Calatrava: 20
Jamás, jamás . . . ¡Dios eterno!

CIRUJANO

Ya otra vez se desmayó:
Sin quietud y sin silencio
No habrá forma de curarlo.
Que no le habléis más os ruego.
(*A don Carlos. —Vuelve a darle agua y a*   30
aplicarle el pomito a las narices.)

DON CARLOS

(*Suspenso, aparte.*)

El nombre de Calatrava
¿Qué tendrá, qué tendrá . . . tiemblo,   35
De terrible a sus oídos? . . .[185]

CIRUJANO

No puede esperar más tiempo.
¿Aun no está lista la cama?   40

DON CARLOS

(*Mirando a la alcoba.*)
Ya lo está.
(*Salen los dos soldados.*)

CIRUJANO

(*A los cuatro soldados.*)
Llevadle luego.

DON ÁLVARO

¡Ay de mí! (*Volviendo en sí.*)

CIRUJANO

Llevadle.

DON ÁLVARO

(*Haciendo esfuerzos.*)
                                      Esperen.
Poco, por lo que en mí siento,
20 Me queda ya de este mundo,
Y en el otro pensar debo.
Mas antes de desprenderme
De la vida, de un gran peso
Quiero descargarme. Amigo,
25   (*A don Carlos.*)
Un favor tan sólo anhelo.

CIRUJANO

Si habláis, señor, no es posible . . .

DON ÁLVARO

No volver a hablar prometo.
Pero sólo una palabra,
Y a él solo, que decir tengo.

DON CARLOS

(*Al* cirujano *y soldados.*)
Apartad, démosle gusto;
Dejadnos por un momento.
(*Se retira el* cirujano *y los asistentes a un
lado.*)

---

[183] cross; honorary decoration carrying with
it important duties and rewards
[184] The Knights of Santiago and Calatrava
were similar to the Knights of the Temple
(Templars), originally half-monks, half-fight-
ing men. In Spain these military orders were
founded in the Middle Ages to aid against

the Moors; in later times they were mainly
honorary (cf. the Orders of the Bath and of the
Garter in present-day England).
[185] Don Álvaro's violent reaction to the word
Calatrava (to him the title of the dead Marqués)
sows suspicion in Don Carlos' mind.

DON ÁLVARO

Don Félix, vos solo, solo, (*Dale la mano.*)
Cumpliréis con lo que quiero
De vos exigir. Juradme
Por la fe de caballero
Que haréis cuanto aquí os encargue,
Con inviolable secreto.

DON CARLOS

Yo os lo juro, amigo mío;
Acabad, pues.
(*Hace un esfuerzo* don Álvaro *como para
meter la mano en el bolsillo y no puede.*)

DON ÁLVARO

              ¡Ah! . . . no puedo.
Meted en este bolsillo,
Que tengo aquí al lado izquierdo
Sobre el corazón, la mano.
              (*Lo hace* don Carlos.)
¿Halláis algo en él?

DON CARLOS

              Sí, encuentro
Una llavecita . . .

DON ÁLVARO

              Es ésa.
(*Saca* don Carlos *la llave.*)
Con ella abrid, yo os lo ruego,
A solas y sin testigos,
Una caja que en el centro
Hallaréis de mi maleta.
En ella con sobre y sello
Un legajo hay de papeles;
Custodiadlos con esmero,
Y al momento que yo expire
Los daréis, amigo, al fuego.

DON CARLOS

¿Sin abrirlos?

DON ÁLVARO

(*Muy agitado.*)
              Sin abrirlos,
Que en ellos hay un misterio
Impenetrable . . . ¿Palabra
Me dais, don Félix, de hacerlo?

DON CARLOS

Yo os la doy con toda el alma.

DON ÁLVARO

5 Entonces tranquilo muero.
Dadme el postrimer abrazo,
Y ¡adiós, adiós!

CIRUJANO (*Enfadado.*)

              Al momento
10 A la alcoba. Y vos, don Félix,
Si es que tenéis tanto empeño
En que su vida se salve,
Haced que guarde silencio:
Y excusad también que os vea,
15 Pues se conmueve en extremo.
      (*Llévanse los soldados la camilla; entra
      también el* cirujano, *y* don Carlos *queda
      pensativo y lloroso.*)

20   ESCENA VIII

DON CARLOS

¿Ha de morir . . . ¡qué rigor!
Tan bizarro militar?
Si no lo puedo salvar
25 Será eterno mi dolor.
Puesto que él me salvó á mí,
Y desde el momento aquel
Que guardó mi vida él,
Guardar la suya ofrecí. (*Pausa.*)
30 Nunca vi tanta destreza
En las armas, y jamás
Otra persona de más
Arrogancia y gentileza.
Pero es hombre singular;
35 Y en el corto tiempo que
Le trato, rasgos noté
Que son dignos de extrañar. (*Pausa.*)
¿Y de Calatrava el nombre
Por qué así le horrorizó
40 Cuando pronunciarlo oyó? . . .
¿Qué hallará en él que le asombre?
¡Sabrá que está deshonrado! . . .
Será un hidalgo andaluz . . .
¡Cielos! . . . ¡Qué rayo de luz
45 Sobre mí habéis derramado
En este momento! . . . Sí.
¿Podrá ser éste el traidor,

De mi sangre deshonor,
El que a buscar vine aquí?
　　(*Furioso y empuñando la espada.*)
¿Y aun respira? . . . No, ahora mismo
A mis manos . . .
　　(*Corre hacia la alcoba y se detiene.*)
　　　　¿Dónde estoy? . . .
¿Ciego a despeñarme voy
De la infamia en el abismo?
¿A quien mi vida salvó,
Y que muribundo está,
Matar inerme podrá
Un caballero cual yo? (*Pausa.*)
¿No puede falsa salir
Mi　sospecha? . . . Sí . . . ¿Quién
sabe? . . .
Pero ¡cielos! esta llave
Todo me lo va a decir.
(*Se acerca a la maleta, la abre precipitado y
saca la caja, poniéndola sobre la mesa.*)
Salid, caja misteriosa,
Del destino urna fatal,
A quien[186] con sudor mortal
Toca mi mano medrosa:
Me impide abrirte el temblor
Que me causa el recelar
Si en tu centro voy a hallar
Los pedazos de mi honor.
　　　　(*Resuelto y abriendo.*)
Mas no, que en ti mi esperanza,
La luz que me da el destino,
Está para hallar[187] camino
Que me lleve a la venganza.
　　(*Abre y saca un legajo sellado.*)
Ya el legajo tengo aquí.
¿Qué tardo el sello en romper? . . .
　　　　(*Se contiene.*)
¡Oh cielos! ¡Qué voy a hacer!
¿Y la palabra que di?
¿Mas si la suerte me da
Tan inesperado medio
De dar a mi honor remedio,
El perderlo qué será?
Si a Italia sólo he venido

A buscar al matador
De mi padre y de mi honor,
Con nombre y porte[188] fingido,
5 ¿Qué importa que el pliego abra,
Si lo que vine a buscar
A Italia voy a encontrar? . . .
Pero no, di mi palabra.
Nadie, nadie aquí lo ve . . .
¡Cielos! lo estoy viendo yo.
10 Mas si él mi vida salvó,
También la suya salvé.
Y si es el infame indiano,
El seductor asesino,
¿No es bueno cualquier camino
15 Por donde venga a mi mano?
Rompo esta cubierta, sí,
Pues nadie lo ha de saber . . .
Mas ¡cielos! ¿qué voy a hacer?
¿Y la palabra que di? (*Suelta el legajo.*)
20 No, jamás. ¡Cuán fácilmente
Nos pinta nuestra pasión
Una infame y vil acción
Como acción indiferente!
A Italia vine anhelando
25 Mi honor manchado lavar;
¿Y mi empresa he de empezar
El honor amancillando?
Queda, oh secreto, escondido,
Si en este legajo estás;
30 Que un medio infame, jamás
Lo usa el hombre bien nacido.[189]
　　　　(*Registrando la maleta.*)
Si encontrar aquí pudiera
Algún otro abierto indicio
35 Que, sin hacer perjüicio
A mi opinión,[190] me advirtiera . . .
　　　　(*Sorprendido.*)
¡Cielos! . . . lo hay . . . esta cajilla,
　　(*Saca una cajita como de retrato.*)
40 Que algún retrato contiene,
　　　　(*Reconociéndola.*)
Ni sello ni sobre tiene,
Tiene sólo una aldabilla.
Hasta sin ser indiscreto

[186] which. Carlos is personifying the box; hence, he uses *a quien*.
[187] *Está para hallar*, is about to find
[188] bearing; here, way of life
[189] Since we know that the letters will shed light on Don Álvaro's parentage and his reasons for hiding his identity, we cannot help wishing that Don Carlos would look at them. We suspect that once the latter knows who Don Álvaro is, the chances of settling their differences peacefully are much greater. But through the irony of Fate, the noble sentiment of honor prohibits this solution.
[190] reputation, honor

Reconocerla me es dado;
Nada de ella me han hablado,
Ni rompo ningún secreto.
Ábrola, pues, en buen hora,
Aunque un basilisco[191] vea,
Aunque para el mundo sea
Caja fatal de Pandora.

(*La abre, y exclama muy agitado.*)

¡Cielos! . . . no . . . no me engañé,
Ésta es mi hermana Leonor . . .   10
¿Para qué prueba mayor? . . .
Con la más clara encontré.
Ya está todo averiguado;
Don Álvaro es el herido.
Brújula el retrato ha sido
Que mi norte[192] me ha marcado.
¿Y a la infame . . . me atribulo,
Con él en Italia tiene? . . .
Descubrirlo me conviene
Con astucia y disimulo.   20
¡Cuán feliz será mi suerte
Si la venganza y castigo
Sólo de un golpe consigo,[193]

A los dos dando la muerte! . . .
Mas . . . ¡ah! . . . no me precipite
Mi honra ¡cielos! ofendida.
Guardad a este hombre la vida
Para que yo se la quite.   5

(*Vuelve a colocar los papeles y el retrato en la maleta. Se oye ruido, v queda suspenso.*)

ESCENA IX

(*El cirujano sale muy contento.*)

CIRUJANO

Albricias pediros quiero;
Ya le he sacado la bala, (*Se la enseña.*)
Y no es la herida tan mala   15
Cual me pareció primero.

DON CARLOS

(*Le abraza fuera de sí.*)

¿De veras? . . . Feliz me hacéis: 20
Por ver bueno al capitán,
Tengo, amigo, más afan
Del que imaginar podéis.[194]

JORNADA CUARTA

La escena es en Veletri.

ESCENA PRIMERA   25

(El teatro representa una sala corta, de alojamiento militar. Don Álvaro y don Carlos.)

DON CARLOS

Hoy que vuestra cuarentena[195]
Dichosamente cumplís,
¿De salud cómo os sentís?
¿Es completamente buena? . . .
¿Reliquia alguna notáis
De haber tanto padecido?
¿Del todo restablecido,
Y listo y fuerte os halláis?

DON ÁLVARO

Estoy como si tal cosa;[196]
Nunca tuve más salud,
Y a vuestra solicitud
Debo mi cura asombrosa.
Sois excelente enfermero;   30
Ni una madre por un hijo
Muestra un afán más prolijo,
Tan gran cuidado y esmero.

DON CARLOS   35

En extremo interesante
Me era la vida salvaros.[197]

---

[191] A fabulous beast, the basilisk, which killed merely by looking at its victim
[192] course, path
[193] *Sólo . . . consigo*, I get with just one blow
[194] Carlos' sense of honor is exactly like that of the heroes of the dramas of the Golden Age. In addition to honor, *Don Álvaro* resembles the older plays in many ways — the amount of action, the duels, the disguises, etc.
[195] convalescence
[196] *Estoy . . . cosa*, I'm in the pink
[197] Word order: *Me era en extremo interesante [importante] salvaros la vida.*

DON ÁLVARO

¿Y con qué, amigo, pagaros
Podré interés semejante?
Y aunque gran mal me habéis hecho
En salvar mi amarga vida,
Será eterna y sin medida
La gratitud de mi pecho.

DON CARLOS

¿Y estáis tan repuesto y fuerte
Que sin ventaja pudiera
Un enemigo cualquiera?[198] . . .

DON ÁLVARO

Estoy, amigo, de suerte
Que en casa del coronel
He estado ya a presentarme,
Y de alta acabo de darme[199]
Ahora mismo en el cuartel.

DON CARLOS

¿De veras?

DON ÁLVARO

    ¿Os enojáis
Porque ayer no os dije acaso
Que iba hoy a dar este paso?
Como tanto me cuidáis,
Que os opusierais temí;
Y estando sano, en verdad,
Vivir en la ociosidad
No era honroso para mí.

DON CARLOS

¿Conque ya no os duele nada,
Ni hay asomo de flaqueza
En el pecho, en la cabeza,
Ni en el brazo de la espada?

DON ÁLVARO

No . . . Pero parece que
Algo, amigo, os atormenta,
Y que acaso os descontenta
El que yo tan bueno esté.

DON CARLOS

¡Al contrario! . . . Al veros bueno,
Capaz de entrar en acción,
Palpita mi corazón
5 Del placer más alto lleno.
Solamente no quisiera
Que os engañara el valor,
Y que el personal vigor
En una ocasión[200] cualquiera . . .

DON ÁLVARO

10 ¿Queréis pruebas?

DON CARLOS

(Con vehemencia.)
    Las deseo.

DON ÁLVARO

15 A la descubierta vamos
De mañana, y enredamos
Un rato de tiroteo.[201]

DON CARLOS

20 La prueba se puede hacer,
Pues que estáis fuerte, sin ir
Tan lejos a combatir,
Que no hay tiempo que perder.

DON ÁLVARO

25 (Confuso.)
No os entiendo . . .

DON CARLOS

    ¿No tendréis,
Sin ir a los imperiales,[202]
30 Enemigos personales
Con quien probaros podréis?

DON ÁLVARO

¿A quién le faltan? . . . Mas no
35 Lo que me decís comprendo.

DON CARLOS

Os lo está a voces diciendo
Más la conciencia que yo.

---

[198] Que sin . . . cualquiera, that any enemy might (fight you) without having an advantage over you
[199] dar de alta, to release (from hospital), to declare cured
[200] danger, quarrel
[201] A la descubierta . . . tiroteo, We'll go reconnoitering in the morning and get involved in a little shooting.
[202] The troops of the Austrian Empire

Disimular fuera en vano . . .
Vuestra turbación es harta . . .
¿Habéis recibido carta
De don Álvaro el indiano?

DON ÁLVARO

(*Fuera de sí.*)
¡Ah, traidor! . . . ¡Ah, fementido! . . .
Violaste infame un secreto,
Que yo débil, yo indiscreto,
Moribundo . . . inadvertido . . .

DON CARLOS

¿Qué osais pensar? . . . Respeté
Vuestros papeles sellados,
Que los que nacen honrados
Se portan cual me porté.
El retrato de la infame
Vuestra cómplice os perdió,
Y sin lengua me pidió
Que el suyo y mi honor reclame.
Don Carlos de Vargas soy,
Que por vuestro crimen es
De Calatrava marqués:
Temblad, que ante vos estoy.

DON ÁLVARO

No sé temblar . . . Sorprendido,
Sí, me tenéis . . .

DON CARLOS

No lo extraño.

DON ÁLVARO

¿Y usurpar con un engaño
Mi amistad honrado ha sido?
¡Señor Marqués! . . .

DON CARLOS

De esa suerte
No me permito llamar,
Que sólo he de titular[203]
Después de daros la muerte.

---

[203] take my title
[204] *Quedemos . . . fuera*, whether it be indoors or out.
[205] We have now reached the climax of the play where the two forces (Don Álvaro's desire for happiness and his adverse Fate, personified now in Don Carlos) are in exact

DON ÁLVARO

Aconteceros pudiera
Sin el título morir.

DON CARLOS

5 Vamos pronto a combatir,
Quedemos o dentro o fuera.[204]
Vamos donde mi furor . . .

DON ÁLVARO

10 Vamos, pues, señor don Carlos,
Que si nunca fuí a buscarlos,
No evito lances de honor.
Mas esperad, que en el alma
Del que goza de hidalguía,
15 No es furia la valentía,
Y ésta obra siempre con calma.
Sabéis que busco la muerte,
Que los riesgos solicito,
Pero con vos necesito
20 Comportarme de otra suerte;
Y explicaros . . .

DON CARLOS

Es perder
25 Tiempo toda explicación.

DON ÁLVARO

No os neguéis a la razón,
Que suele funesto ser.
30 Pues trataron las estrellas
Por raros modos de hacernos
Amigos, ¿a qué oponernos
A lo que buscaron ellas?[205]
Si nos quisieron unir
35 De mutuos y altos servicios
Con los vínculos propicios,
No fué, no, para reñir.
Tal vez fué para enmendar
La desgracia inevitable
40 De que no fuí yo culpable.[206]

DON CARLOS

¿Y me la osáis recordar?

---

balance. It even seems that Fate has relented momentarily. Either a tragic or a happy outcome seems possible, although obviously the author has been preparing us for the former.

[206] Don Álvaro feels that Fate killed the Marqués; see p. 295, l. 16b

DON ÁLVARO

¿Teméis que vuestro valor
Se disminuya y se asombre,
Si halla en su contrario un hombre
De nobleza y pundonor?

DON CARLOS

¡Nobleza un aventurero!
¡Honor un desconocido!
¡Sin padre, sin apellido,
Advenedizo, altanero! . . .

DON ÁLVARO

¡Ay, que ese error a la muerte,
Por más que lo evité yo,
A vuestro padre arrastró!²⁰⁷ . . .
No corráis la misma suerte.²⁰⁸
Y que infundados agravios
E insultos no ofenden, muestra
El que²⁰⁹ está ociosa mi diestra
Sin arrancaros los labios.
Si un secreto misterioso
Romper hubiera podido,
¡Oh! . . . cuán diferente sido²¹⁰ . . .

DON CARLOS

Guardadlo, no soy curioso.
Que sólo anhelo venganza
Y sangre.

DON ÁLVARO

    ¿Sangre? . . . La habrá.

DON CARLOS

Salgamos al campo ya.

DON ÁLVARO

Salgamos sin más tardanza. (Detenién-
    dose.)
Mas, don Carlos . . . ¡Ah! ¿Podréis

Sospecharme con razón
De falta de corazón?
No, no, que me conocéis.
Si el orgullo, principal
5 Y tan poderoso agente
En las acciones del ente
Que se dice racional,
Satisfecho tengo ahora,
Esfuerzos no he de omitir
10 Hasta aplacar conseguir
Ese furor que os devora.²¹¹
Pues mucho repugno yo
El desnudar el acero
Con el hombre que primero
15 Dulce amistad me inspiró.
Yo a vuestro padre no herí,
Le hirió sólo su destino.
Y yo, a aquel ángel divino,
Ni seduje, ni perdí.
20 Ambos nos están mirando
Desde el cielo; mi inocencia
Ven, esa ciega demencia
Que os agita, condenando.

25   DON CARLOS (Turbado.)

Pues qué, ¿mi hermana? . . . ¿Leo-
    nor? . . .
(Que con vos aquí no está
Lo tengo aclarado ya.)
30 ¿Mas cuándo ha muerto? . . . ¡Oh
    furor!

    DON ÁLVARO

Aquella noche terrible
Llevándola yo a un convento,
35 Exánime, y sin aliento,
Se trabó²¹² un combate horrible
Al salir del olivar
Entre mis fieles criados
Y los vuestros irritados,
40

²⁰⁷ The central mystery of the play, Don Álvaro's origin, led the Marqués to refuse Leonor to our hero. It is the great obstacle which Fate has placed between Álvaro and Leonor (see 6 lines below). The mention of it, despite Álvaro's early refusal to take insult, is one reason why he kills Carlos. Had the latter shown belief in Álvaro's claims to nobility and had he inquired about his origin, it is probable that the mystery would be revealed at this point and that the play could achieve a happy denouement (see above, ll. 4–11b.)

²⁰⁸ risk

²⁰⁹ El que, the fact that

²¹⁰ how different (would have) been (the outcome of my love for Leonor)

²¹¹ If you satisfy my pride, I shall explain my conduct, thus satisfying your honor. This is the offer implied in these words. Word order: conseguir aplacar

²¹² Here, to begin

Y no la pude salvar.
Con tres heridas caí,
Y un negro de puro fiel
(Fidelidad bien crüel),
Veloz me arrancó de allí,
Falto de sangre y sentido;
Tuve en Gelves larga cura,
Con accesos de locura;
Y apenas restablecido
Ansioso empecé a indagar
De mi único bien la suerte,
Y supe ¡ay Dios! que la muerte
En el obscuro olivar . . .

DON CARLOS (*Resuelto.*)

¡Basta, imprudente impostor!
¿Y os preciáis de caballero? . . .
¿Con embrollo tan grosero
Queréis calmar mi furor?
Deponed tan necio engaño:
Después del funesto día,
En Córdoba, con su tía,
Mi hermana ha vivido un año.
Dos meses ha que fuí yo
A buscarla, y no la hallé.
Pero de cierto indagué
Que al verme llegar huyó.
Y el perseguirla he dejado,
Porque sabiendo yo allí
Que vos estabais aquí,
Me llamó mayor cuidado.

DON ÁLVARO (*Muy conmovido.*)

¡Don Carlos! . . . ¡Señor! . . . ¡Amigo!
¡Don Félix! . . . ¡ah! . . . tolerad
Que el nombre que en amistad
Tan tierna os unió conmigo
Use en esta situación.
¡Don Félix! . . . soy inocente;
Bien lo podéis ver patente
En mi nueva agitación.
¡Don Félix! . . . ¡Don Félix! . . .
 ¡ah! . . .
¿Vive? . . . ¿vive? . . . ¡oh justo Dios!

DON CARLOS

Vive; ¿y qué os importa a vos?
Muy pronto no vivirá.

DON ÁLVARO

Don Félix, mi amigo; sí.
Pues que vive vuestra hermana,
La satisfacción es llana
5 Que debéis tomar en mí.
A buscarla juntos vamos;
Muy pronto la encontraremos,
Y en santo nudo estrechemos
La amistad que nos juramos.
10 ¡Oh! . . . Yo os ofrezco, yo os juro
Que no os arrepentiréis
Cuando a conocer lleguéis
Mi origen excelso y puro.
Al primer grande español
15 No le cedo en jerarquía;
Es más alta mi hidalguía
Que el trono del mismo sol.[213]

DON CARLOS

20 ¿Estáis, don Álvaro, loco?
¿Qué es lo que pensar osáis?
¿Qué proyectos abrigáis?
¿Me tenéis a mí en tan poco?
Ruge entre los dos un mar
25 De sangre . . . ¿Yo al matador
De mi padre y de mi honor
Pudiera hermano llamar?
¡Oh afrenta! Aunque fuerais rey.
Ni la infame ha de vivir.
30 No, tras de vos va a morir,
Que es de mi venganza ley.
Si a mí vos no me matáis,
Al punto la buscaré,
35 Y la misma espada que
Con vuestra sangre tiñáis,
En su corazón . . .

DON ÁLVARO

   Callad.
40 Callad . . . ¿delante de mí
Osasteis? . . .

DON CARLOS

  Lo juro, sí;
45 Lo juro . . .

DON ÁLVARO

  ¿El qué?[214] . . . Continuad.

[213] See n. 73

[214] What?

DON CARLOS

La muerte de la malvada,
En cuanto acabe con vos.

DON ÁLVARO

Pues no será, vive Dios,
Que tengo brazo y espada.
Vamos . . . Libertarla anhelo
De su verdugo. Salid.

DON CARLOS

A vuestra tumba venid.

DON ÁLVARO

Demandad perdón al cielo.[215]

ESCENA II

(El teatro representa la plaza principal de Veletri; a un lado y otro se ven tiendas y cafés; en medio, puestos de frutas y verduras; al fondo, la guardia del Principal,[216] y el centinela paseándose delante del armero; los oficiales en grupos a una parte y otra, y la gente del pueblo cruzando en todas direcciones. El Teniente, Subteniente y Pedraza se reunirán a un lado de la escena, mientras los Oficiales 1.º, 2.º, 3.º y 4.º hablan entre sí, después de leer un edicto que está fijado en una esquina y que llama la atención de todos.)

OFICIAL 1.º

El rey Carlos de Nápoles no se chancea, pena de muerte nada menos.

OFICIAL 2.º

¿Cómo pena de muerte?

OFICIAL 3.º

Hablamos de la ley que se acaba de publicar, y que allí está para que nadie la ignore, sobre desafíos.

OFICIAL 2.º

Ya, ciertamente es un poco dura.

OFICIAL 3.º

Yo no sé cómo un Rey tan valiente y joven puede ser tan severo contra los lances de honor.

OFICIAL 1.º

Amigo, es que cada uno arrima el ascua a su sardina;[217] y como siempre los desafíos suelen ser entre españoles y napolitanos, y éstos llevan lo peor, el rey, que al cabo es Rey de Nápoles . . .

OFICIAL 2.º

No, ésas son fanfarronadas; pues hasta ahora no han llevado siempre lo peor los napolitanos; acordaos del mayor Caraciolo, que despabiló[218] a dos oficiales.

TODOS

Eso fué una casualidad.

OFICIAL 1.º

Lo cierto es que la ley es dura; pena de muerte por batirse; pena de muerte por ser padrino; pena de muerte por llevar cartas;[219] qué sé yo. Pues el primero que caiga . . .

OFICIAL 2.º

No, no es tan rigurosa.

OFICIAL 1.º

¿Cómo no? Vean ustedes. Leamos otra vez.
(Se acercan a leer el edicto, y se adelantan en la escena los otros.)

SUBTENIENTE

¡Hermoso día!

[215] Álvaro has been seeking death, but now that he knows Leonor is alive he wants to live. Furthermore, he must now kill Carlos to save her as well as to satisfy his wounded honor.
[216] the guard-house of the military police
[217] cada uno . . . sardina, each one rakes the coals near his own sardine, i.e. each one looks out for his own interests
[218] to snuff out
[219] a written challenge

TENIENTE

Hermosísimo. Pero pica mucho el sol.

PEDRAZA

Buen tiempo para hacer la guerra.

TENIENTE

Mejor es para los heridos convalecientes. Yo me siento hoy enteramente bueno de mi brazo.

SUBTENIENTE

También me parece que el valiente capitán de granaderos del Rey está enteramente restablecido. ¡Bien pronto se ha curado!

PEDRAZA

¿Se ha dado ya de alta?

TENIENTE

Sí, esta mañana. Está como si tal cosa; un poco pálido, pero fuerte. Hace un rato que lo encontré; iba como hacia la Alameda a dar un paseo con su amigote el ayudante don Félix de Avendaña.

SUBTENIENTE

Bien puede estarle agradecido, pues además de haberlo sacado del campo de batalla, le ha salvado la vida con su prolija y esmerada asistencia.

TENIENTE

También puede dar gracias a la habilidad del doctor Pérez, que se ha acreditado de ser el mejor cirujano del ejército.

SUBTENIENTE

Y no lo perderá; pues, según dicen, el ayudante, que es muy rico y generoso, le va a hacer un gran regalo.

PEDRAZA

Bien puede; pues según me ha dicho un sargento de mi compañía, andaluz, el tal don Félix está aquí con nombre

supuesto, y es un Marqués riquísimo de Sevilla.

TODOS

¿De veras?

5 (*Se oye ruido, y se arremolinan todos mirando hacia el mismo lado.*)

TENIENTE

¡Hola! ¿Qué alboroto es aquél?

SUBTENIENTE

10 Veamos . . . Sin duda algún preso. Pero ¡Dios mío! ¿qué veo?

PEDRAZA

15 ¿Qué es aquello?

TENIENTE

¿Estoy soñando? . . . ¿No es el capitán de granaderos del Rey el que traen preso?

TODOS

20 No hay duda, es el valiente don Fadrique.

(*Se agrupan todos sobre el primer bastidor*
25 *de la derecha, por donde sale el capitán preboste y cuatro granaderos, y en medio de ellos preso, sin espada ni sombrero, don Álvaro; y atravesando la escena, seguidos por la multitud, entran en el cuerpo de guardia,[220] que está al fondo; mientras tanto se desem-*
30 *baraza el teatro. — Todos vuelven a la escena, menos Pedraza, que entra en el cuerpo de guardia.*)

TENIENTE

35 Pero, señor, ¿qué será esto? ¿Preso el militar más valiente, más exacto que tiene el ejército?

SUBTENIENTE

Ciertamente es cosa muy rara.

TENIENTE

Vamos a averiguar . . .

[220] guard-house; see n. 216

SUBTENIENTE

Ya viene aquí Pedraza, que sale del cuerpo de guardia, y sabrá algo. Hola, Pedraza, ¿qué ha sido?

PEDRAZA

(*Señalando al edicto, y se reúne más gente a los cuatro oficiales.*)
Muy mala causa tiene. Desafío . . . El primero que quebranta la ley; desafío y muerte.

TODOS

¡Cómo!!! ¿Y con quién?

PEDRAZA

¡Caso extrañísimo! El desafío ha sido con el teniente coronel Avendaña.

TODOS

¡Imposible! . . . ¡Con su amigo!

PEDRAZA

Muerto le deja de una estocada ahí detrás del cuartel.

TODOS

¡Muerto!

PEDRAZA

Muerto.

OFICIAL 1.º

Me alegro, que era un botarate.

OFICIAL 2.º

Un insultante.

TENIENTE

¡Pues, señores, la ha hecho buena! Mucho me temo que va a estrenar aquella ley.

TODOS

¡Qué horror!

SUBTENIENTE

Será una atrocidad. Debe haber alguna excepción a favor de oficial tan valiente y benemérito.

5 PEDRAZA

Sí, ya está fresco.[221]

TENIENTE

El capitán Herreros es, con razón, el 10 ídolo del ejército. Y yo creo que el general y el coronel, y los jefes todos, tanto españoles como napolitanos, hablarán al Rey . . ., y tal vez . . .

SUBTENIENTE

15 El rey Carlos es tan testarudo . . ., y como éste es el primer caso que ocurre, el mismo día que se ha publicado la ley . . . No hay esperanza. Esta noche misma se juntará el Consejo de guerra, 20 y antes de tres días le arcabucean . . . Pero, ¿sobre qué habrá sido el lance?

PEDRAZA

Yo no sé, nada me han dicho. Lo que[222] es el capitán tiene malas pulgas,[223] y su 25 amigote era un poco caliente de lengua.

OFICIALES 1.º Y 4.º

Era un charlatán, un fanfarrón.

SUBTENIENTE

En el café han entrado algunos oficiales 30 del regimiento del Rey; sabrán sin duda todo el lance. Vamos a hablar con ellos.

TODOS

Sí, vamos.

ESCENA III

(El teatro representa el cuarto de un 35 oficial de guardia; se verá a un lado el tabladillo y el colchón, y en medio habrá una mesa y sillas de paja. Entran en la escena Don Álvaro y el Capitán.)

---

[221] he's in a fine fix
[222] See n. 40

[223] *tener malas pulgas*, to be irritable, short-tempered

CAPITÁN

Como la mayor desgracia
Juzgo, amigo y compañero,
El estar hoy de servicio
Para ser alcaide vuestro.
Resignación, don Fadrique,
Tomad una silla os ruego.
  (*Se sienta* don Álvaro.)
Y mientras yo esté de guardia
No miréis este aposento
Como prisión . . . Mas es fuerza,
Pues orden precisa tengo,
Que dos centinelas ponga
De vista . . .

DON ÁLVARO

   Yo os agradezco,
Señor, tal cortesanía.
Cumplid, cumplid al momento
Con lo que os tienen mandado,
Y los centinelas luego
Poned . . . Aunque más seguro
Que de hombres y armas en medio,
Está el oficial de honor
Bajo su palabra[224] . . . ¡Oh cielos!
(*Coloca el* Capitán *dos centinelas; un sol-
dado entra[225] luces, y se sientan el* Capitán *y*
don Álvaro *junto a la mesa.*)
¿Y en Veletri qué se dice?
¿Mil necedades diversas
Se esparcirán, procurando
Explicar mi suerte adversa?

CAPITÁN

En Veletri, ciertamente,
No se habla de otra materia.
Y aunque de aquí separarme
No puedo, como está llena
Toda la plaza de gente,
Que gran interés demuestra
Por vos, a algunos he hablado . . .

DON ÁLVARO

Y bien, ¿qué dicen? ¿qué piensan?

CAPITÁN

5 La amistad íntima todos,
Que os enlazaba, recuerdan,
Con don Félix . . . Y las causas
Que la hicieron tan estrecha,
Y todos dicen . . .

10

DON ÁLVARO

   Entiendo.
Que soy un monstruo, una fiera.
Que a la obligación más santa
15 He faltado. Que mi ciega
Furia ha dado muerte a un hombre,
A cuyo arrojo y nobleza
Debí la vida en el campo;
Y a cuya nimia asistencia
20 Y esmero debí mi cura,
Dentro de su casa mesma.[226]
Al que como tierno hermano . . .
¡Como hermano! . . . ¡Suerte ho-
        rrenda!
25 ¿Como hermano? . . . ¡Debió serlo!
Yace convertido en tierra
Por no serlo . . . ¡Y yo respiro!
¿Y aun el suelo me sustenta? . . .
¡Ay! ¡ay de mí![227]
30 (*Se da una palmada en la frente, y queda en
la mayor agitación.*)

CAPITÁN

   Perdonadme
Si con mis noticias necias . . .

35

DON ÁLVARO

Yo lo amaba . . . ¡Ah, cual[228] me
   aprieta
El corazón una mano
40 De hierro ardiente! La fuerza
Me falta . . . ¡Oh Dios! ¡Qué bizarro,

---

[224] Word order: *bajo su palabra de honor*
[225] to bring in
[226] For *misma* to preserve assonance
[227] Lest the audience lose its good opinion of
Don Álvaro for having killed his friend, Rivas
makes his present words especially noble.
After the officers have found fault with Carlos,
in the previous scene, Álvaro's taking of all
the blame on himself and defending Carlos
against other people's accusations (see p. 301,
ll. 11–12a) win back any esteem he may have
lost.
[228] *cual . . . mano*, it is as if a hand were crush-
ing my heart

Con qué noble gentileza
Entre un diluvio de balas
Se arrojó, viéndome en tierra,
A salvarme de la muerte!
¡Con cuánto afán y terneza
Pasó las noches y días
Sentado a mi cabecera! (*Pausa.*)

CAPITÁN

Anuló sin duda tales
Servicios con un agravio.
Diz[229] que era un poco altanero,
Picajoso, temerario;
Y un hombre cual vos . . .

DON ÁLVARO

No, amigo;
Cuanto de él se diga es falso.
Era un digno caballero
De pensamientos muy altos.
Retóme con razón harta,
Y yo también le he matado
Con razón. Sí, si aun viviera,
Fuéramos de nuevo al campo,
Él a procurar mi muerte,
Yo a esforzarme por matarlo.
O él o yo sólo en el mundo.
Pero imposible en él ambos.

CAPITÁN

Calmaos, señor don Fadrique:
Aun no estáis del todo bueno
De vuestras nobles heridas,
Y que os pongáis malo temo.

DON ÁLVARO

¿Por qué no quedé en el campo
De batalla como bueno?
Con honra acabado[230] hubiera,
Y ahora, oh Dios . . ., la muerte anhelo,
Y la tendré . . . pero ¿cómo?
En un patíbulo horrendo,
Por infractor de las leyes,
De horror o de burla objeto.

CAPITÁN

¿Qué decís? . . . No hemos llegado,
Señor, a tan duro extremo;

5

Aun puede haber circunstancias
Que justifiquen el duelo,
Y entonces . . .

DON ÁLVARO

No, no hay ninguna.
Soy homicida, soy reo.

CAPITÁN

Mas, según tengo entendido
10 (Ahora de mi regimiento
Me lo ha dicho el Ayudante),
Los generales, de acuerdo
Con todos los coroneles,
Han ido sin perder tiempo
15 A echarse a los pies del Rey,
Que es benigno, aunque severo,
Para pedirle . . .

DON ÁLVARO (*Conmovido.*)

20 ¿De veras?
Con el alma lo agradezco,
Y el interés de los jefes
Me honra y me confunde a un tiempo.
Pero ¿por qué han de empeñarse
25 Militares tan excelsos,
En que una excepción se haga
A mi favor de un decreto
Sabio, de una ley tan justa,
30 A que yo falté el primero?
Sirva mi pronto castigo
Para saludable ejemplo.
¡Muerte, es mi destino, muerte,
Porque la muerte merezco,
35 Porque es para mí la vida
Aborrecible tormento!
Mas ¡ay de mí sin ventura!
¿Cuál es la muerte que espero?
La del criminal, sin honra,
40 ¡En un patíbulo!! . . . ¡Cielos!!!
(*Se oye un redoble.*)

ESCENA IV

(*Entra el* Sargento)

SARGENTO

45 Mi Capitán . . .

---

[229] they say (archaic form occasionally found in writing)

[230] to die

CAPITÁN

¿Qué se ofrece?

SARGENTO

El Mayor . . .

CAPITÁN

Voy al momento. (*Vase.*)

ESCENA V

DON ÁLVARO

¡Leonor! ¡Leonor! Si existes, desdi-
    chada,
¡Oh, qué golpe te espera,
Cuando la nueva fiera
Te llegue adonde vives retirada,
De que la misma mano,
La mano ¡ay triste! mía,
Que te privó de padre y de alegría,
Acaba de privarte de un hermano!
No; te ha librado, sí, de un enemigo,
De un verdugo feroz, que por castigo
De que diste en tu pecho
Acogida a mi amor, verlo[231] deshecho,
Y roto, y palpitante,
Preparaba anhelante,
Y con su brazo mismo,
De su venganza hundirte en el abismo.
¡Respira, sí, respira,
Que libre estás de su tremenda ira!
    (*Pausa.*)
¡Ay de mí! Tú vivías,
Y yo, lejos de ti, muerte buscaba,
Y sin remedio las desgracias mías
Despechado juzgaba;
Mas tú vives, ¡mi cielo!
Y aun aguardo un instante de consuelo.
¿Y qué espero? ¡Infeliz! De sangre un
    río,
Que yo no derramé, serpenteaba
Entre los dos; mas ahora el brazo mío
En mar inmenso de tornarlo[232] acaba.
¡Hora de maldición, aciaga hora
Fué aquélla en que te vi la vez primera

En el soberbio templo de Sevilla,
Como un ángel bajado de la esfera
En donde el trono del Eterno brilla!
¡Qué porvenir dichoso
5 Vió mi imaginación por un momento,
Que huyó tan presuroso
Como al soplar de repentino viento
Las torres de oro, y montes argentinos,
Y colosos y fúlgidos follajes
10 Que forman los celajes[233]
En otoño a los rayos matutinos!
    (*Pausa.*)
¡Mas en qué espacio vago, en qué re-
    giones
15 Fantásticas! ¿Qué espero?
¡Dentro de breves horas,
Lejos de las mundanas afecciones,
Vanas y engañadoras,
Iré de Dios al tribunal severo! (*Pausa.*)
20 ¿Y mis padres? . . . Mis padres des-
    dichados
Aun yacen encerrados
En la prisión horrenda de un cas-
    tillo[234] . . .,
25 Cuando con mis hazañas y proezas
Pensaba restaurar su nombre y brillo
Y rescatar sus míseras cabezas.
No me espera más suerte
Que, como criminal, infame muerte.[235]
30   (*Queda sumergido en el despecho.*)

ESCENA VI

(*Entra el* Capitán.)

CAPITÁN

¡Hola, amigo y compañero! . . .

DON ÁLVARO

¿Vais a darme alguna nueva?
40 ¿Para cuándo convocado
Está el Consejo de guerra?

CAPITÁN

Dicen que esta noche misma
45 Debe reunirse a gran priesa . . .

---

[231] *Lo* stands for *tu pecho*
[232] has just changed it (the river)
[233] which the clouds of the sky form
[234] Another ray of light shed on the key
mystery.

[235] This second soliloquy is much softer and
more resigned in tone than the first. It is a
farewell to life, while the first was a diatribe
against it.

De hierro,[236] de hierro tiene
El rey Carlos la cabeza.

DON ÁLVARO

¡Es un valiente soldado!
¡Es un gran Rey!

CAPITÁN

                    Mas pudiera
No ser tan tenaz y duro;
Pues nadie, nadie lo apea[237]
En diciendo no.

DON ÁLVARO

                    En los reyes
La debilidad es mengua.

CAPITÁN

Los jefes y generales
Que hoy en Veletri se encuentran,
Han estado en cuerpo a verle
Y a rogarle[238] suspendiera
La ley en favor de un hombre
Que tantos méritos cuenta . . .
Y todo sin fruto. Carlos,
Aun más duro que una peña,
Ha dicho que no, resuelto,
Y que la ley se obedezca;
Mandando que en esta noche
Falle el Consejo de guerra.
Mas aun quedan esperanzas:
Puede ser que el fallo sea . . .

DON ÁLVARO

Según la ley. No hay remedio;
Injusta otra cosa fuera.

CAPITÁN

Pero ¡qué pena tan dura,
Tan extraña, tan violenta! . . .

DON ÁLVARO

La muerte. Como cristiano[239]
La sufriré: no me aterra.

Dármela Dios no ha querido,
Con honra y con fama eterna,
En el campo de batalla,
Y me la da con afrenta
5 En un patíbulo infame . . .
Humilde la aguardo . . . Venga.

CAPITÁN

No será acaso . . . Aun veremos . . .
Puede que se arme una gresca . . .
10 El ejército os adora . . .
Su agitación es extrema,
Y tal vez un alboroto . . .

DON ÁLVARO

Basta . . . ¿Qué decís? ¿Tal piensa
15 Quien de militar blasona?[240]
¿El ejército pudiera
Faltar a la disciplina,
Ni yo deber mi cabeza
A una rebelión? . . . No, nunca;
20 Que jamás, jamás suceda
Tal desorden por mi causa.[241]

CAPITÁN

¡La ley es atroz, horrenda!
25

DON ÁLVARO

Yo la tengo por muy justa;
Forzoso remediar era
Un abuso . . .
30   (Se oye un tambor y dos tiros.)

CAPITÁN

               ¿Qué?

DON ÁLVARO

               ¿Escuchasteis?
35

CAPITÁN

El desorden ya comienza.
     (Se oye gran ruido; tiros, confusión y caño-
nazos, que van en aumento hasta el fin del
40 acto.)

[236] unbending, stubborn
[237] to dissuade
[238] Supply: que
[239] Don Álvaro reaffirms his essential Christianity.

[240] Quien . . . blasona, one who prides himself on being a soldier
[241] In the first place, Álvaro wants to die; in the second, he is too noble to think in selfish terms.

Escena VII

(Los mismos y el Sargento, que entra muy presuroso.)

SARGENTO

¡Los alemanes! ¡Los enemigos están en Veletri! ¡Estamos sorprendidos!

VOCES (*Dentro*)

¡A las armas! ¡A las armas!
(*Sale el oficial un instante, se aumenta el ruido, y vuelve con la espada desnuda.*)

CAPITÁN

Don Fadrique, escapad; no puedo guardar más vuestra persona: andan los nuestros y los imperiales mezclados por las calles; arde el palacio del Rey; hay una confusión espantosa; tomad vuestro partido.[242] Vamos, hijos, a abrirnos paso como valientes, o a morir como españoles.[243]
(*Vanse el* Capitán, *los centinelas y el* Sargento.)

Escena VIII

DON ÁLVARO

Denme una espada: volaré a la muerte,
Y si es vivir mi suerte,
Y no la[244] logro en tanto desconcierto,
Yo os hago, eterno Dios, voto profundo
De renunciar al mundo
Y de acabar mi vida en un desierto.[245]

Jornada Quinta

La escena es en el convento de los Ángeles y sus alrededores.

Escena Primera

(El teatro representa lo interior del claustro bajo del convento de los Ángeles, que debe ser una galería mezquina, alrededor de un patiecillo con naranjos, adelfas y jazmines. A la izquierda se verá la portería; a la derecha la escalera. Debe de ser decoración corta,[246] para que detrás estén las otras por su orden. — Aparecen el Padre Guardián paseándose gravemente por el proscenio y leyendo en su breviario; el hermano Melitón sin manto, arremangado, y repartiendo con un cucharón, de un gran caldero, la sopa, al Viejo, al Cojo, al Manco, a la Mujer y al grupo de pobres que estará apiñado en la portería.)

HERMANO MELITÓN

Vamos, silencio y orden, que no están en ningún figón.

MUJER

Padre, ¡a mí, a mí!

VIEJO

¿Cuántas raciones quiere, Marica?

COJO

Ya le han dado tres, y no es regular . . .

HERMANO MELITÓN

Callen, y sean humildes, que me duele la cabeza.

MANCO

Marica ha tomado tres raciones.

MUJER

Y aun voy a tomar cuatro, que tengo seis chiquillos.

---

[242] take your own course, make your own way
[243] The author has not prepared us for Don Álvaro's escape. In technical language, it is *unmotivated*, hence *melodramatic*. The use of such unexpected solutions is common in the romantic drama.   [244] *la* for *muerte*
[245] i.e. to become a monk or a hermit
[246] Same as *sala corta*, n. 135

HERMANO MELITÓN

¿Y por qué tiene seis chiquillos? . . .
Sea su alma.[247]

MUJER

Porque me los ha dado Dios.

HERMANO MELITÓN

Sí . . . Dios . . . Dios . . . No los
tendría si se pasara las noches, como
yo, rezando el rosario, o dándose
disciplina.

PADRE GUARDIÁN

(Con gravedad.)

¡Hermano Melitón! . . . ¡Hermano
Melitón! . . . ¡Válgame Dios!

HERMANO MELITÓN

Padre nuestro, si estos desarrapados
tienen una fecundidad que asombra.

COJO

¡A mí, padre Melitón, que tengo ahí
fuera a mi madre baldada!

HERMANO MELITÓN

¡Hola! . . . ¿También ha venido hoy
la bruja? Pues no nos falta nada.

PADRE GUARDIÁN

¡Hermano Melitón! . . .

MUJER

Mis cuatro raciones.

MANCO

A mí antes.

VIEJO

A mí.

TODOS

A mí, a mí . . .

HERMANO MELITÓN

Váyanse noramala,[248] y tengan modo[249]
. . . ¿A que les doy[250] con el cucharón? . . .

5   PADRE GUARDIÁN

¡Caridad, hermano, caridad, que son
hijos de Dios!

HERMANO MELITÓN

(Sofocado.)

10 Tomen, y váyanse . . .

MUJER

Cuando nos daba la guiropa[251] el padre
Rafael lo hacía con más modo y con
más temor de Dios.

15   HERMANO MELITÓN

Pues llamen al padre Rafael . . ., que
no los pudo aguantar ni una semana.

VIEJO

Hermano, ¿me quiere dar otro poco de
20 bazofia? . . .

HERMANO MELITÓN

¡Galopo! . . . ¿Bazofia llama a la
gracia de Dios?[252] . . .

PADRE GUARDIÁN

25 Caridad y paciencia, hermano Melitón;
harto trabajo tienen los pobrecitos.

HERMANO MELITÓN

Quisiera yo ver a Vuestra Reverendísima lidiar con ellos un día, y otro,
30 y otro.

COJO

El padre Rafael . . .

HERMANO MELITÓN

No me jeringuen[253] con el padre Rafael
35 . . . y . . . tomen las arrebañaduras

---

[247] Supply: cursed
[248] en hora mala, and bad luck to you
[249] good manners
[250] A . . . doy, What do you bet that I'll hit you
[251] stew (a local word of Andalucía)
[252] See n. 97   [253] to molest, bother

(*Les reparte los restos del caldero, y lo echa a rodar de una patada*), y a comerlo al sol.

MUJER

Si el padre Rafael quisiera bajar a decirle los Evangelios a mi niño, que 5 tiene sisiones[254] . . .

HERMANO MELITÓN

Tráigalo mañana, cuando salga a decir misa el padre Rafael.

COJO

Si el padre Rafael quisiera venir a la villa, a curar a mi compañero, que se ha caído . . .

HERMANO MELITÓN

Ahora no es hora de ir a hacer milagros: por la mañanita, por la mañanita, con la fresca.

MANCO

Si el padre Rafael . . .

HERMANO MELITÓN

(*Fuera de sí.*)

Ea, ea, fuera . . . Al sol . . . ¡Cómo cunde la semilla de los perdidos! Horrio[255] . . . ¡afuera!

(*Los va echando con el cucharón y cierra la portería, volviendo luego muy sofocado y cansado donde está el* Guardián.)

Escena II

HERMANO MELITÓN

No hay paciencia que baste, padre nuestro.

PADRE GUARDIÁN

Me parece, hermano Melitón, que no os ha dotado el Señor con gran cantidad de ella. Considere que en dar de comer a los pobres de Dios desempeña un ejercicio de que se honraría un ángel.

HERMANO MELITÓN

Yo quisiera ver a un ángel en mi lugar siquiera tres días . . . Puede ser que de cada guantada[256] . . .

PADRE GUARDIÁN

No diga disparates.

HERMANO MELITÓN

Pues si es verdad. Yo lo hago con mucho gusto, eso es otra cosa. Y ben-10 dito sea el Señor, que nos da bastante para que nuestras sobras sirvan de sustento a los pobres. Pero es preciso enseñarles los dientes. Viene entre ellos mucho pillo . . . Los que están tullidos 15 y viejos, vengan en hora buena, y les daré hasta mi ración, el día que no tenga mucha hambre; pero jastiales[257] que pueden derribar a puñadas un castillo, váyanse a trabajar. Y hay al-20 gunos tan insolentes . . . Hasta llaman bazofia a la gracia de Dios . . . Lo mismo que restregarme siempre por los hocicos al padre Rafael; toma si[258] nos daba más, daca si[258] tenía mejor modo, 25 torna si[259] era más caritativo, vuelta si[259] no metía tanta prisa. Pues a fe, a fe, que el bendito padre Rafael a los ocho días se hartó de pobres y de guiropa, y se metió en su celda, y aquí quedó el 30 hermano Melitón. Y por cierto, no sé por qué esta canalla dice que tengo mal genio. Pues el padre Rafael también tiene su piedra en el rollo,[260] y sus prontos,[261] y sus ratos de murria como 35 cada cual.

PADRE GUARDIÁN

Basta, hermano, basta. El padre Rafael no podía, teniendo que cuidar del altar y que asistir al coro, entender en el 40 repartimiento de la limosna, ni éste ha sido nunca encargo de un religioso an-

---

[254] An Andalusian pronunciation for *ciciones*, fever
[255] Away!
[256] slap. The implication is that even the angel would not turn the other cheek.

[257] rough country fellows
[258] *toma si, daca si;* now that . . . now that
[259] *torna si, vuelta si;* next that . . . then that
[260] *su . . . rollo*, his touchy side
[261] fits of temper

tiguo, sino incumbencia del portero . . .
¿Me entiende . . .? Y, hermano Melitón, tenga más humildad y no se ofenda
cuando prefieran al padre Rafael, que
es un siervo de Dios a quien todos debemos imitar.

HERMANO MELITÓN

Yo no me ofendo de que prefieran al
padre Rafael. Lo que digo es que tiene
su genio.[262] Y a mí me quiere mucho,
padre nuestro, y echamos nuestras
manos[263] de conversación. Pero tiene
de cuando en cuando unas salidas, y se
da unas palmadas en la frente . . . y
habla solo, y hace visajes como si viera
algún espíritu.

PADRE GUARDIÁN

Las penitencias, los ayunos . . .

HERMANO MELITÓN

Tiene cosas muy raras. El otro día
estaba cavando en la huerta, y tan
pálido y tan desemejado, que le dije en
broma: Padre, parece un mulato; y me
echó una mirada, y cerró el puño, y aun
lo enarboló de modo que parecía que
me iba a tragar. Pero se contuvo, se
echó la capucha y desapareció; digo, se
marchó de allí a buen paso.

PADRE GUARDIÁN

Ya.

HERMANO MELITÓN

Pues el día que fué a Hornachuelos a
auxiliar al alcalde, cuando estaba en
toda su furia aquella tormenta, en que
nos cayó la centella sobre el campanario, al verlo yo salir sin cuidarse del
aguacero ni de los truenos que hacían
temblar estas montañas, le dije por
broma que parecía entre los riscos un
indio bravo,[264] y me dió un berrido que
me aturulló . . . Y como vino al convento de un modo tan raro, y nadie lo

viene nunca a ver, ni sabemos dónde
nació . . .

PADRE GUARDIÁN

5 Hermano, no haga juicios temerarios.
Nada tiene de particular eso, ni el modo
con que vino a esta casa el padre Rafael
es tan raro como dice. El padre limos-
10 nero, que venía de Palma, se lo encontró muy mal herido en los encinares de
Escalona, junto al camino de Sevilla,
víctima, sin duda, de los salteadores,
que nunca faltan en semejante sitio, y
15 lo trajo al convento, donde Dios, sin
duda, le inspiró la vocación de tomar
nuestro santo escapulario, como lo
verificó en cuanto se vió restablecido,
y pronto hará cuatro años. Esto no
20 tiene nada de particular.

HERMANO MELITÓN

Ya, eso sí . . . Pero, la verdad, siempre
que lo miro me acuerdo de aquello que
Vuestra Reverendísima nos ha contado
25 muchas veces, y también se nos ha leído
en el refectorio, de cuando se hizo fraile
de nuestra orden el demonio,[265] y que
estuvo allá en un convento algunos
meses. Y se me ocurre si el padre
30 Rafael será alguna cosa así . . .; pues
tiene unos repentes,[266] una fuerza y un
mirar de ojos . . .

PADRE GUARDIÁN

Es cierto, hermano mío; así consta de
35 nuestras crónicas y está consignado en
nuestros archivos. Pero además de que
rara vez se repiten tales milagros, entonces el Guardián de aquel convento
en que ocurrió el prodigio tuvo una
40 revelación que le previno de todo. Y
lo que es[267] yo, hermano mío, no he
tenido hasta ahora ninguna. Con que
tranquilícese y no caiga en la tentación
de sospechar del padre Rafael.

---

[262] moments of bad temper
[263] short period, bit   [264] wild Indian
[265] An old legend, half religious and half
superstitious, of the type which appealed to
the romanticists.
[266] bursts of anger   [267] See n. 40

HERMANO MELITÓN

Yo nada sospecho.

PADRE GUARDIÁN

Le aseguro que no he tenido revelación.

HERMANO MELITÓN

Ya, pues entonces . . . Pero tiene muchas rarezas el padre Rafael.

PADRE GUARDIÁN

Los desengaños del mundo, las tri- 10
bulaciones . . . Y luego el retiro con
que vive, las continuas penitencias . . .
(*Suena la campanilla de la portería.*) Vaya
a ver quién llama.

HERMANO MELITÓN

¿A que son otra vez los pobres? Pues ya 15
está limpio el caldero . . . (*Suena otra
vez la campanilla.*) No hay más limosna;
se acabó por hoy, se acabó.
(*Suena otra vez la campanilla.*)

PADRE GUARDIÁN

Abra, hermano, abra la puerta.
(*Vase.*) (*Abre el lego la portería.*)

Escena III

(Don Alfonso *vestido de monte, que sale
embozado.*)

DON ALFONSO

(*Con muy mal modo y sin desembozarse.*)
De esperar me he puesto cano.
¿Sois vos, por dicha, el portero?

HERMANO MELITÓN

(Tonto es este caballero.) (*Aparte.*)
Pues que abrí la puerta, es llano. (*Alto.*) 35
Y aunque de portero estoy,
No me busque las cosquillas,[268]
Que padre de campanillas[269]
Con olor de santo soy.

[268] *No . . . cosquillas*, don't make me lose my patience
[269] important, 'with bells on'; or, who answers the bells (a pun)

DON ALFONSO

¿El Padre Rafael está?
Tengo que verme con él.

HERMANO MELITÓN

(¡Otro Padre Rafael!) (*Aparte.*) 5
Amostazándome va.

DON ALFONSO

Responda pronto.

HERMANO MELITÓN

(*Con miedo.*)
　　　　Al momento.
Padres Rafaeles . . . hay dos.
¿Con cuál queréis hablar vos?

DON ALFONSO

Para mí más que haya ciento.[270] 15
El Padre Rafael . . . (*Muy enfadado.*)

HERMANO MELITÓN

　　　　¿El gordo?
¿El natural de Porcuna? 20
No os oirá cosa ninguna,
Que es como una tapia sordo.
Y desde el pasado invierno
En la cama está tullido; 25
Noventa años ha cumplido.
El otro es . . .

DON ALFONSO

　　　　El del infierno.

HERMANO MELITÓN

Pues ahora caigo en quién es: 30
El alto, adusto, moreno,
Ojos vivos, rostro lleno . . .

DON ALFONSO

Llevadme a su celda, pues.

HERMANO MELITÓN

Daréle aviso primero,
Porque si está en oración,

[270] *Para . . . ciento*, What's it to me if there are a hundred?

Disturbarle no es razón . . .
Y ¿quién diré?

DON ALFONSO

Un caballero.

HERMANO MELITÓN

(*Yéndose hacia la escalera muy lentamente,
dice aparte.*)
¡Caramba! . . . ¡Qué raro gesto!²⁷¹
Me da malísima espina,
Y me huele a chamusquina²⁷² . . .

DON ALFONSO

(*Muy irritado.*)
¿Qué aguarda? Subamos presto.
(*El* Hermano *se asusta y sube la escalera,* 15
y detrás de él don Alfonso.)

ESCENA IV

(El teatro representa la celda de un
franciscano. Una tarima con una
estera a un lado; un vasar con una jarra 20
y vasos; un estante con libros, estampas,
disciplinas y cilicios colgados. Una
especie de oratorio pobre, y en su mesa
una calavera;²⁷³ don Álvaro, vestido de
fraile francisco, aparece de rodillas en 25
profunda oración mental.)

HERMANO MELITÓN

¡Padre, Padre! (*Dentro.*)²⁷⁴

DON ÁLVARO

(*Levantándose.*)
    ¿Qué se ofrece?
Entre, Hermano Melitón.

HERMANO MELITÓN

Padre, aquí os busca un matón, (*Entra.*)
Que muy ternejal parece.

DON ÁLVARO

(*Receloso.*)
¿Quién, hermano? . . . ¿A mí? . . .
¿Su nombre?

5   HERMANO MELITÓN

Lo ignoro; muy altanero
Dice que es un caballero,
Y me parece un mal hombre.
Él muy bien portado viene,
10 Y en un andaluz rocín;
Pero un genio muy rüin,
Y un tono muy duro tiene.

DON ÁLVARO

Entre al momento quien sea.

HERMANO MELITÓN

No es un pecador contrito.
(Se quedará tamañito²⁷⁵ (*Aparte.*)
Al instante que lo vea.) (*Vase.*)

ESCENA V

DON ÁLVARO

¿Quién podrá ser? . . . No lo acierto.
Nadie, en estos cuatro años,
Que huyendo de los engaños
Del mundo, habito el desierto,
25 Con este sayal cubierto,
Ha mi quietud disturbado.
¿Y hoy un caballero osado
A mi celda se aproxima?
¿Me traerá nuevas de Lima?²⁷⁶
30 ¡Santo Dios! . . . ¡qué he recordado!

ESCENA VI

(Don Álvaro y don Alfonso, que entra
sin desembozarse, reconoce en un momento la celda, y luego cierra la puerta
35 por dentro y echa el pestillo.)

DON ALFONSO

¿Me conocéis?

---

²⁷¹ As usually, 'expression,' not 'gesture'
²⁷² to smell like a quarrel; literally, of scorch-
ing
²⁷³ skull. A frequent decoration of a monk's
cell, in order to keep one's thoughts on death.
²⁷⁴ offstage, within (the wings)

²⁷⁵ so big (said with a gesture of the thumb
and index finger indicating a minute quantity)
²⁷⁶ Lima in Perú, the heart of the Inca's
empire

DON ÁLVARO

No, señor.

DON ALFONSO

¿No veis en mis ademanes
Rasgo alguno que os recuerde
De otro tiempo y de otros males?
¿No palpita vuestro pecho,
No se hiela vuestra sangre,
No se anonada y confunde
Vuestro corazón cobarde
Con mi presencia? . . . O, por dicha,
¿Es tan sincero, es tan grande,
Tal vuestro arrepentimiento,
Que ya no se acuerda el padre
Rafael, de aquel indiano
Don Álvaro, del constante
Azote de una familia
Que tanto en el mundo vale?
¿Tembláis y bajáis los ojos?
Alzadlos, pues, y miradme.

(*Descubriéndose el rostro y mostrándoselo.*)

DON ÁLVARO

¡Oh Dios! . . . ¡Qué veo! . . . ¡Dios
   mío!
¿Pueden mis ojos burlarme?
¡Del Marqués de Calatrava
Viendo estoy la viva imagen!

DON ALFONSO

Basta, que está dicho todo.
De mi hermano y de mi padre
Me está pidiendo venganza
En altas voces la sangre.
Cinco años ha que recorro,
Con dilatados vïajes,
El mundo para buscaros;
Y aunque ha sido todo en balde,
El cielo (que nunca impunes
Deja las atrocidades
De un monstruo, de un asesino,
De un seductor, de un infame)
Por un imprevisto acaso
Quiso por fin indicarme

El asilo donde a salvo
De mi furor os juzgaste.
Fuera el mataros inerme
Indigno de mi linaje.
5 Fuiste valiente, robusto
Aun estáis para un combate;
Armas no tenéis, lo veo;
Yo dos espadas iguales
Traigo conmigo; son éstas;
10   (*Se desemboza y saca dos espadas.*)
Elegid la que os agrade.

DON ÁLVARO

(*Con gran calma, pero sin orgullo.*)
15 Entiendo, joven, entiendo,
Sin que escucharos me pasme,
Porque he vivido en el mundo
Y apurado sus afanes.
De los vanos pensamientos
20 Que en este punto en vos arden,
También el juguete he sido;
Quiera el Señor perdonarme.
Víctima de mis pasiones,
25 Conozco todo el alcance
De su influjo, y compadezco
Al mortal a quien combaten.
Mas ya sus borrascas miro,
Como el náufrago que sale
30 Por un milagro a la orilla,
Y jamás torna a[277] embarcarse.
Este sayal que me viste,
Esta celda miserable,
Este yermo, adonde acaso
35 Dios por vuestro bien os trae,
Desengaños os presentan
Para calmaros bastantes;
Y más os responden mudos
Que pueden labios mortales.
40 Aquí de mis muchas culpas,
Que son ¡ay de mí! harto grandes,
Pido a Dios misericordia;
Que la consiga dejadme.[278]

DON ALFONSO

45
¿Dejaros? . . . ¿Quién? . . . ¿Yo dejaros
Sin ver vuestra sangre impura

---

[277] Same as *volver a*

[278] Word order: *dejadme que la consiga.* Don Álvaro's calm seems to spring from a true religious vocation. If this were so, a peaceful (although undramatic) solution of the play would be possible. But his susceptible character (or his Fate?) drives him towards a tragic outcome.

Vertida por esta espada
Que arde en mi mano desnuda?
Pues esta celda, el desierto,
Ese sayo, esa capucha,
Ni a un vil hipócrita guardan,
Ni a un cobarde infame escudan.

DON ÁLVARO

¿Qué decís? . . . ¡Ah! . . . (Furioso.)
(Reportándose.) ¡No, Dios mío! . . .
En la garganta se anuda
Mi lengua . . . ¡Señor! . . . esfuerzo
Me dé vuestra santa ayuda.
Los insultos y amenazas (Repuesto.)
Que vuestros labios pronuncian,
No tienen para conmigo[279]
Poder ni fuerza ninguna.
Antes, como caballero,
Supe vengar las injurias;
Hoy, humilde religioso,
Darles perdón y disculpa.
Pues veis cuál es ya mi estado,
Y, si sois sagaz, la lucha
Que conmigo estoy sufriendo,
Templad vuestra saña injusta.
Respetad este vestido,
Compadeced mis angustias,
Y perdonad generoso
Ofensas que están en duda.
          (Con gran conmoción.)
¡Sí, hermano, hermano!

DON ALFONSO

                    ¿Qué nombre
Osáis pronunciar? . . .

DON ÁLVARO

                    ¡Ah! . . .

DON ALFONSO

                    Una
Sola hermana me dejasteis
Perdida y sin honra . . . ¡Oh furia!

DON ÁLVARO

¡Mi Leonor! ¡Ah! No sin honra,[280]
Un religioso os lo jura.
¡Leonor . . . ¡ay! la que absorbía
5 Toda mi existencia junta![281] (En delirio.)
La que en mi pecho por siempre . . .
Por siempre, sí, sí . . . que aun dura . . .
Una pasión . . . Y qué,[282] ¿vive?
10 ¿Sabéis vos noticias suyas? . . .
Decid que me ama y matadme.
Decidme . . . ¡Oh Dios! . . . ¿Me rehusa
          (Aterrado.)
15 Vuestra[283] gracia sus auxilios?
¿De nuevo el triunfo asegura
El infierno, y se desploma
Mi alma en su sima profunda?
¡Misericordia! . . . Y vos, hombre
20 O ilusión, ¿sois, por ventura,
Un tentador que renueva
Mis criminales angustias
Para perderme? . . . ¡Dios mío!

25   DON ALFONSO (Resuelto.)

De estas dos espadas, una
Tomad, don Álvaro, luego;[284]
Tomad, qué en vano procura
Vuestra infame cobardía
30 Darle treguas a mi furia.
Tomad . . .

    DON ÁLVARO (Retirándose.)

          No, que aun fortaleza
Para resistir la lucha
35 De las mundanas pasiones
Me da Dios con bondad suma.
¡Ah! Si mis remordimientos,
Mis lágrimas, mis confusas
Palabras no son bastante
40 Para aplacaros; si escucha
Mi arrepentimiento humilde
Sin caridad vuestra furia,
          (Arrodíllase.)
Prosternado a vuestras plantas

[279] para conmigo, for me
[280] (She isn't) dishonored
[281] junta reinforces toda; every bit of
[282] what about her?
[283] i.e. God's, for Álvaro suddenly becomes contrite again and begins to pray
[284] immediately

Vedme, cual persona alguna
Jamás me vió . . .

DON ALFONSO

(*Con desprecio.*)
                 Un caballero
No hace tal infamia nunca.
Quien sois bien claro publica
Vuestra actitud, y la inmunda
Mancha que hay en vuestro escudo.   10

DON ÁLVARO

(*Levantándose con furor.*)
¿Mancha? . . . y ¿cuál? . . . ¿cuál? . . .²⁸⁵

DON ALFONSO

                    ¿Os asusta?

DON ÁLVARO

Mi escudo es como el sol limpio,
Como el sol.

DON ALFONSO

            ¿Y no lo anubla
Ningún cuartel de mulato?
¿De sangre mezclada, impura?

DON ÁLVARO

(*Fuera de sí.*)
¡Vos mentís, mentís, infame!²⁸⁶
Venga el acero; mi furia
(*Toca el pomo de una de las espadas.*)
Os arrancará la lengua,
Que mi clara estirpe insulta.
Vamos.

DON ALFONSO

Vamos.

DON ÁLVARO

(*Reportándose.*)
              No . . . no triunfa
Tampoco con esta industria²⁸⁷
5 De mi constancia el infierno.²⁸⁸
Retiraos, señor.

DON ALFONSO

(*Furioso.*)
              ¿Te burlas
De mí, inicuo? Pues cobarde
Combatir conmigo excusas,
No excusarás mi venganza.
15 Me basta la afrenta tuya:
Toma. (*Le da una bofetada.*)

DON ÁLVARO

(*Furioso y recobrando toda su energía.*)
              ¿Qué hiciste? . . . ¡Insensato!!!
20 Ya tu sentencia es segura:
Hora es de muerte, de muerte.
El infierno me confunda.
(*Salen ambos precipitados.*)

ESCENA VII

25   (El teatro representa el mismo claustro bajo que en las primeras escenas de
esta jornada. El hermano Melitón
saldrá por un lado: y como bajando la
escalera, don Álvaro y don Alfonso,
30 embozado en su capa, con gran precipitación.)

HERMANO MELITÓN

(*Saliéndole al paso.*)
35 ¿Adónde bueno?²⁸⁹

---

²⁸⁵ Once again the mystery of his origin arouses Álvaro where all other means fail.

²⁸⁶ Although strictly speaking Álvaro's blood is *mestizo* (Indian and white) not mulatto, his furious denial of the accusation (which is after all true) and his willingness to fight in order to do away with the man who knows this secret make us believe that we have at last reached the heart of the mystery he has so carefully guarded. To be sure, he speaks later of the dishonor sullying his name because of the imprisonment of his parents, but that motive seems to be his rationalization of the situation.

In a similar way, he converts his subconscious shame at his mixed blood into an unusually great family pride (especially pride in the very Inca ancestors whom Spanish society disdains) and a certain touchiness in matters of personal honor and pride. We see now why he, like all romantic heroes, feels himself an outcast.

²⁸⁷ trick

²⁸⁸ Word order: *el infierno no triunfa tampoco de mi constancia con esta industria*

²⁸⁹ Where are you off to?

DON ÁLVARO

(Con voz terrible.)

Abra la puerta.

HERMANO MELITÓN

La tarde está tempestuosa, va a llover a mares.

DON ÁLVARO

Abra la puerta.

HERMANO MELITÓN

(Yendo hacia la puerta.)

¡Jesús! Hoy estamos de marea alta.[290] Ya voy . . . ¿Quiere que le acompañe? . . . ¿Hay algún enfermo de peligro en el cortijo?

DON ÁLVARO

La puerta, pronto.

HERMANO MELITÓN

(Abriendo la puerta.)

¿Va el padre a Hornachuelos?

DON ÁLVARO

(Saliendo con don Alfonso.)

Voy al infierno.

(Queda el hermano Melitón asustado.)

Escena VIII

HERMANO MELITÓN

¡Al infierno! . . . ¡Buen viaje!
También que era del infierno
Dijo, para mi gobierno,[291]
Aquel nuevo personaje.
¡Jesús, y qué caras tan . . .!
Me temo que mis sospechas
Han de quedar satisfechas.
Voy a ver por dónde van.

(Se acerca a la portería y dice como admirado:)

¡Mi gran Padre San Francisco
Me valga! . . . Van por la sierra,
Sin tocar con el pie en tierra,
Saltando de risco en risco.

Y el jaco los sigue en pos
Como un perrillo faldero.
Calla[292] . . ., hacia el despeñadero
De la ermita van los dos.

5 (Asomándose a la puerta con gran afán: a voces.)

¡Hola . . . hermanos . . . hola! . . .
¡Digo! . . .
No lleguen al paredón,
10 Miren que hay excomunión.
Que Dios les va a dar castigo.

(Vuelve a la escena.)

No me oyen, vano es gritar.
Demonios son, es patente.
Con el santo penitente
15 Sin duda van a cargar.[293]
¡El padre, el padre Rafael! . . .
Si quien piensa mal, acierta.[294]
Atrancaré bien la puerta . . .
20 Pues tengo un miedo crüel.

(Cierra la puerta.)

Un olorcillo han dejado
De azufre . . . Voy a tocar
Las campanas.

25 (Vase por un lado, y luego vuelve por otro como con gran miedo.)

Avisar
Será mejor al prelado.
Sepa que en esta ocasión,
30 Aunque refunfuñe luego,
No el padre Guardián, el lego
Tuvo la revelación. (Vase.)

Escena IX

(El teatro representa un valle ro-
35 deado de riscos inaccesibles y de
malezas, atravesado por un arroyuelo.
Sobre un peñasco accesible con dificultad, y colocado al fondo, habrá una
medio gruta, medio ermita con puerta
40 practicable, y una campana que pueda
sonar y tocarse desde dentro: el cielo
representará el ponerse el sol de un día
borrascoso, se irá obscureciendo lentamente la escena y aumentándose los
45 truenos y relámpagos; don Álvaro y
don Alfonso salen por un lado.)

---

[290] estamos . . . alta, we've got the wind up, we're in bad humor

[291] for my information

[292] Why!

[293] See n. 111

[294] A proverb

DON ALFONSO

De aquí no hemos de pasar.

DON ÁLVARO

No, que tras de estos tapiales,
Bien sin ser vistos, podemos
Terminar nuestro combate.
Y aunque en hollar este sitio
Cometo un crimen muy grande,
Hoy es de crímenes día,
Y todos han de apurarse.
De uno de los dos la tumba
Se está abriendo en este instante.

DON ALFONSO

Pues no perdamos más tiempo,
Y que las espadas hablen.

DON ÁLVARO

Vamos: mas antes es fuerza
Que un gran secreto os declare,
Pues que de uno de nosotros
Es la muerte irrevocable:
Y si yo caigo es forzoso
Que sepáis en este trance
A quién habéis dado muerte,
Que puede ser importante.

DON ALFONSO

Vuestro secreto no ignoro.
Y era el mejor de mis planes
(Para la sed de venganza
Saciar que en mis venas arde),
Después de heriros de muerte
Daros noticias tan grandes,
Tan impensadas y alegres,
De tan feliz desenlace,
Que al despecho de saberlas,
De la tumba en los umbrales,
Cuando no hubiese remedio,
Cuando todo fuera en balde,
El fin espantoso os diera
Digno de vuestras maldades.

DON ÁLVARO

Hombre, fantasma o demonio,
Que ha tomado humana carne
Para hundirme en los infiernos,
5 Para perderme . . . ¿qué sabes? . . .

DON ALFONSO

Corrí el Nuevo Mundo . . . ¿Tiem-
blas? . . .
10 Vengo de Lima . . . esto baste.

DON ÁLVARO

No basta, que es imposible
Que saber quién soy lograses.

15 DON ALFONSO

De aquel Virrey fementido
Que (pensando aprovecharse
De los trastornos y guerras,
De los disturbios y males
Que la sucesión al trono[295]
20 Trajo a España) formó planes
De tornar su virreinato
En imperio, y coronarse,
Casando con la heredera
Última de aquel linaje
25 De los Incas (que en lo antiguo,
Del mar del Sur a los Andes
Fueron los emperadores),
Eres hijo.[296] De tu padre
Las traiciones descubiertas,
30 Aun a tiempo de evitarse,
Con su esposa, en cuyo seno
Eras tú ya peso grave,
Huyó a los montes, alzando
Entre los indios salvajes
35 De traición y rebeldía
El sacrílego estandarte.
No los ayudó fortuna,
Pues los condujo a la cárcel
De Lima, do tú naciste . . .
40 (*Hace extremos de indignación y sorpresa*
don Álvaro.)

[295] The reference is to the Wars of the Spanish Succession (1701–13). When Carlos II, the last Hapsburg monarch, was going to die without an heir, he was persuaded to leave the throne of Spain to a grandson of Louis XIV of France, who became Felipe V of Spain (1700). England, Holland, and Austria supported the claims of another candidate, Charles, an Austrian Hapsburg.

[296] Word order: *Eres hijo de aquel Virrey*, etc. (in the first line of this speech)

Oye . . . espera hasta que acabe.
El triunfo del rey Felipe
Y su clemencia notable,
Suspendieron la cuchilla
Que ya amagaba a tus padres; 5
Y en una prisión perpetua
Convirtió el suplicio infame.
Tú entre los indios creciste,
Como fiera te educaste,
Y viniste ya mancebo 10
Con oro y con favor grande,
A buscar completo indulto
Para tus traidores padres.[297]
Mas no, que viniste sólo
Para asesinar cobarde,
Para seducir inicuo,
Y para que yo te mate.

DON ÁLVARO (*Despechado.*)

Vamos a probarlo al punto.

DON ALFONSO

Ahora tienes que escucharme.
Que has de apurar ¡vive el cielo!
Hasta las heces el cáliz.
Y si, por ser mi destino,
Consiguieses el matarme,
Quiero allá en tu aleve pecho
Todo un infierno dejarte.
El Rey, benéfico, acaba
De perdonar a tus padres.
Ya están libres y repuestos
En honras y dignidades.
La gracia alcanzó tu tío,
Que goza favor notable,
Y andan todos tus parientes
Afanados por buscarte
Para que tenga heredero . . .

DON ÁLVARO

(*Muy turbado y fuera de sí.*)
Ya me habéis dicho bastante . . .
No sé dónde estoy ¡oh cielos! . . .

Si es cierto, si son verdades
Las noticias que dijisteis . . .
            (*Enternecido y confuso.*)
¡Todo puede repararse!
Si Leonor existe, todo: 5
¿Veis lo ilustre de mi sangre? . . .
¿Veis? . . .

DON ALFONSO

    Con sumo gozo veo
Que estáis ciego y delirante.
¿Qué es reparación?[298] . . . Del mundo
Amor, gloria, dignidades 15
No son para vos . . . Los votos
Religiosos e inmutables
Que os ligan a este desierto,
Esa capucha, ese traje, 20
Capucha y traje que encubren
A un desertor, que al infame
Suplicio escapó en Italia,
De todo incapaz os hacen.
Oye cuál truena indignado (*Truena.*) 25
Contra ti el cielo . . . Esta tarde
Completísimo es mi triunfo.
Un sol hermoso y radiante
Te he descubierto, y de un soplo
Luego he sabido apagarle. 30

DON ÁLVARO

(*Volviendo al furor.*)
¿Eres monstruo del infierno, 35
Prodigio de atrocidades?

DON ALFONSO

Soy un hombre rencoroso 40
Que tomar venganza sabe.
Y porque sea más completa,
Te digo que no te jactes
De noble . . . eres un mestizo,[299] 45
Fruto de traiciones . . .

---

[297] Don Álvaro has done absolutely nothing to alleviate his parents' situation in the years he has been in Europe. This is another reason to believe that their imprisonment is not the real reason he cannot reveal the truth about his birth, even though he deludes himself into thinking that this is the cause.

[298] What do you mean, all can be amended? (referring to l. 3b)

[299] Once more the supreme taunt, with the same extreme reaction from Don Álvaro.

DON ÁLVARO

(*En el extremo de la desesperación.*)
Baste.
¡Muerte y exterminio! ¡Muerte
Para los dos! Yo matarme
Sabré, en teniendo[300] el consuelo
De beber tu inicua sangre.
(*Toma la espada, combaten y cae herido
don Alfonso.*)

DON ALFONSO

Ya lo conseguiste . . . ¡Dios mío!
¡Confesión![301] Soy cristiano . . . Perdonadme . . . salva mi alma . . .

DON ÁLVARO

(*Suelta la espada y queda como petrificado.*)
¡Cielos! . . . ¡Dios mío! . . . ¡Santa
madre de los Ángeles! . . . ¡Mis manos
tintas en sangre . . . en sangre de
Vargas! . . .

DON ALFONSO

¡Confesión! ¡Confesión! . . . Conozco
mi crimen y me arrepiento . . . Salvad
mi alma, vos que sois ministro del
Señor . . .

DON ÁLVARO (*Aterrado.*)

¡No, yo no soy más que un réprobo,
presa infeliz del demonio! Mis palabras
sacrílegas aumentarían vuestra condenación. Estoy manchado de sangre,
estoy irregular[302] . . . Pedid a Dios
misericordia . . . Y . . . esperad . . .
cerca vive un santo penitente . . . podrá
absolveros . . . Pero está prohibido
acercarse a su mansión . . . ¿Qué importa? Yo que he roto todos los vínculos, que he hollado todas las obligaciones . . .

DON ALFONSO

¡Ah! Por caridad, por caridad . . .

DON ÁLVARO

Sí; voy a llamarlo . . . al punto . . .

DON ALFONSO

Apresuraos, padre . . . ¡Dios mío!
(*Don Álvaro corre a la ermita y golpea la
puerta.*)

DOÑA LEONOR (*Dentro.*)

¿Quién se atreve a llamar a esta puerta?
Respetad este asilo.

DON ÁLVARO

Hermano, es necesario salvar un alma,
socorrer a un moribundo: venid a darle
el auxilio espiritual.

DOÑA LEONOR (*Dentro.*)

Imposible, no puedo, retiraos.

DON ÁLVARO

Hermano, por el amor de Dios.

DOÑA LEONOR (*Dentro.*)

No, no, retiraos.

DON ÁLVARO

Es indispensable, vamos.
(*Golpea fuertemente la puerta.*)

DOÑA LEONOR

(*Dentro tocando la campanilla.*)
¡Socorro! ¡Socorro!

ESCENA X

(Los mismos y doña Leonor, vestida
con un saco, y esparcidos los cabellos,
pálida y desfigurada, aparece a la
puerta de la gruta, y se oye repicar a lo
lejos las campanas del convento.)

DOÑA LEONOR

Huid, temerario; temed la ira del cielo.

DON ÁLVARO

(*Retrocediendo horrorizado por la montaña
abajo.*)
¡Una mujer! . . . ¡Cielos! . . . ¡Qué
acento! . . . ¡Es un espectro! . . . Imagen adorada . . . ¡Leonor! ¡Leonor!

---

[300] while having

[301] confession, without which he would be
damned   [302] impure

DON ALFONSO

(*Como queriéndose incorporar.*[303])
¡Leonor! . . .   ¿Qué escucho?   ¡Mi
hermana!

DOÑA LEONOR

(*Corriendo detrás de* don Álvaro.)
¡Dios mío! ¿Es don Álvaro? . . . Co-
nozco su voz . . . Él es . . . ¡Don
Álvaro!

DON ALFONSO

¡Oh furia! Ella es . . . ¡Estaba aquí
con su seductor! . . . ¡Hipócritas! . . .
¡Leonor!!!

DOÑA LEONOR

¡Cielos! . . . ¡Otra voz conocida! . . .
Mas ¿qué veo? . . .
(*Se precipita hacia donde ve a* don Alfonso.)

DON ALFONSO

¡Ves al último de tu infeliz familia!

DOÑA LEONOR

(*Precipitándose en los brazos de su hermano.*)
¡Hermano mío . . . ¡Alfonso!

DON ALFONSO

(*Hace un esfuerzo, saca un puñal y hiere de
muerte a* Leonor.)
Toma, causa de tantos desastres, recibe
el premio de tu deshonra . . . Muero
vengado.

(*Muere.*)

DON ÁLVARO

¡Desdichado! . . .   ¿Qué hiciste? . . .
¡Leonor! ¿Eras tú? . . . ¿Tan cerca de
mí estabas? . . . ¡Ay! (*Se inclina hacia
el cadáver de ella.*) Aún respira . . ., aún
palpita aquel corazón todo mío . . .
Ángel de mi vida . . . vive,[304] vive; yo
te adoro . . . ¡Te hallé, por fin . . . sí,
te hallé . . . muerta!

(*Queda inmóvil.*)

[303] As if trying to sit up.
[304] An imperative

ESCENA ÚLTIMA

(Hay un rato de silencio; los truenos
resuenan más fuertes que nunca, crecen
los relámpagos, y se oye cantar a lo
lejos el *Miserere* a la comunidad, que se
acerca lentamente.)

VOZ (*Dentro.*)

Aquí, aquí. ¡Qué horror!
(Don Álvaro *vuelve en sí, y luego huye
hacia la montaña. — Sale el padre* Guardián *con la comunidad, que queda asombrada.*)

PADRE GUARDIÁN

¡Dios mío! . . .   ¡Sangre derramada!
¡Cadáveres! . . .   ¡La mujer penitente!

TODOS LOS FRAILES

¡Una mujer! . . .   ¡Cielos!

PADRE GUARDIÁN

¡Padre Rafael!

DON ÁLVARO

(*Desde un risco, con sonrisa diabólica, todo
convulso, dice:*)
Busca, imbécil, al padre Rafael . . .
Yo soy un enviado del infierno, soy el
demonio   exterminador . . .   Huid,
miserables.

TODOS

¡Jesús, Jesús!

DON ÁLVARO

Infierno, abre tu boca y trágame.
Húndase el cielo, perezca la raza hu-
mana; exterminio, destrucción . . .[305]
(*Sube a lo más alto del monte y se precipita.*)

EL PADRE GUARDIÁN Y LOS FRAILES

(*Aterrados y en actitudes diversas.*)
¡Misericordia, Señor! ¡Misericordia!

[305] Rivas undoubtedly is trying to convey
the impression of insanity; therefore these
expressions are not to be taken too literally.

Ramón de Mesonero Romanos

MESONERO ROMANOS (1803–82) opens his memoirs of his boyhood with a picture of family prayers, showing his well-to-do, stern, old-fashioned father leading the family and the servants in their evening devotions. Here we have the whole background of this author — money, solid respectability, middle-class comfort. When he was sixteen years old, he was suddenly given the responsibilities of the head of a family by the death of his father. He ran extensive business interests for thirteen years, then, content with his fortune, sold out his holdings to devote his long life to literature, philanthropy, and municipal reforms.

Above all a bourgeois, Mesonero stands for what is both good and bad in the character of the middle class. In a period of violent passions in politics and literature, he is an outstanding and exceptional moderate, refusing to take part in partisan quarrels in either sphere. Sometimes he even showed himself timid through his desire not to hurt anyone or to avoid violence at all costs. But, on the positive side, this moderation manifested itself in a constant friendliness, affability, and good-humor. Why should he not be good-humored? He was well satisfied with himself, with his status in life, and with his environment. His intense love for his native city led him to write its first guide book, which he later expanded into a history of Madrid under the title *El antiguo Madrid*. But he also showed the lack of creative imagination which we associate with the moneyed middle classes, and was content to write simply short sketches or essays on the things he saw about him. These pictorial essays, similar in form to those of Larra, were also known as *cuadros de costumbres* and may consist of a short description of a part of Madrid (*La calle de Toledo*), of a custom (*La empleomanía* — the mania of the Spaniards for having a government job), or a criticism of something which the author believes should be reformed (*Tengo lo que me basta* — criticizing the Spaniards' little fondness for work). A note of satire runs through some of these little scenes, although Mesonero is careful not to paint definite persons but to apply his criticism to whole classes of people. Furthermore he is always benign and gentle in his desire to correct. While he seeks reforms in Madrid, they are always little, practical reforms, such as paving of streets, street lighting, sanitation, et cetera. Never do we find in him the cutting, sweeping satire of the passionate Larra. Through his excellent, straightforward style, his animated dialogues, and constant good-humor, Mesonero raises his essays to the rank of great literature, comparable to the works of Addison and Steele, his English counterparts.

Ramón de Mesonero Romanos

El romanticismo y los románticos

«Señales son del juicio
Ver que todos lo perdemos,
Unos por carta de más
Y otros por carta de menos.»[1]

LOPE DE VEGA

Si fuera posible reducir a un solo eco las voces todas de la actual generación europea, apenas cabe ponerse en duda que la palabra *romanticismo* parecería ser la dominante desde el Tajo al Danubio, desde el mar del Norte al estrecho de Gibraltar.

Y sin embargo (¡cosa singular!), esta palabra, tan favorita, tan cómoda, que así aplicamos a las personas como a las cosas, a las verdades de la ciencia como a las ilusiones de la fantasía; esta palabra, que todas las plumas adoptan, que todas las lenguas repiten, todavía carece de una definición exacta, que fije distintamente su verdadero sentido.[2]

. . .

El escritor osado, que acusa a la sociedad de[3] corrompida, al mismo tiempo que contribuye a corromperla más con la inmoralidad de sus escritos; el político, que exagera todos los sistemas, todos los desfigura y contradice, y pretende reunir en su doctrina el feudalismo y la república; el historiador, que poetiza la Historia; el poeta, que finge una sociedad fantástica, y se queja de ella porque no reconoce su retrato; el artista, que pretende pintar a la naturaleza aún más hermosa que en su original; todas estas manías,

que en cualesquiera épocas han debido existir, y sin duda en siglos anteriores habrán podido pasar por extravíos de la razón o debilidades de la humana especie, el siglo actual, más adelantado y perspicuo, las ha calificado de *romanticismo puro.*

«La necedad se pega»[4] — ha dicho un autor célebre —. No es esto afirmar que lo que hoy se entiende por romanticismo sea necedad,[5] sino que todas las cosas exageradas suelen degenerar en necias; y bajo este aspecto, la romántico-manía se pega también. Y no sólo se pega, sino que, al revés de otras enfermedades contagiosas, que a medida que[6] se transmiten pierden en grado de intensidad, ésta, por el contrario, adquiere en la inoculación[7] tal desarrollo, que lo que en su origen pudo ser sublime, pasa después a ser ridículo; lo que en unos fué un destello del genio, en otros viene a ser un ramo de locura.

Y he[8] aquí por qué un muchacho que por los años de 1810 vivía en nuestra corte y su calle de la Reina, y era hijo del general francés *Hugo* y se llamaba *Víctor*, encontró el romanticismo donde menos podía esperarse, esto es, en el Seminario de Nobles;[9] —

---

[1] *Señales ... menos*, It is characteristic of good sense to see that we all lose it, some by going too far and some by not going far enough.

[2] A concise definition of romanticism never has been and never can be given.

[3] Supply, being   [4] *pegarse*, to be contagious

[5] Mesonero is careful not to offend the romanticists too much. As a matter of fact, he read this essay to the *Liceo*, a literary group containing both romanticists and classicists.

After some hesitation on their part about how to take the essay, Mesonero's good-humor and tact carried the day and all laughed with him.

[6] *a medida que*, in proportion as

[7] transmission

[8] behold. Translate, this is why

[9] Victor Hugo attended this school as a small boy, but Mesonero's statement that he learned romanticism there is of course pure whimsy. Hugo's first works were in the classical vein, so he did not learn romanticism

y el picaruelo conoció[10] lo que nosotros no habíamos sabido apreciar, y teníamos enterrado hace dos siglos con Calderón;[11] — y luego regresó a París, extrayendo de entre nosotros esta primera materia,[12] y la confeccionó a la francesa, y provisto, como de costumbre, con su patente de invención,[13] abrió su almacén, y dijo que él era el Mesías de la literatura, que venía a redimirla de la esclavitud de las reglas; — y acudieron ansiosos los noveleros; y la manada de imitadores (*imitatores servum pecus*,[14] que dijo Horacio) se esforzaron en sobrepujarle y dejar atrás su exageración; y los poetas transmitieron el nuevo humor a los novelistas; éstos a los historiadores; éstos a los políticos; éstos a todos los demás hombres; éstos a todas las mujeres, — y luego salió de Francia aquel virus ya bastardeado,[15] y corrió toda la Europa, y vino, en fin, a España; y llegó a Madrid (de donde había salido puro), y de una en otra pluma, de una en otra cabeza, vino a dar en la cabeza y en la pluma de mi sobrino, de aquel sobrino de que ya en otro tiempo creo haber hablado a mis lectores; y tal llegó a sus manos, que ni el mismo Víctor Hugo le conocería, ni el Seminario de Nobles tampoco.

La primera aplicación que mi sobrino creyó deber hacer de adquisición tan importante, fué a su propia física persona, esmerándose en poetizarla por medio del romanticismo aplicado al tocador.

Porque (decía él) la fachada de un romántico debe ser gótica, ojiva,[16] piramidal y emblemática.

Para ello comenzó a revolver cuadros y libros viejos, y a estudiar los trajes del tiempo de las Cruzadas; y cuando en un códice roñoso y amarillento acertaba a encontrar un monigote formando alguna letra inicial de capítulo, o rasguñado al margen por infantil e inexperta mano, daba por[17] bien empleado su desvelo, y luego poníase a formular en su persona aquel trasunto de la Edad Media.

Por resultado de estos experimentos llegó muy luego[18] a ser considerado como la estampa más *romántica* de todo Madrid, y a servir de modelo a todos los jóvenes aspirantes a esta nueva, no sé si diga[19] ciencia o arte. — Sea dicho en verdad; pero si yo hubiese mirado el negocio sólo por el lado económico, poco o nada podía pesarme de ello; porque mi sobrino, procediendo a simplificar su traje, llegó a alcanzar tal rigor ascético, que un ermitaño daría más que hacer a los *Utrillas* y *Rougets*.[20]

Por de pronto eliminó el frac, por considerarle del tiempo de la decadencia; y aunque no del todo conforme con la levita, hubo de transigir con ella, como más análoga a la sensibilidad de la expresión. Luego suprimió el chaleco, por redundante; luego el cuello de la camisa, por inconexo; luego las cadenas y relojes, los botones y alfileres, por minuciosos y mecánicos; después los guantes, por embarazosos; luego las aguas de olor, los cepillos, el barniz de las botas, y las navajas de afeitar, y otros mil adminículos que los que no alcanzamos la perfección romántica creemos indispensables y de todo rigor.[21]

until after his return to France and his début as an author. However, some of the Spanish romanticists did attend the *Seminario de Nobles*, but after Hugo had left it. The chief influence of Spain on Hugo was in the Spanish setting of some of his plays. [10] to recognize
[11] The last exponent of the drama of the Golden Age, which in many ways resembled romanticism. See Vol. II, p. 226.

[12] raw material [13] *patente de invención*, patent
[14] Latin, the servile band of imitators
[15] degenerated
[16] ogive, Gothic. The romantic authors often spoke of Gothic cathedrals and castles.
[17] *dar por*, to consider [18] soon, immediately
[19] whether I should say
[20] Fashionable tailors of the day
[21] *de todo rigor*, indispensable, necessary

Quedó, pues, reducido todo el atavío de su persona a un estrecho pantalón, que designaba la musculatura pronunciada de aquellas piernas; una levitilla de menguada faldamenta y[5] abrochada tenazmente hasta la nuez de la garganta;[22] un pañuelo negro descuidadamente anudado en torno de ésta, y un sombrero de misteriosa forma, fuertemente introducido[23] hasta[10] la ceja izquierda. Por bajo de él descolgábanse de entrambos lados de la cabeza dos guedejas de pelo negro y barnizado, que formando un doble bucle convexo, se introducían por bajo[15] de las orejas, haciendo desaparecer éstas de la vista del espectador; las patillas, la barba y el bigote, formando una continuación de aquella espesura, daban con dificultad permiso para[20] blanquear[24] a dos mejillas lívidas, dos labios mortecinos, una afilada nariz, dos ojos grandes, negros y de mirar sombrío, una frente triangular y *fatídica*.[25] — Tal era la *vera efigies*[26] de mi[25] sobrino; y no hay que decir que tan uniforme tristura ofrecía no sé qué[27] de siniestro e inanimado; de suerte que no pocas veces, cuando, cruzado de brazos y la barba sumida en el pecho,[30] se hallaba abismado en sus tétricas reflexiones, llegaba yo a dudar si era él mismo o sólo su traje colgado de una percha, y acontecióme más de una ocasión el ir a hablarle por la espalda,[35] creyendo verle de frente, o darle una palmada en el pecho, juzgando dársela en el lomo.

Ya que vió romantizada su persona, toda su atención se convirtió a romantizar[40] igualmente sus ideas, su carácter

y sus estudios. — Por de pronto, me declaró rotundamente su resolución contraria a seguir ninguna de las carreras que le propuse, asegurándome que encontraba en su corazón algo de volcánico y sublime, incompatible con la exactitud matemática[28] o con las fórmulas del foro; y después de largas disertaciones, vine a sacar en consecuencia que la carrera que le parecía más análoga a sus circunstancias era la carrera de poeta, que, según él, es la que guía derechita[29] al templo de la inmortalidad.

En busca de sublimes inspiraciones, y con el objeto sin duda de formar su carácter tétrico y sepulcral, recorrió día y noche los cementerios y escuelas anatómicas; trabó amistosa relación con los enterradores y fisiólogos; aprendió el lenguaje de los buhos y de las lechuzas; encaramóse a las peñas escarpadas, y se perdió en la espesura de los bosques; interrogó a las ruinas de los monasterios y de las ventas (que él tomaba por góticos castillos); examinó la ponzoñosa virtud de las plantas, e hizo experiencia en algunos animales del filo de su cuchilla y de los convulsos movimientos de la muerte.[30] — Trocó los libros que yo le recomendaba, los Cervantes, los Solís, los Quevedos, los Saavedras, los Moretos, Meléndez y Moratines, por los Hugos y Dumas, los Balzacs, los Sands y Souliés;[31] rebutió su mollera de todas las encantadoras fantasías de lord Byron y de los tétricos cuadros de d'Arlincourt; no se le escapó uno solo de los abortos teatrales de Ducange, ni de los fantásticos ensueños de Hoffman; y en los

---

[22] Adam's apple
[23] to pull down
[24] to show their paleness
[25] fateful. The word *fate* is forever appearing in romantic works.
[26] Latin, true image
[27] *no sé qué*, something or other
[28] Supply, of engineering
[29] right straight
[30] Mesonero is poking fun at the romanticists'

melancholy, their feeling of the futility of life, and their interest in death.

[31] He exchanged time-tested Spanish authors for recent romantic French ones. It is interesting to note that Mesonero includes Saavedra (better known by his title, the Duque de Rivas) as one of the reputable Spanish authors, although his fame depended on two romantic works, but the reference may be to Diego Saavedra Fajardo, 1584–1648.

ratos en que menos propenso estaba
a la melancolía, entreteníase en estudiar
la *Craneoscopia* del doctor Gall, o las
Meditaciones de Volney.[32]

Fuertemente pertrechado con toda
esta diabólica erudición, se creyó ya
en estado de dejar correr su pluma, y
rasguñó unas cuantas docenas de *frag-
mentos* en prosa poética, y concluyó
algunos *cuentos* en verso prosaico; y
todos empezaban con puntos suspen-
sivos,[33] y concluían en *¡maldición!;* y
unos y otros estaban atestados de *figuras
de capuz,* y de *siniestros bultos;* y de *hombres gigantes,* y de *sonrisa infernal;* y de
almenas altísimas, y de *profundos fosos;*
y de *buitres carnívoros,* y de *copas*[34] *fatales;*
y de *ensueños fatídicos,* y de *velos transparentes;* y de *aceradas mallas,* y de *briosos
corceles,* y de *flores amarillas,* y de *fúnebre
cruz.* — Generalmente todas estas composiciones *fugitivas* solían llevar sus títulos tan incomprensibles y vagos como
ellas mismas; v. gr.: *¡¡¡Qué será!!!* —
¡¡¡ . . . No . . . !!! — *¡Más allá . . .!* —
Puede ser. — *¿Cuándo?* — *¡Acaso . . .!* —
¡Oremus![35]

Esto en cuanto a la forma de sus composiciones; en cuanto al fondo de sus
pensamientos, no sé qué decir, sino que
unas veces me parecía mi sobrino un
gran poeta, y otras un loco de atar;[36]
— en algunas ocasiones me estremecía
al oírle cantar el suicidio, o discurrir
dudosamente sobre la inmortalidad del
alma; y otras teníale por un santo, pin-
tando la celestial sonrisa de los ángeles o haciendo tiernos apóstrofes a la
Madre de Dios. — Yo no sé a punto
fijo[37] qué pensaba él sobre todo esto;
pero creo que lo más seguro es que no
pensaba nada, ni él mismo entendía lo
que quería decir.

Sin embargo, el muchacho con estos
raptos consiguió al fin verse admirado
por una turba de aprendices del delirio,
que le escuchaban enternecidos cuando
él con voz monótona y sepulcral les
recitaba cualquiera de sus composiciones; y siempre le aplaudían en aquellos rasgos más extravagantes y oscuros,
y sacaban copias nada escrupulosas, y
las aprendían de memoria, y luego
esforzábanse a imitarlas, y sólo acerta-
ban a imitar los defectos, y de ningún
modo las bellezas originales que podían
recomendarlas.

Todos estos encomios y adulaciones
de amistad lisonjeaban muy poco el
altivo deseo de mi sobrino, que era
nada menos que atraer hacia sí la atención y el entusiasmo de todo el país. —
Y convencido de que para llegar al
templo de la inmortalidad (partiendo
de Madrid) es cosa indispensable el
pasarse por la calle del Príncipe,[38]
quiero decir, el componer una obra
para el teatro, he aquí la razón por qué
reunió todas sus fuerzas intelectuales;
llamó a concurso su fatídica estrella,
sus recuerdos, sus lecturas; evocó las
sombras de los muertos para pregun-
tarles sobre diferentes puntos; marti-
rizó las historias y tragó el polvo de los
archivos; interpeló a su calenturienta
musa, colocándose con ella en la región
aérea donde se forman las románticas
tormentas; y mirando desde aquella
altura esta sociedad terrena, reducida
por la distancia a una pequeñez microscópica, aplicado al ojo izquierdo el
catalejo romántico, que todo lo abulta,
que todo lo descompone, inflamóse al
fin su fosfórica fantasía y compuso un
drama.

¡Válgame Dios! ¡Con qué placer

---

[32] Gall, a German physiologist (d. 1828) who
studied the nervous system and the brain.
Count de Volney (d. 1820), a free-thinker,
interested in Oriental languages and civilization, who wrote *Les ruines, ou méditations sur les
révolutions des empires.*
[33] dots to indicate suspended thought

[34] goblet; figuratively, drink, potion
[35] Latin, let us pray
[36] *loco de atar*, stark mad
[37] *a punto fijo*, precisely
[38] The principal theater of Madrid was the
Teatro del Príncipe, located in the street of the
same name.

haría yo a mis lectores el mayor de los regalos posibles dándoles *in integrum*[39] esta composición sublime, práctica explicación del sistema romántico, en que, según la medicina homeopática, que consiste en curar las enfermedades con sus semejantes, se intenta, a fuerza de crímenes, corregir el crimen mismo! Mas ni la suerte ni mi sobrino me han hecho poseedor de aquel tesoro, y únicamente la memoria, depositaria infiel de secretos, ha conservado en mi imaginación el título y personajes del drama. Helos aquí:

¡¡ELLA . . . !!! Y ¡¡ÉL . . . !!!

Drama Romántico Natural,

Emblemático-Sublime, Anónimo, Sinónimo, Tétrico y Espasmódico;

Original, en diferentes prosas[40]
y versos, en seis actos y
catorce cuadros.
Por . . .

Aquí había una nota que decía: (*Cuando el público pida el nombre del autor*), y seguía más abajo:

Siglos IV y V, — La escena pasa en toda Europa y dura unos cien años.[41]

INTERLOCUTORES.

La mujer (todas las mujeres, toda la mujer).
El marido (*todos los maridos*).
Un hombre salvaje (el amante).
El Dux de Venecia.
El tirano de Siracusa.
El doncel.
La Archiduquesa de Austria.
Un espía.
Un favorito.
Un verdugo.
Un boticario.
La Cuádruple Alianza

El sereno del barrio.
Coro de monjas carmelitas.
Coro de padres agonizantes.[42]
Un hombre del pueblo.
Un pueblo de hombres.
Un espectro que habla.
Otro ídem que agarra.
Un demandadero de la Paz y Caridad.
Un judío.
Cuatro enterradores.
Músicos y danzantes.
Comparsas de tropa, brujas, gitanos, frailes y gente ordinaria.

— Los títulos de las jornadas (porque cada una llevaba el suyo, a manera de código) eran, si mal no me acuerdo, los siguientes: — 1.ª *Un crimen.* — 2.ª *El veneno.* — 3.ª *Ya es tarde.* — 4.ª *El panteón.* — 5.ª *¡Ella!* — 6.ª *¡Él!* — y las decoraciones eran las seis obligadas en todos los dramas románticos, a saber: *Salón de baile; Bosque; La capilla; Un subterráneo; La alcoba* y *El cementerio.*

Con tan buenos elementos confeccionó mi sobrino su admirable composición, en términos, que si yo recordase una sola escena para estamparla aquí,

[39] Latin, in full
[40] The classicists wrote their plays all in *one* verse form; the romanticists prided themselves on using both prose and various verse meters, so Mesonero goes them one better and has his nephew write in several kinds of prose!
[41] Notice how thoroughly he breaks the unities of place and time. Not infrequently the romanticists seem to go almost out of their way in order to break classic rules.
[42] Priests who devote themselves to caring for dying persons

peligraba[43] el sistema nervioso de mis lectores; con que, así no hay sino dejarlo en tal punto y aguardar a que llegue día en que la fama nos las[44] transmita en toda su integridad; día que él retardaba, aguardando a que *las masas* (las masas somos nosotros) se hallen (o nos hallemos) en el caso de digerir esta comida, que él modestamente llamaba un *poco fuerte*.

De esta manera mi sobrino caminaba a la inmortalidad por la senda de la muerte; quiero decir, que con tales fatigas cumplía lo que él llamaba *su misión sobre la tierra*.[45] Empero la continuación de las vigilias y el obstinado combate de sentimientos tan hiperbólicos habíanle reducido a una situación tan lastimosa de cerebro, que cada día me temía encontrarle consumido a impulsos de su fuego celestial.

Y aconteció que, para acabar de rematar lo poco que en él quedaba de seso, hubo de ver una tarde por entre los mal labrados hierros de su balcón a cierta Melisendra[46] de diez y ocho abriles, más pálida que una noche de luna, y más mortecina que lámpara sepulcral; con sus luengos cabellos trenzados a la veneciana, y sus mangas a la María Tudor, y su blanquísimo vestido aéreo a la Straniera, y su cinturón a la Esmeralda, y su cruz de oro al cuello a la huérfana de Underlach.[47]

Hallábase a la sazón meditabunda, los ojos elevados al cielo, la mano derecha en la apagada mejilla, y en la izquierda sosteniendo débilmente un libro abierto ... libro que, según el forro[48] amarillo, su tamaño y demás proporciones, no podía ser otro, a mi entender, que el *Han de Islandia* o el *Bug-Jargal*.[49]

No fué menester más para que la chispa eléctrico-romántica atravesase instantáneamente la calle, y pasase desde el balcón de la doncella sentimental al otro frontero donde se hallaba mi sobrino, viniendo a inflamar súbitamente su corazón. Miráronse pues, y creyeron adivinarse;[50] luego se hablaron, y concluyeron por no entenderse; esto es, por entregarse a aquel sentimiento vago, ideal, fantástico, frenético, que no sé bien cómo designar aquí, sino es ya que me valga de la consabida calificación de ... *romanticismo puro*.

Pero al cabo, el sujeto[51] en cuestión era mi sobrino, y el bello objeto de sus arrobamientos, una señorita, hija de un honrado vecino mío, procurador del número[52] y clásico por todas sus coyunturas.[53] A mí no me desagradó la idea de que el muchacho se inclinase a la muchacha (siempre llevando por delante la más sana intención), y con el deseo también de distraerle de sus melancólicas tareas, no sólo le introduje en la casa, sino que favorecí (Dios me lo perdone) todo lo posible el desarrollo de su inclinación.

Lisonjeábame, pues, con la idea de un desenlace natural y espontáneo, sabiendo que toda la familia de la niña participaba de mis sentimientos, cuando una noche me hallé sorprendido con la vuelta repentina de mi sobrino, que en el estado más descompuesto y atroz corrió a encerrarse en su cuarto gritando desaforadamente: — «¡Asesino! ... ¡Asesino! ... ¡Fatalidad! ¡Maldición! ...»

— ¿Qué demonios es esto? — Corro al cuarto del muchacho, pero había cerrado por dentro y no me responde; vuelo a casa del vecino por si[54] alcanzo

---

[43] Imperfect tense used for a conditional for greater emphasis
[44] Antecedent, *escenas*   [45] Cf. p. 246, l. 22
[46] A name common in the Spanish ballads for a young heroine
[47] *María Tudor*, a play by Victor Hugo (1833); *La Straniera*, an opera by Bellini (1829); *Esmeralda*, the heroine of Hugo's *Notre-*

Dame de Paris; la huérfana de Underlach, the heroine of d'Arlincourt's *Solitaire* (1821).
[48] cover   [49] Two novels by Victor Hugo
[50] to comprehend each other instinctively
[51] individual
[52] *procurador del numero*, a lawyer of the guild
[53] joint. Translate, a dyed-in-the-wool classicist
[54] Translate, to see if

a averiguar la causa de aquel desorden, y me encuentro en otro no menos terrible a toda la familia: la chica accidentada y convulsa, la madre llorando, el padre fuera de sí . . .[55]

— ¿Qué es esto, señores? ¿qué es lo que hay?

— ¿Qué ha de ser?[56] (me contestó el buen hombre), ¿qué ha de ser? sino que el demonio en persona se ha introducido en mi casa con su sobrino de usted . . . Lea usted, lea usted qué proyectos son los suyos; qué ideas de amor y de religión . . . — Y me entregó unos papeles, que por lo visto había sorprendido[57] a los amantes.

Recorrílos rápidamente, y me encontré diversas composiciones de éstas de tumba y hachero, que yo estaba tan acostumbrado a escuchar a mi sobrino. — En todas ellas venía a decir a su amante, con la mayor ternura, que era preciso que se muriesen para ser felices; que se matara ella, y luego él iría a derramar flores sobre su sepulcro, y luego se moriría también y los enterrarían bajo una misma losa . . . Otras veces la proponía que para huir de la tiranía del hombre — «este hombre soy yo», decía el pobre procurador, — se escurriese con él a los bosques o a los mares, y que se irían a una caverna a vivir con las fieras, o se harían piratas o bandoleros; en unas ocasiones la suponía ya difunta y la cantaba el responso en bellísimas quintillas y coplas de pie quebrado;[58] en otras llenábala de maldiciones por haberle hecho probar la ponzoña del amor.

— Y a todo esto (añadía el padre), nada de boda, ni nada de solicitar un empleo para mantenerla . . . Vea usted, vea usted: por ahí ha de estar . . .; oiga usted cómo se explica en este punto . . .;

ahí, en esas coplas o seguidillas,[59] o lo que sean, en que la dice lo que tiene que esperar de él . . .

Y en tan fiera esclavitud,
Sólo puede darte mi alma
Un suspiro . . . y una palma . . .
Una tumba . . . y una cruz . . .

— Pues cierto que son buenos adminículos para llenar una carta de dote[60] . . .; no, sino échelos[61] usted en el puchero y verá qué caldo sale . . . Y no es esto lo peor (continuaba el buen hombre), sino que la muchacha se ha vuelto tan loca como él, y ya habla de féretros y letanías, y dice que está deshojada y que es un tronco carcomido, con otras mil barbaridades, que no sé cómo no la mato . . . y a lo mejor nos asusta por las noches, despertando despavorida y corriendo por toda la casa, diciendo que la persigue la sombra de no sé qué Astolfo[62] o Ingolfo el exterminador; y nos llama tiranos a su madre y a mí; y dice que tiene guardado un veneno, no sé bien si para ella o para nosotros; y entre tanto las camisas no se cosen, y la casa no se barre, y los libros malditos me consumen todo el caudal.

— Sosiéguese usted, señor don Cleto, sosiéguese usted.

Y llamándole aparte, le hice una explicación del carácter de mi sobrino, componiéndolo de suerte que, si no lo convencí de que podía casar a su hija con un tigre, por menos le determiné a casarla con un loco.

Satisfecho con tan buenas nuevas, regresé a mi casa para tranquilizar el espíritu del joven amante; . . . Me pareció conveniente poner un término a tan grotesca escena, entrando a recoger

---

[55] *fuera de sí*, beside himself
[56] What can it be?; what do you suppose it is? *Haber de* stands for a future of probability.
[57] to take by surprise
[58] Kinds of verse usually employed for light or even jocular compositions
[59] Popular dance tunes and poems

[60] *carta de dote*, a dowry contract, marriage contract
[61] Translate, just try throwing them
[62] Astolfo, a character of Ariosto's *Orlando furioso*, had a magic trumpet whose sound alone was enough to conquer his enemies.

a mi moribundo sobrino y encerrarle bajo de llave en su cuarto; y al reconocer[63] cuidadosamente y separar todos los objetos con que pudiera ofenderse,[64] hallé sobre la mesa una carta sin fecha, dirigida a mí, y copiada de la *Galería fúnebre*,[65] la cual estaba concebida en términos tan alarmantes, que me hizo empezar a temer de veras sus proyectos y el estado infeliz de su cabeza. Conocí, pues, que no había más que un medio que adoptar, y era el arrancarle con mano fuerte a sus lecturas, a sus amores y a sus reflexiones, haciéndole emprender una carrera activa, peligrosa y varia; ninguna me pareció mejor que la militar, a la que él también mostraba alguna inclinación; hícele poner una charretera[66] al hombro izquierdo y le vi partir con alegría a reunirse a sus banderas.[67]

Un año ha trascurrido desde entonces, y hasta hace pocos días no le había vuelto a ver; y pueden considerar mis lectores el placer que me causaría al contemplarle robusto y alegre, la charretera a la derecha[68] y una cruz[69] en el lado izquierdo, cantando perpetuamente zorcicos y rondeñas, y por toda biblioteca en la maleta la *Ordenanza militar* y la *Guía del oficial en campaña*.

Luego que ya le vi en estado que no peligraba, le entregué la llave de su escritorio; y era cosa de ver el oírle repetir a carcajadas sus fúnebres composiciones; deseoso, sin duda, de probarme su nuevo humor, quiso entregarlas al fuego; pero yo, celoso de su fama póstuma, me opuse fuertemente a esta reso-

lución; únicamente consentí en hacer un escrupuloso escrutinio, dividiéndolas, no en clásicas y románticas,[70] sino en tontas y no tontas, sacrificando aquéllas, y poniendo éstas sobre las niñas[71] de mis ojos. — En cuanto al drama, no fué posible encontrarle, por haberle prestado mi sobrino a otro poeta novel, el cual le comunicó a varios aprendices del oficio, y éstos le adoptaron por tipo, y repartieron entre sí las bellezas de que abundaba, usurpando de este modo los aplausos, ora los silbidos que a mi sobrino correspondían, y dando al público en mutilados trozos el esqueleto de tan gigantesca composición.

La lectura, en fin, de sus versos, trajo a la memoria del joven militar un recuerdo de su vaporosa deidad; preguntóme por ella con interés, y aun llegué a sospechar que estaba persuadido de que se habría evaporado de puro amor; pero yo procuré tranquilizarle con la verdad del caso; y era que la abandonada Ariadna[72] se había conformado con su suerte: ítem más, se había pasado al género clásico, entregando su mano, y aun no sé si su corazón, a un honrado mercader de la calle de Postas . . . ¡Ingratitud notable de mujeres! . . . bien es la verdad que él por su parte no la había hecho, según me confesó, sino unas catorce o quince infidelidades en el año transcurrido. De este modo concluyeron unos amores que, si hubieran seguido su curso natural, habrían podido dar a los venideros Shakespeares materia sublime para otro nuevo *Romeo*.

---

[63] to reconnoitre   [64] to harm oneself
[65] A book in 12 volumes, published in 1831, dealing with ghosts and supernatural apparitions.
[66] epaulet. Only one is worn on the left shoulder by the lowest commissioned officers.
[67] Here, his regiment
[68] Signifying a rise in rank

[69] medal
[70] Once again Mesonero shows himself to be a partisan of moderation. This attitude was to become more and more important in Spain. It is often called *eclecticism*, that is, a selection of elements from all preceding literary schools.
[71] apple (of eye)
[72] Ariadne, the abandoned lover of Theseus

Gustavo Adolfo Bécquer

A DREAMY young man, who suffered all his life from poverty and delicate health, who never found satisfaction for his yearnings for love and glory, and who died of a mysterious illness at the age of thirty-four, is now regarded as Spain's greatest poet of the nineteenth century.

Gustavo Adolfo Bécquer (1836–70) was left an orphan at the age of nine. With his beloved brother Valeriano, he struggled to make a living by writing and by painting. He went to Madrid from his native Sevilla when he was eighteen, but achieved no literary recognition until about 1860, his twenty-fourth year. All of his work was accomplished in just ten years. Because of his poor health, he retired with his brother to live for a year in a ruined monastery on the slopes of the Moncayo, a mountain about fifty miles west of Zaragoza. Later the brothers spent several months in Toledo, where they hoped to establish permanent residence. Bécquer had married impetuously after being disdained in another love affair, but found no happiness in this union, although he loved his two children tenderly. Valeriano's death, just three months before Gustavo's, robbed the latter of his most sympathetic and understanding comrade.

This poet's total production consists of seventy-nine *rimas* and a handful of legends in poetic prose. The *rimas* are all very short, some no longer than four lines, and almost all deal with various aspects of one central theme, love, shown in all its multifold aspects — sometimes as a yearning after the ideal woman, sometimes as disillusionment, sometimes as bitter, death-seeking despair. Love is the sun around which revolves Bécquer's soul, and the poems are merely an exposition of the states of his soul as it basks in light or plunges into darkness.

Not that all these poems relate to real love affairs. Bécquer himself tells us that '*Me cuesta trabajo saber qué cosas he soñado y cuáles me han sucedido. Mis afectos se reparten entre fantasmas de la imaginación y personajes reales. Mi memoria clasifica, revueltos, nombres y fechas de mujeres y días que han muerto o han pasado, con los días y mujeres que no han existido sino en mi mente.*' The intensity of Bécquer's imaginative life was such that he created beings for his delight out of his own mind. To such an extent were his thoughts centered on love that he felt it to be a mysterious force animating all nature and pervading the whole world.

What we have told of Bécquer's life is sufficient to indicate that we are dealing with a romantic poet. His works, too, lead us to the same conclusion, but a great change took place between the romantic period and the decade (1860–70) during which Bécquer composed his works. While we find the melancholy, the yearnings, and the passion of the romantic poet, a new and equally important element lies in the deliberate vagueness which permeates his poems and which, in turn, depends upon a new concept of poetry. Bécquer believes that poetry, like love, pervades everything, lies all about us, and that the poet merely suggests it to his reader. He does not deal with concrete forms, persons, and sentiments, except as symbols of the states of his soul. In trying to convey to us the delicate nuances of his feelings he often has to express himself indirectly and dimly by a series of metaphors. There are no precise words for the things which Bécquer wishes to name; he can merely say that they are like this or like that. Or again his words, chosen for their indistinct emotional connotations, are such as to *suggest* to the reader emotions which he shares with the poet and which cannot be named directly. As one critic has said: 'Bécquer's poems begin when the verse ends.'

Another feature tending also towards the same end is the almost constant use of assonance instead of consonantal rhyme. Less obtrusive than the latter, assonance does not mark out so sharply the verse structure and gives the poem a hazy outline. Bécquer's harmonies are as subtle as his thoughts and both share the same self-imposed vagueness.

In his legends Bécquer loves to take us into a fantastic world of the Middle Ages. He uses constantly supernatural beings, and his heroes are almost always poetic, romantic young men. He excels especially in lyrical descriptions of nature.

Bécquer stands between the romantic school and the new poetry of suggestion which has dominated the literatures of the world during the last fifty years. He is one of the earliest to conceive this new idea of poetry. But even more than for this originality, Bécquer deserves our admiration and our sympathy for his tragic life and his melodious, heartfelt verses.

Gustavo Adolfo Bécquer

Los ojos verdes

Hace mucho tiempo que tenía ganas de escribir cualquier cosa con este título.

Hoy, que se me ha presentado ocasión, lo he puesto con letras grandes en la primera cuartilla de papel, y luego he dejado a capricho volar la pluma.

Yo creo que he visto unos ojos como los que he pintado en esta leyenda. No sé si en sueños, pero yo los he visto.[1] 5 De seguro no los podré describir tales

---

[1] Here we see how intense an imagination Bécquer possessed, as he cannot divide his real and imaginative lives.

cuales[2] ellos eran: luminosos, transparentes como las gotas de la lluvia que se resbalan sobre las hojas de los árboles después de una tempestad de verano. De todos modos, cuento con la imaginación de mis lectores[3] para hacerme comprender en este que pudiéramos llamar boceto de un cuadro que pintaré algún día.

I

— Herido va el ciervo . . . herido va; no hay duda. Se ve el rastro de la sangre entre las zarzas del monte, y al saltar uno de esos lentiscos[4] han flaqueado sus piernas . . . Nuestro joven señor comienza por donde otros acaban . . . en cuarenta años de montero no he visto mejor golpe . . . Pero, ¡por San Saturio, patrón de Soria!,[5] cortadle el paso por esas carrascas,[6] azuzad los perros, soplad en esas trompas hasta echar los hígados,[7] y hundidle a los corceles una cuarta de hierro[8] en los ijares. ¿No veis que se dirige hacia la fuente de los álamos,[9] y si la salva antes de morir podemos darle por perdido?

Las cuencas del Moncayo[10] repitieron de eco en eco el bramido de las trompas, el latir de la jauría desencadenada, y las voces de los pajes resonaron con nueva furia, y el confuso tropel de hombres, caballos y perros se dirigió al punto que Íñigo, el montero mayor[11] de los marqueses de Almenar, señalara[12] como el más propósito para cortarle el paso a la res.

Pero todo fué inútil. Cuando el más ágil de los lebreles llegó a las carrascas jadeante y cubiertas las fauces de espuma, ya el ciervo, rápido como una saeta, las había salvado de un solo brinco, perdiéndose entre los matorrales de una trocha que conducía a la fuente.

— ¡Alto! . . . ¡Alto todo el mundo! — gritó Íñigo entonces —; estaba de Dios que había de marcharse.[13]

Y la cabalgata se detuvo, y enmudecieron las trompas, y los lebreles dejaron refunfuñando la pista a la voz de los cazadores.

En aquel momento se reunía a la comitiva el héroe de la fiesta, Fernando de Argensola, el primogénito de Almenar.

— ¿Qué haces? — exclamó dirigiéndose a su montero, y en tanto, ya se pintaba el asombro en sus facciones, ya ardía la cólera en sus ojos —. ¿Qué haces, imbécil? ¡Ves que la pieza[14] está herida, que es la primera que cae por mi mano, y abandonas el rastro y la dejas perder para que vaya a morir en el fondo del bosque! ¿Crees acaso que he venido a matar ciervos para festines de lobos?

— Señor — murmuró Íñigo entre dientes —, es imposible pasar de este punto.

— ¡Imposible! ¿y por qué?

— Porque esa trocha — prosiguió el montero — conduce a la fuente de los álamos; la fuente de los álamos, en cuyas aguas habita un espíritu del mal. El que osa enturbiar su corriente,[15] paga caro su atrevimiento. Ya la res habrá salvado sus márgenes; ¿cómo la salvaréis vos[16] sin atraer sobre vuestra cabeza alguna calamidad horrible? Los cazadores somos reyes del Moncayo, pero reyes que pagan un tributo. Pieza que se refugia en esa fuente misteriosa, pieza perdida.

---

[2] *tales cuales,* just as
[3] This bears out what we have said about Bécquer's *suggesting* his mood to the reader, who must use his imagination and help in the creation of the artistic work.   [4] mastic tree
[5] An old city in Eastern Castilla, near Bécquer's monastery retreat
[6] swamp oak
[7] *hasta echar los hígados;* translate, until you burst

[8] *una . . . hierro,* literally, a span of iron; here, spurs   [9] poplar tree
[10] A mountain near Soria   [11] chief, head
[12] Imperfect subjunctive used for pluperfect indicative   [13] Here, to get away
[14] Here, game
[15] The *fuente* is not only the *spring,* but the *stream* which flows from it.
[16] Old Spanish for *vosotros* (used to give an archaic flavor to the text)

— ¡Pieza perdida! Primero perderé yo el señorío de mis padres, y primero perderé el ánima en manos de Satanás, que permitir que se me escape ese ciervo, el único que ha herido mi venablo, la primicia de mis excursiones de cazador . . . ¿Lo ves? . . . ¿lo ves? . . . Aún se distingue a intervalos desde aquí . . . las piernas le faltan, su carrera se acorta;[17] déjame . . . déjame . . . suelta esa brida o te revuelco en el polvo . . . ¿Quién sabe si no le daré lugar[18] para que llegue a la fuente? Y si llegase, al diablo ella, su limpidez y sus habitadores. ¡Sus!, ¡Relámpago!, ¡sus, caballo mío!, si lo alcanzas, mando engarzar los diamantes de mi joyel en tu serreta de oro.

Caballo y jinete partieron como un huracán.

Íñigo los siguió con la vista hasta que se perdieron en la maleza; después volvió los ojos en derredor suyo; todos, como él, permanecían inmóviles y consternados.

El montero exclamó al fin:

— Señores, vosotros lo habéis visto; me he expuesto a morir entre los pies de su caballo por detenerle. Yo he cumplido con mi deber. Con el diablo no sirven valentías. Hasta aquí llega el montero con su ballesta; de aquí adelante, que pruebe a pasar el capellán con su hisopo.[19]

II

— Tenéis la color quebrada;[20] andáis mustio y sombrío; ¿qué os sucede? Desde el día, que yo siempre tendré por funesto, en que llegasteis a la fuente de los álamos en pos de[21] la res herida, diríase que una mala bruja os ha encanijado con sus hechizos.

Ya no vais a los montes precedido de la ruidosa jauría, ni el clamor de vuestras trompas despierta sus ecos. Solo con esas cavilaciones que os persiguen, todas las mañanas tomáis la ballesta para enderezaros a la espesura y permanecer en ella hasta que el sol se esconde. Y cuando la noche obscurece y volvéis pálido y fatigado al castillo, en balde[22] busco en la bandolera los despojos de la caza. ¿Qué os ocupa tan largas horas lejos de los que más os quieren?

Mientras Íñigo hablaba, Fernando, absorto en sus ideas, sacaba maquinalmente astillas de su escaño de ébano con el cuchillo de monte.

Después de un largo silencio, que sólo interrumpía el chirrido de la hoja[23] al resbalarse sobre la pulimentada madera, el joven exclamó dirigiéndose a su servidor, como si no hubiera escuchado una sola de sus palabras:

— Íñigo, tú que eres viejo, tú que conoces todas las guaridas del Moncayo, que has vivido en sus faldas[24] persiguiendo a las fieras, y en tus errantes excursiones de cazador subiste más de una vez a su cumbre, dime: ¿has encontrado por acaso una mujer que vive entre sus rocas?

— ¡Una mujer! — exclamó el montero con asombro y mirándole de hito en hito.[25]

— Sí — dijo el joven —; es una cosa extraña lo que me sucede, muy extraña . . . Creí poder guardar ese secreto eternamente, pero no es ya posible; rebosa en mi corazón y asoma a mi semblante. Voy, pues, a revelártelo . . . Tú me ayudarás a desvanecer el misterio que envuelve a esa criatura, que al parecer sólo para mí existe, pues nadie la conoce, ni la ha visto, ni puede darme razón[26] de ella.

El montero, sin despegar los labios, arrastró su banquillo hasta colocarlo

---

[17] Translate, it is slowing down
[18] *dar lugar*, to give (him) time
[19] Sprinkler for holy water (which would drive away evil spirits)
[20] altered

[21] *en pos de*, after
[22] *en balde*, in vain
[23] blade   [24] slopes
[25] *de hito en hito*, fixedly
[26] Here, an account

junto al escaño de su señor, del que no apartaba un punto los espantados ojos. Éste, después de coordinar sus ideas, prosiguió así:

— Desde el día en que a pesar de tus funestas predicciones llegué a la fuente de los álamos, y atravesando sus aguas recobré el ciervo que vuestra superstición hubiera dejado huir, se llenó mi alma del deseo de la soledad.

Tú no conoces aquel sitio. Mira, la fuente brota escondida en el seno de una peña, y cae resbalándose gota a gota por entre las verdes y flotantes hojas de las plantas que crecen al borde de su cuna. Aquellas gotas que al desprenderse brillan como puntos de oro y suenan como las notas de un instrumento, se reúnen entre los céspedes, y susurrando, susurrando, con un ruido semejante al de las abejas que zumban en torno de las flores, se alejan por entre las arenas, y forman un cauce, y luchan con los obstáculos que se oponen a su camino, y se repliegan sobre sí mismas, y saltan, y huyen, y corren, unas veces con risa, otras con suspiros, hasta caer en un lago. En el lago caen con un rumor indescriptible. Lamentos, palabras, nombres, cantares, yo no sé lo que he oído en aquel rumor cuando me he sentado solo y febril sobre el peñasco, a cuyos pies saltan las aguas de la fuente misteriosa para estancarse en una balsa profunda, cuya inmóvil superficie apenas riza el viento de la tarde.

Todo es allí grande. La soledad, con sus mil rumores desconocidos, vive en aquellos lugares y embriaga el espíritu en su inefable melancolía. En las plateadas hojas de los álamos, en los huecos de las peñas, en las ondas del agua, parece que nos hablan los invisibles espíritus de la Naturaleza, que reconocen un hermano en el inmortal espíritu del hombre.

Cuando al despuntar la mañana me veías tomar la ballesta y dirigirme al monte, no fué nunca para perderme entre sus matorrales en pos de la caza, no; iba a sentarme al borde de la fuente, a buscar en sus ondas . . . no sé qué, ¡una locura! El día en que salté sobre ella con mi Relámpago, creí haber visto brillar en su fondo una cosa extraña . . . muy extraña . . . los ojos de una mujer.

Tal vez sería un rayo de sol que serpeó fugitivo entre su espuma; tal vez una de esas flores que flotan entre las algas de su seno, y cuyos cálices parecen esmeraldas . . . no sé: yo creí ver una mirada que se clavó en la mía; una mirada que encendió en mi pecho un deseo absurdo, irrealizable: el de encontrar una persona con unos ojos como aquéllos.

En su busca fuí un día y otro[27] a aquel sitio.

Por último, una tarde . . . yo me creí juguete de un sueño . . .; pero no, es verdad: la he hablado ya muchas veces, como te hablo a ti ahora . . .; una tarde encontré sentada en mi puesto, y vestida con unas ropas que llegaban hasta las aguas y flotaban sobre su haz, una mujer hermosa sobre toda ponderación. Sus cabellos eran como el oro; sus pestañas brillaban como hilos de luz, y entre las pestañas volteaban[28] inquietas unas pupilas que yo había visto . . . sí; porque los ojos de aquella mujer eran los ojos que yo tenía clavados en la mente; unos ojos de un color imposible; unos ojos . . .

— ¡Verdes! — exclamó Íñigo con un acento de profundo terror e incorporándose de un salto en su asiento.

Fernando le miró a su vez[29] como asombrado de que concluyese lo que iba a decir, y le preguntó con una mezcla de ansiedad y de alegría:

— ¿La conoces?

— ¡Oh, no! — dijo el montero —. ¡Líbreme Dios de conocerla! Pero mis

---

[27] *un día y otro,* day after day   [28] Here, to rove   [29] *a su vez,* in his turn

padres, al prohibirme llegar hasta esos lugares, me dijeron mil veces que el espíritu, trasgo, demonio o mujer que habita en sus aguas, tiene los ojos de ese color. Yo os conjuro, por los que más améis en la tierra, a no volver a la fuente de los álamos. Un día u otro os alcanzará su venganza, y expiaréis muriendo el delito de haber encenagado sus ondas.

— ¡Por los que más amo! . . . — murmuró el joven con una triste sonrisa.

— Sí — prosiguió el anciano —; por vuestros padres, por vuestros deudos, por las lágrimas de la que el cielo destina para vuestra esposa, por las de un servidor que os ha visto nacer . . .

— ¿Sabes tú lo que más amo en este mundo? ¿Sabes tú por qué[30] daría yo el amor de mi padre, los besos de la que me dió la vida, y todo el cariño que pueden atesorar todas las mujeres de la tierra? Por una mirada, por una sola mirada de esos ojos . . . ¡Cómo podré yo dejar de buscarlos!

Dijo Fernando estas palabras con tal acento, que la lágrima que temblaba en los párpados de Íñigo se resbaló silenciosa por su mejilla, mientras exclamó con acento sombrío: ¡Cúmplase la voluntad del cielo!

III

— ¿Quién eres tú? ¿Cuál es tu patria? ¿En dónde habitas? Yo vengo un día y otro en tu busca, y ni veo el corcel que te trae a estos lugares, ni a los servidores que conducen tu litera. Rompe de una vez el misterioso velo en que te envuelves como en una noche profunda. Yo te amo, y, noble o villana, seré tuyo, tuyo siempre . . .

El sol había traspuesto la cumbre del monte; las sombras bajaban a grandes pasos por su falda; la brisa gemía entre los álamos de la fuente, y la niebla,[31] elevándose poco a poco de la superficie

del lago, comenzaba a envolver las rocas de su margen.

Sobre una de estas rocas, sobre una que parecía próxima a desplomarse en el fondo de las aguas, en cuya superficie se retrataba temblando, el primogénito de Almenar, de rodillas a los pies de su misteriosa amante, procuraba en vano arrancarle el secreto de su existencia.

Ella era hermosa, hermosa y pálida, como una estatua de alabastro. Uno de sus rizos caía sobre sus hombros, deslizándose entre los pliegues del velo, como un rayo de sol que atraviesa las nubes, y en el cerco[32] de sus pestañas rubias brillaban sus pupilas, como dos esmeraldas sujetas en una joya de oro.

Cuando el joven acabó de hablarle, sus labios se removieron como para pronunciar algunas palabras; pero sólo exhalaron un suspiro, un suspiro débil, doliente, como el de la ligera onda que empuja una brisa al morir entre los juncos.

— ¡No me respondes! — exclamó Fernando al ver burlada su esperanza —; ¿querrás que dé crédito a lo que de ti me han dicho? ¡Oh, no! . . . Háblame; yo quiero saber si me amas; yo quiero saber si puedo amarte, si eres una mujer . . .

— O un demonio . . . ¿Y si lo fuese?

El joven vaciló un instante; un sudor frío corrió por sus miembros; sus pupilas se dilataron al fijarse con más intensidad en las de aquella mujer, y fascinado por su brillo fosfórico, demente casi, exclamó en un arrebato de amor:

— Si lo fueses . . . te amaría . . . te amaría, como te amo ahora, como es mi destino amarte, hasta más allá de esta vida, si hay algo más allá de ella.

— Fernando — dijo la hermosa entonces con una voz semejante a una música —; yo te amo más aún que tú me amas; yo que desciendo hasta un mortal, siendo un espíritu puro. No soy una mujer como las que existen en

---

[30] for what   [31] mist   [32] hedge; here, border

la tierra; soy una mujer digna de ti, que eres superior a los demás hombres. Yo vivo en el fondo de estas aguas; incorpórea como ellas, fugaz y transparente, hablo con sus rumores y ondulo con sus pliegues. Yo no castigo al que osa turbar la fuente donde moro;[33] antes le premio con mi amor, como a un mortal superior a las supersticiones del vulgo, como a un amante capaz de comprender mi cariño extraño y misterioso.

Mientras ella hablaba así, el joven, absorto en la contemplación de su fantástica hermosura, atraído como por una fuerza desconocida, se aproximaba más y más al borde de la roca. La mujer de los ojos verdes prosiguió así:

— ¿Ves, ves el límpido fondo de ese lago, ves esas plantas de largas y verdes hojas que se agitan en su fondo? . . . Ellas nos darán un lecho de esmeraldas y corales . . . y yo . . . yo te daré una felicidad sin nombre, esa felicidad que has soñado en tus horas de delirio, y que no puede ofrecerte nadie . . . Ven, la niebla del lago flota sobre nuestras frentes como un pabellón de lino . . .

las ondas nos llaman con sus voces incomprensibles, el viento empieza entre los álamos sus himnos de amor; ven . . . ven . . .

La noche comenzaba a extender sus sombras, la luna rielaba en la superficie del lago, la niebla se arremolinaba al soplo del aire, y los ojos verdes brillaban en la obscuridad como los fuegos fatuos[34] que corren sobre el haz de las aguas infectas . . . Ven . . . ven . . . Estas palabras zumbaban en los oídos de Fernando como un conjuro. Ven . . . y la mujer misteriosa le llamaba al borde del abismo donde estaba suspendida, y parecía ofrecerle un beso . . . un beso . . .

Fernando dió un paso hacia ella . . . otro . . . y sintió unos brazos delgados y flexibles que se liaban a su cuello, y una sensación fría en sus labios ardorosos, un beso de nieve[35] . . . y vaciló . . . y perdió pie, y cayó al agua con un rumor sordo y lúgubre.

Las aguas saltaron en chispas de luz, y se cerraron sobre su cuerpo, y sus círculos de plata fueron ensanchándose, ensanchándose hasta expirar en las orillas.

Rimas

IV

No digáis que agotado su tesoro,
    De asuntos falta,[1] enmudeció la lira.[2]
Podrá no haber poetas; pero siempre
    Habrá poesía.[3]

Mientras las ondas de la luz al beso[4]   5
    Palpiten encendidas;
Mientras el sol las desgarradas nubes
    De fuego y oro vista;

Mientras el aire en su regazo lleve
    Perfumes y armonías;   10
Mientras haya en el mundo primavera,
    ¡Habrá poesía!

---

[33] *morar*, to dwell
[34] *fuego fatuo*, will-o-the-wisp   [35] an icy kiss
[1] *falta de*, lacking   [2] lyre; i.e. poetry
[3] Bécquer believes that poetry is everywhere, even if there are no poets to catch it and transmit it to less sensitive souls. He is

going to tell us the particular places where poetry most commonly resides: in Nature, the mysteries of life, the emotions (especially love) — all things which man can never completely fathom.

[4] Read, *al beso de la luz*

Mientras la ciencia a descubrir no alcance
   Las fuentes de la vida,
Y en el mar o en el cielo haya un abismo   15
   Que al cálculo resista;

Mientras la humanidad siempre avanzando
   No sepa a dó[5] camina;
Mientras haya un misterio para el hombre,
   ¡Habrá poesía!   20

Mientras sintamos que se alegra el alma,
   Sin que los labios rían;
Mientras se llore, sin que el llanto acuda
   A nublar la pupila;

Mientras el corazón y la cabeza   25
   Batallando prosigan;
Mientras haya esperanzas y recuerdos,
   ¡Habrá poesía!

Mientras haya unos ojos que reflejen
   Los ojos que los miran;   30
Mientras responda el labio suspirando
   Al labio que suspira;

Mientras sentirse puedan en un beso
   Dos almas confundidas;
Mientras exista una mujer hermosa,   35
   ¡Habrá poesía!

XV

   Cendal[6] flotante de leve bruma,
Rizada cinta de blanca espuma,
     Rumor sonoro
     De arpa de oro,
Beso del aura, onda de luz: 5
     Eso eres tú.

   Tú, sombra aérea, que cuantas veces
Voy a tocarte, te desvaneces
Como la llama, como el sonido,
Como la niebla, como el gemido   10
   Del lago azul.

   En mar sin playas onda sonante,
En el vacío cometa errante,
     Largo lamento
     Del ronco viento,
Ansia perpetua de algo mejor: 15
     Eso soy yo.[7]

[5] Poetic for *dónde*
[6] delicate cloth; translate, scarf
[7] Notice how Bécquer uses a series of meta-phors to express his feeling about the two persons of this poem. An example of deliberate vagueness and suggestion.

¡Yo, que a tus ojos en mi agonía
Los ojos vuelvo de noche y día;
Yo, que incansable corro y demente
Tras una sombra, tras la hija ardiente
    De una visión!   20

XXI

¿Qué es poesía? dices mientras clavas
  En mi pupila[8] tu pupila azul;
¿Qué es poesía? ¿Y tú me lo preguntas?
  ¡Poesía . . . eres tú!

XXXIII

Es cuestión de palabras, y no obstante,
  Ni tú ni yo jamás,
Después de lo pasado, convendremos
  En quién la culpa está.

¡Lástima que el amor un diccionario   5
  No tenga donde hallar
Cuando el orgullo es simplemente orgullo,
  Y cuando es dignidad!

XLI

Tú eras el huracán, y yo la alta
Torre que desafía su poder:
¡Tenías que estrellarte o abatirme!
  ¡No pudo ser!

Tú eras el océano, y yo la enhiesta   5
Roca que firme aguarda su vaivén:
¡Tenías que romperte o que arrancarme!
  ¡No pudo ser!

Hermosa tú, yo altivo; acostumbrados
Uno a arrollar, el otro a no ceder: 10
La senda estrecha, inevitable el choque . . .
  ¡No pudo ser!

XLVII

Yo me he asomado a las profundas simas
  De la tierra y del cielo,
Y les he visto el fin o con los ojos,
  O con el pensamiento.

[8] Translate, eyes

Mas ¡ay! de un corazón llegué al abismo,   5
  Y me incliné por verlo,
Y mi alma y mis ojos se turbaron:
  ¡Tan hondo era y tan negro!

LI

De lo poco de vida que me resta
Diera con gusto los mejores años,
  Por saber lo que a otros
  De mí has hablado.

Y esta vida mortal . . . y de la eterna   5
Lo que me toque, si me toca algo,
  Por saber lo que a solas
  De mí has pensado.

LIII

Volverán las oscuras golondrinas
En tu balcón sus nidos a colgar,
Y, otra vez, con el ala a sus cristales
  Jugando llamarán;[9]

Pero aquellas que el vuelo refrenaban   5
Tu hermosura y mi dicha a contemplar,
Aquellas que aprendieron nuestros nombres . . .
  Ésas[10] . . . ¡no volverán!

Volverán las tupidas madreselvas
De tu jardín las tapias a escalar,   10
Y otra vez a la tarde, aun más hermosas,
  Sus flores se abrirán;

Pero aquéllas cuajadas[11] de rocío,
Cuyas gotas mirábamos temblar
Y caer, como lágrimas del día . . .   15
  Ésas . . . ¡no volverán!

Volverán del amor en tus oídos
Las palabras ardientes a sonar;
Tu corazón de su profundo sueño
  Tal vez despertará;   20

Pero mudo y absorto y de rodillas,
Como se adora a Dios ante su altar,
Como yo te he querido . . . desengáñate,
  ¡Así no te querrán!

[9] to knock

[10] *Ésas* are the same as *aquellas*. By changing to *ésas* the poet implies that they are now a mental image in the lady's mind.

[11] Here, drenched

Realism in the Novel

THROUGHOUT Europe the novel was the greatest literary creation of the nineteenth century. Yet in Spain the novel did not attain importance until romanticism had vanished and realism had taken its place. It is true that during the romantic period many romantic novels were written, some by the authors whom we have studied, but none of these is highly regarded today. However, realism had already asserted itself in the *cuadros de costumbres* and out of these very *cuadros* was to be formed the realistic novel of Spain.

A woman, CECILIA BÖHL VON FABER (1796–1877), writing under the pen name of Fernán Caballero, gave the novel a new start and a direction which it followed throughout the century. In 1849 she produced *La Gaviota*, *novela de costumbres*, by stringing together on the thread of a plot a number of sketches of contemporary life. She herself says: '*Lo que escribo no son novelas de fantasía sino una reunión de escenas de la vida real, de descripciones, de retratos y reflexiones.*' Her declared objective was, then, to give a realistic description of customs in Andalucía, her home province. Since customs differ in the different regions of Spain, her novel necessarily had to deal with some one district. Therefore, we sometimes speak of the type as the 'regional novel.' These two qualities, realism and regionalism, appeared in most of the subsequent authors. Even Fernán Caballero's fault, excessive moralization — in her case in defense of the traditional way of life — crops out in the propagandistic tendencies of almost all her followers.

Realism as a literary term means an exact photographic reproduction of a scene or character. The term has taken on in some countries a further meaning, since their realistic authors deliberately sought out the less attractive aspects of life; but the term never had this implication in Spain. And, moreover, realism of this pictorial type is nothing new in Spain but has always been found in every period of Spanish literature.

The great masters of the novel, Valera, Galdós, and Pereda, whom we shall analyze in detail in following chapters, all owe much to Fernán Caballero, but for the time being we shall mention only two of her followers not taken up elsewhere.

PEDRO DE ALARCÓN (1833–91) vacillated between liberalism and conservatism and between romanticism and realism. He tried writing all kinds of novels, but never attained much success except as a realist. In his masterpiece, *El sombrero de tres picos* (1874), he depicts, with characteristic humor and inimitable skill in handling an elaborate plot, the life and customs of a small Andalusian city.

ARMANDO PALACIO VALDÉS (1853–1938) attained his first success with a novel of liberal tendencies, *Marta y María* (1883), and continued to produce regional novels up to the 1930's. He showed an unusual ability in being able to describe not only his native region, Asturias, as in his masterpiece, *La aldea perdida*, which shows the bad effects of progress when miners invade and spoil a charming village, and in *José*, a delightful idyll of the life of fisher folk, but he is also capable of assimilating the local color of other regions, as in *La hermana San Sulpicio*, set in Andalucía, and *La alegría del capitán Ribot*, which takes place in Valencia.

Juan Valera

JUAN VALERA (1824–1905) belonged to a family of the upper social stratum. His father owned estates in Andalucía and was an officer in the navy, and his mother was of noble blood. After taking his college degree, he devoted most of his life to the diplomatic service, only giving over to literature two short periods (1868–81 and 1895–1905). In his youth he was sent to the consulate at Naples, where he had as his chief the Duque de Rivas and where he became thoroughly imbued with classical art and literature, studying Greek with a charming and witty Rumanian lady. In rapid succession he held posts in Portugal, Brazil, Germany, and Russia. The political upheavals of 1868 left him without a position and he retired to his Andalusian estate. Here he devoted himself to writing, producing his first and most famous novel, *Pepita Jiménez*, in 1874. Between 1881 and 1895 he was Spanish Minister to Lisbon, Washington, Brussels, and Vienna. The last ten years of his life were devoted largely to critical writing.

Valera's character is a very unusual one for a Spaniard. We may call him an elegant pagan, understanding by paganism that worship of life and physical beauty which we associate with the ancient Greeks. Valera never made the distinction between the flesh and the spirit, the one bad and the other good, which is an essential part of Christianity, but which never formed an element of Greek thought. For him, as for them, earthly love, material beauty, and refined sensualism were commingled with and undivided from beauty of mind and soul.

In his novels, Valera always seems to be an Olympian figure, urbane, well-bred, and aloof from the literary theories and quarrels of his time. His emotions are always deliberately held in restraint. But we know from his letters — of which several thousand still exist — that he was subject to emotional disturbances — boredom, ambition, love. His work is always well-proportioned, and always gives great stress to form. Hence Valera is one of the few Spaniards to catch the true classic spirit, not in the narrow sense of the literary 'rules,' but in the broader sense of moderation, proportion, and restraint. His studies of Greek and Latin and his travels in Italy prepared him for this point of view.

Valera did not copy anyone in literature, but formed a literary code based on his own preferences. In opposition to almost all the writers of his century, he believed that art should avoid social and political quarrels and

339

should not strive to teach or to propagandize. The only purpose of his art was beauty; therefore, Valera's code can be summed up in the phrase, 'Art for Art's sake.' He did not insist on an exact copying of nature. Although most of his novels are set in Andalucía, they are not strictly regional and contain little of the *costumbrista* element, which is so typical of most of the novels of the nineteenth century. Valera tends to idealize the scene, and his classical feeling makes it more universal (capable of being anywhere) than specifically Andalusian (regional). However, he believed that the psychological reality of the characters must be faithfully observed, although through personal preference he always chose to write about beautiful persons, never sordid or base ones. In his best novels he delicately analyzes the minds of his characters, showing himself to be a consummate psychologist.

While Valera was never truly popular with the masses, his artistic perfection will always find him readers among the cultivated public.*

Juan Valera

Pepita Jiménez (abridged)

Nescit labi virtus.[1]

El señor Deán de la catedral de * * *, muerto pocos años ha, dejó entre sus papeles un legajo, que rodando de unas manos en otras, ha venido a dar en las 5 mías, sin que, por extraña fortuna, se haya perdido uno solo de los documentos de que constaba . . .

Contiene el legajo tres partes. La primera dice: *Cartas de mi sobrino;* la 10 segunda, *Paralipómenos,*[2] y la tercera, *Epílogo. — Cartas de mi hermano* . . .

Las cartas que la primera parte contiene parecen escritas por un joven de pocos años, con algún conocimiento 15 teórico, pero con ninguna práctica de las cosas del mundo, educado al lado del señor Deán, su tío, y en el Seminario, y con gran fervor religioso y empeño decidido de ser sacerdote. 20

A este joven llamaremos D. Luis de Vargas.

El mencionado *manuscrito*, fielmente trasladado a la estampa, es como sigue:

I. *Cartas de mi Sobrino*

22 de marzo.

Querido tío y venerado maestro: Hace cuatro días que llegué con toda felicidad a este lugar de mi nacimiento, donde he hallado bien de salud a mi padre, al señor Vicario y a los amigos y parientes. El contento de verlos y de hablar con ellos, después de tantos años de ausencia, me ha embargado el ánimo y me ha robado el tiempo, de suerte que hasta ahora no he podido escribir a usted.

Usted me lo perdonará.

---

* List of important books:

　　Pepita Jiménez
　　Doña Luz
　　Las ilusiones del Dr. Faustino
　　El comendador Mendoza
　　Juanita la larga

besides many volumes of critical works.

[1] Latin: Virtue cannot be overcome.
[2] The books of the Chronicles in the Old Testament. Since these books supplement the preceding Books of the Kings, their name indicates 'a supplementary account' (from the Greek 'left aside').

Como salí de aquí tan niño y he vuelto hecho un hombre, es singular la impresión que me causan todos estos objetos que guardaba en la memoria. Todo me parece más chico, mucho más chico, pero también más bonito que el recuerdo que tenía. La casa de mi padre, que en mi imaginación era inmensa, es sin duda una gran casa de un rico labrador, pero más pequeña que el Seminario. Lo que ahora comprendo y estimo mejor es el campo de por aquí.[3] Las huertas, sobre todo, son deliciosas. ¡Qué sendas tan lindas hay entre ellas! A un lado, y tal vez a ambos, corre el agua cristalina con grato murmullo. Las orillas de las acequias están cubiertas de hierbas olorosas y de flores de mil clases. En un instante puede uno coger un gran ramo de violetas. Dan sombra a estas sendas pomposos y gigantescos nogales, higueras y otros árboles, y forman los vallados la zarzamora, el rosal, el granado y la madreselva.

Es portentosa la multitud de pajarillos que alegran estos campos y alamedas.

Yo estoy encantado con las huertas, y todas las tardes me paseo por ellas un par de horas.

Mi padre quiere llevarme a ver sus olivares, sus viñas, sus cortijos; pero nada de esto hemos visto aún. No he salido del lugar y de las amenas huertas que le circundan.

Es verdad que no me dejan parar con tanta visita.

Hasta cinco mujeres han venido a verme,[4] que todas han sido mis amas y me han abrazado y besado.

Todos me llaman Luisito o el niño de D. Pedro, aunque tengo ya veintidós años cumplidos. Todos preguntan a mi padre por el niño cuando no estoy presente.

Se me figura que son inútiles los libros que he traído para leer, pues ni un instante me dejan solo.

La dignidad de cacique, que yo creía cosa de broma, es cosa harto seria. Mi padre es el cacique del lugar.

Apenas hay aquí quien acierte a comprender lo que llaman mi manía de hacerme clérigo, y esta buena gente me dice, con un candor selvático, que debo ahorcar los hábitos,[5] que el ser clérigo está bien para los pobretones; pero que yo, que soy un rico heredero, debo casarme y consolar la vejez de mi padre, dándole media docena de hermosos y robustos nietos.

Para adularme y adular a mi padre, dicen hombres y mujeres que soy un real mozo, muy salado, que tengo mucho ángel,[6] que mis ojos son muy pícaros y otras sandeces que me afligen, disgustan y avergüenzan, a pesar de que no soy tímido y conozco las miserias y locuras de esta vida, para no escandalizarme ni asustarme de nada.

El único defecto que hallan en mí es el de que estoy muy delgadito a fuerza de estudiar. Para que engorde se proponen no dejarme estudiar ni leer un papel mientras aquí permanezca, y además hacerme comer cuantos primores de cocina y de repostería se confeccionan en el lugar. Está visto: quieren cebarme. No hay familia conocida que no me haya enviado algún obsequio. Ya me envían una torta de bizcocho, ya un cuajado, ya una pirámide de piñonate, ya un tarro de almíbar. Los obsequios que me hacen no son sólo estos presentes enviados a casa, sino que también me han convidado a comer tres o cuatro personas de las más importantes del lugar.

Mañana como en casa de la famosa Pepita Jiménez, de quien usted habrá oído hablar, sin duda alguna. Nadie

---

[3] de por aquí, around here; or, of this region
[4] Supply: diciendo

[5] Literally, to hang up the robes; figuratively, to give up studying for the priesthood
[6] tener mucho ángel, to have the gift of pleasing

ignora aquí que mi padre la pretende.

Mi padre, a pesar de sus cincuenta y cinco años, está tan bien, que puede poner envidia a los más gallardos mozos del lugar. Tiene, además, el atractivo poderoso, irresistible para algunas mujeres, de sus pasadas conquistas, de su celebridad, de haber sido una especie de Don Juan Tenorio.

No conozco aún a Pepita Jiménez. Todos dicen que es muy linda. Yo sospecho que será una beldad lugareña y algo rústica. Por lo que de ella se cuenta, no acierto a decir si es buena o mala moralmente; pero sí que es de gran despejo natural. Pepita tendrá veinte años; es viuda; sólo tres años estuvo casada. Era hija de doña Francisca Gálvez, viuda, como usted sabe, de un capitán retirado.

Que le dejó a su muerte
Sólo su honrosa espada por herencia,

según dice el poeta. Hasta la edad de diez y seis años, vivió Pepita con su madre en la mayor estrechez, casi en la miseria.

Tenía un tío llamado D. Gumersindo, poseedor de un mezquinísimo mayorazgo, de aquellos que en tiempos antiguos una vanidad absurda fundaba. Cualquiera persona regular hubiera vivido con las rentas de este mayorazgo en continuos apuros, llena tal vez de trampas, y sin acertar a darse el lustre y decoro propios de su clase; pero D. Gumersindo era un ser extraordinario; el genio de la economía. No se podía decir que crease riqueza; pero tenía una extraordinaria facultad de absorción con respecto a la de los otros, y en punto a[7] consumirla, será difícil hallar sobre la tierra persona alguna en cuyo mantenimiento, conservación y bienestar hayan tenido menos que afanarse la madre naturaleza y la industria humana. No se sabe cómo vivió; pero el caso es que vivió hasta la edad de ochenta años, ahorrando sus rentas íntegras y haciendo crecer su capital por medio de préstamos muy sobre seguro.[8] Nadie por aquí le critica de usurero, antes bien le califican de caritativo, porque siendo moderado en todo, hasta en la usura lo era, y no solía llevar más de un 10 por 100[9] al año, mientras que en toda esta comarca llevan un 20 y hasta un 30 por 100, y aun parece poco . . .

Las prendas de su sencillo vestuario estaban algo raídas, pero sin una mancha y saltando de limpias,[10] aunque de tiempo inmemorial se le conocía la misma capa, el mismo chaquetón y los mismos pantalones y chaleco. A veces se interrogaban en balde las gentes unas a otras a ver si alguien le había visto estrenar una prenda.

Con todos estos defectos, que aquí y en otras partes muchos consideran virtudes, aunque virtudes exageradas, D. Gumersindo tenía excelentes cualidades: era afable, servicial, compasivo, y se desvivía por complacer y ser útil a todo el mundo, aunque le costase trabajos, desvelos y fatiga, con tal que no le costase un real. Alegre y amigo de chanzas y de burlas, se hallaba en todas las reuniones y fiestas, cuando no eran a escote,[11] y las regocijaba con la amenidad de su trato y con su discreta, aunque poco ática, conversación. Nunca había tenido inclinación alguna amorosa a una mujer determinada; pero inocentemente, sin malicia, gustaba de todas, y era el viejo más amigo de requebrar a las muchachas y que más las hiciese reír que había en diez leguas a la redonda.

Ya he dicho que era tío de la Pepita. Cuando frisaba en los ochenta años, iba ella a cumplir los diez y seis. Él era poderoso; ella pobre y desvalida.

---

[7] *en punto a,* with respect to
[8] *muy sobre seguro,* very secure   [9] per cent
[10] *saltar de limpias,* to be spotlessly clean
[11] Dutch-treat, each one paying his own scot

La madre de ella era una mujer vulgar, de cortas luces y de instintos groseros. Adoraba a su hija, pero continuamente y con honda amargura se lamentaba de los sacrificios que por ella hacía, de las privaciones que sufría y de la desconsolada vejez y triste muerte que iba a tener en medio de tanta pobreza . . .

En tan angustiosa situación empezó D. Gumersindo a frecuentar la casa de Pepita y de su madre y a requebrar a Pepita con más ahinco y persistencia que solía requebrar a otras. Era, con todo, tan inverosímil y tan desatinado el suponer que un hombre que había pasado ochenta años sin querer casarse pensase en tal locura cuando ya tenía un pie en el sepulcro, que ni la madre de Pepita, ni Pepita mucho menos, sospecharon jamás los en verdad atrevidos pensamientos de D. Gumersindo. Así es que un día ambas se quedaron atónitas y pasmadas cuando, después de varios requiebros, entre burlas y veras, D. Gumersindo soltó con la mayor formalidad, y a boca de jarro,[12] la siguiente categórica pregunta:

— Muchacha, ¿quieres casarte conmigo?

Pepita, aunque la pregunta venía después de mucha broma y pudiera tomarse por broma, y aunque inexperta de las cosas del mundo, por cierto instinto adivinatorio que hay en las mujeres, y sobre todo en las mozas, por cándidas que sean, conoció que aquello iba por lo serio,[13] se puso colorada como una guinda y no contestó nada. La madre contestó por ella.

— Niña, no seas mal criada;[14] contesta a tu tío lo que debes contestar: Tío, con mucho gusto; cuando usted quiera.

Este *Tío, con mucho gusto; cuando usted quiera*, entonces y varias veces después, dicen que salió casi mecánicamente de entre los trémulos labios de Pepita, cediendo a las amonestaciones, a los discursos, a las quejas y hasta al mandato imperioso de su madre.

Veo que me extiendo demasiado en hablar a usted de esta Pepita Jiménez y de su historia; pero me interesa, y supongo que debe interesarle, pues si es cierto lo que aquí aseguran, va a ser cuñada de usted y madrastra mía. Procuraré, sin embargo, no detenerme en pormenores, y referir, en resumen, cosas que acaso usted ya sepa, aunque hace tiempo que falta de aquí.

Pepita Jiménez se casó con D. Gumersindo.

La envidia se desencadenó contra ella en los días que precedieron a la boda, y algunos meses después.

En efecto, el valor moral de este matrimonio es harto discutible; mas para la muchacha, si se atiende a los ruegos de su madre, a sus quejas, hasta a su mandato; si se atiende a que ella creía por este medio proporcionar a su madre una vejez descansada . . . fuerza es confesar que merece atenuación la censura. Por otra parte, ¿cómo penetrar en lo íntimo del corazón, en el secreto escondido de la mente juvenil de una doncella, criada tal vez con recogimiento exquisito e ignorante de todo, y saber qué idea podía ella formarse del matrimonio? Tal vez entendió que casarse con aquel viejo era consagrar su vida a cuidarle, a ser su enfermera, a dulcificar los últimos años de su vida, a no dejarle en soledad y abandono, cercado sólo de achaques y asistido por manos mercenarias, y a iluminar y dorar, por último, sus postrimerías con el rayo esplendente y suave de su hermosura y de su juventud, como ángel que toma forma humana. Si algo de esto o todo esto pensó la muchacha, y en su inocencia no penetró en otros misterios, salva queda la bondad de lo que hizo.

[12] *a boca de jarro*, point-blank
[13] was in earnest
[14] *mal criada*, impolite

Como quiera que sea, dejando a un lado estas investigaciones psicológicas que no tengo derecho a hacer, pues no conozco a Pepita Jiménez, es lo cierto que ella vivió en santa paz con el viejo 5 durante tres años; que el viejo parecía más feliz que nunca; que ella le cuidaba y regalaba con esmero admirable, y que en su última y penosa enfermedad le atendió y veló con infatigable y tierno 10 afecto, hasta que el viejo murió en sus brazos dejándola heredera de una gran fortuna.

Aunque hace más de dos años que perdió a su madre, y más de año y 15 medio que enviudó, Pepita lleva aún el luto de viuda. Su compostura, su vivir retirado y su melancolía son tales, que cualquiera pensaría que llora la muerte del marido como si hubiera sido 20 un hermoso mancebo. Tal vez alguien presume o sospecha que la soberbia de Pepita y el conocimiento cierto que tiene hoy de los poco poéticos medios con que se ha hecho rica, traen su con- 25 ciencia alterada y más que escrupulosa; y que, avergonzada a sus propios ojos y a los de los hombres, busca en la austeridad y en el retiro consuelo y reparo a la herida de su corazón . . . 30

Pepita, pues, con dinero y siendo además hermosa, y haciendo, como dicen todos, buen uso de su riqueza, se ve en el día considerada y respetada extraordinariamente. De este pueblo y de 35 todos los de las cercanías han acudido a pretenderla los más brillantes partidos, los mozos mejor acomodados. Pero ella los desdeña a todos con extremada dulzura, procurando no hacerse ningún 40 enemigo, y se supone que tiene llena el alma de la más ardiente devoción, y que su constante pensamiento es consagrar su vida a ejercicios de caridad y de piedad religiosa. 45

Mi padre no está más adelantado ni ha salido mejor librado, según dicen, que los demás pretendientes; pero Pepita, para cumplir el refrán de que no quita lo cortés a lo valiente,[15] se esmera en mostrarle la amistad más franca, afectuosa y desinteresada. Se deshace con él en obsequios y atenciones; y siempre que mi padre trata de hablarle de amor, le pone a raya[16] echándole un sermón dulcísimo, trayéndole a la memoria sus pasadas culpas, y tratando de desengañarle del mundo y de sus pompas vanas.

Confieso a usted que empiezo a tener curiosidad de conocer a esta mujer; tanto oigo hablar de ella. No creo que mi curiosidad carezca de fundamento, tenga nada de vano ni de pecaminoso; yo mismo siento lo que dice Pepita;[17] yo mismo deseo que mi padre, en su edad provecta, venga a mejor vida, olvide y no renueve las agitaciones y pasiones de su mocedad, y llegue a una vejez tranquila, dichosa y honrada. Sólo difiero del sentir de Pepita en una cosa: en creer que mi padre, mejor que quedándose soltero, conseguiría esto casándose con una mujer digna, buena y que le quisiese. Por esto mismo deseo conocer a Pepita y ver si ella puede ser esta mujer, pesándome[18] ya algo, y tal vez entre en esto cierto orgullo de familia, que si es malo quisiera desechar, los desdenes, aunque melifluos y afectuosos, de la mencionada joven viuda.

Si tuviera yo otra condición, preferiría que mi padre se quedase soltero. Hijo único entonces, heredaría todas sus riquezas, y como si dijéramos[19] nada menos que el cacicato de este lugar; pero usted sabe bien lo firme de mi resolución.

Aunque indigno y humilde, me siento llamado al sacerdocio, y los bienes de la tierra hacen poca mella[20] en mi ánimo.

[15] *no quita lo cortés a lo valiente,* being brave docs not keep one from being courteous

[16] *poner a raya,* to check

[17] I regret what Pepita says; that is, that she rejects my father's advances

[18] *pesándome* has *los desdenes* as its subject

[19] *y . . . dijéramos,* and we might say

[20] *hacer poca mella,* to make little impression

Si hay algo en mí del ardor de la juventud y de la vehemencia de las pasiones propias de dicha edad, todo habrá de emplearse en dar pábulo a una caridad activa y fecunda. Hasta los muchos libros que usted me ha dado a leer, y mi conocimiento de la historia de las antiguas civilizaciones de los pueblos del Asia, unen en mí la curiosidad científica al deseo de propagar la fe, y me convidan y excitan a irme de misionero al remoto Oriente.[21] Yo creo que no bien salga de este lugar, donde usted mismo me envía a pasar algún tiempo con mi padre, y no bien me vea elevado a la dignidad del sacerdocio, y aunque ignorante y pecador como soy, me sienta revestido por don sobrenatural y gratuito, merced a la soberana bondad del Altísimo, de la facultad de perdonar los pecados y de la misión de enseñar a las gentes, y reciba[22] el perpetuo y milagroso favor de traer a mis manos impuras al mismo Dios humanado, dejaré a España y me iré a tierras distantes a predicar el Evangelio.

. . . usted me ha enseñado a analizar lo que el alma siente, a buscar su origen bueno o malo, a escudriñar los más hondos senos del corazón, a hacer, en suma, un escrupuloso examen de conciencia . . .

Digo todo esto porque quiero hablar a usted de un asunto tan delicado, tan vidrioso, que apenas hallo términos con que expresarle. En resolución, yo me pregunto a veces: este propósito[23] mío, ¿tendrá por fundamento, en parte al menos, el carácter de mis relaciones con mi padre? En el fondo de mi corazón, ¿he sabido perdonarle su conducta con mi pobre madre, víctima de sus liviandades?[24]

Lo examino detenidamente y no hallo un átomo de rencor en mi pecho. Muy al contrario, la gratitud lo llena todo. Mi padre me ha criado con amor; ha procurado honrar en mí la memoria de mi madre, y se diría que al criarme, al cuidarme, al mimarme, al esmerarse conmigo cuando pequeño, trataba de aplacar su irritada sombra, si la sombra, si el espíritu de ella, que era un ángel de bondad y de mansedumbre, hubiera sido capaz de ira. Repito, pues, que estoy lleno de gratitud hacia mi padre; él me ha reconocido, y además, a la edad de diez años me envió con usted, a quien debo cuanto soy.

Si hay en mi corazón algún germen de virtud; si hay en mi mente algún principio de ciencia; si hay en mi voluntad algún honrado y buen propósito, a usted lo debo . . .

Adiós, tío: en adelante escribiré a usted a menudo y tan por extenso como me tiene encargado, si bien no tanto como hoy, para no pecar de prolijo.

28 de marzo.

Me voy cansando de mi residencia en este lugar, y cada día siento más deseo de volverme con usted y de recibir las órdenes; pero mi padre quiere acompañarme, quiere estar presente en esa gran solemnidad y exige de mí que permanezca aquí con él dos meses por lo menos. Está[25] tan afable, tan cariñoso conmigo, que sería imposible no darle gusto en todo. Permaneceré, pues, aquí el tiempo que él quiera. Para complacerle me violento y procuro aparentar que me gustan las diversiones de aquí, las jiras campestres y hasta la caza, a todo lo cual le acompaño. Procuro mostrarme más alegre y bullicioso de lo que naturalmente soy. Como en el pueblo, medio de burla,

[21] Our first glimpse of the romantic nature of our hero. In his mind being a priest is joined with travels in distant and mysterious lands.
[22] Depends on *no bien*, seven lines above
[23] i.e. his plan of leaving Spain for distant missions
[24] The implication here and later is that Luis' father had not married his mother.
[25] *Está* instead of the usual *es* because the reference is to one particular period, not to his habitual characteristic.

medio en son de elogio, me llaman el *santo*, yo por modestia trato de disimular estas apariencias de santidad o de suavizarlas y humanarlas con la virtud de la eutrapelia,[26] ostentando una alegría serena y decente, la cual nunca estuvo reñida ni con la santidad ni con los santos. Confieso, con todo, que las bromas y fiestas de aquí, que los chistes groseros y el regocijo estruendoso, me cansan . . .

Hace tres días tuvimos el convite, de que hablé a usted, en casa de Pepita Jiménez. Como esta mujer vive tan retirada, no la conocí hasta el día del convite; me pareció, en efecto, tan bonita como dice la fama, y advertí que tiene con mi padre una afabilidad tan grande, que le da alguna esperanza, al menos miradas las cosas someramente, de que al cabo ceda y acepte su mano.

Como es posible que sea mi madrastra, la he mirado con detención y me parece una mujer singular, cuyas condiciones morales no atino a determinar con certidumbre. Hay en ella un sosiego, una paz exterior, que puede provenir de frialdad de espíritu y de corazón, de estar muy sobre sí[27] y de calcularlo todo, sintiendo poco o nada, y pudiera provenir también de otras prendas que hubiera en su alma; de la tranquilidad de su conciencia, de la pureza de sus aspiraciones y del pensamiento de cumplir en esta vida con los deberes que la sociedad impone, fijando la mente, como término, en esperanzas más altas. Ello es lo cierto que,[28] o bien porque en esta mujer todo es cálculo, sin elevarse su mente a superiores esferas, o bien porque enlaza la prosa del vivir y la poesía de sus ensueños en una perfecta armonía, no hay en ella nada que desentone del cuadro general en que está colocada, y, sin embargo, posee una distinción natural,

que la levanta y separa de cuanto la rodea. No afecta vestir traje aldeano ni se viste tampoco según la moda de las ciudades: mezcla ambos estilos en su vestir, de modo que parece una señora, pero una señora de lugar. Disimula mucho, a lo que yo presumo, el cuidado que tiene de su persona; no se advierten en ella ni cosméticos ni afeites; pero la blancura de sus manos, las uñas tan bien cuidadas y acicaladas, y todo el aseo y pulcritud con que está vestida, denotan que cuida de estas cosas más de lo que pudiera creerse en una persona que vive en un pueblo y que además dicen que desdeña las vanidades del mundo y sólo piensa en las cosas del cielo.

Tiene la casa limpísima y todo en un orden perfecto. Los muebles no son artísticos ni elegantes; pero tampoco se advierte en ellos nada de pretencioso y de mal gusto. Para poetizar su estancia, tanto en el patio como en las salas y galerías, hay multitud de flores y plantas. No tiene, en verdad, ninguna planta rara ni ninguna flor exótica; pero sus plantas y sus flores, de lo más común que hay por aquí, están cuidadas con extraordinario mimo.

Varios canarios en jaulas doradas animan con sus trinos toda la casa. Se conoce que el dueño de ella necesita seres vivos en quien poner algún cariño; y, a más de algunas criadas, que se diría que ha elegido con empeño, pues no puede ser mera casualidad el que[29] sean todas bonitas, tiene, como las viejas solteronas, varios animales que le hacen compañía: un loro, una perrita de lanas muy lavada y dos o tres gatos, tan mansos y sociables, que se le ponen a uno encima.[30]

En un extremo de la sala principal hay algo como oratorio, donde resplandece un Niño Jesús de talla, blanco y

---

[26] moderation
[27] *sobre sí*, sure of herself
[28] *Ello . . . que*, The fact is that

[29] the fact that
[30] *se . . . encima*, they climb all over one

rubio,[31] con ojos azules y bastante guapo. Su vestido[32] es de raso blanco, con manto azul lleno de estrellitas de oro, y todo él está cubierto de dijes y de joyas. El altarito en que está el Niño Jesús se ve adornado de flores, y alrededor macetas de brusco y lauréola, y en el altar mismo, que tiene gradas o escaloncitos, mucha cera ardiendo.

Al ver todo esto, no sé qué pensar; pero más a menudo me inclino a creer que la viuda se ama a sí misma sobre todo, y que para recreo y para efusión de este amor tiene los gatos, los canarios, las flores y al propio Niño Jesús, que en el fondo de su alma tal vez no esté muy por encima de los canarios y de los gatos . . .

Asistieron al convite el médico, el escribano y el señor Vicario, grande amigo de la casa y padre espiritual de Pepita.

El señor Vicario debe de tener un alto concepto de ella, porque varias veces me habló aparte de su caridad, de las muchas limosnas que hacía, de lo compasiva[33] y buena que era para todo el mundo; en suma, me dijo que era una santa.

Oído el señor Vicario, y fiándome en su juicio, yo no puedo menos de desear que mi padre se case con la[34] Pepita. Como mi padre no es a propósito para hacer vida penitente, éste sería el único modo de que cambiase su vida, tan agitada y tempestuosa hasta aquí, y de que viniese a parar a un término, si no ejemplar, ordenado y pacífico.

Cuando nos retiramos de casa de Pepita Jiménez y volvimos a la nuestra, mi padre me habló resueltamente de su proyecto: me dijo que él había sido un gran calavera, que había llevado una vida muy mala y que no veía medio de enmendarse, a pesar de sus años,

si aquella mujer, que era su salvación, no le quería y se casaba con él. Dando ya por supuesto[35] que iba a quererle y a casarse, mi padre me habló de intereses: me dijo que era muy rico y que me dejaría mejorado, aunque tuviese varios hijos más.

Yo le respondí que para los planes y fines de mi vida necesitaba harto poco dinero, y que mi mayor contento sería verle dichoso con mujer e hijos, olvidado de sus antiguos devaneos. Me habló luego mi padre de sus esperanzas amorosas, con un candor y con una vivacidad tales, que se diría que yo era el padre y el viejo, y él un chico de mi edad o más joven. Para ponderarme el mérito de la novia y la dificultad del triunfo, me refirió las condiciones y excelencias de los quince o veinte novios que Pepita había tenido, y que todos habían llevado calabazas.[36] En cuanto a él, según me explicó, hasta cierto punto las había también llevado; pero se lisonjeaba de que no fuesen definitivas, porque Pepita le distinguía tanto y le mostraba tan grande afecto, que, si aquello no era amor, pudiera fácilmente convertirse en amor con el largo trato y con la persistente adoración que él le consagraba . . .

Tales son, querido tío, las preocupaciones y ocupaciones de mi padre en este pueblo, y las cosas tan extrañas para mí y tan ajenas a mis propósitos y pensamientos de que me habla con frecuencia, y sobre las cuales quiere que dé mi voto.

No parece sino que la excesiva indulgencia de usted para conmigo ha hecho cundir aquí mi fama de hombre de consejo; paso por un pozo de ciencia; todos me refieren sus cuitas y me piden que les muestre el camino que deben seguir. Hasta el bueno del señor Vica-

---

[31] *de talla, blanco y rubio*, of carved wood, painted white and gold
[32] In Spain it is customary to dress holy images in clothes.
[33] *de lo compasiva*, of how compassionate
[34] The article before a woman's name indicates familiarity and often, as here, a little scorn.
[35] *Dando . . . supuesto*, Assuming
[36] *llevar calabazas*, to be rejected

rio, aun exponiéndose a revelar algo como secretos de confesión, ha venido ya a consultarme sobre varios casos de conciencia que se le han presentado en el confesionario.

Mucho me ha llamado la atención uno de estos casos, que me ha sido referido por el Vicario, como todos, con profundo misterio y sin decirme el nombre de la persona interesada. Cuenta el señor Vicario que una hija suya de confesión tiene grandes escrúpulos porque se siente llevada, con irresistible impulso, hacia la vida solitaria y contemplativa; pero teme, a veces, que este fervor de devoción no venga acompañado de una verdadera humildad, sino que en parte le promueva y excite el mismo demonio del orgullo . . .

Sobre este caso de conciencia, harto alambicado y sutil para que así preocupe a una lugareña, ha venido a consultarme el padre Vicario. Yo he querido excusarme de decir nada, fundándome en mi inexperiencia y pocos años; pero el señor Vicario se ha obstinado de tal suerte, que no he podido menos de discurrir sobre el caso. He dicho, y mucho me alegraría de que usted aprobase mi parecer, que lo que importa a esta hija de confesión atribulada es mirar con mayor benevolencia a los hombres que la rodean, y en vez de analizar y desentrañar sus[37] faltas con el escalpelo de la crítica, tratar de cubrirlas con el manto de la caridad, haciendo resaltar todas las buenas cualidades de ellos y ponderándolas mucho, a fin de amarlos y estimarlos; que debe esforzarse por ver en cada ser humano un objeto digno de amor, un verdadero prójimo, un igual suyo, un alma en cuyo fondo hay un tesoro de excelentes prendas y virtudes, un ser hecho, en suma, a imagen y semejanza de Dios . . .

Si, como sospecho, es Pepita Jiménez la que ha consultado al señor Vicario sobre estas dudas y tribulaciones, me parece que mi padre no puede lisonjearse todavía de ser muy querido; pero si el Vicario acierta a darla mi consejo, y ella le acepta y pone en práctica, o vendrá a hacerse una María de Ágreda[38] o cosa por el estilo, o, lo que es más probable, dejará a un lado misticismos y desvíos, y se conformará y contentará con aceptar la mano y el corazón de mi padre, que en nada es inferior a ella.

4 de abril.

La monotonía de mi vida en este lugar empieza a fastidiarme bastante, y no porque la vida mía en otras partes haya sido más activa físicamente; antes al contrario, aquí me paseo mucho a pie y a caballo, voy al campo, y por complacer a mi padre concurro a casinos[39] y reuniones; en fin, vivo como fuera de mi centro y de mi modo de ser; pero mi vida intelectual es nula: no leo un libro ni apenas me dejan un momento para pensar y meditar sosegadamente; y como el encanto de mi vida estribaba en estos pensamientos y meditaciones, me parece monótona la que hago ahora. Gracias a la paciencia que usted me ha recomendado para todas las ocasiones, puedo sufrirla.

Otra causa de que mi espíritu no esté completamente tranquilo es el anhelo, que cada día siento más vivo, de tomar el estado a que resueltamente me inclino desde hace años. Me parece que en estos momentos, cuando se halla tan cercana la realización del constante sueño de mi vida, es como una profanación distraer la mente hacia otros objetos. Tanto me atormenta esta idea y tanto cavilo sobre ella, que mi admiración por la belleza de las cosas creadas, por el cielo tan lleno de estrellas

[37] their
[38] A Franciscan nun of the seventeenth century, noted for her mystic visions, often consulted on matters of policy by Felipe IV.

[39] The *casino* of a Spanish town is a club open to all men of some social standing.

en estas serenas noches de primavera y en esta región de Andalucía; por estos alegres campos, cubiertos ahora de verdes sembrados, y por estas frescas y amenas huertas con tan lindas y sombrías alamedas, con tantos mansos arroyos y acequias, con tanto lugar[40] apartado y esquivo, con tanto pájaro que le da música, y con tantas flores y hierbas olorosas: esta admiración y entusiasmo mío, repito, que en otro tiempo me parecían avenirse por completo con el sentimiento religioso que llenaba mi alma, excitándole y sublimándole en vez de debilitarle, hoy casi me parecen pecaminosa distracción e imperdonable olvido de lo eterno por lo temporal, de lo increado y suprasensible por lo sensible y creado ... Harto sé que no peco amando las cosas por el amor de Dios, lo cual es amarlas por ellas con rectitud; porque, ¿qué son ellas más que la manifestación, la obra del amor de Dios? Y, sin embargo, no sé qué extraño temor, qué singular escrúpulo, qué apenas perceptible e indeterminado remordimiento me atormenta ahora, cuando tengo, como antes, como en otros días de mi juventud, como en la misma niñez, alguna efusión de ternura, algún rapto de entusiasmo, al penetrar en una enramada frondosa, al oír el canto del ruiseñor en el silencio de la noche, al escuchar el pío de las golondrinas, al sentir el arrullo enamorado de la tórtola, al ver las flores o al mirar las estrellas. Se me figura a veces que hay en todo esto algo de delectación sensual, algo que me hace olvidar, por un momento al menos, más altas aspiraciones[41] ... Porque yo me digo: si amo la hermosura de las cosas terrenales tales como ellas son, y si la amo con exceso, es idolatría: debo amarla como signo, como representación de una hermosura oculta y divina, que vale mil veces más, que es incomparablemente superior en todo.

Hace pocos días cumplí veintidós años. Tal ha sido hasta ahora mi fervor religioso, que no he sentido más amor que el inmaculado amor de Dios mismo y de su santa religión, que quisiera difundir y ver triunfante en todas las regiones de la tierra. Confieso que algún sentimiento profano se ha mezclado con esta pureza de afecto. Usted lo sabe, se lo he dicho mil veces; y usted, mirándome con su acostumbrada indulgencia, me ha contestado que el hombre no es un ángel, y que sólo pretender tanta perfección es orgullo; que debo moderar esos sentimientos y no empeñarme en ahogarlos del todo. El amor a la ciencia, el amor a la propia gloria, adquirida por la ciencia misma, hasta el formar uno de sí propio no desventajoso concepto; todo ello, sentido con moderación, velado y mitigado por la humildad cristiana y encaminado a buen fin, tiene, sin duda, algo de egoísta; pero puede servir de estímulo y apoyo a las más firmes y nobles resoluciones. No es, pues, el escrúpulo que me asalta hoy el de mi orgullo, el de tener sobrada confianza en mí mismo, el de ansiar gloria mundana, o el de ser sobrado curioso de ciencia: no es nada de esto; nada que tenga relación con el egoísmo, sino en cierto modo lo contrario. Siento una dejadez, un quebranto, un abandono de la voluntad, una facilidad tan grande para las lágrimas; lloro tan fácilmente de ternura al ver una florecilla bonita o al contemplar el rayo misterioso, tenue y ligerísimo de una remota estrella, que casi tengo miedo.[42]

Dígame usted qué piensa de estas

---

[40] Translate by the plural.

[41] Valera makes skilful use of Nature throughout this book. Luis' growing admiration for it parallels his increasing concern with Pepita Jiménez, in which Nature is also playing its role.

[42] Valera delicately reveals to us the psychological state of one who without realizing it is on the brink of falling in love. His condition is that of one who is 'in love with love,' not with any specific person.

cosas; si hay algo de enfermizo en esta disposición de mi ánimo.

8 de abril.

Siguen las diversiones campestres, en que tengo que intervenir muy a pesar mío.

He acompañado a mi padre a ver casi todas sus fincas, y mi padre y sus amigos se pasman de que yo no sea completamente ignorante de las cosas del campo. No parece sino que para ellos el estudio de la teología, a que me he dedicado, es contrario del todo al conocimiento de las cosas naturales. ¡Cuánto han admirado mi erudición al verme distinguir en las viñas, donde apenas empiezan a brotar los pámpanos, la cepa Pedro-Jiménez[43] de la baladí y de la de Don Bueno![43] ¡Cuánto han admirado también que en los verdes sembrados sepa yo distinguir la cebada del trigo y el anís de las habas; que conozca muchos árboles frutales y de sombra, y que, aun de las hierbas que nacen espontáneamente en el campo, acierte yo con varios nombres y refiera bastantes condiciones y virtudes!

Pepita Jiménez, que ha sabido por mi padre lo mucho que me gustan las huertas de por aquí, nos ha convidado a ver una que posee a corta distancia del lugar, y a comer las fresas tempranas que en ella se crían. Este antojo de Pepita de obsequiar tanto a mi padre, quien la pretende y a quien desdeña, me parece a menudo que tiene su poco de coquetería, digna de reprobación; pero cuando veo a Pepita después, y la hallo tan natural, tan franca y tan sencilla, se me pasa el mal pensamiento e imagino que todo lo hace candorosamente y que no la lleva otro fin que el de conservar la buena amistad que con mi familia la liga.

Sea como sea, anteayer tarde fuimos a la huerta de Pepita. Es hermoso sitio, de lo más ameno y pintoresco que pueda imaginarse. El riachuelo que riega casi todas estas huertas, sangrado por mil acequias, pasa al lado de la que visitamos; se forma allí una presa, y cuando se suelta el agua sobrante del riego, cae en un hondo barranco poblado en ambas márgenes de álamos blancos y negros, mimbrones, adelfas floridas y otros árboles frondosos. La cascada, de agua limpia y transparente, se derrama en el fondo, formando espuma, y luego sigue su curso tortuoso por un cauce que la naturaleza misma ha abierto, esmaltando sus orillas de mil hierbas y flores, y cubriéndolas ahora de multitud de violetas. Las laderas que hay en un extremo de la huerta están llenas de nogales, higueras, avellanos y otros árboles de fruta. Y en la parte llana hay cuadros de hortalizas, de fresas, de tomates, patatas, judías y pimientos, y su poco de jardín,[44] con grande abundancia de flores, de las que por aquí más comúnmente se crían. Los rosales, sobre todo, abundan, y los hay de mil diferentes especies. La casilla del hortelano es más bonita y limpia de lo que en esta tierra se suele ver, y al lado de la casilla hay otro pequeño edificio reservado para el dueño de la finca, y donde nos agasajó Pepita con una espléndida merienda, a la cual dió pretexto el comer las fresas, que era el principal objeto que allí nos llevaba. La cantidad de fresas fué asombrosa para lo temprano de la estación, y nos fueron servidas con leche de algunas cabras que Pepita también posee.

Asistimos a esta jira el médico, el escribano, mi tía doña Casilda, mi padre y yo; sin faltar el indispensable señor Vicario, padre espiritual, y más que padre espiritual, admirador y encomiador perpetuo de Pepita.

Por un refinamiento algo sibarítico, no fué el hortelano, ni su mujer, ni el chiquillo del hortelano, ni ningún otro

---

[43] Names of kinds of grapevines   [44] flower garden

campesino quien nos sirvió la merienda, sino dos lindas muchachas, criadas y como confidentas de Pepita, vestidas a lo rústico, si bien con suma pulcritud y elegancia. Llevaban trajes de percal de [5] vistosos colores, cortos y ceñidos al cuerpo, pañuelo de seda cubriendo las espaldas, y descubierta la cabeza, donde lucían abundantes y lustrosos cabellos negros, trenzados y atados luego, for- [10] mando un moño en figura de martillo, y por delante rizos sujetos con sendas horquillas, por acá llamados *caracoles*. Sobre el moño o castaña ostentaba cada una de estas doncellas un ramo de [15] frescas rosas.

Salvo la superior riqueza de la tela y su color negro, no era más cortesano el traje de Pepita. Su vestido de merino tenía la misma forma que el de las [20] criadas, y, sin ser muy corto, no arrastraba ni recogía suciamente el polvo del camino. Un modesto pañolito de seda negra cubría también, al uso del lugar, su espalda y su pecho, y en la cabeza [25] no ostentaba tocado, ni flor, ni joya, ni más adorno que el de sus propios cabellos rubios. En la única cosa que noté por parte de Pepita cierto esmero, en que se apartaba de los usos aldeanos, [30] era en llevar guantes. Se conoce que cuida mucho sus manos y que tal vez pone alguna vanidad en tenerlas muy blancas y bonitas, con unas uñas lustrosas y sonrosadas; pero si tiene esta [35] vanidad, es disculpable en la flaqueza humana, y al fin, si yo no estoy trascordado, creo que Santa Teresa[45] tuvo la misma vanidad cuando era joven, lo cual no le impidió ser una santa tan [40] grande.

En efecto, yo me explico, aunque no disculpo, esta pícara vanidad. ¡Es tan distinguido, tan aristocrático, tener una linda mano! Hasta se me figura, a [45] veces, que tiene algo de simbólico. La mano es el instrumento de nuestras obras, el signo de nuestra nobleza, el medio por donde la inteligencia reviste de forma sus pensamientos artísticos, y da ser a las creaciones de la voluntad, y ejerce el imperio que Dios concedió al hombre sobre todas las criaturas ... Imposible parece que el que tiene manos como Pepita tenga pensamiento [10] impuro, ni idea grosera, ni proyecto ruin que esté en discordancia con las limpias manos que deben ejecutarle.

No hay que decir que mi padre se mostró tan embelesado como siempre de Pepita, y ella tan fina y cariñosa con [15] él, si bien con un cariño más filial de lo que mi padre quisiera ... Apenas si se atreve decir a Pepita «buenos ojos tienes;»[46] y en verdad que si lo dijese no mentiría, porque los tiene grandes, [20] verdes como los de Circe,[47] hermosos y rasgados; y lo que más mérito y valor les da es que no parece sino que ella no lo sabe, pues no se descubre en ella la menor intención de agradar a nadie ni [25] de atraer a nadie con lo dulce de sus miradas. Se diría que cree que los ojos sirven para ver y nada más que para ver. Lo contrario de lo que yo, según he oído decir, presumo que creen la [30] mayor parte de las mujeres jóvenes y bonitas, que hacen de los ojos un arma de combate y como un aparato eléctrico y fulmíneo para rendir corazones y cautivarlos. No son así, por cierto, [35] los ojos de Pepita, donde hay una serenidad y una paz como del cielo. Ni por eso se puede decir que miren con fría indiferencia. Sus ojos están llenos de caridad y de dulzura. Se posan con [40] afecto en un rayo de luz, en una flor, hasta en cualquier objeto inanimado; pero con más afecto aún, con muestras de sentir más blando, humano y be- [45] nigno, se posan en el prójimo, sin que el prójimo, por joven, gallardo y pre-

---

[45] Santa Teresa de Ávila, the great Spanish saint and mystic author of the sixteenth century.

[46] i.e. a single word, the simplest compliment

[47] Circe, the mythological woman with whom Ulysses fell in love while returning home from Troy.

sumido que sea, se atreva a suponer nada más que caridad y amor al prójimo, y cuando más,[48] predilección amistosa en aquella serena y tranquila mirada . . .

Ello es que la fiesta en la huerta fué apaciblemente divertida; se habló de flores, de frutos, de injertos, de plantaciones y de otras mil cosas relativas a la labranza, luciendo Pepita sus conocimientos agrónomos en competencia con mi padre, conmigo y con el señor Vicario, que se queda con la boca abierta cada vez que habla Pepita, y jura que en los setenta y pico de años que tiene de edad, y en sus largas peregrinaciones, que le han hecho recorrer casi toda la Andalucía, no ha conocido mujer más discreta ni más atinada en cuanto piensa y dice.

Cuando volvemos a casa, de cualquiera de estas expediciones, vuelvo a insistir con mi padre en mi ida con usted, a fin de que llegue el suspirado momento de que yo me vea elevado al sacerdocio; pero mi padre está tan contento de tenerme a su lado y se siente tan a gusto en el lugar, cuidando de sus fincas, ejerciendo mero y mixto[49] imperio como cacique, y adorando a Pepita y consultándoselo todo como a su ninfa Egeria,[50] que halla siempre y hallará aún, tal vez durante algunos meses, fundado pretexto para retenerme aquí. Ya tiene que clarificar el vino de yo no sé cuántas pipas de la candiotera; ya tiene que trasegar otro; ya es menester binar los majuelos; ya es preciso arar los olivares y cavar los pies a los olivos: en suma, me retiene aquí contra mi gusto; aunque no debiera yo decir «contra mi gusto,» porque le tengo muy grande en vivir con un padre que es para mí tan bueno.

Lo malo es que con esta vida temo materializarme demasiado: me parece

sentir alguna sequedad de espíritu durante la oración; mi fervor religioso disminuye; la vida vulgar va penetrando y se va infiltrando en mi naturaleza. Cuando rezo padezco distracciones; no pongo en lo que digo a mis solas,[51] cuando el alma debe elevarse a Dios, aquella atención profunda que antes ponía. En cambio, la ternura de mi corazón, que no se fija en un objeto condigno, que no se emplea y consume en lo que debiera, brota y como que rebosa en ocasiones por objetos y circunstancias que tienen mucho de pueriles, que me parecen ridículos, y de los cuales me avergüenzo. Si me despierto en el silencio de la alta noche y oigo que algún campesino enamorado canta, al son de su guitarra mal rasgueada, una copla de fandango o de rondeñas, ni muy discreta, ni muy poética, ni muy delicada, suelo enternecerme como si oyera la más celestial melodía. Una compasión loca, insana, me aqueja a veces. El otro día cogieron los hijos del aperador de mi padre un nido de gorriones, y al ver yo los pajarillos sin plumas aún y violentamente separados de la madre cariñosa, sentí suma angustia, y, lo confieso, se me saltaron las lágrimas. Pocos días antes trajo del campo un rústico una ternerita que se había perniquebrado; iba a llevarla al matadero y venía a decir[52] a mi padre qué quería de ella para su mesa: mi padre pidió unas cuantas libras de carne, la cabeza y las patas; yo me conmoví al ver a la ternerita, y estuve a punto, aunque la vergüenza lo impidió, de comprársela al hombre, a ver si la curaba y conservaba viva. En fin, querido tío, menester es tener la gran confianza que tengo yo con usted para contarle estas muestras de sentimiento extraviado y vago, y hacerle ver con ellas que necesito volver a mi anti-

---

[48] *cuando más*, at the most
[49] *mero* refers to *natural* law, *mixto* to law which is both *natural* and *civil;* translate, all embracing power.
[50] A mythological goddess endowed with prophetic foresight
[51] *a mis solas*, by myself
[52] Here, to ask

gua vida, a mis estudios, a mis altas especulaciones, y acabar por ser sacerdote para dar al fuego que devora mi alma el alimento sano y bueno que debe tener.

14 de abril.

Sigo haciendo la misma vida de siempre y detenido aquí a ruegos de mi padre.

El mayor placer de que disfruto, después del de vivir con él, es el trato y conversación del señor Vicario, con quien suelo dar a solas largos paseos. Imposible parece que un hombre de su edad, que debe tener muy cerca de ochenta años, sea tan fuerte, ágil y andador. Antes me canso yo que él, y no queda vericueto ni lugar agreste, ni cima de cerro escarpado en estas cercanías, adonde no lleguemos.

El señor Vicario me va reconciliando mucho con el clero español, a quien algunas veces he tildado yo, hablando con usted, de poco ilustrado. ¡Cuánto más vale, me digo a menudo, este hombre, lleno de candor y de buen deseo, tan afectuoso e inocente, que cualquiera que haya leído muchos libros y en cuya alma no arda con tal viveza como en la suya el fuego de la caridad unido a la fe más sincera y más pura! No crea usted que es vulgar el entendimiento del señor Vicario: es un espíritu inculto, pero despejado y claro. A veces imagino que pueda provenir la buena opinión que de él tengo, de la atención con que me escucha; pero si no es así, me parece que todo lo entiende con notable perspicacia y que sabe unir al amor entrañable de nuestra santa religión el aprecio de todas las cosas buenas que la civilización moderna nos ha traído.[53] Me encantan, sobre todo, la sencillez, la sobriedad en hiperbólicas manifestaciones de sentimentalismo, la naturalidad, en suma, con que el señor Vicario ejerce las más penosas obras de caridad. No hay desgracia que no remedie, ni infortunio que no consuele, ni humillación que no procure restaurar, ni pobreza a que no acuda solícito con un socorro.

Para todo esto, fuerza es confesarlo, tiene un poderoso auxiliar en Pepita Jiménez, cuya devoción y natural compasivo siempre está él poniendo por las nubes.

El carácter de esta especie de culto que el Vicario rinde a Pepita va sellado, casi se confunde con el ejercicio de mil buenas obras: con las limosnas, el rezo, el culto público y el cuidado de los menesterosos. Pepita no da sólo para los pobres, sino también para novenas, sermones y otras fiestas de iglesia. Si los altares de la parroquia brillan a veces adornados de bellísimas flores, estas flores se deben a la munificencia de Pepita, que las ha hecho traer de su huerta. Si en lugar del antiguo manto, viejo y raído, que tenía la Virgen de los Dolores, luce hoy un flamante y magnífico manto de terciopelo negro bordado de plata, Pepita es quien le ha costeado. Estos y otros tales beneficios, el Vicario está siempre decantándolos y ensalzándolos. Así es que cuando no hablo yo de mis miras, de mi vocación, de mis estudios, lo cual embelesa en extremo al señor Vicario, y le trae suspenso de mis labios; cuando es él quien habla y yo quien escucho, la conversación, después de mil vueltas y rodeos, viene a parar siempre en hablar de Pepita Jiménez. Y al cabo ¿de quién me ha de hablar el señor Vicario? Su trato con el médico, con el boticario, con los ricos labradores de aquí, apenas da motivo para tres palabras de conversación. Como el señor Vicario posee la rarísima cualidad en un lugareño de

[53] The vicar shows the moderation characteristic of Valera himself. In the great social quarrel of the nineteenth century, in which religion and progress were generally opposed, he reconciles the two extremes and succeeds in uniting the best of each side. This is one of the few allusions Valera makes to contemporary problems.

no ser amigo de contar vidas ajenas ni lances escandalosos, de nadie tiene que hablar sino de la mencionada mujer, a quien visita con frecuencia, y con quien, según se desprende de lo que dice, tiene los más íntimos coloquios . . .

Por lo que relata el padre Vicario, entreveo que en el alma de Pepita Jiménez, en medio de la serenidad y calma que aparenta, hay clavado un agudo dardo de dolor; hay un amor de pureza contrariado por su vida pasada. Pepita amó a don Gumersindo como a su compañero, como a su bienhechor, como al hombre a quien todo se lo debía; pero la atormenta, la avergüenza el recuerdo de que don Gumersindo fué su marido.

En su devoción a la Virgen se descubre un sentimiento de humillación dolorosa, un torcedor, una melancolía que influye en su mente el recuerdo de su matrimonio indigno y estéril.

Hasta en su adoración al Niño Dios, representado en la preciosa imagen de talla que tiene en su casa, interviene el amor maternal que busca ese objeto en un ser no nacido de pecado y de impureza.

El padre Vicario dice que Pepita adora al Niño Jesús como a su Dios, pero que le ama con las entrañas maternales con que amaría a un hijo, si le tuviese, y si en su concepción no hubiera habido cosa de que tuviera ella que avergonzarse. El padre Vicario nota que Pepita sueña con la madre ideal y con el hijo ideal, inmaculados ambos, al rezar a la Virgen Santísima, y al cuidar a su lindo Niño Jesús de talla . . .

Veo que distraídamente voy cayendo en el mismo defecto que en el padre Vicario censuro, y que no hablo a usted sino de Pepita Jiménez. Pero esto es natural. Aquí no se habla de otra cosa. Se diría que todo el lugar está lleno del espíritu, del pensamiento, de la imagen de esta singular mujer, que yo no acierto aún a determinar si es un ángel o una refinada coqueta llena de *astucia instintiva*, aunque los términos parezcan contradictorios. Porque lo que es[54] con plena conciencia estoy convencido de que esta mujer no es coqueta ni sueña en ganarse voluntades para satisfacer su vanagloria.

Hay sinceridad y candor en Pepita Jiménez. No hay más que verla para creerlo así. Su andar airoso y reposado, su esbelta estatura, lo terso y despejado de su frente, la suave y pura luz de sus miradas, todo se concierta en un ritmo adecuado, todo se une en perfecta armonía, donde no se descubre nota que disuene.

¡Cuánto me pesa de haber venido por aquí y de permanecer aquí tan largo tiempo! Había pasado la vida en su casa de usted y en el Seminario; no había visto ni tratado más que a mis compañeros y maestros; nada conocía del mundo sino por especulación y teoría;[55] y de pronto, aunque sea en un lugar, me veo lanzado en medio del mundo, y distraído de mis estudios, meditaciones y oraciones por mil objetos profanos.

20 de abril.

Las últimas cartas de usted, queridísimo tío, han sido de grata consolación para mi alma. Benévolo como siempre, me amonesta usted y me ilumina con advertencias útiles y discretas . . .

Hay mucha soberbia en mí, y yo he de procurar humillarme a mis propios ojos, a fin de que el espíritu del mal no me humille, permitiéndolo Dios, en castigo de mi presunción y de mi orgullo.

No creo, a pesar de todo, como usted me advierte, que es tan fácil para mí una fea y no pensada caída. No confío en mí: confío en la misericordia de Dios y en su gracia, y espero que no sea.

---

[54] the fact is
[55] It is interesting to see that Luis is now aware of his lack of worldly knowledge, while in his first letters he considered himself thoroughly sophisticated.

Con todo, razón tiene usted que le sobra en aconsejarme que no me ligue mucho en amistad con Pepita Jiménez; pero yo disto bastante de estar ligado con ella . . .

Lleno de un provechoso temor de Dios, y con debida desconfianza de mi flaqueza, no olvidaré los consejos y prudentes amonestaciones de usted, rezando con fervor mis oraciones y meditando en las cosas divinas para aborrecer las mundanas en lo que tienen de aborrecibles; pero aseguro a usted que hasta ahora, por más que ahondo en mi conciencia y registro con suspicacia sus más escondidos senos, nada descubro que me haga temer lo que usted teme.

Si de mis cartas anteriores resultan encomios para el alma de Pepita Jiménez, culpa es de mi padre y del señor Vicario y no mía, porque al principio, lejos de ser favorable a esta mujer, estaba yo prevenido contra ella con prevención injusta.

En cuanto a la belleza y donaire corporal de Pepita, crea usted que lo he considerado todo con entera limpieza de pensamiento. Y aunque me sea costoso el decirlo, y aunque a usted le duela un poco, le confesaré que si alguna leve mancha ha venido a empañar el sereno y pulido espejo de mi alma en que Pepita se reflejaba, ha sido la ruda sospecha de usted, que casi me ha llevado por un instante a que yo mismo sospeche.

Pero no: ¿qué he pensado yo, qué he mirado, qué he celebrado en Pepita, por donde nadie pueda colegir que propendo a sentir por ella algo que no sea amistad y aquella inocente y limpia admiración que inspira una obra de arte, y más si la obra es del Artífice soberano y nada menos que su templo? . . .

No lo dude usted: yo veo en Pepita Jiménez una hermosa criatura de Dios, y por Dios la amo como a hermana. Si alguna predilección siento por ella, es por las alabanzas que de ella oigo a mi padre, al señor Vicario y a casi todos los de este lugar.

Por amor a mi padre desearía yo que Pepita desistiese de sus ideas y planes de vida retirada y se casase con él; pero prescindiendo de esto, y si yo viese que mi padre sólo tenía un capricho y no una verdadera pasión, me alegraría de que Pepita permaneciese firme en su casta viudez, y cuando yo estuviese muy lejos de aquí, allá en la India o en el Japón, o en algunas misiones más peligrosas, tendría un consuelo en escribirle algo sobre mis peregrinaciones y trabajos. Cuando, ya viejo, volviese yo por este lugar también gozaría mucho en intimar con ella, que estaría ya vieja, y en tener con ella coloquios espirituales y pláticas por el estilo de las que tiene ahora el padre Vicario.[56] Hoy, sin embargo, como soy mozo, me acerco poco a Pepita; apenas la hablo. Prefiero pasar por encogido, por tonto, por mal criado y arisco, a dar la menor ocasión, no ya a la realidad de sentir por ella lo que no debo, pero ni a la sospecha ni a la maledicencia.

En cuanto a Pepita, ni remotamente convengo en lo que usted deja entrever como vago recelo. ¿Qué plan ha de formar respecto a un hombre que va a ser clérigo dentro de dos o tres meses? Ella, que ha desairado a tantos, ¿por qué había de prendarse de mí? Harto me conozco y sé que no puedo, por fortuna, inspirar pasiones. Dicen que no soy feo, pero soy desmañado, torpe, corto de genio, poco ameno; tengo trazas de lo que soy: de un estudiante humilde. ¿Qué valgo yo al lado de los gallardos mozos, aunque algo rústicos, que han pretendido a Pepita: ágiles jinetes, discretos y regocijados en la conversación, cazadores como Nembrot,[57]

[56] Pepita now has a part in Luis' dreams of his future life, despite his recent denials of anything but simple friendship towards her.

[57] Nimrod, 'a mighty hunter before Jehovah,' according to the Bible (Genesis 10. 9).

diestros en todos los ejercicios de cuerpo, cantadores finos y celebrados en todas las ferias de Andalucía, y bailarines apuestos, elegantes y primorosos? Si Pepita ha desairado todo esto, ¿cómo ha de fijarse ahora en mí y ha de concebir el diabólico deseo y más diabólico proyecto de turbar la paz de mi alma, de hacerme abandonar mi vocación, tal vez de perderme? No, no es posible. Yo creo buena a Pepita, y a mí, lo digo sin mentida modestia, me creo insignificante. Ya se entiende que me creo insignificante para enamorarla, no para ser su amigo; no para que ella me estime y llegue a tener un día cierta predilección por mí, cuando yo acierte a hacerme digno de esta predilección con una santa y laboriosa vida.

Perdóneme usted si me defiendo con sobrado calor de ciertas reticencias de la carta de usted, que suenan a acusaciones y a fatídicos pronósticos.

Yo no me quejo de esas reticencias; usted me da avisos prudentes, gran parte de los cuales acepto y pienso seguir. Si va usted más allá de lo justo en el recelar, consiste sin duda en el interés que por mí se toma y que yo de todo corazón le agradezco.

4 de mayo.

Extraño es que en tantos días yo no haya tenido tiempo para escribir a usted; pero tal es la verdad. Mi padre no me deja parar y las visitas me asedian . . .

La vida de aquí tiene cierto encanto.[58] Para quien no sueña con la gloria, para quien nada ambiciona, comprendo que sea muy descansada y dulce vida. Hasta la soledad puede lograrse aquí haciendo un esfuerzo. Como yo estoy aquí por una temporada,

no puedo ni debo hacerlo; pero si yo estuviese de asiento,[59] no hallaría dificultad, sin ofender a nadie, en encerrarme y retraerme durante muchas horas o durante todo el día, a fin de entregarme a mis estudios y meditaciones.

Su nueva y más reciente carta de usted me ha afligido un poco. Veo que insiste usted en sus sospechas, y no sé qué contestar para justificarme sino lo que ya he contestado.

Dice usted que la gran victoria en cierto género de batallas consiste en la fuga; que huir es vencer. ¿Cómo he de negar yo lo que el Apóstol y tantos santos Padres y Doctores han dicho? Con todo, de sobra sabe usted que el huir no depende de mi voluntad. Mi padre no quiere que me vaya; mi padre me retiene a pesar mío; tengo que obedecerle.[60] Necesito, pues, vencer por otros medios, y no por el de la fuga.

Para que usted se tranquilice, repetiré que la lucha apenas está empeñada; que usted ve las cosas más adelantadas de lo que están.[61]

No hay el menor indicio de que Pepita Jiménez me quiera. Y aunque me quisiese, sería de otro modo que como querían las mujeres que usted cita para mi ejemplar escarmiento. Una señora bien educada y honesta, en nuestros días, no es tan inflamable y desaforada como esas matronas de que están llenas las historias antiguas . . .

En estos últimos días he tenido ocasión de ejercitar mi paciencia en grande y de mortificar mi amor propio del modo más cruel.

Mi padre quiso pagar a Pepita el obsequio de la huerta, y la convidó a visitar su quinta del Pozo de la Solana. La expedición fué el 22 de abril. No se me olvidará esta fecha.

---

[58] Contrast this statement with the repeated expressions of boredom in the early letters.

[59] *de asiento*, permanently

[60] Luis rationalizes, throwing the blame for his stay on his father. Another bit of penetrating psychology.

[61] Here Luis admits indirectly that he loves Pepita. Valera shows his skill as a narrator by this subtle revelation, so unobtrusive that the reader scarcely notices it.

El Pozo de la Solana dista más de dos leguas de este lugar, y no hay hasta allí sino camino de herradura.[62] Tuvimos todos que ir a caballo. Yo, como jamás he aprendido a montar, he acompañado a mi padre en todas las anteriores excursiones en una mulita de paso,[63] muy mansa, y que, según la expresión de Dientes, el mulero, es más noble que el oro y más serena que un coche. En el viaje al Pozo de la Solana fuí en la misma cabalgadura.

Mi padre, el escribano, el boticario y mi primo Currito iban en buenos caballos. Mi tía doña Casilda, que pesa más de diez arrobas, en una enorme y poderosa burra con sus jamugas. El señor Vicario, en una mula mansa y serena como la mía.

En cuanto a Pepita Jiménez, que imaginaba yo que vendría también en burra con jamugas, pues ignoraba que montase, me sorprendió, apareciendo en un caballo tordo muy vivo y fogoso, vestida de amazona, y manejando el caballo con destreza y primor notables.

Me alegré de ver a Pepita tan gallarda a caballo; pero, desde luego, presentí y empezó a mortificarme el desairado papel que me tocaba hacer al lado de la robusta tía doña Casilda y del padre Vicario, yendo nosotros a retaguardia, pacíficos y serenos como en coche, mientras que la lucida cabalgata caracolearía, correría, trotaría y haría mil evoluciones y escarceos.

Al punto se me antojó que Pepita me miraba compasiva, al ver la facha lastimosa que sobre la mula debía yo de tener. Mi primo Currito me miró con sonrisa burlona, y empezó en seguida a embromarme y atormentarme.

Aplauda usted mi resignación y mi valerosa paciencia. A todo me sometí de buen talante, y pronto hasta las bromas de Currito acabaron al notar cuán invulnerable yo era. Pero ¡cuánto sufrí por dentro! Ellos corrieron, galo-

paron, se nos adelantaron a la ida y a la vuelta. El Vicario y yo permanecimos siempre serenos, como las mulas, sin salir del paso y llevando a doña Casilda en medio.

Ni siquiera tuve el consuelo de hablar con el padre Vicario, cuya conversación me es tan grata, ni de encerrarme dentro de mí mismo y fantasear y soñar, ni de admirar a mis solas la belleza del terreno que recorríamos. Doña Casilda es de una locuacidad abominable, y tuvimos que oírla. Nos dijo cuanto hay que saber de chismes del pueblo, y nos habló de todas sus habilidades, y nos explicó el modo de hacer salchichas, morcillas de sesos, hojaldres y otros mil guisos y regalos. Nadie la vence en negocios de cocina y de matanza de cerdos, según ella, sino Antoñona, la nodriza de Pepita Jiménez, y hoy su ama de llaves y directora de su casa. Yo conozco ya a la tal Antoñona, pues va y viene a casa con recados, y, en efecto, es muy lista: tan parlanchina como la tía Casilda, pero cien mil veces más discreta.

El camino hasta el Pozo de la Solana es delicioso; pero yo iba tan contrariado que no acerté a gozar de él. Cuando llegamos a la casería y nos apeamos, se me quitó de encima un gran peso, como si fuese yo quien hubiese llevado a la mula y no la mula a mí.

Ya a pie, recorrimos la posesión, que es magnífica, variada y extensa. Hay allí más de ciento veinte fanegas de viña añeja y majuelo, todo bajo una linde: otro tanto o más de olivar, y, por último, un bosque de encinas de las más corpulentas que aun quedan en pie en toda Andalucía. El agua del Pozo de la Solana forma un arroyo claro y abundante, donde vienen a beber todos los pajarillos de las cercanías, y donde se cazan a centenares por medio de espartos con liga, o con red, en cuyo centro se colocan el cimbel y el reclamo. Allí

---

[62] camino de herradura, bridle-path

[63] a slow mule

recordé mis diversiones de la niñez y cuántas veces había ido yo a cazar pajarillos de la manera expresada.

Siguiendo el curso del arroyo, y sobre todo en las hondonadas, hay muchos 5 álamos y otros árboles altos que, con las matas y hierbas, crean un intrincado laberinto y una sombría espesura. Mil plantas silvestres y olorosas crecen allí de un modo espontáneo, y por cierto 10 que es difícil imaginar nada más esquivo, agreste y verdaderamente solitario, apacible y silencioso que aquellos lugares. Se concibe allí en el fervor del mediodía, cuando el sol vierte a torren- 15 tes la luz desde un cielo sin nubes, en las calurosas y reposadas siestas, el mismo terror misterioso de las horas nocturnas. Se concibe allí la vida de los antiguos patriarcas y de los primi- 20 tivos héroes y pastores, y las apariciones y visiones que tenían de ninfas, de deidades y de ángeles, en medio de la claridad meridiana.

Andando por aquella espesura, hubo 25 un momento en el cual, no acierto a decir cómo, Pepita y yo nos encontramos solos: yo al lado de ella. Los demás se habían quedado atrás.

Entonces sentí por todo mi cuerpo un 30 estremecimiento. Era la primera vez que me veía a solas con aquella mujer y en sitio tan apartado, y cuando yo pensaba en las apariciones meridianas, ya siniestras, ya dulces y siempre sobre- 35 naturales, de los hombres de las edades remotas.

Pepita había dejado en la casería la larga falda de montar, y caminaba con un vestido corto que no estorbaba la 40 graciosa ligereza de sus movimientos. Sobre la cabeza llevaba un sombrerillo andaluz, colocado con gracia. En la mano, el látigo, que se me antojó como varita de virtudes,[64] con que pudiera 45 hechizarme aquella maga.

No temo repetir aquí los elogios de su belleza. En aquellos sitios agrestes se

me pareció más hermosa. La cautela, que recomiendan los ascetas, de pensar en ella afeada por los años y por las enfermedades, de figurármela muerta, llena de hedor y podredumbre y cubierta de gusanos, vino, a pesar mío, a mi imaginación; y digo a pesar mío, porque no entiendo que[65] tan terrible cautela fuese indispensable. Ninguna idea mala en lo material, ninguna sugestión del espíritu maligno turbó entonces mi razón ni logró inficionar mi voluntad y mis sentidos.

Lo que sí se me ocurrió fué un argumento para invalidar, al menos en mí, la virtud de esa cautela. La hermosura, obra de un arte soberano y divino, puede ser caduca, efímera, desaparecer en el instante; pero su idea es eterna, y en la mente del hombre vive vida inmortal, una vez percibida. La belleza de esta mujer, tal como hoy se manifiesta, desaparecerá dentro de breves años: ese cuerpo elegante, esas formas esbeltas, esa noble cabeza, tan gentilmente erguida sobre los hombros, todo será pasto de gusanos inmundos; pero si la materia ha de transformarse, la forma, el pensamiento artístico, la hermosura misma, ¿quién la destruirá? ¿No está en la mente divina? Percibida y conocida por mí, ¿no vivirá en mi alma, vencedora de la vejez y aun de la muerte?

Así meditaba yo, cuando Pepita y yo nos acercamos. Así serenaba yo mi espíritu y mitigaba los recelos que usted ha sabido infundirme. Yo deseaba y no deseaba a la vez que llegasen los otros. Me complacía y me afligía al mismo tiempo de estar solo con aquella mujer.

La voz argentina de Pepita rompió el silencio, y, sacándome de mis meditaciones, dijo:

— ¡Qué callado y qué triste está usted, señor don Luis! Me apesadumbra el pensar que tal vez por culpa mía,

---

[64] varita de virtudes, magic wand   [65] why

en parte al menos, da a usted hoy un mal rato su padre trayéndole a estas soledades, y sacándole de otras más apartadas, donde no tendrá usted nada que le distraiga de sus oraciones y piadosas lecturas.

Yo no sé lo que contesté a esto. Hube de contestar alguna sandez porque estaba turbado; y ni quería hacer un cumplimiento a Pepita diciendo galanterías profanas, ni quería tampoco contestar de un modo grosero.

Ella prosiguió:

— Usted me ha de perdonar si soy maliciosa; pero se me figura que, además del disgusto de verse usted separado hoy de sus ocupaciones favoritas, hay algo más que contribuye poderosamente a su mal humor.

— ¿Qué es ese algo más — dije yo —, pues usted lo descubre todo o cree descubrirlo?

— Ese algo más — replicó Pepita — no es sentimiento propio de quien va a ser sacerdote tan pronto, pero sí lo es de un joven de veintidós años.

Al oír esto, sentí que la sangre me subía al rostro y que el rostro me ardía. Imaginé mil extravagancias, me creí presa de una obsesión. Me juzgué provocado por Pepita, que iba a darme a entender que conocía que yo gustaba de ella.[66] Entonces mi timidez se trocó en atrevida soberbia, y la miré de hito en hito. Algo de ridículo hubo de haber en mi mirada, pero, o Pepita no lo advirtió, o lo disimuló con benévola prudencia, exclamando del modo más sencillo:

— No se ofenda usted porque yo le descubra alguna falta. Ésta que he notado me parece leve. Usted está lastimado de las bromas de Currito y de hacer (hablando profanamente) un papel poco airoso montado en una mula mansa, como el señor Vicario, con sus ochenta años, y no en un brioso caballo, como debiera un joven de su edad y circunstancias. La culpa es del señor Deán, que no ha pensado en que usted aprenda a montar. La equitación no se opone a la vida que usted piensa seguir, y yo creo que su padre de usted, ya que está usted aquí, debiera en pocos días enseñarle. Si usted va a Persia o a China, allí no hay ferrocarriles aún, y hará usted una triste figura cabalgando mal. Tal vez se desacredite el misionero entre aquellos bárbaros, merced a esta torpeza, y luego sea más difícil de lograr el fruto de las predicaciones.

Estos y otros razonamientos más adujo Pepita para que yo aprendiese a montar a caballo, y quedé tan convencido de lo útil que es la equitación para un misionero, que le prometí aprender en seguida, tomando a mi padre por maestro.

— En la primera nueva expedición que hagamos — le dije —, he de ir en el caballo más fogoso de mi padre, y no en la mulita de paso en que voy ahora.

— Mucho me alegraré — replicó Pepita con una sonrisa de indecible suavidad.

En esto llegaron todos al sitio en que estábamos, y yo me alegré en mis adentros, no por otra cosa, sino por temor de no acertar a sostener la conversación, y de salir con doscientas mil simplicidades por mi poca o ninguna práctica de hablar con mujeres.

Después del paseo, sobre la fresca hierba y en el más lindo sitio junto al arroyo, nos sirvieron los criados de mi padre una rústica y abundante merienda. La conversación fué muy animada, y Pepita mostró mucho ingenio y discreción. Mi primo Currito volvió a embromarme sobre mi manera de cabalgar y sobre la mansedumbre de mi mula: me llamó *teólogo* y me dijo que sobre aquella mula parecía que iba yo repartiendo bendiciones. Esta vez, ya con el firme propósito de hacerme jinete, contesté a las bromas con desenfado picante. Me callé, con todo,[67] el

---

[66] that I *liked* her

[67] withal, nevertheless

compromiso contraído de aprender la equitación. Pepita, aunque en nada habíamos convenido, pensó sin duda, como yo, que importaba el sigilo para sorprender luego cabalgando bien, y nada dijo de nuestra conversación. De aquí provino, natural y sencillamente, que existiera un secreto entre ambos; lo cual produjo en mi ánimo extraño efecto.

Nada más ocurrió aquel día que merezca contarse.

Por la tarde volvimos al lugar como habíamos venido. Yo, sin embargo, en mi mula mansa y al lado de la tía Casilda, no me aburrí ni entristecí a la vuelta como a la ida. Durante todo el viaje oí a la tía sin cansancio referir sus historias, y por momentos me distraje en vagas imaginaciones.[68]

Nada de lo que en mi alma pasa debe ser un misterio para usted. Declaro que la figura de Pepita era como el centro, o mejor dicho, como el núcleo y el foco de estas imaginaciones vagas . . .

Aquella noche dije a mi padre mi deseo de aprender a montar. No quise ocultarle que Pepita me había excitado a ello. Mi padre tuvo una alegría extraordinaria.[69] Me abrazó, me besó y me dijo que ya no era usted solo mi maestro, que él también iba a tener el gusto de enseñarme algo. Me aseguró, por último, que en dos o tres semanas haría de mí el mejor caballista de toda Andalucía; capaz de ir a Gibraltar por contrabando y de volver de allí, burlando al resguardo, con una coracha de tabaco y con un buen alijo de algodones; apto, en suma, para pasmar a todos los jinetes que se lucen en las ferias de Sevilla y de Mairena,[70] y para oprimir los lomos de Babieca,[71] de Bucéfalo[72] y aun de los propios caballos del Sol, si por acaso bajaban a la tierra y podía yo asirlos de la brida.

Ignoro qué pensará usted de este arte de la equitación que estoy aprendiendo; pero presumo que no le tendrá por malo.

¡Si viera usted qué gozoso está mi padre y cómo se deleita enseñándome! Desde el día siguiente al de la expedición que he referido, doy[73] dos lecciones diarias. Día hay[74] durante el cual la lección es perpetua, porque nos lo pasamos a caballo. La primera semana fueron las lecciones en el corralón de casa, que está desempedrado y sirvió de picadero.

Ya salimos al campo, pero procurando que nadie nos vea. Mi padre no quiere que me muestre en público hasta que pasme por lo bien plantado, según él dice. Si su vanidad de padre no le engaña, esto será muy pronto, porque tengo una disposición maravillosa para ser buen jinete.

— ¡Bien se ve que eres mi hijo! — exclama mi padre con júbilo al contemplar mis adelantos .

Ayer fué día de la Cruz y estuvo el lugar muy animado. En cada calle hubo seis o siete cruces de mayo llenas de flores, si bien ninguna tan bella como la que puso Pepita en la puerta de su casa. Era un mar de flores el que engalanaba la cruz.[75]

Por la noche tuvimos fiesta en casa de Pepita. La cruz, que había estado en la calle, se colocó en una gran sala baja, donde hay piano, y nos dió Pepita un espectáculo sencillo y poético que yo había visto cuando niño, aunque no le recordaba.

---

[68] One of the distinctive traits of Luis' romantic young nature is his propensity to daydreaming. He has already mentioned it on p. 357, l. 9b.

[69] Does the father's remarkable demonstration of joy come only from his desire to teach his son to ride? Does he suspect the truth of the situation?

[70] Town near Sevilla

[71] The Cid's horse

[72] Alexander the Great's horse

[73] I take

[74] There are days

[75] On the third of May the Spaniards set up crosses covered with flowers. The children dance around the cross holding ribbons in their hands, just as our children around the Maypole.

De la cabeza de la cruz pendían siete listones o cintas anchas, dos blancas, dos verdes y tres encarnadas, que son los colores simbólicos de las virtudes teologales. Ocho niños de cinco o seis años, representando los siete Sacramentos, asidos de las siete cintas que pendían de la cruz, bailaron a modo de una contradanza muy bien ensayada. El Bautismo era un niño vestido de catecúmeno con su túnica blanca; el Orden, otro niño de sacerdote; la Confirmación, un obispito; la Extremaunción, un peregrino con bordón y esclavina llena de conchas; el Matrimonio, un novio y una novia, y un Nazareno con cruz y corona de espinas, la Penitencia.[76]

El baile, más que baile, fué una serie de reverencias, pasos, evoluciones y genuflexiones al compás de una música no mala, de algo como marcha, que el organista tocó en el piano con bastante destreza.

Los niños, hijos de criados y familiares de la casa de Pepita, después de hacer su papel, se fueron u dormir muy regalados y agasajados.

La tertulia continuó hasta las doce, y hubo refresco, esto es, tacillas de almíbar, y, por último, chocolate con torta de bizcocho y agua con azucarillos.

El retiro y la soledad de Pepita van olvidándose desde que volvió la primavera, de lo cual mi padre está muy contento. De aquí en adelante Pepita recibirá todas las noches, y mi padre quiere que yo sea de la tertulia.

Pepita ha dejado el luto, y está ahora más galana y vistosa con trajes ligeros y casi de verano, aunque siempre muy modestos.

Tengo la esperanza de que lo más que mi padre me retendrá ya por aquí será todo este mes. En junio nos iremos juntos a esa ciudad, y ya usted verá cómo, libre de Pepita, que no piensa en mí ni se acordará de mí para malo ni para bueno, tendré el gusto de abrazar a usted y de lograr la dicha de ser sacerdote.

7 de mayo.

Todas las noches, de nueve a doce, tenemos, como ya indiqué a usted, tertulia en casa de Pepita. Van cuatro o cinco señoras y otras tantas señoritas del lugar, contando con la tía Casilda, y van también seis o siete caballeritos, que suelen jugar a juegos de prendas con las niñas. Como es natural, hay tres o cuatro noviazgos.

La gente formal de la tertulia es la de siempre. Se compone, como si dijéramos, de los altos funcionarios: de mi padre, que es el cacique; del boticario, del médico, del escribano y del señor Vicario.

Pepita juega al tresillo con mi padre, con el señor Vicario y con algún otro.

Yo no sé de qué lado ponerme. Si me voy con la gente joven, estorbo con mi gravedad en sus juegos y enamoramientos. Si me voy con el estado mayor, tengo que hacer el papel de mirón en una cosa que no entiendo. Yo no sé más juego de naipes que el burro ciego, el burro con vista y un poco de tute o brisca cruzada.

Lo mejor sería que yo no fuese a la tertulia, pero mi padre se empeña en que vaya. Con no ir, según él, me pondría en ridículo.

Muchos extremos de admiración hace mi padre al notar mi ignorancia de ciertas cosas. Esto de que yo no sepa jugar al tresillo, siquiera al tresillo, le tiene maravillado.

— Tu tío te ha criado — me dice — debajo de un fanal,[77] haciéndote tragar teología y más teología, y dejándote a obscuras de lo demás que hay que saber. Por lo mismo que vas a ser clérigo y que no podrás bailar ni enamorar en

---

[76] Luis omits the sacrament of communion in his description.

[77] under a glass bell (as certain special melons are raised); very protected

las reuniones, necesitas jugar al tresillo. Si no, ¿qué vas a hacer, desdichado?

A estos y otros discursos por el estilo he tenido que rendirme, y mi padre me está enseñando en casa a jugar al tresillo, para que, no bien le sepa, le juegue en la tertulia de Pepita. También . . . ha querido enseñarme la esgrima, y después, a fumar y a tirar a la pistola y la barra; pero en nada de esto he consentido yo.

— ¡Qué diferencia — exclama mi padre — entre tu mocedad y la mía!

Y luego añade riéndose:

— En substancia, todo es lo mismo. Yo también tenía mis horas canónicas en el cuartel de Guardias de Corps;[78] el cigarro era el incensario, la baraja el libro de coro, y nunca me faltaban otras devociones y ejercicios más o menos espirituales . . .

Sigue mi padre contentísimo de mí como discípulo de equitación. Dentro de cuatro o cinco días asegura que podré ya montar y montaré en Lucero, caballo negro, hijo de un caballo árabe y de una yegua de la casta de Guadalcázar, saltador, corredor, lleno de fuego y adiestrado en todo linaje de corvetas.

— Quien eche a Lucero los calzones encima — dice mi padre —, ya puede apostarse a montar con los propios centauros; y tú le echarás los calzones encima dentro de poco.

Aunque me paso todo el día en el campo a caballo, en el casino y en la tertulia, robo algunas horas al sueño, ya voluntariamente, ya porque me desvelo, y medito en mi posición y hago examen de conciencia. La imagen de Pepita está siempre presente en mi alma. ¿Será esto amor?, me pregunto . . .

Toda otra consideración, toda otra forma, no destruye la imagen de esta mujer. Entre el Crucifijo y yo se interpone, entre la imagen devotísima de la Virgen y yo se interpone, sobre la página del libro espiritual que leo viene también a interponerse.

No creo, sin embargo, que estoy herido de lo que llaman amor en el siglo.[79] Y aunque lo estuviera, yo lucharía y vencería.

La vista diaria de esa mujer y el oír cantar sus alabanzas de continuo, hasta al padre Vicario, me tienen preocupado; divierten mi espíritu hacia lo profano y le alejan de su debido recogimiento; pero no, yo no amo a Pepita todavía. Me iré y la olvidaré.

Mientras aquí permanezca, combatiré con valor. Combatiré con Dios, para vencerle por el amor y el rendimiento. Mis clamores llegarán a Él como inflamadas saetas, y derribarán el escudo con que se defiende y oculta a los ojos de mi alma. Yo pelearé como Israel, en el silencio de la noche, y Dios me llagará en el muslo y me quebrantará en ese combate, para que yo sea vencedor siendo vencido.[80]

12 de mayo.

Antes de lo que yo pensaba, querido tío, me decidió mi padre a que montase en Lucero. Ayer, a las seis de la mañana, cabalgaba en esta hermosa fiera como le llama mi padre, y me fuí con mi padre al campo. Mi padre iba caballero en una jaca alazana.

Lo hice tan bien, fuí tan seguro y apuesto en aquel soberbio animal, que mi padre no pudo resistir a la tentación de lucir a su discípulo, y después de reposar en un cortijo que tiene a media legua de aquí, y a eso de las once, me hizo volver al lugar y entrar por lo más concurrido y céntrico, metiendo mucha bulla y desempedrando[81] las calles. No hay que afirmar que pasamos por la de

---

[78] Royal Body Guard
[79] See p. 276, n. 131.
[80] Jacob wrestled all night with an angel, being wounded in the thigh during the struggle. In the morning the angel bestowed on him a new name, Israel. See Genesis 32.
[81] Literally, unpaving the streets, tearing up the pavement (due to the pawing and cavorting of the horse)

Pepita, quien de algún tiempo a esta parte[82] se va haciendo algo ventanera y estaba a la reja, en una ventana baja, detrás de la verde celosía.

No bien sintió Pepita el ruido y alzó 5 los ojos y nos vió, se levantó, dejó la costura que traía entre manos y se puso a mirarnos. Lucero, que, según he sabido después, tiene ya la costumbre de hacer piernas cuando pasa por delante 10 de la casa de Pepita, empezó a retozar y a levantarse un poco de manos. Yo quise calmarle, pero como extrañase[83] las mías y también extrañase al jinete, despreciándole tal vez, se alborotó más 15 y más y empezó a dar resoplidos, a hacer corvetas y aun a dar algunos botes; pero yo me tuve firme y sereno, mostrándole que era su amo, castigándole con la espuela, tocándole con el 20 látigo en el pecho y reteniéndole por la brida. Lucero, que casi se había puesto de pies sobre los cuartos traseros, se humilló entonces hasta doblar mansamente las rodillas haciendo una reve- 25 rencia.

La turba de curiosos, que se había agrupado alrededor, rompió en estrepitosos aplausos. Mi padre dijo:

— ¡Bien por los mozos crudos y de 30 arrestos![84]

Y notando después que Currito, que no tiene otro oficio que el de paseante, se hallaba entre el concurso, se dirigió a él con estas palabras: 35

— Mira, arrastrado; mira al *teólogo* ahora, y, en vez de burlarte, quédate patitieso de asombro.

En efecto, Currito estaba con la boca abierta, inmóvil, verdaderamente asom- 40 brado.

Mi triunfo fué grande y solemne, aunque impropio de mi carácter. La inconveniencia de este triunfo me infundió vergüenza. El rubor coloró mis 45 mejillas. Debí ponerme encendido como la grana, y más aun cuando advertí que Pepita me aplaudía y me saludaba cariñosa, sonriendo y agitando sus lindas manos.

En fin, he ganado la patente de hombre recio y de jinete de primera calidad.

Mi padre no puede estar más satisfecho y orondo; asegura que está completando mi educación; que usted le ha enviado en mí un libro muy sabio, pero en borrador y desencuadernado, y que él está poniéndome en limpio y encuadernándome.

El tresillo, si es parte de la encuadernación y de la limpieza, también está ya aprendido.

Dos noches he jugado con Pepita.

La noche que siguió a mi hazaña ecuestre, Pepita me recibió entusiasmada, e hizo lo que nunca había querido ni se había atrevido a hacer conmigo: me alargó la mano.

No crea usted que no recordé lo que recomiendan tantos y tantos moralistas y ascetas; pero, allá en mi mente, pensé que exageraban el peligro. Aquello del Espíritu Santo[85] de que el que echa mano a una mujer se expone como si cogiera un escorpión, me pareció dicho en otro sentido. Sin duda que en los libros devotos, con la más sana intención, se interpretan harto duramente ciertas frases y sentencias de la Escritura. ¿Cómo entender, si no, que la hermosura de la mujer, obra tan perfecta de Dios, es causa de perdición siempre? ¿Cómo entender, en sentido general y constante, que la mujer es más amarga que la muerte? ¿Cómo entender que el que toca a una mujer, en toda ocasión y con cualquier pensamiento que sea, no saldrá sin mancha?

En fin, respondí rápidamente dentro de mi alma a éstos y a otros avisos, y

---

[82] *de algún tiempo a esta parte*, for some time
[83] he was not used to
[84] *Bien . . . arrestos*, Hurray for rough and daring lads!

[85] Eight well-known Spanish monks, most of them writers on theological subjects, took this name in religion. Probably the one here referred to is Tomás del Espíritu Santo, who died a martyr in Japan in 1622.

tomé la mano que Pepita cariñosamente me alargaba y la estreché en la mía. La suavidad de aquella mano me hizo comprender mejor su delicadeza y primor, que hasta entonces no conocía sino por 5 los ojos.

Según los usos del siglo, dada ya la mano una vez, la debe uno dar siempre, cuando llega y cuando se despide. Espero que en esta ceremonia, en esta 10 prueba de amistad, en esta manifestación de afecto, si se procede con pureza y sin el menor átomo de liviandad, no verá usted nada malo ni peligroso.

Como mi padre tiene que estar mu- 15 chas noches con el aperador y con otra gente de campo, y hasta las diez y media o las once suele no verse libre, yo le sustituyo en la mesa del tresillo al lado de Pepita. El señor Vicario y el escri- 20 bano son casi siempre los otros tercios. Jugamos a décimo de real, de modo que un duro o dos es lo más que se atraviesa en la partida.

Mediando, como media, tan poco in- 25 terés en el juego, le interrumpimos continuamente con agradables conversaciones y hasta con discusiones sobre puntos extraños al mismo juego, en todo lo cual demuestra siempre Pepita una 30 lucidez de entendimiento, una viveza de imaginación y una tan extraordinaria gracia en el decir, que no pueden menos de maravillarme.

No hallo motivo suficiente para va- 35 riar de opinión respecto a lo que ya he dicho a usted, contestando a sus recelos de que Pepita pueda sentir cierta inclinación hacia mí. Me trata con el afecto natural que debe tener al hijo 40 de su pretendiente, don Pedro de Vargas, y con la timidez y encogimiento que inspira un hombre en mis circunstancias, que no es sacerdote aun, pero que pronto va a serlo. 45

Quiero y debo, no obstante, decir a usted, ya que le escribo siempre como si estuviese de rodillas delante de usted a los pies del confesionario, una rápida impresión que he sentido dos o tres veces; algo que tal vez sea una alucinación o un delirio, pero que he notado.

Ya he dicho a usted en otras cartas que los ojos de Pepita, verdes como los de Circe, tienen un mirar tranquilo y honestísimo. Se diría que ella ignora el poder de sus ojos, y no sabe que sirven más que para ver. Cuando fija en alguien la vista, es tan clara, franca y pura la dulce luz de su mirada, que, en vez de hacer nacer ninguna mala idea, parece que crea pensamientos limpios; que deja en reposo grato a las almas inocentes y castas, y mata y destruye todo incentivo en las almas que no lo son. Nada de pasión ardiente, nada de fuego hay en los ojos de Pepita. Como la tibia luz de la luna, es el rayo de su mirada.

Pues bien, a pesar de esto, yo he creído notar dos o tres veces un resplandor instantáneo, un relámpago, una llama fugaz y devoradora en aquellos ojos que se posaban en mí. ¿Será vanidad ridícula sugerida por el mismo demonio?

Me parece que sí; quiero creer y creo que sí.

Lo rápido, lo fugitivo de la impresión, me induce a conjeturar que no ha tenido nunca realidad extrínseca; que ha sido un ensueño mío.

La calma del cielo, el frío de la indiferencia amorosa,[86] si bien templado por la dulzura de la amistad y de la caridad, es lo que descubro siempre en los ojos de Pepita.

Me atormenta, no obstante, este ensueño, esta alucinación de la mirada extraña y ardiente.

Mi padre dice que no son los hombres sino las mujeres las que toman la iniciativa, y que la toman sin responsabilidad, y pudiendo negar y volverse atrás cuando quieren. Según mi padre, la mujer es quien se declara por medio

---

[86] indifference in respect to love

de miradas fugaces, que ella misma niega más tarde a su propia conciencia, si es menester, y de las cuales, más que leer, logra el hombre a quien van dirigidas adivinar el significado. De esta suerte, casi por medio de una conmoción eléctrica, casi por medio de una sutilísima e inexplicable intuición, se percata el que es amado de que es amado, y luego, cuando se resuelve a hablar, va ya sobre seguro y con plena confianza de la correspondencia.

¿Quién sabe si estas teorías de mi padre, oídas por mí, porque no puedo menos de oírlas, son las que me han calentado la cabeza y me han hecho imaginar lo que no hay?[87]

De todos modos, me digo a veces, ¿sería tan absurdo, tan imposible que lo hubiera? Y si lo hubiera, si yo agradase a Pepita de otro modo que como amigo, si la mujer a quien mi padre pretende se prendase de mí, ¿no sería espantosa mi situación?

Desechemos estos temores fraguados, sin duda, por la vanidad. No hagamos de Pepita una Fedra y de mí un Hipólito.[88]

Lo que sí empieza a sorprenderme es el descuido y plena seguridad de mi padre. Perdone usted, pídale a Dios que perdone mi orgullo; de vez en cuando me pica y enoja la tal seguridad. Pues qué, me digo, ¿soy tan adefesio para que mi padre no tema que, a pesar de mi supuesta santidad, o por mi misma supuesta santidad, no pueda yo enamorar, sin querer, a Pepita? . . .

Sería una falta de respeto, pecaría yo de presumido e insolente si advirtiese a mi padre del peligro que no ve. No hay medio de que yo le diga nada. Además, ¿qué había yo de decirle?

¿Que se me figura que una o dos veces Pepita me ha mirado de otra manera que como suele mirar? ¿No puede ser esto ilusión mía? No, no tengo la menor prueba de que Pepita desee siquiera coquetear conmigo.

¿Qué es, pues, lo que entonces podría yo decir a mi padre? ¿Había de decirle que yo soy quien está enamorado de Pepita, que yo codicio el tesoro que ya él tiene por suyo? Esto no es verdad; y sobre todo, ¿cómo declarar esto a mi padre, aunque fuera verdad por mi desgracia y por mi culpa?

Lo mejor es callarme; combatir en silencio, si la tentación llega a asaltarme de veras, y tratar de abandonar cuanto antes este pueblo y de volverme con usted.

19 de mayo.

Gracias a Dios y a usted por las nuevas cartas y nuevos consejos que me envía. Hoy los necesito más que nunca . . .

Es cierto; ya no puedo negárselo a usted. Yo no debí poner los ojos con tanta complacencia en esta mujer peligrosísima.

No me juzgo perdido, pero me siento conturbado.

Como el corzo sediento desea y busca el manantial de las aguas, así mi alma busca a Dios todavía.[89] A Dios se vuelve para que le dé reposo, y anhela beber en el torrente de sus delicias, cuyo ímpetu alegra el Paraíso, y cuyas ondas claras ponen más blanco que la nieve; pero un abismo llama a otro abismo, y mis pies se han clavado en el cieno que está en el fondo.

Sin embargo, aun me quedan voz y aliento para clamar con el Salmista:

[87] Here, to exist
[88] Phaedra fell in love with her stepson, Hippolytus. When he refused her advances, she told her husband Theseus that his son was making love to her. Theseus gave Hippolytus up to the mercy of Neptune, who brought about his death. In remorse, Phaedra hanged herself.

[89] See Psalms 42. 1:
'As the hart panteth after the water brooks, So panteth my soul after thee, O God.'

The wording of this entire paragraph is full of Biblical reminiscences.

¡Levántate, gloria mía![90] Si te pones de mi lado, ¿quién prevalecerá contra mí? . . .

Las mortificaciones, el ayuno, la oración y la penitencia serán las armas de que me revista para combatir y vencer con el auxilio divino.

No era sueño, no era locura; era realidad. Ella me mira a veces con la ardiente mirada de que ya he hablado a usted. Sus ojos están dotados de una atracción magnética inexplicable. Me atrae, me seduce, y se fijan en ella los míos. Mis ojos deben arder entonces, como los suyos, con una llama funesta; como los de Amón[91] cuando se fijaban en Tamar; como los del príncipe de Siquén[92] cuando se fijaban en Dina.

Al mirarnos así, hasta de Dios me olvido. La imagen de ella se levanta en el fondo de mi espíritu, vencedora de todo. Su hermosura resplandece sobre toda hermosura; los deleites del cielo me parecen inferiores a su cariño; una eternidad de penas creo que no paga la bienaventuranza infinita que vierte sobre mí en un momento con una de estas miradas, que pasan cual relámpago.

Cuando vuelvo a casa, cuando me quedo solo en mi cuarto, en el silencio de la noche, reconozco todo el horror de mi situación y formo buenos propósitos, que luego se quebrantan.

Me prometo a mí mismo fingirme enfermo, buscar cualquier otro pretexto para no ir a la noche siguiente a casa de Pepita, y sin embargo voy.

Mi padre, confiado hasta lo sumo, sin sospechar lo que pasa en mi alma, me dice cuando llega la hora:

—Vete a la tertulia. Yo iré más tarde, luego que despache al aperador.

Yo no atino con la excusa, no hallo el pretexto y en vez de contestar: — No puedo ir —, tomo el sombrero y voy a la tertulia.

Al entrar, Pepita y yo nos damos la mano, y al dárnosla me hechiza. Todo mi ser se muda. Penetra hasta mi corazón un fuego devorante, y ya no pienso más que en ella. Tal vez soy yo mismo quien provoca las miradas si tardan en llegar. La miro con insano ahinco, por un estímulo irresistible, y a cada instante creo descubrir en ella nuevas perfecciones. Ya los hoyuelos de sus mejillas cuando sonríe, ya la blancura sonrosada de la tez, ya la forma recta de la nariz, ya la pequeñez de la oreja, ya la suavidad de contornos y admirable modelado de la garganta.

Entro en su casa, a pesar mío, como evocado por un conjuro; y, no bien entro en su casa, caigo bajo el poder de su encanto; veo claramente que estoy dominado por una maga cuya fascinación es ineluctable.

No es ella grata a mis ojos solamente, sino que sus palabras suenan en mis oídos como la música de las esferas, revelándome toda la armonía del universo, y hasta imagino percibir una sutilísima fragancia que su limpio cuerpo despide, y que supera al olor de los mastranzos que crecen a orillas de los arroyos y al aroma silvestre del tomillo que en los montes se cría.

Excitado de esta suerte, no sé cómo juego al tresillo, ni hablo, ni discurro con juicio, porque estoy todo en ella.

Cada vez que se encuentran nuestras miradas se lanzan en ellas nuestras almas, y en los rayos que se cruzan se me figura que se unen y compenetran. Allí se descubren mil inefables misterios de amor, allí se comunican sentimientos que por otro medio no llegarían a saberse, y se citan poesías que no caben en lengua humana, y se cantan canciones que no hay voz que exprese ni acordada cítara que module.

Desde el día en que vi a Pepita en el Pozo de la Solana, no he vuelto a verla

---

[90] Psalms 57. 8.
[91] Amnon, who fell in love with his sister, Tamar (II Samuel, 13. 1).

[92] Prince Shechem forced his attentions on Dinah (Genesis 34).

a solas. Nada le he dicho ni me ha dicho, y, sin embargo, nos lo hemos dicho todo.

Cuando me sustraigo a la fascinación, cuando estoy solo por la noche en mi aposento, quiero mirar con frialdad el estado en que me hallo, y veo abierto a mis pies el precipicio en que voy a sumirme, y siento que me resbalo y que me hundo.

Me recomienda usted que piense en la muerte; no en la de esta mujer, sino en la mía. Me recomienda usted que piense en lo instable, en lo inseguro de nuestra existencia y en lo que hay más allá. Pero esta consideración y esta meditación ni me atemorizan ni me arredran. ¿Cómo he de temer la muerte cuando deseo morir? El amor y la muerte son hermanos. Un sentimiento de abnegación se alza de las profundidades de mi ser, y me llama a sí, y me dice que todo mi ser debe darse y perderse por el objeto amado. Ansío confundirme en una de sus miradas; diluir y evaporar toda mi esencia en el rayo de luz que sale de sus ojos, quedarme muerto mirándola, aunque me condene.

Lo que es aún eficaz en mí contra el amor, no es el temor, sino el amor mismo. Sobre este amor determinado, que ya veo con evidencia que Pepita me inspira, se levanta en mi espíritu el amor divino en consurrección poderosa. Entonces todo se cambia en mí, y aun me prometo la victoria. El objeto de mi amor superior se ofrece a los ojos de mi mente como el sol que todo lo enciende y alumbra, llenando de luz los espacios; y el objeto de mi amor, más bajo, como átomo de polvo que vaga en el ambiente y que el sol dora. Toda su beldad, todo su resplandor y todo su atractivo no es más que el reflejo de ese sol increado, no es más que la chispa brillante, transitoria, inconsistente de aquella infinita y perenne hoguera.

Mi alma, abrasada de amor, pugna por criar alas, y tender el vuelo, y subir a esa hoguera, y consumir allí cuanto hay en ella de impuro.

Mi vida, desde hace algunos días, es una lucha constante. No sé cómo el mal que padezco no me sale a la cara. Apenas me alimento; apenas duermo. Si el sueño cierra mis párpados, suelo despertar azorado, como si me hallase peleando en una batalla de ángeles rebeldes y de ángeles buenos. En esta batalla de la luz contra las tinieblas, yo combato por la luz; pero tal vez imagino que me paso al enemigo, que soy un desertor infame; y oigo la voz del águila de Patmos[93] que dice: «Y los hombres prefirieron las tinieblas a la luz;» y entonces me lleno de terror y me juzgo perdido.

No me queda más recurso que huir. Si en lo que falta para terminar el mes mi padre no me da su venia y no viene conmigo, me escapo como un ladrón; me fugo sin decir nada.

23 de mayo.

Soy un vil gusano, y no un hombre; soy el oprobio y la abyección de la humanidad; soy un hipócrita.

Me han circundado dolores de muerte, y torrentes de iniquidad me han conturbado.

Vergüenza tengo de escribir a usted, y no obstante le escribo. Quiero confesárselo todo.

No logro enmendarme. Lejos de dejar de ir a casa de Pepita, voy más temprano todas las noches. Se diría que los demonios me agarran de los pies y me llevan allá sin que yo quiera.

Por dicha, no hallo sola nunca a Pepita. No quisiera hallarla sola. Casi siempre se me adelanta el excelente padre Vicario, que atribuye nuestra amistad a la semejanza de gustos piadosos, y la funda en la devoción, como

[93] Saint John, the author of the Apocalypse or the book of Revelation, lived on the island of Patmos, near the west coast of Asia Minor (Revelation 1. 9).

la amistad inocentísima que él le profesa.

El progreso de mi mal es rápido. Como piedra que se desprende de lo alto del templo y va aumentando su velocidad en la caída, así mi espíritu ahora.

Cuando Pepita y yo nos damos la mano, no es ya como al principio. Ambos hacemos un esfuerzo de voluntad y nos transmitimos, por nuestras diestras enlazadas, todas las palpitaciones del corazón. Se diría que, por arte diabólico, obramos una transfusión y mezcla de lo más sutil de nuestra sangre. Ella debe de sentir circular mi vida por sus venas, como yo siento en las mías la suya . . .

Todas las noches salgo de su casa diciendo: «Ésta será la última noche que vuelvo aquí,» y vuelvo a la noche siguiente.

Cuando habla, y estoy a su lado, mi alma queda como colgada de su boca; cuando sonríe, se me antoja que un rayo de luz inmaterial se me entra en el corazón y le alegra.

A veces, jugando al tresillo, se han tocado por acaso nuestras rodillas, y he sentido un indescriptible sacudimiento.

Sáqueme usted de aquí. Escriba usted a mi padre que me dé licencia para irme. Si es menester, dígaselo todo. ¡Socórrame usted! ¡Sea usted mi amparo!

30 de mayo.

Dios me ha dado fuerzas para resistir y he resistido.

Hace días que no pongo los pies en casa de Pepita, que no la veo.

Casi no tengo que pretextar una enfermedad, porque realmente estoy enfermo. Estoy pálido y ojeroso; y mi padre, lleno de afectuoso cuidado, me pregunta qué padezco y me muestra el interés más vivo.

El reino de los ciclos cede a la violencia, y yo quiero conquistarle. Con violencia llamo a sus puertas para que se me abran.

Con ajenjo me alimenta Dios para probarme, y en balde le pido que aparte de mí ese cáliz de amargura; pero he pasado y paso en vela muchas noches entregado a la oración, y ha venido a endulzar lo amargo del cáliz una inspiración amorosa del espíritu consolador y soberano.

He visto con los ojos del alma la nueva patria,[94] y en lo más íntimo de mi corazón ha resonado el cántico nuevo de la Jerusalén celeste.

Si al cabo logro vencer, será gloriosa la victoria; pero se la deberé a la Reina de los Ángeles, a quien me encomiendo. Ella es mi refugio y mi defensa; torre y alcázar de David, de que penden mil escudos y armaduras de valerosos campeones; cedro del Líbano, que pone en fuga a las serpientes.[95]

En cambio, a la mujer que me enamora de un modo mundanal procuro menospreciarla y abatirla en mi pensamiento, recordando las palabras del Sabio[96] y aplicándoselas.

Eres lazo de cazadores, la digo; tu corazón es red engañosa, y tus manos redes que atan: quien ama a Dios huirá de ti, y el pecador será por ti aprisionado.

Meditando sobre el amor, hallo mil motivos para amar a Dios y no amarla.

Siento en el fondo de mi corazón una inefable energía que me convence de que yo lo despreciaría todo por el amor de Dios: la fama, la honra, el poder y el imperio. Me hallo capaz de imitar a Cristo; y si el enemigo tentador me llevase a la cumbre de la montaña y me ofreciese todos los reinos de la tierra porque doblase ante él la rodilla,[97] yo no la doblaría; pero cuando me ofrece a esta mujer, vacilo aún y no le rechazo. ¿Vale más esta mujer a mis ojos que

[94] Luis has seen Heaven in a mystic vision.
[95] A series of epithets given the Virgin Mary in mystic prayers.

[96] Solomon
[97] Christ underwent this form of temptation (Matthew 4).

todos los reinos de la tierra; más que la fama, la honra, el poder y el imperio? . . .

6 de junio.

La nodriza de Pepita, hoy su ama de llaves, es, como dice mi padre, una buena pieza de arrugadillo;[98] picotera, alegre y hábil como pocas . . .

Antoñona, que así se llama, tiene o se toma la mayor confianza con todo el señorío. En todas las casas entra y sale como en la suya. A todos los señoritos y señoritas de la edad de Pepita, o de cuatro o cinco años más, los tutea, los llama niños y niñas, y los trata como si los hubiera criado a sus pechos.

A mí me habla de mira,[99] como a los otros. Viene a verme, entra en mi cuarto, y ya me ha dicho varias veces que soy un ingrato, y que hago mal en no ir a ver a su señora.

Mi padre, sin advertir nada, me acusa de extravagante; me llama buho, y se empeña también en que vuelva a la tertulia. Anoche no pude ya resistirme a sus repetidas instancias, y fuí muy temprano, cuando mi padre iba a hacer las cuentas con el aperador.

¡Ojalá no hubiera ido!

Pepita estaba sola. Al vernos, al saludarnos, nos pusimos los dos colorados. Nos dimos la mano con timidez, sin decirnos palabra.

Yo no estreché la suya; ella no estrechó la mía, pero las conservamos unidas un breve rato.

En la mirada que Pepita me dirigió, nada había de amor, sino de amistad, de simpatía, de honda tristeza.

Había adivinado toda mi lucha interior; presumía que el amor divino había triunfado en mi alma; que mi resolución de no amarla era firme e invencible.

No se atrevía a quejarse de mí; conocía que la razón estaba de mi parte. Un suspiro, apenas perceptible, que se escapó de sus frescos labios entreabiertos, manifestó cuánto lo deploraba.

Nuestras manos seguían unidas aún. Ambos mudos. ¿Cómo decirle que yo no era para ella ni ella para mí; que importaba separarnos para siempre?

Sin embargo, aunque no se lo dije con palabras, se lo dije con los ojos. Mi severa mirada confirmó sus temores; la persuadió de la irrevocable sentencia.

De pronto se nublaron sus ojos; todo su rostro hermoso, pálido ya de una palidez traslúcida, se contrajo con una bellísima expresión de melancolía. Parecía la madre de los dolores.[100] Dos lágrimas brotaron lentamente de sus ojos y empezaron a deslizarse por sus mejillas.

No sé lo que pasó en mí. ¿Ni cómo describirlo aunque lo supiera?

Acerqué mis labios a su cara para enjugar el llanto, y se unieron nuestras bocas en un beso.

Inefable embriaguez, desmayo fecundo en peligros invadió todo mi ser y el ser de ella. Su cuerpo desfallecía y lo sostuve entre mis brazos.

Quiso el cielo que oyésemos los pasos y la tos del padre Vicario que llegaba, y nos separamos al punto.

Volviendo en mí, y reconcentrando todas las fuerzas de mi voluntad, pude entonces llenar con estas palabras, que pronuncié en voz baja e intensa, aquella terrible escena silenciosa:

— ¡El primero y el último!

Yo aludía al beso profano; mas, como si hubieran sido mis palabras una evocación, se ofreció en mi mente la visión apocalíptica en toda su terrible majestad. Vi al que es por cierto el primero y el último, y con la espada de dos filos que salía de su boca me hería en el

---

[98] *pieza de arrugadillo*, a smart one
[99] with great familiarity. *Mira*, 'see here' or 'listen,' is a common way of beginning a familiar conversation.

[100] The statue of the Virgin representing her as weeping for her Son's suffering with her heart transfixed with seven daggers, symbolical of her seven sorrows.

alma, llena de maldades, de vicios y de pecados.[101]

Toda aquella noche la pasé en un frenesí, en un delirio interior, que no sé cómo disimulaba.

Me retiré de casa de Pepita muy temprano.

En la soledad fué mayor mi amargura.

Al recordarme de aquel beso y de aquellas palabras de despedida, me comparaba yo con el traidor Judas, que vendía besando; y con el sanguinario y alevoso asesino Joab,[102] cuando al besar a Amasá, le hundió el hierro agudo en las entrañas.

Había incurrido en dos traiciones y en dos falsías.

Había faltado a Dios y a ella.

Soy un ser abominable.

11 de junio.

Aun es tiempo de remediarlo todo. Pepita sanará de su amor y olvidará la flaqueza que ambos tuvimos.

Desde aquella noche no he vuelto a su casa.

Antoñona no parece por la mía.

A fuerza de súplicas he logrado de mi padre la promesa formal de que partiremos de aquí el 25, pasado el día de San Juan, que aquí se celebra con fiestas lucidas, y en cuya víspera hay una famosa velada.[103]

Lejos de Pepita me voy serenando y creyendo que tal vez ha sido una prueba este comienzo de amores . . .

Sí, la imagen profana de esa mujer saldrá definitivamente y para siempre de mi alma. Yo haré un azote durísimo de mis oraciones y penitencias, y con él la arrojaré de allí como Cristo arrojó del templo a los condenados mercaderes.

18 de junio.

Ésta será la última carta que yo escriba a usted.

El 25 saldré de aquí sin falta. Pronto tendré el gusto de dar a usted un abrazo.

Cerca de usted estaré mejor. Usted me infundirá ánimo y me prestará la energía de que carezco.

Una tempestad de encontradas afecciones combate ahora en mi corazón.

El desorden de mis ideas se conocerá en el desorden de lo que estoy escribiendo.

Dos veces he vuelto a casa de Pepita. He estado frío, severo, como debía estar; pero ¡cuánto me ha costado!

Ayer me dijo mi padre que Pepita está indispuesta y que no recibe.

En seguida me asaltó el pensamiento de que su amor mal pagado podría ser la causa de la enfermedad.

¿Por qué la he mirado con las mismas miradas de fuego con que ella me miraba? ¿Por qué la he engañado vilmente? ¿Por qué la[104] he hecho creer que la quería? ¿Por qué mi boca infame buscó la suya y se abrasó y la abrasó con las llamas del infierno?

Pero, no: mi pecado no ha de traer como indefectible consecuencia otro pecado.

Lo que ya fué no puede dejar de haber sido, pero puede y debe remediarse.

El 25, repito, partiré sin falta.

La desenvuelta Antoñona acaba de entrar a verme.

Escondí esta carta, como si fuera una maldad escribir a usted.

Sólo un minuto ha estado aquí Antoñona.

Yo me levanté de la silla para hablar

---

[101] In Revelation 2. 16–17, John saw the figure of the Son of God (who is of course first and last, Alpha and Omega) with a sword protruding from his mouth, smiting the sinful.

[102] II Samuel 20. 10 tells how Joab murdered Amasa while giving him a kiss of greeting.

[103] Saint John's Day (June 24) is a Christian holiday which retains traces of the pagan midsummer's festival of fertility. On its eve many bonfires are lit, and there is much courting and merrymaking. We shall soon learn of other customs of the day.

[104] *La* for *le*, as often in spoken Spanish.

con ella de pie y que la visita fuera corta.

En tan corta visita, me ha dicho mil locuras que me afligen profundamente.

Por último, ha exclamado al despedirse, en su jerga medio gitana:

— ¡Anda, fullero de amor, *indinote*, maldecido seas; *malos chuqueles te tagelen el drupo*,[105] que has puesto enferma a la niña y con tus retrecherías la estás matando!

Dicho esto, la endiablada mujer me aplicó, de una manera indecorosa y plebeya, por bajo de las espaldas, seis o siete feroces pellizcos, como si quisiera sacarme a túrdigas el pellejo. Después se largó echando chispas.[106]

No me quejo, merezco esta broma brutal, dado que sea broma. Merezco que me atenacen los demonios con tenazas hechas ascuas.[107]

¡Dios mío, haz que Pepita me olvide; haz, si es menester, que ame a otro y sea con él dichosa!

¿Puedo pedirte más, Dios mío?

Mi padre no sabe nada, no sospecha nada. Más vale así.

Adiós. Hasta dentro de pocos días, que nos veremos y abrazaremos.

¡Qué mudado va usted a encontrarme! ¡Qué lleno de amargura mi corazón! ¡Cuán perdida la inocencia! ¡Qué herida y qué lastimada mi alma!

II. *Paralipómenos*[108]

No hay más cartas de don Luis de Vargas que las que hemos transcrito.

Nos quedaríamos, pues, sin averiguar el término que tuvieron estos amores, y esta sencilla y apasionada historia no acabaría, si un sujeto, perfectamente enterado de todo, no hubiese compuesto la relación que sigue . . .

A los cinco días de la fecha de la última carta que hemos leído, empieza nuestra narración.

Eran las once de la mañana. Pepita estaba en una sala alta al lado de su alcoba y de su tocador, donde nadie, salvo Antoñona, entraba jamás sin que llamase ella.

Los muebles de aquella sala eran de poco valor, pero cómodos y aseados. Las cortinas y el forro de los sillones, sofás y butacas eran de tela de algodón pintada de flores; sobre una mesita de caoba había recado de escribir y papeles; y en un armario, de caoba también, bastantes libros de devoción y de historia. Las paredes se veían adornadas con cuadros, que eran estampas de asuntos religiosos; pero con el buen gusto, inaudito, raro, casi inverosímil en un lugar de Andalucía, de que dichas estampas no fuesen malas litografías francesas, sino grabados de nuestra Calcografía,[109] como el *Pasmo de Sicilia*, de Rafael; el *San Ildefonso y la Virgen*, la *Concepción*, el *San Bernardo* y los dos medios puntos, de Murillo.[110]

Sobre una antigua mesa de roble, sostenida por columnas salomónicas,[111] se veía un contadorcillo o papelera con embutidos de concha, nácar, marfil y

---

[105] *Anda . . . drupo*, Go on, you love cheat, you awful wicked person, curses on you; may bad dogs gnaw your bones . . . (*indinote*, popular for *indigno* plus augmentative; *chuqueles*, dogs; *drupo*, body; *tagelar*, to eat. All Andalusian slang)

[106] *echando chispas*, with eyes flashing; very angry

[107] red hot; literally, made into glowing coals

[108] See n. 2.

[109] Government engraving office

[110] *Pasmo de Sicilia . . . Murillo; el Pasmo de Sicilia* is a picture originally painted for a monastery in Palermo, Sicily, and is now in the Museo del Prado, Madrid. It represents

an episode of the 'Via Crucis,' when Christ, bearing his cross to Calvary, stumbles and falls. *San Ildefonso y la Virgen* is a picture in the Prado which shows the saint receiving a vestment from the hands of the Virgin. Murillo painted several versions of the Immaculate Conception, always representing the Virgin standing on clouds and the crescent moon, surrounded by cherubim. *La visión de San Bernardo* depicts the occasion on which the Virgin appeared before the saint. The *medio puntos* are semi-circular paintings, one in Madrid and the other in Cádiz.

[111] twisted columns

bronce, y muchos cajoncitos donde guardaba Pepita cuentas y otros documentos. Sobre la misma mesa había dos vasos de porcelana con muchas flores. Colgadas en la pared había, por último, algunas macetas de loza de la Cartuja[112] sevillana con geranio-hiedra y otras plantas, y tres jaulas doradas con canarios y jilgueros.

Aquella sala era el retiro de Pepita, donde no entraban de día sino el médico y el padre Vicario, y donde a prima noche entraba sólo el aperador a dar sus cuentas. Aquella sala era y se llamaba el despacho.

Pepita estaba sentada, casi recostada en un sofá, delante del cual había un velador pequeño con varios libros.

Se acababa de levantar, y vestía una ligera bata de verano. Su cabello rubio mal peinado aún, parecía más hermoso en su mismo desorden. Su cara, algo pálida y con ojeras, si bien llena de juventud, lozanía y frescura, parecía más bella con el mal que le robaba colores.

Pepita mostraba impaciencia; aguardaba a alguien.

Al fin llegó, y entró sin anunciarse la persona que aguardaba, que era el padre Vicario.

Después de los saludos de costumbre, y arrellanado el padre Vicario en una butaca al lado de Pepita, se entabló la conversación.

—Me alegro, hija mía, de que me hayas llamado; pero sin que te hubieras molestado en llamarme, ya iba yo a venir a verte. ¡Qué pálida estás! ¿Qué padeces? ¿Tienes algo importante que decirme?

A esta serie de preguntas cariñosas empezó a contestar Pepita con un hondo suspiro. Después dijo:

—¿No adivina usted mi enfermedad? ¿No descubre usted la causa de mi padecimiento?

El Vicario se encogió de hombros, y miró a Pepita con cierto susto porque nada sabía, y le llamaba la atención la vehemencia con que ella se expresaba.

Pepita prosiguió:

—Padre mío, yo no debí llamar a usted, sino ir a la iglesia y hablar con usted en el confesionario, y allí confesar mis pecados. Por desgracia, no estoy arrepentida; mi corazón se ha endurecido en la maldad, y no he tenido valor ni me he hallado dispuesta para hablar con el confesor, sino con el amigo.

—¿Qué dices de pecados ni de dureza de corazón? ¿Estás loca? ¿Qué pecados han de ser los tuyos, si eres tan buena?

—No, padre, yo soy mala. He estado engañando a usted, engañándome a mí misma, queriendo engañar a Dios.

—Vamos, cálmate, serénate; habla con orden y con juicio para no decir disparates.

—¿Y cómo no decirlos cuando el espíritu del mal me posee?

—¡Ave María Purísima! Muchacha, no desatines. Mira, hija mía: tres son los demonios más temibles que se apoderan de las almas, y ninguno de ellos, estoy seguro, se puede haber atrevido a llegar hasta la tuya. El uno es Leviatán, o el espíritu de soberbia; el otro Mamón, o el espíritu de la avaricia; el otro Asmodeo, o el espíritu de los amores impuros.[113]

—Pues de los tres soy víctima; los tres me dominan.

—¡Qué horror!... Repito que te calmes. De lo que tú eres víctima es de un delirio.

—¡Pluguiese[114] a Dios que así fuera!

---

[112] A monastery of the Carthusian Order. This order, which in France distilled the famous Chartreuse liqueur, apparently manufactured pottery in Sevilla.

[113] Leviathan is the spirit of pride (Job 41. 1–34): 'Canst thou draw out leviathan with a fish-hook . . . He is king over all the sons of pride.' Mammon is avarice (Matthew 6. 24). 'Ye cannot serve God and mammon.' Asmodeus is the demon of lust, originally the evil demon of the Persians.

[114] Imperfect subjunctive of *placer*

Es, por mi culpa, lo contrario. Soy avarienta, porque poseo cuantiosos bienes y no hago las obras de caridad que debiera hacer; soy soberbia, porque he despreciado a muchos hombres, no por virtud, no por honestidad, sino porque no los hallaba acreedores[115] a mi cariño. Dios me ha castigado; Dios ha permitido que este tercer enemigo, de que usted habla, se apodere de mí.

— ¿Cómo es eso, muchacha? ¿Qué diablura se te ocurre? ¿Estás enamorada quizás? Y si lo estás, ¿qué mal hay en ello? ¿No eres libre? Cásate, pues, y déjate de tonterías. Seguro estoy de que mi amigo don Pedro de Vargas ha hecho el milagro. ¡El demonio es el tal don Pedro! Te declaro que me asombra. No juzgaba yo el asunto tan mollar y tan maduro como estaba.

— ¡Pero si[116] no es de don Pedro de Vargas de quien estoy enamorada!

— ¿Pues de quién entonces?

Pepita se levantó de su asiento; fué hacia la puerta; la abrió; miró para ver si alguien escuchaba desde fuera; la volvió a cerrar; se acercó luego al padre Vicario, y toda acongojada, con voz trémula, con lágrimas en los ojos, dijo casi al oído del buen anciano:

— Estoy perdidamente enamorada de su hijo.

— ¿De qué hijo? — interrumpió el padre Vicario, que aun no quería creerlo.

— ¿De qué hijo ha de ser? Estoy perdida, frenéticamente enamorada de don Luis.

La consternación, la sorpresa más dolorosa se pintó en el rostro del cándido y afectuoso sacerdote.

Hubo un momento de pausa. Después dijo el Vicario:

— Pero ése es un amor sin esperanza, un amor imposible. Don Luis no te querrá.

Por entre las lágrimas que nublaban los hermosos ojos de Pepita brilló un alegre rayo de luz; su linda y fresca boca, contraída por la tristeza, se abrió con suavidad, dejando ver las perlas de sus dientes y formando una sonrisa.

— Me quiere — dijo Pepita con un ligero y mal disimulado acento de satisfacción y de triunfo, que se alzaba por cima de su dolor y de sus escrúpulos.

Aquí subieron de punto[117] la consternación y el asombro del padre Vicario. Si el santo de su mayor devoción hubiera sido arrojado del altar y hubiera caído a sus pies, y se hubiera hecho cien mil pedazos, no se hubiera el Vicario consternado tanto. Todavía miró a Pepita con incredulidad como dudando de que aquello fuese cierto, y no una alucinación de la vanidad mujeril. Tan de firme creía en la santidad de don Luis y en su misticismo.

— ¡Me quiere! — dijo otra vez Pepita, contestando a aquella incrédula mirada.

— ¡Las mujeres son peores que pateta![118] — dijo el Vicario —. Echáis la zancadilla[119] al mismísimo mengue.[120]

— ¿No se lo decía yo a usted? ¡Yo soy muy mala!

— ¡Sea todo por Dios! Vamos, sosiégate. La misericordia de Dios es infinita. Cuéntame lo que ha pasado.

— ¿Qué ha de haber pasado? Que le quiero, que le amo, que le adoro; que él me quiere también, aunque lucha por sofocar su amor y tal vez lo consiga; y que usted, sin saberlo, tiene mucha culpa de todo.

— ¡Pues no faltaba más! ¿Cómo es eso de que tengo yo mucha culpa?

— Con la extremada bondad que le es propia, no ha hecho usted más que alabarme a don Luis, y tengo por cierto que a don Luis le habrá usted hecho de mí mayores elogios aun, si bien harto menos merecidos. ¿Qué había de suce-

[115] Here, worthy
[116] Here, indeed
[117] *subir de punto*, to increase

[118] 'the dickens'
[119] *echar la zancadilla*, to trip up
[120] Familiar for the devil, 'old Nick'

der? ¿Soy yo de bronce? ¿Tengo yo más de veinte años?[121]

— Tienes razón que te sobra. Soy un mentecato. He contribuído poderosamente a esta obra de Lucifer.

El padre Vicario era tan bueno y tan humilde, que al decir las anteriores frases estaba confuso y contrito, como si él fuese el reo y Pepita el juez.

Conoció Pepita el egoísmo rudo con que había hecho cómplice y punto menos que[122] autor principal de su falta al padre Vicario, y le habló de esta suerte:

— No se aflija usted, padre mío; no se aflija usted, por amor de Dios. ¡Mire usted si soy perversa! ¡Cometo pecados gravísimos y quiero hacer responsable de ellos al mejor y más virtuoso de los hombres! No han sido las alabanzas que usted me ha hecho de don Luis, sino mis ojos y mi poco recato los que me han perdido. Aunque usted no me hubiera hablado jamás de las prendas de don Luis, de su saber, de su talento y de su entusiasta corazón, yo lo hubiera descubierto todo oyéndole hablar, pues al cabo no soy tan tonta ni tan rústica. Me he fijado además en la gallardía de su persona, en la natural distinción y no aprendida elegancia de sus modales, en sus ojos llenos de fuego y de inteligencia, en todo él, en suma, que me parece amable y deseable. Los elogios de usted han venido sólo a lisonjear mi gusto, pero no a despertarle. Me han encantado porque coincidían con mi parecer y eran como el eco adulador, harto amortiguado y debilísimo, de lo que yo pensaba. El más elocuente encomio que me ha hecho usted de don Luis no ha llegado, ni con mucho,[123] al encomio que sin palabras me hacía yo de él a cada minuto, a cada segundo, dentro del alma.

— ¡No te exaltes, hija mía! — interrumpió el padre Vicario.

Pepita continuó con mayor exaltación:

— Pero, ¡qué diferencia entre los encomios de usted y mis pensamientos! Usted veía y trazaba en don Luis el modelo ejemplar del sacerdote, del misionero, del varón apostólico; ya predicando el Evangelio en apartadas regiones y convirtiendo infieles, ya trabajando en España para realzar la cristiandad, tan perdida hoy por la impiedad de los unos y la carencia de virtud, de caridad y de ciencia de los otros. Yo, en cambio, me le representaba galán, enamorado, olvidando a Dios por mí, consagrándome su vida, dándome su alma, siendo mi apoyo, mi sostén, mi dulce compañero. Yo anhelaba cometer un robo sacrílego. Soñaba con robársele a Dios y a su templo, como el ladrón, enemigo del cielo, que roba la joya más rica de la venerada Custodia. Para cometer este robo he desechado los lutos de la viudez y de la orfandad y me he vestido galas profanas; he abandonado mi retiro y he buscado y llamado a mí a las gentes; he procurado estar hermosa; he cuidado con infernal esmero de todo este cuerpo miserable, que ha de hundirse en la sepultura y ha de convertirse en polvo vil, y he mirado, por último, a don Luis con miradas provocantes, y, al estrechar su mano, he querido transmitir de mis venas a las suyas este fuego inextinguible en que me abraso.

— ¡Ay, niña, niña! ¡Qué pena me da lo que te oigo! ¡Quién lo hubiera podido imaginar siquiera!

— Pues hay más todavía — añadió Pepita —. Logré que don Luis me amase. Me lo declaraba con los ojos. Sí; su amor era tan profundo, tan ardiente como el mío. Su virtud, su aspiración a los bienes eternos, su esfuerzo varonil trataban de vencer esta pasión insana. Yo he procurado impedirlo.

[121] Pepita excuses herself by throwing the blame on the innocent vicar, a very natural psychological process. Compare with n. 60.

[122] *punto menos que*, almost
[123] *no ha llegado, ni con mucho*, hasn't reached, or come anywhere near

Una vez, después de muchos días que faltaba de esta casa, vino a verme y me halló sola. Al darle la mano lloré; sin hablar me inspiró el infierno una maldita elocuencia muda, le di a entender mi dolor porque me desdeñaba, porque no me quería, porque prefería a mi amor otro amor sin mancilla.[124] Entonces no supo él resistir a la tentación y acercó su boca a mi rostro para secar mis lágrimas. Nuestras bocas se unieron. Si Dios no hubiera dispuesto que llegase usted en aquel instante, ¿qué hubiera sido de mí?

— ¡Qué vergüenza, hija mía! ¡Qué vergüenza! — dijo el padre Vicario.

Pepita se cubrió el rostro con entrambas manos y empezó a sollozar como una Magdalena. Las manos eran, en efecto, tan bellas, más bellas que lo que don Luis había dicho en sus cartas. Su blancura, su transparencia nítida, lo afilado de los dedos, lo sonrosado, pulido y brillante de las uñas de nácar, todo era para volver loco a cualquier hombre.

El virtuoso Vicario comprendió, a pesar de sus ochenta años, la caída o tropiezo de don Luis.

— ¡Muchacha — exclamó — no seas extremosa! ¡No me partas el corazón! Tranquilízate. Don Luis se ha arrepentido, sin duda, de su pecado. Arrepiéntete tú también, y se acabó. Dios os perdonará y os hará unos santos. Cuando don Luis se va pasado mañana, clara señal es de que la virtud ha triunfado en él, y huye de ti, como debe, para hacer penitencia de su pecado, cumplir su promesa y acudir a su vocación.

— Bueno está eso — replicó Pepita —; cumplir su promesa . . . acudir a su vocación . . . ¡y matarme a mí antes! ¿Por qué me ha querido, por qué me ha engreído, por qué me ha engañado? Su beso fué marca, fué hierro candente con que me señaló y selló como a su esclava. Ahora, que estoy marcada y esclavizada, me abandona, y me vende, y me asesina. ¡Feliz principio quiere dar a sus misiones, predicaciones y triunfos evangélicos! ¡No será! ¡Vive Dios[125] que no será!

Este arranque de ira y de amoroso despecho aturdió al padre Vicario.

Pepita se había puesto de pie. Su ademán, su gesto tenían una animación trágica. Fulguraban sus ojos como dos puñales; relucían como dos soles. El Vicario callaba y la miraba casi con terror. Ella recorrió la sala a grandes pasos. No parecía ya tímida gacela, sino iracunda leona.

— Pues qué — dijo, encarándose de nuevo con el padre Vicario —, ¿no hay más que burlarse de mí, destrozarme el corazón, humillármele, pisoteármele después de habérmele robado por engaño? ¡Se acordará de mí! ¡Me la pagará! Si es tan santo, si es tan virtuoso, ¿por qué me miró prometiéndomelo todo con su mirada? Si ama tanto a Dios, ¿por qué hace mal a una pobre criatura de Dios? ¿Es esto caridad? ¿Es religión esto? No; es egoísmo sin entrañas.

La cólera de Pepita no podía durar mucho. Dichas las últimas palabras, se trocó en desfallecimiento. Pepita se dejó caer en una butaca llorando más que antes, con una verdadera congoja.

El Vicario sintió la más tierna compasión; pero recobró su brío al ver que el enemigo se rendía.

— Pepita, niña — dijo —, vuelve en ti; no te atormentes de ese modo. Considera que él habrá luchado mucho para vencerse; que no te ha engañado; que te quiere con toda el alma, pero que Dios y su obligación están antes. Esta vida es muy breve y pronto se pasa. En el cielo os reuniréis y os amaréis como se aman los ángeles. Dios aceptará vuestro sacrificio y os premiará y recompensará con usura.

---

[124] i.e. the love of God

[125] By heavens!

Hasta tu amor propio debe estar satisfecho. ¡Qué no valdrás tú cuando has hecho vacilar y aun pecar a un hombre como don Luis! ¡Cuán honda herida no habrás logrado hacer en su corazón! Bástete con esto. ¡Sé generosa, sé valiente! Compite con él en firmeza. Déjale partir; lanza de tu pecho el fuego del amor impuro; ámale como a tu prójimo, por el amor de Dios. Guarda su imagen en tu mente, pero como la de criatura predilecta, reservando al Creador la más noble parte del alma. No sé lo que te digo, hija mía, porque estoy muy turbado; pero tú tienes mucho talento y mucha discreción, y me comprendes por medias palabras. Hay, además, motivos mundanos poderosos que se opondrían a estos absurdos amores, aunque la vocación y promesa de don Luis no se opusieran. Su padre te pretende: aspira a tu mano, por más que[126] tú no le ames. ¿Estará bien visto que salgamos ahora con que el hijo es rival del padre? ¿No se enojará el padre contra el hijo por amor tuyo? Mira cuán horrible es todo esto, y domínate por Jesús Crucificado y por su bendita madre María Santísima.

— ¡Qué fácil es dar consejos! — contestó Pepita sosegándose un poco —. ¡Qué difícil me es seguirlos, cuando hay como una fiera y desencadenada tempestad en mi cabeza! ¡Si[127] me da miedo de volverme loca!

— Los consejos que te doy son por tu bien. Deja que don Luis se vaya. La ausencia es gran remedio para el mal de amores. Él sanará de su pasión entregándose a sus estudios y consagrándose al altar. Tú, así que esté lejos don Luis, irás poco a poco serenándote, y conservarás de él un grato y melancólico recuerdo, que no te hará daño. Será como una hermosa poesía que dorará con su luz tu existencia . . .

— ¡Padre mío! ¡Padre mío! ¡Qué bueno es usted! Sus santas palabras me prestan valor. Yo me dominaré; yo me venceré. Sería bochornoso, ¿no es verdad que sería bochornoso que don Luis supiera dominarse y vencerse, y yo fuera liviana y no me venciera? Que se vaya. Se va pasado mañana. Vaya bendito de Dios. Mire usted su tarjeta. Ayer estuvo a despedirse con su padre y no le he recibido. Ya no le veré más. No quiero conservar ni el recuerdo poético de que usted habla. Estos amores han sido una pesadilla. Yo la arrojaré lejos de mí.

— ¡Bien, muy bien! Así te quiero yo, enérgica, valiente.

— ¡Ay, padre mío! Dios ha derribado mi soberbia con este golpe; mi engreimiento era insolentísimo y han sido indispensables los desdenes de ese hombre para que sea yo todo lo humilde que debo. ¿Puedo estar más postrada ni más resignada? Tiene razón don Luis: yo no le merezco. ¿Cómo, por más esfuerzos que hiciera, habría yo de elevarme hasta él, y comprenderle, y poner en perfecta comunicación mi espíritu con el suyo? Yo soy zafia aldeana, inculta, necia; él no hay ciencia que no comprenda, ni arcano que ignore, ni esfera encumbrada del mundo intelectual adonde no suba. Allá se remonta en alas de su genio, y a mí, pobre y vulgar mujer, me deja por acá, en este bajo suelo, incapaz de seguirle ni siquiera con una levísima esperanza y con mis desconsolados suspiros.

— Pero, Pepita, por los clavos de Cristo, no digas eso ni lo pienses. ¡Si don Luis no te desdeña por zafia, ni porque es muy sabio y tú no le entiendes, ni por esas majaderías que ahí estás ensartando! Él se va porque tiene que cumplir con Dios; y tú debes alegrarte de que se vaya porque sanarás del amor, y Dios te dará el premio de tan grande sacrificio.

---

[126] *por más que*, however much that, despite the fact that

[127] Indeed, why

Pepita, que ya no lloraba y que se había enjugado las lágrimas con el pañuelo, contestó tranquila:

— Está bien, padre; yo me alegraré; casi me alegro ya de que se vaya. Deseando estoy que pase el día de mañana, y que pasado venga Antoñona a decirme cuando yo despierte: «Ya se fué don Luis.» Usted verá cómo renacen entonces la calma y la serenidad antigua en mi corazón.

— Así sea — dijo el padre Vicario; y convencido de que había hecho un prodigio y de que había curado casi el mal de Pepita, se despidió de ella y se fué a su casa, sin poder resistir ciertos estímulos de vanidad al considerar la influencia que ejercía sobre el noble espíritu de aquella preciosa muchacha.

Pepita, que se había levantado para despedir al padre Vicario, no bien volvió a cerrar la puerta y quedó sola, de pie, en medio de la estancia, permaneció un rato inmóvil, con la mirada fija, aunque sin fijarla en ningún objeto, y con los ojos sin lágrimas. Hubiera recordado a un poeta o a un artista la figura de Ariadna,[128] como la describe Catulo, cuando Teseo la abandonó en la isla de Naxos. De repente, como si lograse desatar un nudo que le apretaba la garganta, como si quebrase un cordel que la ahogaba, rompió Pepita en lastimeros gemidos, vertió un raudal de llanto, y dió con su cuerpo[129] tan lindo y delicado, sobre las losas frías del pavimento. Allí, cubierta la cara con las manos, desatada la trenza de sus cabellos y en desorden la vestidura, continuó en sus sollozos y en sus gemidos.

Así hubiera seguido largo tiempo, si

no llega[130] Antoñona. Antoñona la oyó gemir, antes de entrar y verla, y se precipitó en la sala. Cuando la vió tendida en el suelo, hizo Antoñona mil extremos de furor.

— ¡Vea usted — dijo —, ese zángano, pelgar, vejete, tonto, qué maña se da para consolar a sus amigas! Habrá largado alguna barbaridad, algún buen par de coces a esta criaturita de mi alma, y me la ha dejado aquí medio muerta, y él se ha vuelto a la iglesia, a preparar lo conveniente para cantarle el gorigori,[131] y rociarla con el hisopo y enterrármela sin más ni más[132] . . .

Aunque Pepita no fuese una paja, Antoñona la alzó del suelo en sus brazos, como si lo[133] fuera, y la puso con mucho tiento sobre el sofá, como quien coloca la alhaja más frágil y primorosa para que no se quiebre.

— ¿Qué suponcio es éste? — preguntó Antoñona —. Apuesto cualquier cosa a que ese zanguango de Vicario te ha echado un sermón de acíbar y te ha destrozado el alma a pesadumbres.

Pepita seguía llorando y sollozando, sin contestar.

— ¡Ea! Déjate de llanto y dime lo que tienes. ¿Qué te ha dicho el Vicario?

— Nada me ha dicho que pueda ofenderme — contestó al fin Pepita.

Viendo luego que Antoñona aguardaba con interés a que ella hablase, y deseando desahogarse con quien simpatizaba mejor con ella y más *humanamente* la comprendía, Pepita habló de esta manera:

— El padre Vicario me amonesta con dulzura para que me arrepienta de mis pecados; para que deje partir en paz a

---

[128] Ariadne, daughter of Minos, helped Theseus out of the labyrinth by giving him the thread to follow. Later Theseus abandoned her on the Island of Naxos, while she was asleep. Catullus, Latin poet of the first century B.C., describes her dismay on awakening and seeing Theseus' ship already far from shore. (See his *Epithalamium for Peleus and Thetis*, l. 52 ff.)

[129] *dió . . . cuerpo*, let herself fall
[130] Present tense for conditional perfect to give great vividness
[131] An onomatopoetic imitation of a Latin chant
[132] *sin más ni más*, without more ado
[133] *lo* refers to the idea 'light as a straw,' not to the definite word *paja*

don Luis; para que me alegre de su partida; para que le olvide. Yo he dicho que sí a todo. He prometido alegrarme de que don Luis se vaya. He querido olvidarle y hasta aborrecerle. 5 Pero mira, Antoñona, no puedo; es un empeño superior a mis fuerzas. Cuando el Vicario estaba aquí, juzgué que tenía yo bríos para todo, y no bien se fué, como si Dios me dejara de su mano, 10 perdí los bríos y me caí en el suelo desolada. Yo había soñado una vida venturosa al lado de este hombre que me enamora; yo me veía ya elevada hasta él por obra milagrosa del amor; 15 mi pobre inteligencia en comunión perfectísima con su inteligencia sublime; mi voluntad siendo una con la suya; con el mismo pensamiento ambos; latiendo nuestros corazones acordes. 20 ¡Dios me le quita y se le lleva, y yo me quedo sola, sin esperanza ni consuelo! ¿No es verdad que es espantoso? Las razones del padre Vicario son justas, discretas ... Al pronto me convencie- 25 ron. Pero se fué, y todo el valor de aquellas razones me parece nulo; vano juego de palabras; mentiras, enredos y argucias. Yo amo a don Luis, y esta razón es más poderosa que todas las 30 razones. Y si él me ama, ¿por qué no lo deja todo y me busca, y se viene a mí y quebranta promesas y anula compromisos? No sabía yo lo que era amor. Ahora lo sé: no hay nada más fuerte en 35 la tierra y en el cielo. ¿Qué no haría yo por don Luis? Y él por mí nada hace. Acaso no me ama. No. Don Luis no me ama. Yo me engañé: la vanidad me cegó. Si don Luis me 40 amase, me sacrificaría sus propósitos, sus votos, su fama, sus aspiraciones a ser un santo y a ser una lumbrera de la Iglesia; todo me lo sacrificaría. Dios me lo perdone ... es horrible lo que 45 voy a decir, pero lo siento aquí en el centro del pecho; me arde aquí, en la

frente calenturienta: yo por él daría hasta la salvación de mi alma.

— ¡Jesús, María y José! — interrumpió Antoñona.

— ¡Es cierto; Virgen Santa de los Dolores, perdonadme, perdonadme ..., estoy loca ..., no sé lo que digo y blasfemo!

— Sí, hija mía, ¡estás algo empecatada! ¡Válgame Dios y cómo te ha trastornado el juicio ese teólogo pisaverde! Pues si yo fuera que[134] tú, no la tomaría contra[135] el cielo, que no tiene la culpa, sino contra el mequetrefe del colegial, y me las pagaría o me borraría el nombre que tengo. Ganas me dan de ir a buscarle y traértele aquí de una oreja, y obligarle a que te pida perdón y a que te bese los pies de 20 rodillas.

— No, Antoñona. Veo que mi locura es contagiosa y que tú deliras también. En resolución, no hay más recurso que hacer lo que me aconseja el padre Vica- 25 rio. Lo haré aunque me cueste la vida. Si muero por él, él me amará, él guardará mi imagen en su memoria, mi amor en su corazón; y Dios, que es tan bueno, hará que yo vuelva a verle en 30 el cielo; con los ojos del alma, y que allí nuestros espíritus se amen y se confundan.

Antoñona, aunque era recia de veras y nada sentimental, sintió al oír esto, 35 que se le saltaban las lágrimas.

— Caramba, niña — dijo Antoñona —, vas a conseguir que suelte yo el trapo a llorar[136] y que berree como una vaca. Cálmate, y no pienses en morirte, ni de 40 chanza. Veo que tienes muy excitados los nervios. ¿Quieres que traiga una taza de tila?

— No, gracias. Déjame ..., ya ves cómo estoy sosegada.

— Te cerraré las ventanas, a ver si duermes. Si no duermes hace días, ¿cómo has de estar? ¡Mal haya el tal

---

[134] Omit in translating
[135] *tomar contra*, to bear a grudge against, to complain against

[136] *soltar el trapo a llorar*, to burst into tears

don Luis y su manía de meterse cura! ¡Buenos supiripandos[137] te cuesta!

Pepita había cerrado los ojos; estaba en calma y en silencio, harta ya del coloquio con Antoñona.

Ésta, creyéndola dormida, o deseando que durmiera, se inclinó hacia Pepita, puso con lentitud y suavidad un beso sobre su blanca frente, le arregló y plegó el vestido sobre el cuerpo, entornó las ventanas para dejar el cuarto a media luz, y se salió de puntillas, cerrando la puerta sin hacer el menor ruido.

Mientras que ocurrían estas cosas en casa de Pepita, no estaba más alegre y sosegado en la suya el señor don Luis de Vargas.

Su padre, que no dejaba casi ningún día de salir al campo a caballo, había querido llevarle en su compañía; pero don Luis se había excusado con que le dolía la cabeza, y don Pedro se fué sin él. Don Luis había pasado solo toda la mañana, entregado a sus melancólicos pensamientos, y más firme que roca en su resolución de borrar de su alma la imagen de Pepita, y de consagrarse a Dios por completo.

No se crea, con todo, que no amaba a la joven viuda. Ya hemos visto por las cartas la vehemencia de su pasión; pero él seguía enfrenándola con los mismos afectos piadosos y consideraciones elevadas de que en las cartas da larga muestra, y que podemos omitir aquí para no pecar de prolijos.

Tal vez, si profundizamos con severidad en este negocio, notaremos que contra el amor de Pepita no luchaban sólo en el alma de don Luis el voto hecho ya en su interior, aunque no confirmado; el amor de Dios, el respeto a su padre, de quien no quería ser rival, y la vocación, en suma, que sentía por el sacerdocio. Había otros motivos de menos depurados quilates y de más baja ley.

Don Luis era pertinaz, era terco: tenía aquella condición que, bien dirigida, constituye lo que se llama firmeza de carácter, y nada había que le rebajase más a sus propios ojos que el variar de opinión y de conducta. El propósito de toda su vida, lo que había sostenido y declarado ante cuantas personas le trataban, su figura moral, en una palabra, que era ya la de un aspirante a santo, la de un hombre consagrado a Dios, la de un sujeto imbuído en las más sublimes filosofías religiosas, todo esto no podía caer por tierra sin gran mengua de don Luis, como caería, si se dejase llevar del amor de Pepita Jiménez. Aunque el precio era sin comparación mucho más subido, a don Luis se le figuraba que si cedía iba a remedar a Esaú, y a vender su primogenitura[138] y a deslustrar su gloria . . .

Cuando don Luis reflexionaba sobre todo esto, se elevaba su espíritu, se encumbraba por encima de las nubes en la región empírea, y la pobre Pepita Jiménez quedaba allá muy lejos, y apenas si él la veía.

Pero pronto se abatía el vuelo de su imaginación, y el alma de don Luis tocaba a la tierra y volvía a ver a Pepita, tan graciosa, tan joven, tan candorosa y tan enamorada, y Pepita combatía dentro de su corazón contra sus más fuertes y arraigados propósitos, y don Luis temía que diese al traste con[139] ellos.

Así se atormentaba don Luis con encontrados[140] pensamientos, que se daban guerra, cuando entró Currito en su cuarto sin decir oxte ni moxte.[141]

Currito, que no estimaba gran cosa a su primo mientras no fué más que

---

[137] Popular for *suspiros*
[138] Esau sold his birthright for a mess of pottage.

[139] *dar al traste con*, to upset, spoil
[140] conflicting, opposite
[141] *sin decir oxte ni moxte*, without saying a word

teólogo, le veneraba, le admiraba y formaba de él un concepto sobrehumano desde que le había visto montar tan bien en Lucero . . .

—Vengo a buscarte — le dijo — para que me acompañes al casino, que está animadísimo hoy y lleno de gente. ¿Qué haces aquí solo, tonteando y hecho un papamoscas?[142]

Don Luis, casi sin replicar y como si fuera mandato, tomó su sombrero y su bastón, y diciendo: «Vámonos donde quieras,» siguió a Currito, que se adelantaba, tan satisfecho de aquel dominio que ejercía.

El casino, en efecto, estaba de bote en bote,[143] gracias a la solemnidad del día siguiente, que era el día de San Juan. A más de[144] los señores del lugar había muchos forasteros, que habían venido de los lugares inmediatos para concurrir a la feria y velada de aquella noche . . .

Currito llevó a don Luis, y don Luis se dejó llevar, a la sala donde estaba la flor y nata[145] de los elegantes, *dandies* y *cocodés*[146] del lugar y de toda la comarca. Entre ellos descollaba el Conde de Genazahar, de la vecina ciudad de * * * Era un personaje ilustre y respetado. Había pasado en Madrid y en Sevilla largas temporadas, y se vestía con los mejores sastres, así de majo[147] como de señorito. Había sido diputado dos veces, y había hecho una interpelación al Gobierno sobre un atropello de un alcalde-corregidor.

Tendría el Conde de Genazahar treinta y tantos años; era buen mozo y lo sabía, y se jactaba además de tremendo en paz y en lides, en desafíos y

en amores. El Conde, no obstante, y a pesar de haber sido uno de los más obstinados pretendientes de Pepita, había recibido las confitadas calabazas[148] que ella solía propinar a quienes la requebraban y aspiraban a su mano.

La herida que aquel duro y amargo confite había abierto en su endiosado corazón, no estaba cicatrizada todavía. El amor se había vuelto odio, y el conde se desahogaba a menudo poniendo a Pepita como chupa de dómine.[149]

En este ameno ejercicio se hallaba el Conde cuando quiso la mala ventura que don Luis y Currito llegasen y se metiesen en el corro, que se abrió para recibirlos, de los que oían el extraño sermón de honras. Don Luis, como si el mismo diablo lo hubiera dispuesto, se encontró cara a cara con el Conde, que decía de este modo:

—No es mala pécora la tal Pepita Jiménez.[150] Con más fantasía y más humos que la infanta Micomicona,[151] quiere hacernos olvidar que nació y vivió en la miseria hasta que se casó con aquel pelele, con aquel vejestorio, con aquel maldito usurero, y le cogió los ochavos. La única cosa buena que ha hecho en su vida la tal viuda es concertarse con Satanás para enviar pronto al infierno a su galopín de marido, y librar la tierra de tanta infección y de tanta peste. Ahora le ha dado a Pepita por[152] la virtud y por la castidad. ¡Bueno estará todo ello! Sabe Dios si estará enredada de ocultis[153] con algún gañán, y burlándose del mundo como si fuese la reina Artemisa[154] . . .

Don Luis . . . se quedó herido como por un rayo, cuando vió al insolente

---

[142] *hecho un papamoscas*, like an idiot
[143] *de bote en bote*, packed
[144] *A más de*, besides
[145] the flower and cream; the elite group
[146] French, *cocodès;* dandy, fop
[147] *de majo*, in the regional dress, contrasted with *de señorito*, in city styles
[148] *las . . . calabazas*, the sweet refusal
[149] *poner como chupa de dómine*, to slander, speak ill of

[150] *No . . . Jiménez*, Pepita Jiménez is a sly one.
[151] An imaginary character of high lineage in the *Quijote*.
[152] *le . . . por*, Pepita has gone in for
[153] on the sly
[154] A queen who raised a great funeral monument to her husband Mausolos (hence the word 'mausoleum') and who is regarded as a model of wives, faithful to her husband even after his death.

Conde arrastrar por el suelo, mancillar y cubrir de inmundo lodo la honra de la mujer que amaba.

¿Cómo defenderla, no obstante? No se le ocultaba que, si bien no era marido, ni hermano, ni pariente de Pepita, podía sacar la cara[155] por ella como caballero; pero veía el escándalo que esto causaría cuando no había allí ningún profano que defendiese a Pepita; antes bien, todos reían al Conde la gracia.[156] Él, casi ministro ya de un Dios de paz, no podía dar un mentís y exponerse a una riña con aquel desvergonzado.

Don Luis estuvo por enmudecer e irse; pero no lo consintió su corazón, y pugnando por revestirse de una autoridad que ni sus años juveniles, ni su rostro, donde había más bozo que barbas, ni su presencia en aquel lugar consentían, se puso a hablar con verdadera elocuencia contra los maldicientes y a echar en rostro al Conde, con libertad cristiana y con acento severo, la fealdad de su ruin acción.

Fué predicar en desierto, o peor que predicar en desierto. El Conde contestó con pullas y burletas a la homilía; la gente, entre la que había no pocos forasteros, se puso del lado del burlón, a pesar de ser don Luis el hijo del cacique; el propio Currito, que no valía para nada y era un blandenguc, aunque no se rió, no defendió a su amigo, y éste tuvo que retirarse, vejado y humillado bajo el peso de la chacota.

— ¡Esta flor le faltaba al ramo![157] — murmuró entre dientes el pobre don Luis cuando llegó a su casa, y volvió a meterse en su cuarto, mohino y maltratado por la rechifla, que él se exageraba y figuraba insufrible. Se echó de golpe en un sillón, abatido y descorazonado, y mil ideas contrarias asaltaron su mente.

La sangre de su padre, que hervía en sus venas, le despertaba la cólera y le excitaba a ahorcar los hábitos, como al principio le aconsejaban en el lugar, y dar luego su merecido al señor Conde; pero todo el porvenir que se había creado se deshacía al punto, y veía al Deán que renegaba de él; y hasta el Papa, que había enviado ya la dispensa pontificia para que se ordenase antes de la edad, y el prelado diocesano, que había apoyado la solicitud de la dispensa en su probada virtud, ciencia sólida y firmeza de vocación, se le aparecían para reconvenirle.

En estas y otras meditaciones por el estilo transcurrieron las horas hasta que dieron las tres, y don Pedro, que acababa de volver del campo, entró en el cuarto de su hijo para llamarle a comer. La alegre cordialidad del padre, sus chistes, sus muestras de afecto, no pudieron sacar a don Luis de la melancolía ni abrirle el apetito. Apenas comió; apenas habló en la mesa.

Si bien disgustadísimo con la silenciosa tristeza de su hijo, cuya salud, aunque robusta, pudiera resentirse, como don Pedro era hombre que se levantaba al amanecer y bregaba mucho durante el día, luego que acabó de fumar un buen cigarro habano de sobremesa, acompañándole con su taza de café y su copita de aguardiente de anís doble, se sintió fatigado, y según costumbre, se fué a dormir sus dos o tres horas de siesta.

Don Luis tuvo muy buen cuidado de no poner en noticia de su padre, la ofensa que le había hecho el Conde de Genazahar. Su padre, que no iba a cantar misa y que tenía una índole poco sufrida, se hubiera lanzado al instante a tomar la venganza que él no tomó.

Solo ya, don Luis, dejó el comedor para no ver a nadie, y volvió al retiro de su estancia para abismarse más profundamente en sus ideas.

---

[155] *sacar le cara*, come out (in her defense)
[156] *reían . . . gracia*, laughed at the wit of the Count

[157] *Esta . . . ramo*, This is the last straw!

Abismado en ellas estaba hacía largo rato, sentado junto al bufete, los codos sobre él y en la derecha mano apoyada la mejilla, cuando sintió cerca ruido. Alzó los ojos y vió a su lado a la entro- 5 metida Antoñona, que había penetrado como una sombra, aunque tan maciza, y que le miraba con atención y con cierta mezcla de piedad y de rabia.

Antoñona se había deslizado hasta 10 allí sin que nadie lo advirtiese, aprovechando la hora en que comían los criados y don Pedro dormía, y había abierto la puerta del cuarto y la había vuelto a cerrar tras sí con tal suavidad, 15 que don Luis, aunque no hubiera estado tan absorto, no hubiera podido sentirla.

Antoñona venía resuelta a tener una conferencia muy seria con don Luis; 20 pero no sabía a punto fijo lo que iba a decirle. Sin embargo, había pedido, no se sabe si al cielo o al infierno, que desatase su lengua y que le diese habla,[158] y habla no chabacana y grotesca, como 25 la que usaba por lo común, sino culta, elegante e idónea para las nobles reflexiones y bellas cosas que ella imaginaba que le convenía expresar.

Cuando don Luis vió a Antoñona 30 arrugó el entrecejo, mostró bien en el gesto lo que le contrariaba aquella visita, y dijo con tono brusco:

— ¿A qué vienes aquí? Vete.

— Vengo a pedirte cuenta de mi 35 niña — contestó Antoñona sin turbarse —, y no me he de ir hasta que me la des.

En seguida acercó una silla a la mesa, y se sentó enfrente de don Luis con 40 aplomo y descaro.

Viendo don Luis que no había remedio, mitigó el enojo, se armó de paciencia y, ya con acento menos cruel, exclamó:

— Di lo que tengas que decir.

— Tengo que decir — prosiguió An-

toñona — que lo que estás maquinando contra mi niña es una maldad. Te estás portando como un tuno. La has hechizado; la has dado un bebedizo maligno. Aquel angelito se va a morir. No come, ni duerme, ni sosiega por culpa tuya. Hoy ha tenido dos o tres soponcios sólo de pensar en que te vas. Buena hacienda[159] dejas hecha antes de ser clérigo. Dime, condenado, ¿por qué viniste por aquí y no te quedaste por allá con tu tío? Ella, tan libre, tan señora de su voluntad, avasallando la de todos y no dejándose cautivar de ninguno, ha venido a caer en tus traidoras redes . . .

— Antoñona — contestó don Luis —, déjame en paz. Por Dios, no me atormentes. Yo soy un malvado, lo confieso. No debí mirar a tu ama. No debí darle a entender que la amaba; pero yo la amaba y la amo aún con todo mi corazón, y no le he dado bebedizo, ni filtro, sino el mismo amor que la tengo. Es menester, sin embargo, desechar, olvidar este amor . . .

Yo no puedo remediar el mal de tu dueña. ¿Qué he de hacer?

— ¿Qué has de hacer? — interrumpió Antoñona, ya más blanda y afectuosa y con voz insinuante —. Yo te diré lo que has de hacer. Si no remediares el mal de mi niña, le aliviarás al menos. ¿No eres tan santo? Pues los santos son compasivos, y además, valerosos. No huyas como un cobardón grosero, sin despedirte. Ven a ver a mi niña, que está enferma. Haz esta obra de misericordia.

— ¿Y qué conseguiré con esa visita? Agravar el mal en vez de sanarle.

— No será así; no estás en el busilis.[160] Tú irás allí, y con esa cháchara que gastas y esa labia que Dios te ha dado, 54 le infundirás en los cascos la resignación y la dejarás consolada; y si le dices que la quieres y que por Dios sólo la

---

[158] A noun; speech, the gift of speech
[159] deeds

[160] *no estás en el busilis,* you don't see the point

dejas, al menos su vanidad de mujer no quedará ajada.

— Lo que me propones es tentar a Dios, es peligroso para mí y para ella.

— ¿Y por qué ha de ser tentar a Dios? Pues si Dios ve la rectitud y la pureza de tus intenciones, ¿no te dará su favor y su gracia para que no te pierdas en esta ocasión en que te pongo con sobrado motivo? ¿No debes volar a librar a mi niña de la desesperación y a traerla al buen camino? Si se muriera de pena por verse así desdeñada, o si rabiosa agarrase un cordel y se colgase de una viga, créeme, tus remordimientos serían peores que las llamas de pez y azufre de las calderas de Lucifer.

— ¡Qué horror! No quiero que se desespere. Me revestiré de todo mi valor; iré a verla.

— ¡Bendito seas! ¡Si[161] me lo decía el corazón! ¡Si eres bueno!

— ¿Cuándo quieres que vaya?

— Esta noche a las diez en punto. Yo estaré en la puerta de la calle aguardándote y te llevaré donde está.

— ¿Sabe ella que has venido a verme?

— No lo sabe. Ha sido todo ocurrencia mía; pero yo la preparé con buen arte, a fin de que tu visita, la sorpresa, el inesperado gozo, no la hagan caer en un desmayo. ¿Me prometes que irás?

— Iré.

— Adiós. No faltes. A las diez de la noche en punto. Estaré a la puerta.

Y Antoñona echó a correr, bajó la escalera de dos en dos escalones y se plantó en la calle ...

Volvió, pues, Antoñona a casa de su dueña, muy satisfecha de sí misma y muy resuelta a disponer las cosas con tino para que el remedio que había buscado no fuese inútil, o no agravase el mal de Pepita en vez de sanarle.

A Pepita no pensó ni determinó prevenirla sino a lo último, diciéndole que

don Luis espontáneamente le había pedido hora para hacerle una visita de despedida, y que ella había señalado las diez.

A fin de que no se originasen habladurías, si en la casa veían entrar a don Luis, pensó en que no le viesen entrar, y para ello era también muy propicia la hora y la disposición de la casa. A las diez estaría llena de gente la calle con la velada, y por lo mismo repararían menos en don Luis cuando pasase por ella. Penetrar en el zaguán sería obra de un segundo; y ella, que estaría allí aguardando, llevaría a don Luis hasta el despacho sin que nadie le viese.

Todas o la mayor parte de las casas de los ricachos lugareños de Andalucía son como dos casas en vez de una, y así era la casa de Pepita. Cada casa tiene su puerta. Por la principal se pasa al patio enlosado y con columnas, a las salas y demás habitaciones señoriles; por la otra, a los corrales, caballeriza y cochera, cocinas, molino, lagar, graneros, trojes donde se conserva la aceituna hasta que se muele; bodegas donde se guarda el aceite, el mosto, el vino de quema, el aguardiente y el vinagre en grandes tinajas; y candioteras o bodegas donde está en pipas y toneles el vino bueno y ya hecho o rancio. Esta segunda casa o parte de casa, aunque esté en el centro de una población de veinte o veinticinco mil almas, se llama casa de campo. El aperador, los capataces, el mulero, los trabajadores principales y más constantes en el servicio del amo se juntan allí por la noche; en invierno, en torno de una enorme chimenea de una gran cocina, y en verano, al aire libre o en algún cuarto muy ventilado y fresco, y están holgando y de tertulia hasta que los señores se recogen.[162]

Antoñona imaginó que el coloquio y la explicación que ella deseaba que

161 See n. 127.
162 We have here a bit of *costumbrista* material, which, as we have noted, is not nearly so common in Valera's works as in those of his contemporaries.

tuviesen su niña y don Luis, requerían sosiego y que no viniesen a interrumpirlos, y así determinó que aquella noche, por ser la velada de San Juan, las chicas que servían a Pepita vacasen en todos sus quehaceres y oficios, y se fuesen a solazar a la casa de campo, armando con los rústicos trabajadores un *jaleo probe,*[163] de fandango, lindas coplas, repiqueteo de castañuelas, brincos y mudanzas.

De esta suerte, la casa señoril quedaría casi desierta y silenciosa, sin más habitantes que ella y Pepita, y muy a propósito para la solemnidad, trascendencia y no turbado sosiego que eran necesarios en la entrevista que ella tenía preparada, y de la que dependía quizás, o de seguro, el destino de dos personas de tanto valer . . .

Don Luis confortó su espíritu con la esperanza de que iba a tener mucha serenidad y de que Dios iba a poner en sus labios un raudal de elocuencia, por donde persuadiría a Pepita, que era tan buena, de que ella misma le impulsase a cumplir con su vocación, sacrificando el amor mundanal y haciéndose semejante a las santas mujeres que ha habido, las cuales, no ya han desistido de unirse con un novio o con un amante, sino hasta de unirse con el esposo, viviendo con él como con un hermano, según se refiere, por ejemplo, en la vida de San Eduardo, rey de Inglaterra.[164] Y después de pensar en esto, se sentía don Luis más consolado y animado, y ya se figuraba que él iba a ser como San Eduardo, y que Pepita era como la reina Edita, su mujer; y bajo la forma y condición de la tal reina, virgen a par de[165] esposa, le parecía Pepita, si cabe, mucho más gentil, elegante y poética.

No estaba, sin embargo, don Luis todo lo seguro y tranquilo que debiera

estar después de haberse resuelto a imitar a San Eduardo. Hallaba aún cierto no sé qué de criminal en aquella visita que iba a hacer sin que su padre lo supiese, y estaba por ir a despertarle de su siesta y descubrírselo todo. Dos o tres veces se levantó de su silla y empezó a andar en busca de su padre; pero luego se detenía y creía aquella revelación indigna, la creía una vergonzosa chiquillada. Él podía revelar sus secretos; pero revelar los de Pepita para ponerse bien con su padre, era bastante feo. La fealdad y lo cómico y miserable de la acción se aumentaban, notando que el temor de no ser bastante fuerte para resistir era lo que a hacerla le movía. Don Luis se calló, pues, y no reveló nada a su padre . . .

Por último, si bien tenía abierto el balcón por ser verano, le parecía que iba a ahogarse allí por falta de aire, y que el techo le pesaba sobre la cabeza, y que para respirar necesitaba de toda la atmósfera, y para andar de todo el espacio sin límites, y para alzar la frente y exhalar sus suspiros y encumbrar sus pensamientos, de no tener sobre sí, sino la inmensa bóveda del cielo.

Aguijoneado de esta necesidad, tomó su sombrero y su bastón y se fué a la calle. Ya en la calle, huyendo de toda persona conocida y buscando la soledad, se salió al campo y se internó por lo más frondoso y esquivo de las alamedas, huertas y sendas que rodean la población y hacen un paraíso de sus alrededores en un radio de más de media legua.

Poco hemos dicho hasta ahora de la figura de don Luis. Sépase, pues, que era un buen mozo en toda la extensión de la palabra: alto, ligero, bien formado, cabello negro, ojos negros también y llenos de fuego y de dulzura. La

---

[163] a servants' party (*probe* is an Andalusianism for *pobre*)

[164] Edward the Confessor, king of England from 1042–66.

[165] *a par de,* at the same time as

color trigueña, la dentadura blanca, los labios finos, aunque relevados, lo cual le daba un aspecto desdeñoso; y algo de atrevido y varonil en todo el ademán, a pesar del recogimiento y de la [5] mansedumbre clericales. Había, por último, en el porte y continente de don Luis aquel indescriptible sello de distinción y de hidalguía que parece, aunque no lo sea siempre, privativa calidad [10] y exclusivo privilegio de las familias aristocráticas.

Al ver a don Luis, era menester confesar que Pepita Jiménez sabía de estética por instinto.

Corría, que no[166] andaba, don Luis por aquellas sendas, saltando arroyos y fijándose apenas en los objetos, casi como toro picado del tábano. Los rústicos con quienes se encontró, los hor- [20] telanos que le vieron pasar, tal vez le tuvieron por loco.

Cansado ya de caminar sin propósito, se sentó al pie de una cruz de piedra, junto a las ruinas de un antiguo con- [25] vento de San Francisco de Paula, que dista más de tres kilómetros del lugar, y allí se hundió en nuevas meditaciones, pero tan confusas, que ni él mismo se daba cuenta de lo que pensaba . . .

El sol acababa de ocultarse detrás de los picos gigantescos de las sierras cercanas, haciendo que las pirámides, agujas y rotos obeliscos de la cumbre se destacasen sobre un fondo de púrpura [35] y topacio, que tal parecía el cielo, dorado por el sol poniente. Las sombras empezaban a extenderse sobre la vega, y en los montes opuestos a los montes por donde el sol se ocultaba, relucían [40] las peñas más erguidas, como si fueran de oro o de cristal hecho ascua . . .

Una poesía melancólica inspiraba a la naturaleza, y con la música callada que sólo el espíritu acierta a oír, se [45] diría que todo entonaba un himno al Creador. El lento son de las campanas,

amortiguado y semiperdido por la distancia, apenas turbaba el reposo de la tierra, y convidaba a la oración sin distraer los sentidos con rumores. Don [5] Luis se quitó su sombrero, se hincó de rodillas al pie de la cruz, cuyo pedestal le había servido de asiento, y rezó con profunda devoción el *Angelus Domini*.

Las sombras nocturnas fueron pronto [10] ganando terreno . . . La luna plateaba las copas de los árboles y se reflejaba en la corriente de los arroyos . . . Entre la espesura de la arboleda cantaban los ruiseñores. Las hierbas y flores vertían [15] más generoso perfume. Por las orillas de las acequias, entre la hierba menuda y las flores silvestres, relucían como diamantes o carbunclos los gusanillos de luz en multitud innumerable . . . Mu- [20] chos árboles frutales, en flor todavía; muchas acacias y rosales sin cuento embalsamaban el ambiente, impregnándole de suave fragancia.

Don Luis se sintió dominado, sedu- [25] cido, vencido por aquella voluptuosa naturaleza, y dudó de sí.[167] Era menester, no obstante, cumplir la palabra dada y acudir a la cita.

Aunque dando un largo rodeo, aun- [30] que recorriendo otras sendas, aunque vacilando a veces, . . . don Luis, a paso lento y pausado, se dirigió hacia la población.

. . . aun se hallaba a alguna distancia [35] del pueblo, cuando sonaron las diez, hora de la cita, en el reloj de la parroquia. Las diez campanadas fueron como diez golpes que le hirieron el corazón. Allí le dolieron materialmente, si [40] bien con un dolor y con un sobresalto mixtos de traidora inquietud y de regalada dulzura.

Don Luis apresuró el paso a fin de no llegar muy tarde, y pronto se en- [45] contró en la población.

El lugar estaba animadísimo. Las mozas solteras venían a la fuente del

---

[166] *que no*, rather than
[167] Nature has now reached its point of greatest beauty and fertility. Valera has cleverly timed his plot so that Luis' love reaches its climax at just this time.

ejido a lavarse la cara, para que fuese fiel el novio a la que le tenía, y para que a la que no le tenía le saltase novio. Mujeres y chiquillos, por acá y por allá, volvían de coger verbena, ramos de romero u otras plantas, para hacer sahumerios mágicos. Las guitarras sonaban por varias partes. Los coloquios de amor y las parejas dichosas y apasionadas se oían y se veían a cada momento. La noche y la mañanita de San Juan, aunque fiesta católica, conservan no sé qué resabios del paganismo y naturalismo antiguos.[168] Tal vez sea por la coincidencia aproximada de esta fiesta con el solsticio de verano. Ello es que todo era profano, y no religioso. Todo era amor y galanteo. En nuestros viejos romances y leyendas siempre roba el moro a la linda infantina cristiana y siempre el caballero cristiano logra su anhelo con la princesa mora, en la noche o en la mañanita de San Juan, y en el pueblo se diría que conservaban la tradición de los viejos romances.

Las calles estaban llenas de gente. Todo el pueblo estaba en las calles, y además los forasteros. Hacían asimismo muy difícil el tránsito la multitud de mesillas de turrón, arropía y tostones, los puestos de fruta, las tiendas de muñecos y juguetes, y las buñolerías, donde gitanas jóvenes y viejas, ya freían la masa, infestando el aire con el olor del aceite, ya pesaban y servían los buñuelos, ya respondían con donaire a los piropos de los galanes que pasaban, ya decían la buena ventura.

Don Luis procuraba no encontrar a los amigos y, si los veía de lejos, echaba por otro lado. Así fué llegando poco a poco, sin que le hablasen ni detuviesen, hasta cerca del zaguán de casa de Pepita. El corazón empezó a latirle con violencia, y se paró un instante para serenarse. Miró el reloj: eran cerca de las diez y media.

— ¡Válgame Dios! — dijo —, hará cerca de media hora que me estará aguardando.

Entonces se precipitó y penetró en el zaguán. El farol que le alumbraba de diario,[169] daba poquísima luz aquella noche.

No bien entró don Luis en el zaguán, una mano, mejor diremos, una garra, le asió por el brazo derecho. Era Antoñona, que dijo en voz baja:

— ¡Diantre de colegial, ingrato, desaborido, mostrenco! Ya imaginaba yo que no venías. ¿Dónde has estado? ¿Cómo te atreves a tardar, haciéndote de pencas,[170] cuando toda la sal de la tierra se está derritiendo por ti, y el sol de la hermosura te aguarda?

Mientras Antoñona expresaba estas quejas, no estaba parada, sino que iba andando y llevando en pos de sí, asido siempre del brazo, al colegial atortolado y silencioso. Salvaron la cancela, y Antoñona la cerró con tiento y sin ruido; atravesaron el patio, subieron por la escalera, pasaron luego por unos corredores y por dos salas, y llegaron a la puerta del despacho, que estaba cerrada.

En toda la casa reinaba maravilloso silencio. El despacho estaba en lo interior y no llegaban a él los rumores de la calle. Sólo llegaban, aunque confusos y vagos, el resonar de las castañuelas y el son de la guitarra, y un leve murmullo, causado todo por los criados de Pepita, que tenían su *jaleo probe* en la casa de campo.

Antoñona abrió la puerta del despacho, empujó a don Luis para que entrase, y al mismo tiempo le anunció diciendo:

— Niña, aquí tienes al señor don Luis, que viene a despedirse de ti.

Hecho el anuncio con la formalidad debida, la discreta Antoñona se retiró de la sala, dejando a sus anchas al visi-

---

[168] See n. 103. *Naturalismo* here means worship of Nature.

[169] *de diario*, ordinarily
[170] *hacerse de pencas*, to consent reluctantly to do something; to come so reluctantly

tante y a la niña, y volviendo a cerrar la puerta . . .

Mucho queremos nosotros a Pepita; pero la verdad es antes que todo, y la 5 hemos de decir, aunque perjudique a nuestra heroína. A las ocho le dijo Antoñona que don Luis iba a venir, y Pepita que hablaba de morirse, que tenía los ojos encendidos y los párpados 10 un poquito inflamados de llorar, y que estaba bastante despeinada, no pensó desde entonces sino en componerse y arreglarse para recibir a don Luis. Se lavó la cara con agua tibia para que el 15 estrago del llanto desapareciese hasta el punto preciso de no afear, mas no para que no quedasen huellas de que había llorado; se compuso el pelo de suerte que no denunciaba estudio cui- 20 dadoso, sino que demostraba cierto artístico y gentil descuido, sin rayar en desorden, lo cual hubiera sido poco decoroso; se pulió las uñas, y como no era propio recibir de bata a don Luis, 25 se vistió un traje sencillo de casa. En suma, miró instintivamente a que todos los pormenores de tocador concurriesen a hacerla parecer más bonita y aseada, sin que se trasluciera el menor indicio 30 del arte, del trabajo y del tiempo gastado en aquellos perfiles,[171] sino que todo ello resplandeciera como obra natural y don gratuito; como algo que persistía en ella, a pesar del olvido de 35 sí misma causado por la vehemencia de los afectos.

Según hemos llegado a averiguar, Pepita empleó más de una hora en estas faenas de tocador, que habían de 40 sentirse sólo por los efectos. Después se dió el postrer retoque y vistazo al espejo con satisfacción mal disimulada. Y por último, a eso de las nueve y media, tomando una palmatoria, bajó a la sala 45 donde estaba el Niño Jesús. Encendió primero las velas del altarito, que estaban apagadas; vió con cierta pena que las flores yacían marchitas; pidió perdón a la devota imagen por haberla tenido desatendida mucho tiempo; y, postrándose de hinojos, y a solas, oró con todo su corazón y con aquella confianza y franqueza que inspira quien está de huésped en casa desde hace muchos años . . . Pepita le pidió que le dejase a don Luis; que no se le llevase; porque él, tan rico y tan abastado de todo, podía sin gran sacrificio desprenderse de aquel servidor y concedérsele a ella.

Terminados estos preparativos, que nos será lícito clasificar y dividir en *cosméticos*, indumentarios y religiosos, Pepita se instaló en el despacho, aguardando la venida de don Luis con febril impaciencia.

Atinada anduvo Antoñona en no decir que iba a venir sino hasta poco antes de la hora. Aun así, gracias a la tardanza del galán, la pobre Pepita estuvo deshaciéndose, llena de ansiedad y de angustia, desde que terminó sus oraciones y súplicas con el Niño Jesús hasta que vió dentro del despacho al otro niño.

La visita empezó del modo más grave y ceremonioso. Los saludos de fórmula se pronunciaron maquinalmente de una parte y de otra; y don Luis, invitado a ello, tomó asiento en una butaca, sin dejar el sombrero ni el bastón, y a no corta distancia de Pepita. Pepita estaba sentada en el sofá. El velador se veía al lado de ella con libros y con la palmatoria, cuya luz iluminaba su rostro. Una lámpara ardía además sobre el bufete. Ambas luces, con todo, siendo grande el cuarto, como lo era, dejaban la mayor parte de él en la penumbra. Una gran ventana que daba a un jardincillo interior, estaba abierta por el calor, y si bien sus hierros[172] eran como la trama de un tejido de rosas-enredaderas y jazmines, todavía por entre la

---

[171] Here, adornments

[172] bars (of grating)

verdura y las flores se abrían camino los claros rayos de la luna, penetraban en la estancia y querían luchar con la luz de la lámpara y de la palmatoria. Penetraban, además, por la ventana-verjel el lejano y confuso rumor del jaleo de la casa de campo, que estaba al otro extremo, el murmullo monótono de una fuente que había en el jardincillo, y el aroma de los jazmines y de las rosas que tapizaban la ventana, mezclado con el de los dompedros, albahacas y otras plantas que adornaban los arriates al pie de ella.[173]

Hubo una larga pausa, un silencio tan difícil de sostener como de romper . . .

— Al fin se dignó usted venir a despedirse de mí antes de su partida — dijo Pepita —. Yo había perdido ya la esperanza . . .

— Su queja de usted es injusta . . . He estado aquí a despedirme de usted con mi padre, y como no tuvimos el gusto de que usted nos recibiese, dejamos tarjetas. Nos dijeron que estaba usted algo delicada de salud, y todos los días hemos enviado recado para saber de usted. Grande ha sido nuestra satisfacción al saber que estaba usted aliviada. ¿Y ahora se encuentra usted mejor?

— Casi estoy por decir a usted que no me encuentro mejor — replicó Pepita —; pero como veo que viene usted de embajador de su padre, y no quiero afligir a un amigo tan excelente, justo será que diga a usted, y que usted repita a su padre, que siento bastante alivio. Singular es que haya venido usted solo. Mucho tendrá que hacer don Pedro cuando no le ha acompañado.

— Mi padre no me ha acompañado, señora, porque no sabe que he venido a ver a usted. Yo he venido solo, porque mi despedida ha de ser solemne, grave, para siempre quizá, y la suya es de índole harto diversa. Mi padre volverá por aquí dentro de unas semanas; yo es posible que[174] no vuelva nunca, y si vuelvo, volveré muy otro del que soy ahora.

Pepita no pudo contenerse. El porvenir de felicidad con que había soñado se desvanecía como una sombra. Su resolución inquebrantable de vencer a toda costa a aquel hombre, único que había amado en la vida, único que se sentía capaz de amar, era una resolución inútil. Don Luis se iba. La juventud, la gracia, la belleza, el amor de Pepita no valían para nada. Estaba condenada, con veinte años de edad y tanta hermosura, a la viudez perpetua, a la soledad, a amar a quien no la amaba. Todo otro amor era imposible para ella. El carácter de Pepita, en quien los obstáculos recrudecían y avivaban más los anhelos; en quien una determinación, una vez tomada, lo arrollaba todo hasta verse cumplida, se mostró entonces con notable violencia y rompiendo todo freno. Era menester morir o vencer en la demanda . . . Su alma, con cuanto había en ella de apasionado, tomó forma sensible en sus palabras, y sus palabras no sirvieron para envolver su pensar y su sentir, sino para darle cuerpo. No habló como hubiera hablado una dama de nuestros salones, con ciertas pleguerías[175] y atenuaciones en la expresión, sino con la desnudez idílica con que Cloe hablaba a Dafnis[176] y con la humildad y el abandono completo con que se ofreció a Booz la nuera de Noemí.[177]

[173] Notice how our author emphasizes the appeals to the senses of sight, hearing, and smell.

[174] Word order: *es posible que yo*

[175] twist, roundabout phrase

[176] Daphnis and Chloe, not the mythological characters, but the hero and heroine of a Greek pastoral novel by Longus, written in the fourth century A.D. Their love affair formed a charming idyll.

[177] Ruth, the daughter-in-law of Naomi, offered herself ingenuously to her protector, Boaz (Ruth 3. 9).

Pepita dijo:

— ¿Persiste usted, pues, en su propósito? ¿Está usted seguro de su vocación? ¿No teme usted ser un mal clérigo? . . . Aquí hay hechos que se pueden comentar de dos modos. Con ambos comentarios queda usted mal. Expondré mi pensamiento. Si la mujer[178] que con sus coqueterías, no por cierto muy desenvueltas, casi sin hablar a usted palabra, a los pocos días de verle y tratarle, ha conseguido provocar a usted, moverle a que la mire con miradas que auguraban amor profano, y hasta ha logrado que le dé usted una muestra de cariño, que es una falta, un pecado en cualquiera, y más en un sacerdote; si esta mujer es, como lo es en realidad, una lugareña ordinaria, sin instrucción, sin talento y sin elegancia, ¿qué no se debe temer de usted cuando trate y vea y visite en las grandes ciudades a otras mujeres mil veces más peligrosas? . . . Si usted ha cedido a una zafia aldeana, hallándose en vísperas de la ordenación, con todo el entusiasmo que debe suponerse, y, si ha cedido impulsado por capricho fugaz,[179] ¿no tengo razón en prever que va usted a ser un clérigo detestable, impuro, mundanal y funesto, y que cederá a cada paso? En esta suposición,[180] créame usted, señor don Luis, y no se me ofenda, ni siquiera vale usted para marido de una mujer honrada. Si usted ha estrechado las manos con el ahinco y la ternura del más frenético amante; si usted ha mirado con miradas que prometían un cielo, una eternidad de amor, y si usted ha . . . besado a una mujer que nada le inspiraba sino algo que para mí no tiene nombre, vaya usted con Dios, y no se case usted con esa mujer. Si ella es buena, no le querrá a usted para marido, ni siquiera para amante; pero, por amor de Dios, no sea usted clérigo tampoco. La Iglesia ha menester de otros hombres más serios y más capaces de virtud para ministros del Altísimo. Por el contrario, si usted ha sentido una gran pasión por esa mujer de que hablamos, aunque ella sea poco digna, ¿por qué abandonarla y engañarla con tanta crueldad? Por indigna que sea, si es que ha inspirado esa gran pasión, ¿no cree usted que la compartirá y que será víctima de ella? . . . ¿Y cómo no temer por ella si usted la abandona? ¿Tiene ella la energía varonil, la constancia que infunde la sabiduría que los libros encierran, el aliciente de la gloria, la multitud de grandiosos proyectos, y todo aquello que hay en su cultivado y sublime espíritu de usted para distraerle y apartarle, sin desgarradora violencia, de todo otro terrenal afecto? ¿No comprende usted que ella morirá de dolor, y que usted, destinado a hacer incruentos sacrificios, empezará por sacrificar despiadadamente a quien más le ama? . . .

— Voy a contestar a los extremos del cruel dilema que ha forjado usted en mi daño. Aunque me he criado al lado de mi tío y en el Seminario, donde no he visto mujeres, no me crea usted tan ignorante ni tan pobre de imaginación que no acertase a representármelas en la mente todo lo bellas,[181] todo lo seductoras que pueden ser. Mi imaginación, por el contrario, sobrepujaba a la realidad en todo eso. Excitada por la lectura de los cantores bíblicos y de los poetas profanos, se fingía mujeres más elegantes, más graciosas, más discretas que las que por lo común se hallan en el mundo real. Yo conocía, pues, el precio del sacrificio que hacía, y hasta le exageraba, cuando renuncié al amor de esas mujeres, pensando elevarme a la dignidad del sacerdocio . . . Todo esto me lo figuraba yo con tal viveza y lo leía con tal hermosura, que, no lo dude usted, si yo llego a ver y a tratar

---

[178] Pepita is referring to herself.
[179] If, in other words, Luis doesn't really love Pepita and has just been flirting.
[180] in this case
[181] *todo lo bellas;* just as beautiful

a esas mujeres de que usted me habla, lejos de caer en la adoración y en la locura que usted predice, tal vez sea un desengaño lo que reciba, al ver cuánta distancia media de lo soñado a lo real 5 y de lo vivo a lo pintado.[182]

—¡Éstos de usted sí que son sofismas! — interrumpió Pepita —. ¿Cómo negar a usted que lo que usted se pinta en la imaginación es más hermoso que 10 lo que existe realmente? Pero, ¿cómo negar tampoco que lo real tiene más eficacia seductora que lo imaginado y soñado? Lo vago y aéreo de un fantasma, por bello que sea, no compite 15 con lo que mueve materialmente los sentidos. Contra los ensueños mundanos comprendo que venciesen en su alma de usted las imágenes devotas; pero temo que las imágenes devotas no 20 habían de vencer a las mundanas realidades.

— Pues no lo tema usted, señora — replicó don Luis —. Mi fantasía es más eficaz en lo que crea que todo el uni- 25 verso, menos usted, en lo que por los sentidos me transmite.

— ¿Y por qué *menos yo?* Esto me hace caer en otro recelo. ¿Será quizás la idea que usted tiene de mí, la idea que ama, 30 creación de esa fantasía tan eficaz, ilusión en nada conforme conmigo?

— No, no lo es; tengo fe de que esta idea es en todo conforme con usted; pero tal vez es ingénita en mi alma; tal 35 vez está en ella desde que fué creada por Dios; tal vez es parte de su esencia; tal vez es lo más puro y rico de su ser, como el perfume en las flores.

— ¡Bien me lo temía yo! Usted me 40 lo confiesa ahora. Usted no me ama. Eso que ama usted es la esencia, el aroma, lo más puro de su alma, que ha tomado una forma parecida a la mía.[183]

— No, Pepita; no se divierta usted en 45 atormentarme. Esto que yo amo es

usted, y usted tal cual es; pero es tan bello, tan limpio, tan delicado esto que yo amo, que no me explico que pase todo por los sentidos de un modo grosero y llegue así hasta mi mente. Supongo, pues, y creo, y tengo por cierto, que estaba antes en mí. Es como la idea de Dios, que estaba en mí, que ha venido a magnificarse y desenvolverse en mí, y que, sin embargo, tiene su objeto real, superior, infinitamente superior a la idea. Como creo que Dios existe, creo que existe usted y que vale usted mil veces más que la idea que de usted tengo formada.

— Aun me queda una duda. ¿No pudiera ser la mujer en general, y no yo singular y exclusivamente, quien ha despertado esa idea?

— No, Pepita: la magia, el hechizo de una mujer, bella de alma y de gentil presencia, habían, antes de ver a usted, penetrado en mi fantasía. No hay duquesa ni marquesa en Madrid, ni emperatriz en el mundo, ni reina ni princesa en todo el orbe, que valgan lo que valen las ideales y fantásticas criaturas con quienes yo he vivido, porque se aparecían en los alcázares y camarines, estupendos de lujo, buen gusto y exquisito ornato, que yo edificaba en mis espacios imaginarios, desde que llegué a la adolescencia . . . Sobre todos los ensueños de mi juvenil imaginación ha venido a sobreponerse y entronizarse la realidad que en usted he visto; sobre todas mis ninfas, reinas y diosas, usted ha descollado; por cima de mis ideales creaciones, derribadas, rotas, deshechas por el amor divino, se levantó en mi alma la imagen fiel, la copia exactísima de la viva hermosura que adorna, que es la esencia de ese cuerpo y de esa alma. Hasta algo de misterioso, de sobrenatural, puede haber intervenido en esto, porque amé a usted desde que la vi,

---

[182] *y de . . . pintado*, and between the living being and the imaginary creation

[183] A not uncommon idea in poetry and philosophy. Luis may love not Pepita, but what he imagines Pepita to be. Hence what he loves is his own idea, springing from himself, not her.

casi antes de que la viera. Mucho antes de tener conciencia de que la amaba a usted, ya la amaba. Se diría que hubo en esto algo de fatídico; que estaba escrito; que era una predestinación.

— Y si es una predestinación, si estaba escrito — interrumpió Pepita —, ¿por qué no someterse, por qué resistirse todavía? Sacrifique usted sus propósitos a nuestro amor. ¿Acaso no he sacrificado yo mucho? Ahora mismo, al rogar, al esforzarme por vencer los desdenes de usted, ¿no sacrifico mi orgullo, mi decoro y mi recato? Yo también creo que amaba a usted antes de verle. Ahora amo a usted con todo mi corazón, y sin usted no hay felicidad para mí. Cierto es que en mi humilde inteligencia no puede usted hallar rivales tan poderosos como yo tengo en la de usted . . . Con alguien, no obstante, más bello, entendido, poético y amoroso que los hombres que me han pretendido hasta ahora; con un amante más distinguido y cabal que todos mis adoradores de este lugar y de los lugares vecinos, soñaba yo para que me amara y para que yo le amase y le rindiese mi albedrío. Ese alguien era usted. Lo presentí cuando me dijeron que usted había llegado al lugar; lo reconocí cuando vi a usted por vez primera. Pero como mi imaginación es tan estéril, el retrato que yo de usted me había trazado no valía, ni con mucho, lo que usted vale. Yo también he leído algunas historias y poesías, pero de todos los elementos que de ellas guardaba mi memoria, no logré nunca componer una pintura que no fuese muy inferior en mérito a lo que veo en usted y comprendo en usted desde que le conozco. Así es que estoy rendida y vencida y aniquilada desde el primer día . . . ¿Es acaso que para avasallar y rendir un alma pequeña, cuitada y débil como la mía, basta un pequeño amor, y para avasallar la de usted, cuando tan altos

y fuertes pensamientos la velan y custodian, se necesita de amor más poderoso, que yo no soy digna de inspirar, ni capaz de compartir, ni hábil para comprender siquiera?

— Pepita — contestó don Luis —, no es que su alma de usted sea más pequeña que la mía, sino que está libre de compromisos, y la mía no lo está. El amor que usted me ha inspirado es inmenso; pero luchan contra él mi obligación, mis votos, los propósitos de toda mi vida, próximos a realizarse. ¿Por qué no he de decirlo, sin temor de ofender a usted? Si usted logra en mí su amor, usted no se humilla. Si yo cedo a su amor de usted, me humillo y me rebajo. Dejo al Creador por la criatura, destruyo la obra de mi constante voluntad, rompo la imagen de Cristo, que estaba en mi pecho, y el hombre nuevo, que a tanta costa había yo formado en mí, desaparece para que el hombre antiguo renazca. ¿Por qué, en vez de bajar yo hasta el suelo, hasta el siglo, hasta la impureza del mundo, que antes he menospreciado, no se eleva usted hasta mí por virtud de ese mismo amor que me tiene, limpiándole de toda escoria? ¿Por qué no nos amamos entonces sin vergüenza y sin pecado y sin mancha? Dios, con el fuego purísimo y refulgente de su amor, penetra las almas santas y las llena por tal arte, que así como un metal que sale de la fragua, sin dejar de ser metal reluce y deslumbra, y es todo fuego, así las almas se hinchen de Dios, y en todo son Dios, penetradas por dondequiera[184] de Dios, en gracia del amor divino. Estas almas se aman y se gozan entonces, como si amaran y gozaran a Dios, amándole y gozándole, porque Dios son ellas. Subamos, juntos en espíritu, esta mística y difícil escala; asciendan a la par nuestras almas a esta bienaventuranza, que aun en la vida mortal es posible; mas para ello es

---

[184] *por dondequiera*, everywhere, throughout

fuerza que nuestros cuerpos se separen; que yo vaya adonde me llama mi deber, mi promesa y la voz del Altísimo, que dispone de su siervo y le destina al culto de sus altares.[185]

— ¡Ay, señor don Luis! — replicó Pepita toda desolada y compungida — ... Soy una pecadora infernal. Mi espíritu grosero e inculto no alcanza esas sutilezas, esas distinciones, esos refi- namientos de amor. Mi voluntad re- belde se niega a lo que usted propone. Yo ni siquiera concibo a usted sin usted. Para mí es usted su boca, sus ojos, sus negros cabellos, que deseo aca- riciar con mis manos; su dulce voz y el regalado acento de sus palabras, que hieren y encantan materialmente mis oídos; toda su forma corporal, en suma, que me enamora y seduce, y al través de la cual, y sólo al través de la cual se me muestra el espíritu invisible, vago y lleno de misterios. Mi alma, reacia e incapaz de esos raptos maravillosos, no acertará a seguir a usted nunca a las regiones donde quiere llevarla. Si usted se eleva hasta ellas, yo me que- daré sola, abandonada, sumida en la mayor aflicción. Prefiero morirme ... Máteme usted antes para que nos ame- mos así ... Pero viva, no puede ser. Yo amo en usted, no ya sólo el alma, sino el cuerpo, y la sombra del cuerpo, y el reflejo del cuerpo en los espejos y en el agua, y el nombre y el apellido, y la sangre, y todo aquello que le deter- mina como tal don Luis de Vargas; el metal de la voz, el gesto, el modo de andar y no sé qué más diga. Repito que es menester matarme. Máteme usted sin compasión. No; yo no soy cristiana, sino idólatra materialista.[186]

Aquí hizo Pepita una larga pausa. Don Luis no sabía qué decir y callaba. El llanto bañaba las mejillas de Pepita, la cual prosiguió sollozando:

— Lo conozco: usted me desprecia y hace bien en despreciarme. Con ese justo desprecio me matará usted mejor que con un puñal, sin que se manche de sangre ni su mano ni su conciencia. Adiós. Voy a libertar a usted de mi presencia odiosa. Adiós para siempre.

Dicho esto, Pepita se levantó de su asiento, y sin volver la cara inundada de lágrimas, fuera de sí, con precipi- tados pasos se lanzó hacia la puerta que daba a las habitaciones interiores. Don Luis sintió una invencible ternura, una piedad funesta. Tuvo miedo de que Pepita muriese. La siguió para detenerla, pero no llegó a tiempo. Pe- pita pasó la puerta. Su figura se perdió en la obscuridad. Arrastrado don Luis como por un poder sobrehumano, im- pulsado como por una mano invisible, penetró en pos de Pepita en la estancia sombría.

El despacho quedó solo.

El baile de los criados debía de haber concluído, pues no se oía el más leve rumor. Sólo sonaba el agua de la fuente del jardincillo.

Ni un leve soplo de viento interrum- pía el sosiego de la noche y la serenidad del ambiente. Penetraban por la ven- tana el perfume de las flores y el res- plandor de la luna.

Al cabo de un largo rato, don Luis apareció de nuevo, saliendo de la obs- curidad. En su rostro se veía pintado el terror; algo de la desesperación de Judas.

Se dejó caer en una silla; puso ambos puños cerrados en su cara y en sus rodi- llas ambos codos, y así permaneció más de media hora, sumido sin duda en un mar de reflexiones amargas.

Cualquiera, si le hubiera visto, hu- biera sospechado que acababa de ase- sinar a Pepita.

---

[185] Luis is thinking of a mystical, spiritual companionship such as that of Saint Edward and his wife.

[186] Let us recall here what we said in our introduction on Valera about his paganism, his inability (or unwillingness) to separate the flesh from the spirit, and his refined sensuous- ness. Pepita takes after her creator.

Pepita, sin embargo, apareció después. Con paso lento, con actitud de profunda melancolía, con el rostro y la mirada inclinados al suelo, llegó hasta cerca de donde estaba don Luis, y dijo de este modo:

—Ahora, aunque tarde, conozco toda la vileza de mi corazón y toda la iniquidad de mi conducta. Nada tengo que decir en mi abono; mas no quiero que me creas más perversa de lo que soy. Mira, no pienses que ha habido en mí artificio, ni cálculo, ni plan para perderte. Sí, ha sido una maldad atroz, pero instintiva; una maldad inspirada quizá por el espíritu del infierno, que me posee. No te desesperes ni te aflijas, por amor de Dios. De nada eres responsable. Ha sido un delirio: la enajenación mental se apoderó de tu noble alma. No es en ti el pecado sino muy leve. En mí es grave, horrible, vergonzoso. Ahora te merezco menos que nunca. Vete: yo soy ahora quien te pide que te vayas. Vete: haz penitencia. Dios te perdonará. Vete: que un sacerdote te absuelva. Limpio de nuevo de culpa, cumple tu voluntad y sé ministro del Altísimo. Con tu vida trabajosa y santa no sólo borrarás hasta las últimas señales de esta caída, sino que, después de perdonarme el mal que te he hecho, conseguirás del cielo mi perdón. No hay lazo alguno que conmigo te ligue; y si le hay, yo le desato o le rompo. Eres libre. Básteme el haber hecho caer por sorpresa al lucero de la mañana; no quiero, ni debo, ni puedo retenerle cautivo. Lo adivino, lo infiero de tu ademán, lo veo con evidencia; ahora me desprecias más que antes, y tienes razón en despreciarme. No hay honra, ni virtud, ni vergüenza en mí.

Al decir esto, Pepita hincó en tierra ambas rodillas, y se inclinó luego hasta tocar con la frente el suelo del despacho. Don Luis siguió en la misma postura que antes tenía. Así estuvieron los dos algunos minutos en desesperado silencio.

Con voz ahogada, sin levantar la faz de la tierra, prosiguió al cabo Pepita:

—Vete ya, Luis, y no por una piedad afrentosa permanezcas más tiempo al lado de esta mujer miserable. Yo tendré valor para sufrir tu desvío, tu olvido y hasta tu desprecio, que tengo tan merecido. Seré siempre tu esclava, pero lejos de ti, muy lejos de ti, para no traerte a la memoria la infamia de esta noche.

Los gemidos sofocaron la voz de Pepita al terminar estas palabras.

Don Luis no pudo más. Se puso en pie, llegó donde estaba Pepita y la levantó entre sus brazos, estrechándola contra su corazón, apartando blandamente de su cara los rubios rizos que en desorden caían sobre ella, y cubriéndola de apasionados besos.

—Alma mía —dijo por último don Luis—, vida de mi alma, prenda querida de mi corazón, luz de mis ojos, levanta la abatida frente y no te prosternes más delante de mí. El pecador, el flaco de voluntad, el miserable, el sandio y el ridículo soy yo, que[187] no tú. Los ángeles y los demonios deben reírse igualmente de mí y no tomarme por lo serio. He sido un santo postizo, que no he sabido resistir y desengañarte desde el principio, como hubiera sido justo, y ahora no acierto tampoco a ser un caballero, un galán, un amante fino, que sabe agradecer en cuanto valen los favores de su dama. No comprendo qué viste en mí para prendarte de ese modo. Jamás hubo en mí virtud sólida, sino hojarasca y pedantería de colegial, que había leído los libros devotos como quien lee novelas, y con ellos se había forjado su novela necia de misiones y contemplaciones. Si hubiera habido virtud sólida en mí, con tiempo te hubiera desengañado y no hubiéramos pecado ni tú ni yo. La verdadera virtud no cae tan fácilmente.[188] A pesar

---

[187] Omit in translating

[188] See n. 1.

de toda tu hermosura, a pesar de tu talento, a pesar de tu amor hacia mí, yo no hubiera caído, si en realidad hubiera sido virtuoso, si hubiera tenido una vocación verdadera. Dios, que todo lo puede, me hubiera dado su gracia. Un milagro, sin duda, algo de sobrenatural se requería para resistir a tu amor; pero Dios hubiera hecho el milagro si yo hubiera sido digno objeto y bastante razón para que le hiciera. Haces mal en aconsejarme que sea sacerdote. Reconozco mi indignidad. No era más que orgullo lo que me movía. Era una ambición mundana como otra cualquiera. ¡Qué digo, como otra cualquiera! Era peor: una ambición hipócrita, sacrílega, simoníaca.[189]

— No te juzgues con tal dureza — replicó Pepita ya más serena y sonriendo a través de las lágrimas —. No deseo que te juzgues así, ni para que no me halles tan indigna de ser tu compañera; pero quiero que me elijas por amor, libremente, no para reparar una falta, no porque has caído en un lazo que pérfidamente puedes sospechar que te he tendido. Vete si no me amas, si sospechas de mí, si no me estimas. No exhalarán mis labios una queja si para siempre me abandonas y no vuelves a acordarte de mí.

La contestación de don Luis no cabía ya en el estrecho y mezquino tejido del lenguaje humano. Don Luis rompió el hilo del discurso de Pepita sellando los labios de ella con los suyos y abrazándola de nuevo.

Bastante más tarde, con previas toses y resonar de pies, entró Antoñona en el despacho, diciendo:

— ¡Vaya una plática larga! Este sermón que ha predicado el colegial no ha sido el de las siete palabras,[190] sino que ha estado a punto de ser el de las cuarenta horas.[191] Tiempo es ya de que te vayas, don Luis. Son cerca de las dos de la mañana.

— Bien está — dijo Pepita —, se irá al momento.

Antoñona volvió a salir del despacho y aguardó fuera.

Pepita estaba transformada. ... vencidos los obstáculos que se oponían a su dicha, viendo ya rendido a don Luis, teniendo su promesa espontánea de que la tomaría por mujer legítima, y creyéndose con razón amada, adorada, de aquél a quien amaba y adoraba tanto, brincaba y reía y daba otras muestras de júbilo, que, en medio de todo, tenían mucho de infantil y de inocente.

Era menester que don Luis partiera. Pepita fué por un peine y le alisó con amor los cabellos, besándoselos después.

Pepita le hizo mejor el lazo de la corbata.

— Adiós, dueño amado — le dijo —. Adiós, dulce rey de mi alma. Yo se lo diré todo a tu padre si tú no quieres atreverte. Él es bueno y nos perdonará.

Al cabo los dos amantes se separaron.

... don Luis bajó hasta el zaguán acompañado por Antoñona.

Antes de despedirse, dijo don Luis sin preparación ni rodeos:

— Antoñona, tú que lo sabes todo, dime quién es el Conde de Genazahar y qué clase de relaciones ha tenido con tu ama.

[189] Suddenly Luis realizes that he has been a dreamy adolescent, reading religious books in order to project himself into the place of their heroes. In this respect he recalls Don Quijote or Mme Bovary. But now that he knows that his ambition was to be a famous man, not a good priest, he sees that he does not have to choose between love of God and love of Pepita. There was really no profound love of God, hence there was really no conflict. Yet, in another sense, there was a conflict between the pagan, natural way of life and the Christian training of both the protagonists.

[190] The seven last words of Christ, the subject of sermons during Holy Week.

[191] A mission sermon during the time the Sacrament is exposed in the church for forty consecutive hours.

— Temprano empiezas a mostrarte celoso.

— No son celos; es curiosidad solamente.

— Mejor es así. Nada más fastidioso que los celos. Voy a satisfacer tu curiosidad. Ese Conde está bastante tronado. Es un perdido, jugador y mala cabeza; pero tiene más vanidad que don Rodrigo en la horca.[192] Se empeñó en que mi niña le quisiera y se casase con él, y como la niña le ha dado mil veces calabazas, está que trina.[193] Esto no impide que se guarde por allá más de mil duros, que hace años le prestó don Gumersindo, sin más hipoteca que un papelucho, por culpa y a ruegos de Pepita, que es mejor que el pan. El tonto del Conde creyó, sin duda, que Pepita, que fué tan buena de casada que hizo que le diesen dinero, había de ser de viuda tan rebuena para él, que le había de tomar por marido. Vino después el desengaño con la furia consiguiente.

Adiós, Antoñona — dijo don Luis, y se salió a la calle, silenciosa ya y sombría.

Las luces de las tiendas y puestos de la feria se habían apagado y la gente se retiraba a dormir, salvo los amos de las tiendas de juguetes y otros pobres buhoneros, que dormían al sereno al lado de sus mercancías.

En algunas rejas seguían aún varios embozados, pertinaces e incansables, pelando la pava[194] con sus novias. La mayoría había desaparecido ya.

En la calle, lejos de la vista de Antoñona, don Luis dió rienda suelta a sus pensamientos. Su resolución estaba tomada, y todo acudía a su mente a confirmar su resolución. La sinceridad y el ardor de la pasión que había inspi-

rado a Pepita; su hermosura; la gracia juvenil de su cuerpo y la lozanía primaveral de su alma, se le presentaban en la imaginación y le hacían dichoso.

Con cierta mortificación de la vanidad reflexionaba, no obstante, don Luis en el cambio que en él se había obrado. ¿Qué pensaría el Deán? ¿Qué espanto no sería el del Obispo? Y, sobre todo, ¿qué motivo tan grave de queja no había dado don Luis a su padre? Su disgusto, su cólera cuando supiese el compromiso que ligaba a Luis con Pepita, se ofrecían al ánimo de don Luis y le inquietaban sobremanera.

En cuanto a lo que él llamaba su caída antes de caer, fuerza es confesar que le parecía poco honda y poco espantosa después de haber caído. Su misticismo, bien estudiado con la nueva luz que acababa de adquirir, se le antojó que no había tenido ser ni consistencia; que había sido un producto artificial y vano de sus lecturas, de su petulancia de muchacho y de sus ternuras sin objeto de colegial inocente . . .

Don Luis apelaba a otro género de humildad cristiana para justificar a sus ojos lo que ya no quería llamar caída, sino cambio. Se confesaba indigno de ser sacerdote, y se allanaba a ser lego, casado, vulgar, un buen lugareño cualquiera,[195] cuidando de las viñas y los olivos, criando a sus hijos, pues ya los deseaba, y siendo modelo de maridos al lado de su Pepita.

Don Luis, cuando iba a ser clérigo, estuvo en su papel no defendiendo a Pepita de los groseros insultos del Conde de Genazahar sino con discursos morales, y no tomando venganza de la mofa y desprecio con que tales discursos fueron oídos. Pero, ahorcados ya los hábi-

---

[192] Translate, proud as Lucifer. The Don Rodrigo in question was Don Rodrigo Calderón, a proud and haughty man who attained high position during the reign of Felipe III but who was hung at the death of this king (1621).

[193] *está que trina*, he is furious
[194] *pelar la pava*, to make love (through the window grating)
[195] Literally, any at all; here, ordinary

tos y teniendo que declarar en seguida que Pepita era su novia y que iba a casarse con ella, don Luis, a pesar de su carácter pacífico, de sus ensueños de humana ternura y de las creencias religiosas que en su alma quedaban íntegras, y que repugnaban todo medio violento, no acertaba a compaginar con su dignidad el abstenerse de romper la crisma al Conde desvergonzado . . .

Decidido, pues, al lance, resolvió llevarle a cabo en seguida. Y pareciéndole feo y ridículo enviar padrinos y hacer que trajesen en boca el honor de Pepita, halló lo más razonable buscar camorra con cualquier otro pretexto.

Supuso además que el Conde, forastero y vicioso jugador, sería muy posible que estuviese[196] aún en el casino hecho un tahur, a pesar de lo avanzado de la noche, y don Luis se fué derecho al casino.

El casino permanecía abierto, pero las luces del patio y de los salones estaban casi todas apagadas. Sólo en un salón había luz. Allí se dirigió don Luis, y desde la puerta vió al Conde de Genazahar, que jugaba al monte, haciendo de banquero. Cinco personas nada más apuntaban: dos eran forasteros como el Conde; las otras tres eran el capitán de caballería encargado de la remonta,[197] Currito y el médico. No podían disponerse las cosas más al intento de don Luis. Sin ser visto, por lo afanados que estaban en el juego, don Luis los vió, y apenas los vió, volvió a salir del casino, y se fué rápidamente a su casa. Abrió un criado la puerta; preguntó don Luis por su padre, y sabiendo que dormía, para que no le sintiera ni se despertara, subió don Luis de puntillas a su cuarto con una luz, cogió unos tres mil reales que tenía de su peculio, en oro, y se los guardó en el bolsillo. Dijo después al criado que

le volviese a abrir, y se fué al casino otra vez.

Entonces entró don Luis en el salón donde jugaban, dando taconazos recios, 5 con estruendo y con aire de taco,[198] como suele decirse. Los jugadores se quedaron pasmados al verle.

— ¡Tú por aquí a estas horas! — dijo Currito.

10 — ¿De dónde sale usted, curita? — dijo el médico.

— ¿Viene usted a echarme otro sermón? — exclamó el Conde.

— Nada de sermones — contestó don 15 Luis con mucha calma —. El mal efecto que surtió el último que prediqué me ha probado con evidencia que Dios no me llama por ese camino, y ya he elegido otro. Usted, señor Conde, 20 ha hecho mi conversión. He ahorcado los hábitos; quiero divertirme, estoy en la flor de la mocedad y quiero gozar de ella.

— Vamos, me alegro — interrumpió 25 el Conde —; pero cuidado, niño, que si la flor es delicada, puede marchitarse y deshojarse temprano.

— Ya de eso cuidaré yo — replicó don Luis —. Veo que se juega. Me 30 siento inspirado. Usted talla. ¿Sabe usted, señor Conde, que tendría chiste que yo le desbancase?

— Tendría chiste, ¿eh? ¡Usted ha cenado fuerte!

35 — He cenado lo que me ha dado la gana.

— Respondonzuelo se va haciendo el mocito.

— Me hago lo que quiero.

40 — Voto va . . . — dijo el Conde; y ya sentía venir la tempestad, cuando el capitán se interpuso y la paz se restableció por completo.

— Ea — dijo el Conde, sosegado y 45 afable —; desembaúle usted los dinerillos y pruebe fortuna.

Don Luis se sentó a la mesa y sacó

---

[196] Word order: *que sería muy posible que el Conde . . . estuviese*. Compare n. 174.

[197] the raising or buying of horses for the military forces

[198] a swaggering air

del bolsillo todo su oro. Su vista acabó de serenar al Conde, porque casi excedía aquella suma a la que tenía él de banca, y ya imaginaba que iba a ganársela al novato.

— No hay que calentarse mucho la cabeza[199] en este juego — dijo don Luis —. Ya me parece que le entiendo. Pongo dinero a una carta, y si sale la carta, gano, y si sale la contraria, gana usted.

— Así es, amiguito; tiene usted un entendimiento macho.[200]

— Pues lo mejor es que no tengo sólo macho el entendimiento, sino también la voluntad; y con todo, en el conjunto, disto bastante de ser un macho, como hay tantos por ahí.

— ¡Vaya si viene usted parlanchín y si saca alicantinas![201]

Don Luis se calló: jugó unas cuantas veces, y tuvo tan buena fortuna, que ganó casi siempre.

El Conde comenzó a cargarse.

— ¿Si me desplumará el niño?[202] — dijo —. Dios protege la inocencia.

Mientras que el Conde se amostazaba, don Luis sintió cansancio y fastidio y quiso acabar de una vez.[203]

— El fin de todo esto — dijo — es ver si yo me llevo esos dineros o si usted se lleva los míos. ¿No es verdad, señor Conde?

— Es verdad.

— Pues ¿para qué hemos de estar aquí en vela toda la noche? Ya va siendo tarde, y siguiendo su consejo de usted debo recogerme para que la flor de mi mocedad no se marchite.

— ¿Qué es eso? ¿Se quiere usted largar? ¿Quiere usted tomar el olivo?[204]

— Yo no quiero tomar olivo ninguno. Al contrario. Curro, dime tú: aquí, en este montón de dinero, ¿no hay ya más que en la banca?

Currito miró, y contestó:

— Es indudable.

— ¿Cómo explicaré — preguntó don Luis — que juego en un golpe cuanto hay en la banca contra otro tanto?

— Eso se explica — respondió Currito — diciendo: ¡copo!

— Pues, copo — dijo don Luis dirigiéndose al Conde —. Va el copo y la red[205] en este rey de espadas, cuyo compañero hará de seguro su epifanía antes que su enemigo el tres.

El Conde, que tenía todo su capital mueble en la banca, se asustó al verle comprometido de aquella suerte; pero no tuvo más que[206] aceptar.

Es sentencia del vulgo que los afortunados en amores son desgraciados al juego; pero más cierta parece la contraria afirmación. Cuando acude la buena dicha, acude para todo, y lo mismo cuando la desdicha acude.

El Conde fué tirando cartas, y no salía ningún tres. Su emoción era grande, por más que[207] lo disimulaba. Por último, descubrió por la pinta el rey de copas y se detuvo.

— Tire usted — dijo el capitán.

— No hay para qué. El rey de copas. ¡Maldito sea! El curita me ha desplumado. Recoja usted el dinero.

El Conde echó con rabia la baraja sobre la mesa.

Don Luis recogió todo el dinero con indiferencia y reposo.

Después de un corto silencio habló el Conde:

— Curita, es menester que me dé usted el desquite.

— No veo la necesidad.

---

[199] calentarse mucho la cabeza, to use one's brains very much

[200] macho, masculine, strong; as a noun, mule

[201] Vaya . . . alicantinas, You certainly are talkative and full of tricks!

[202] Suppose the boy should clean me out?

[203] de una vez, once and for all

[204] An expression from bullfighters' jargon, to take to safety (behind the barrier)

[205] A double pun, since as a noun copo means a small net and red means not only a net but an abundance. Translate, 'the whole works'

[206] no tener más que, not to be able to help

[207] See note 126.

— ¡Me parece que entre caballeros! . . .

— Por esa regla el juego no tiene término — observó don Luis —. Por esa regla lo mejor sería ahorrarse el trabajo de jugar.

— Déme usted el desquite — replicó el Conde, sin atender a razones.

— Sea — dijo don Luis —. Quiero ser generoso.

El Conde volvió a tomar la baraja y se dispuso a echar nueva talla.

— Alto ahí — dijo don Luis —. Entendámonos antes. ¿Dónde está el dinero de la nueva banca de usted?

El Conde se quedó turbado y confuso.

— Aquí no tengo dinero — contestó —; pero me parece que sobra con mi palabra.

Don Luis, entonces, con acento grave y reposado, dijo:

— Señor Conde, yo no tendría inconveniente en fiarme de la palabra de un caballero y en llegar a ser su acreedor, si no temiese perder su amistad, que casi voy ya conquistando; pero desde que vi esta mañana la crueldad con que trató usted a ciertos amigos míos, que son sus acreedores, no quiero hacerme culpado para con usted del mismo delito. No faltaba más sino que yo voluntariamente incurriese en el enojo de usted prestándole dinero, que no me pagaría, como no ha pagado, sino con injurias, el que debe a Pepita Jiménez.

Por lo mismo que el hecho era cierto, la ofensa fué mayor. El Conde se puso lívido de cólera, y ya de pie, pronto a venir a las manos con el colegial, dijo con voz alterada:

— ¡Mientes, deslenguado! ¡Voy a deshacerte entre mis manos, hijo de la grandísima . . . !

Esta última injuria, que recordaba a don Luis la falta de su nacimiento, y caía sobre el honor de la persona cuya memoria le era más querida y respe-

tada, no acabó de formularse, no acabó de llegar a sus oídos.

Don Luis, por encima de la mesa, que estaba entre él y el Conde, con agilidad asombrosa y con tino y fuerza, tendió el brazo derecho, armado de un junco o bastoncillo flexible y cimbreante, y cruzó la cara de su enemigo, levantándole al punto un verdugón amoratado.

No hubo ni grito ni denuesto ni alboroto posterior. Cuando empiezan las manos suelen callar las lenguas. El Conde iba a lanzarse sobre don Luis para destrozarle si podía; pero la opinión había dado una gran vuelta desde aquella mañana, y entonces estaba en favor de don Luis. El capitán, el médico y hasta Currito, ya con más ánimo, contuvieron al Conde, que pugnaba y forcejeaba ferozmente por desasirse.

— Dejadme libre, dejadme que le mate — decía.

— Yo no trato de evitar un duelo — dijo el capitán —. El duelo es inevitable. Trato sólo de que no luchéis aquí como dos ganapanes. Faltaría a mi decoro si presenciase tal lucha.

— Que vengan armas — dijo el Conde —. No quiero retardar el lance ni un minuto . . . En el acto . . ., aquí.

— ¿Queréis reñir al sable? — dijo el capitán.

— Bien está — respondió don Luis.

— Vengan los sables — dijo el Conde.

Todos hablaban en voz baja para que no se oyese nada en la calle. Los mismos criados del casino, que dormían en sillas, en la cocina y en el patio, no llegaron a despertar.

Don Luis eligió para testigos al capitán y a Currito. El Conde, a los dos forasteros. El médico quedó para hacer su oficio, y enarboló la bandera de la Cruz Roja.[208]

Era todavía de noche. Se convino en hacer campo de batalla de aquel salón, cerrando antes la puerta.

---

[208] Figuratively speaking, of course

El capitán fué a su casa por los sables, y los trajo al momento debajo de la capa que para ocultarlos se puso.

Ya sabemos que don Luis no había empuñado en su vida un arma. Por [5] fortuna, el Conde no era mucho más diestro en la esgrima, aunque nunca había estudiado teología ni pensado en ser clérigo.

Las condiciones del duelo se redu-[10]jeron a que, una vez el sable en la mano, cada uno de los dos combatientes hiciera lo que Dios le diera a entender.

Se cerró la puerta de la sala. [15]

Las mesas y las sillas se apartaron en un rincón para despejar el terreno. Las luces se colocaron de un modo conveniente. Don Luis y el Conde se quitaron levitas y chalecos, quedaron en [20] mangas de camisa y tomaron las armas. Se hicieron a un lado[209] los testigos. A una señal del capitán, empezó el combate.

Entre dos personas que no sabían [25] parar ni defenderse, la lucha debía de ser brevísima, y lo fué.

La furia del Conde, retenida por algunos minutos, estalló y le cegó. Era robusto; tenía unos puños de hierro, y [30] sacudía con el sable una lluvia de tajos sin orden ni concierto. Cuatro veces tocó a don Luis, por fortuna siempre de plano. Lastimó sus hombros, pero no le hirió. Menester fué de todo el vigor [35] del joven teólogo para no caer derribado a los tremendos golpes y con el dolor de las contusiones. Todavía tocó el Conde por quinta vez a don Luis, y le dió en el brazo izquierdo. Aquí la [40] herida fué de filo, aunque de soslayo. La sangre de don Luis empezó a correr en abundancia. Lejos de contenerse un poco, el Conde arremetió con más ira para herir de nuevo: casi se metió bajo el [45] sable de don Luis. Éste, en vez de prepararse a parar, dejó caer[210] el sable

con brío y acertó con una cuchillada en la cabeza del Conde. La sangre salió con ímpetu, y se extendió por la frente y corrió sobre los ojos. Aturdido por el golpe, dió el Conde con su cuerpo en el suelo.

Toda la batalla fué negocio de algunos segundos.

Don Luis había estado sereno . . . pero, no bien [10] miró a su contrario por tierra, bañado en sangre y como muerto, don Luis sintió una angustia grandísima y temió que le diese una congoja. Él, que no se creía capaz de [15] matar un gorrión, acaso acababa de matar a un hombre. Él, que aun estaba resuelto a ser sacerdote, a ser misionero, a ser ministro y nuncio del Evangelio hacía cinco o seis horas, había come-[20]tido o se acusaba de haber cometido en nada de tiempo[211] todos los delitos, y de haber infringido todos los mandamientos de la ley de Dios. No había quedado pecado mortal de que no se [25] contaminase.

El estado de don Luis, después de las agitaciones de todo aquel día, era el de un hombre que tiene fiebre cerebral.

Currito y el capitán, cada uno de un [30] lado, le agarraron y le llevaron a su casa.

Don Pedro de Vargas se levantó sobresaltado cuando le dijeron que venía su hijo herido. Acudió a verle; [35] examinó las contusiones y la herida del brazo, y vió que no eran de cuidado; pero puso el grito en el cielo diciendo que iba a tomar venganza de aquella ofensa, y no se tranquilizó hasta que [40] supo el lance, y que don Luis había sabido tomar venganza por sí, a pesar de su teología.

El médico vino poco después a curar a don Luis, y pronosticó que en tres o [45] cuatro días estaría don Luis para salir a la calle, como si tal cosa.[212] El Conde,

---

[209] Here, to move to one side
[210] *dejó caer*, brought down
[211] *nada de tiempo*, no time at all

[212] *como . . . cosa*, as good as new, as if nothing had happened

en cambio, tenía para meses.[213] Su vida, sin embargo, no corría peligro. Había vuelto de su desmayo, y había pedido que le llevasen a su pueblo, que no dista más que una legua del lugar en que pasaron estos sucesos. Habían buscado un carricoche de alquiler y le habían llevado, yendo en su compañía su criado y los dos forasteros que le sirvieron de testigos.

A los cuatro días del lance se cumplieron, en efecto, los pronósticos del doctor, y don Luis, aunque magullado de los golpes y con la herida abierta aún, estuvo en estado de salir, y prometiendo un restablecimiento completo en plazo muy breve.

El primer deber que don Luis creyó que necesitaba cumplir, no bien le dieron de alta,[214] fué confesar a su padre sus amores con Pepita, y declararle su intención de casarse con ella.

Don Pedro no había ido al campo ni se había empleado sino en cuidar a su hijo durante la enfermedad. Casi siempre estaba a su lado acompañándole y mimándole con singular cariño.

En la mañana del día 27 de junio, después de irse el médico, don Pedro quedó solo con su hijo; y entonces la tan difícil confesión para don Luis tuvo lugar del modo siguiente:

— Padre mío — dijo don Luis —; yo no debo seguir engañando a usted por más tiempo. Hoy voy a confesar a usted mis faltas y a desechar la hipocresía.

— Muchacho, si es confesión lo que vas a hacer mejor será que llames al padre Vicario. Yo tengo muy holgachón el criterio, y te absolveré de todo sin que mi absolución te valga para nada. Pero si quieres confiarme algún hondo secreto como a tu mejor amigo, empieza, que te escucho.

— Lo que tengo que confiar a usted es una gravísima falta mía, y me da vergüenza . . .

— Pues no tengas vergüenza con tu padre y di sin rebozo.

Aquí don Luis, poniéndose muy colorado y con visible turbación, dijo:

— Mi secreto es que estoy enamorado de . . . Pepita Jiménez, y que ella . . .

Don Pedro interrumpió a su hijo con una carcajada y continuó la frase:

— Y que ella está enamorada de ti, y que la noche de la velada de San Juan estuviste con ella en dulces coloquios hasta las dos de la mañana, y que por ella buscaste un lance con el Conde de Genazahar, a quien has roto la cabeza. Pues, hijo, bravo secreto me confías. No hay perro ni gato en el lugar que no esté ya al corriente de todo. Lo único que parecía posible ocultar era la duración del coloquio hasta las dos de la mañana, pero unas gitanas buñoleras te vieron salir de la casa, y no pararon hasta contárselo a todo bicho viviente. Pepita, además, no disimula cosa mayor; y hace bien, porque sería el disimulo de Antequera[215] . . . Desde que estás enfermo viene aquí Pepita dos veces al día, y otras dos o tres veces envía a Antoñona a saber de tu salud; y si no han entrado a verte, es porque yo me he opuesto, para que no te alborotes.

La turbación y el apuro de don Luis subieron de punto cuando oyó contar a su padre toda la historia en lacónico compendio.

— ¡Qué sorpresa! — dijo —, ¡qué asombro habrá sido el de usted!

— Nada de sorpresa ni de asombro, muchacho. En el lugar sólo se saben las cosas hace cuatro días, y la verdad sea dicha, ha pasmado tu transformación . . . Pero a mí no me cogieron las noticias de susto, salvo tu herida. Los viejos sentimos crecer la hierba.[216] No es fácil que los pollos engañen a los recoveros.

[213] had (a wound which would incapacitate him) for months
[214] See p. 293, n. 199

[215] An attempt to conceal facts known to everybody
[216] We old people know what's going on.

— Es verdad: he querido engañar a usted. ¡He sido hipócrita!

— No seas tonto: no lo digo por motejarte. Lo digo para darme tono de perspicaz. Pero hablemos con franqueza: mi jactancia es inmotivada. Yo sé punto por punto el progreso de tus amores con Pepita, desde hace más de dos meses; pero lo sé porque tu tío el Deán, a quien escribías tus impresiones, me lo ha participado todo. Oye la carta acusadora de tu tío, y oye la contestación que le di, documento importantísimo de que he guardado minuta.

. . . acabó don Pedro de leer su carta, y al volver a mirar a don Luis, vió que don Luis había estado escuchando con los ojos llenos de lágrimas.

El padre y el hijo se dieron un abrazo muy apretado y muy prolongado.

Al mes justo de esta conversación y de esta lectura, se celebraron las bodas de don Luis de Vargas y de Pepita Jiménez.

Temeroso el señor Deán de que su hermano le embromase demasiado con que el misticismo de Luisito había salido huero, y conociendo además que su papel iba a ser poco airoso en el lugar, donde todos dirían que tenía mala mano para sacar santos, dió por pretexto sus ocupaciones y no quiso venir, aunque envió su bendición y unos magníficos zarcillos, como presente para Pepita.

El padre Vicario tuvo, pues, el gusto de casarla con don Luis.

La novia muy bien engalanada, pareció hermosísima a todos y digna de trocarse por el cilicio y las disciplinas.

Aquella noche dió don Pedro un baile estupendo en el patio de su casa y salones contiguos. Criados y señores, hidalgos y jornaleros, las señoras y señoritas y las mozas del lugar asistieron y se mezclaron en él, como en la soñada primera edad del mundo, que no sé por qué llaman de oro. Cuatro diestros, o si no diestros, infatigables guitarristas, tocaron el fandango. Un gitano y una gitana, famosos cantadores, entonaron las coplas más amorosas y alusivas a las circunstancias. Y el maestro de escuela leyó un epitalamio en verso heroico . . .

Don Pedro estuvo hecho un cadete: bullicioso, bromista y galante . . . Bailó el fandango con Pepita, con sus más graciosas criadas y con otras seis o siete mozuelas. A cada una, al volverla a su asiento, cansada ya, le dió con efusión el correspondiente y prescrito abrazo, y a las menos serias, algunos pellizcos, aunque esto no formaba parte del ceremonial. Don Pedro llevó su galantería hasta el extremo de sacar a bailar a doña Casilda, que no pudo negarse, y que, con sus diez arrobas de humanidad y los calores de julio, vertía un chorro de sudor por cada poro. Por último, don Pedro atracó de tal suerte a Currito, y le hizo brindar tantas veces por la felicidad de los nuevos esposos, que el mulero Dientes tuvo que llevarle a su casa a dormir la mona,[217] terciado en una borrica como un pellejo de vino.

El baile duró hasta las tres de la madrugada; pero los novios se eclipsaron discretamente antes de las once y se fueron a casa de Pepita . . .

Aunque en el lugar es uso y costumbre, jamás interrumpida, dar una terrible cencerrada a todo viudo o viuda que contrae segundas nupcias, no dejándolos tranquilos con el resonar de los cencerros en la primera noche del consorcio, Pepita era tan simpática y don Pedro tan venerado y don Luis tan querido, que no hubo cencerros ni el menor conato de que resonasen aquella noche: caso raro, que se registra como tal en los anales del pueblo.

---

[217] *dormir la mona*, to sleep off one's drunkenness

III. *Epílogo*

Cartas de mi hermano

La historia de Pepita y Luisito debiera terminar aquí. Este epílogo está de sobra; pero el señor Deán lo tenía en el legajo, y ya que no le publiquemos por completo, publicaremos parte; daremos una muestra siquiera . . .

Todo prospera en casa. Luis y yo tenemos unas candioteras que no las hay mejores en España, si prescindimos de Jerez.[218] La cosecha de aceite ha sido este año soberbia. Podemos permitirnos todo género de lujos, y yo aconsejo a Luis y a Pepita que den un buen paseo por Alemania, Francia e Italia, no bien salga Pepita de su cuidado y se restablezca. Los chicos pueden, sin imprevisión ni locura, derrochar unos cuantos miles de duros en la expedición y traer muchos primores de libros, muebles y objetos de arte para adornar su vivienda.

Hemos aguardado dos semanas para que sea el bautizo el día mismo del primer aniversario de la boda. El niño es un sol de bonito y muy robusto. Yo he sido el padrino, y le hemos dado mi nombre. Yo estoy soñando con que Periquito hable y diga gracias . . .

Mis hijos han vuelto de su viaje bien de salud, y con Periquito muy travieso y precioso.

Luis y Pepita vienen resueltos a no volver a salir del lugar, aunque les dure más la vida que a Filemón y a Baucis.[219] Están enamorados como nunca el uno del otro.

Traen lindos muebles, muchos libros, algunos cuadros y no sé cuántas otras baratijas elegantes que han comprado por esos mundos y principalmente en París, Roma, Florencia y Viena . . .

Todo lo van mejorando y hermoseando para hacer de este retiro su edén.

No imagines, sin embargo, que la afición de Luis y de Pepita al bienestar material haya entibiado en ellos, en lo más mínimo, el sentimiento religioso. La piedad de ambos es más profunda cada día, y en cada contento o satisfacción de que gozan o que pueden proporcionar a sus semejantes ven un nuevo beneficio del cielo, por el cual se reconocen más obligados a demostrar su gratitud. Es más: esa satisfacción y ese contento no lo serían, no tendrían precio, ni valor, ni sustancia para ellos, si la consideración y la firme creencia en las cosas divinas no se lo prestasen.

Luis no olvida nunca, en medio de su dicha presente, el rebajamiento del ideal con que había soñado. Hay ocasiones en que su vida de ahora le parece vulgar, egoísta y prosaica, comparada con la vida de sacrificio, con la existencia espiritual a que se creyó llamado en los primeros años de su juventud; pero Pepita acude solícita a disipar estas melancolías, y entonces comprende y afirma Luis que el hombre puede servir a Dios en todos los estados y condiciones, y concierta la viva fe y el amor de Dios, que llenan su alma, con este amor lícito de lo terrenal y caduco. Pero en todo ello pone Luis como un fundamento divino, sin el cual, ni en los astros que pueblan el éter, ni en las flores y frutos que hermosean el campo, ni en los ojos de Pepita, ni en la inocencia y belleza de Periquito, vería nada de amable . . .

[218] The town in which Jerez wine (called 'sherry' in English) is made.
[219] Philemon and Baucis, a married couple, symbols of conjugal love, entertained Jupiter and Mercury in their home when all their neighbors had refused them shelter. They asked as a reward that they might die at the same time. The gods gave them a long life and then converted them, one into a linden tree, the other into an oak.

En la casa de mis hijos hay, pues, algunas salas que parecen preciosas capillitas católicas o devotos oratorios; pero he de confesar que tienen ambos también su poquito de paganismo, como poesía rústica amoroso-pastoril, la cual ha ido a refugiarse extramuros . . .

El merendero o cenador, donde comimos las fresas aquella tarde, que fué la segunda vez que Pepita y Luis se vieron y se hablaron, se ha transformado en un airoso templete, con pórtico y columnas de mármol blanco. Dentro hay una espaciosa sala con muy cómodos muebles. Dos bellas pinturas la adornan: una representa a Psiquis,[220] descubriendo y contemplando extasiada, a la luz de su lámpara, al Amor dormido en su lecho; otra representa a Cloe[221] cuando la cigarra fugitiva se le mete en el pecho, donde, creyéndose segura, y a tan grata sombra, se pone a cantar, mientras que Dafnis procura sacarla de allí.

Una copia hecha con bastante ésmero en mármol de Carrara,[222] de la Venus de Médicis,[223] ocupa el preferente lugar, y como que preside en la sala. En el pedestal tiene grabados, en letras de oro, estos versos de Lucrecio:

Nec sine te quidquam dias in luminis oras
Exoritur, neque fit laetum, neque amabile
    quidquam.[224]

---

[220] Psyche was the nymph with whom Cupid fell in love. However, he wished to keep his identity from her and visited her only at night. Since an oracle had predicted she would marry a monster, one night Psyche took a lamp and looked at her companion while he was sleeping. Artists have frequently represented her surprise and joy on seeing a beautiful young god instead of the expected hideous creature. However, a drop of oil from the lamp fell on Cupid and awakened him; whereupon, in his anger, he abandoned her.

[221] See n. 176.
[222] The marble from this Italian town is especially prized by sculptors.
[223] Well-known statue of Venus in Florence, Italy. Its significance here is that it represents the pagan goddess of love, particularly the human, natural love which now fills Luis' life.
[224] From the invocation in Lucretius' *De rerum natura* to the goddess Venus: '. . . without thee nothing rises up into the goodly coasts of light, nor anything is joyous made nor lovely . . .' (Translated by Thomas Jackson)

Benito Pérez Galdós

FOR one who holds the highest rank among the authors of the nineteenth century, Galdós as a man is singularly devoid of interest, perhaps because almost all of his life was given over to producing novels at the astounding rate of four or five a year.

Galdós (1843–1920) was born in the Canary Islands, of a well-to-do family, and received his early education in an English school. When he came to Madrid to study law, he spent some years of boarding-house and café life, which served to acquaint him thoroughly with the city. He published his first novel in 1870, and although he wrote for newspapers, did not really take his literary work seriously until 1873. From that time on, his rate of production never lessened. He carried out a scheme of writing two cycles of novels. One was the *Episodios nacionales*, historical novels which trace all of the history of Spain from the Battle of Trafalgar (1805) until after the beginning of the reign of Alfonso XII (1874) — in all, forty-six works. The other cycle, *Novelas contemporáneas*, gives us a picture of life and customs of the author's own day. While it numbers only thirty separate novels, many of these works run to three or even four volumes. These figures give some idea of the magnitude of Galdós' accomplishment.

In politics Galdós became more liberal as he aged, passing through the stages of a believer in constitutional monarchy, then a republican (he served several times as a republican deputy in the Cortes) and finally a socialist. He divided his time between his comfortable residences in Madrid and Santander, with the exception of an occasional vacation spent in travel. Galdós never married and is often said not to portray love very well in his novels. Although he became blind in 1912, he continued to dictate his works almost until his death in 1920.

Besides being generally recognized as the greatest novelist of nineteenth-century Spain, Galdós is also the greatest champion of the liberal cause. It was his belief that literature should have a purpose and the novelist should attempt to instruct his public. Galdós saw clearly that reforms were needed in Spain and preached a gospel of work, humanitarian sympathy for the masses, and religious reform. Despite his constant preoccupation with the faults of Spain, he was never for a minute unpatriotic or pessimistic about the eventual progress of his country.

Novelas contemporáneas

While most novels of the nineteenth century are regional, Galdós avoids this limitation by setting his works usually in Madrid (or occasionally in some imaginary Castilian town which is not treated from a *costumbrista* point of view). Because Madrid is composed of elements from all the provinces of Spain, Galdós, its special author, is the most representative of Spain as a whole. Having been born outside of the Peninsula, he had no preference for a special region, but saw the entire country with a certain detachment. Furthermore, being the one great city novelist of the nine-teenth century, he is the only one to devote himself primarily to city prob-lems — those of social organization, economic welfare, and religious reform. His *Novelas contemporáneas* fall into two broad categories — panoramas of society, such as *Fortunata y Jacinta*, which simply depict realistically the life of all classes of Madrid society, and thesis novels, for example, *Doña Perfecta*, in which the author champions the cause of progress and attacks the abuses of traditionalism. In these novels, the importance of individual characters is minimized, since Galdós tends to think in groups and classes, and gen-erally each character is considered more as a representative of his group than as an individual. Besides, the great stress laid upon atmosphere and background also lessens the importance of individual characters.

Episodios nacionales

These forty-six novels, divided into four series of ten each and one uncom-pleted series, are a combination of fiction and history. Each one traces the fortunes of a fictitious hero who takes part in the historical events of the epoch. As the first series deals with the French invasion, when Spain was fighting against an outsider, it has a loftier, more epic tone. The later series deal with internal strife and spend more time painting the background and atmosphere of the times. True to his habit of seeing people in groups, Galdós makes the whole Spanish nation the true protagonist of this series. These novels are much shorter and more concisely written than the *Novelas contemporáneas*, but there is no *Episodio nacional* which ranks as one of Galdós' greatest works. All his masterpieces belong to the other group.

To judge Galdós' work we must remember that the nineteenth-century novel was usually very ample in size. Our modern idea of 'dense' writing had not developed; the public liked its novels in three or four volumes. Hence Galdós makes use of many digressions, some of which add to the total value of his work, while others detract. He also has a tendency to improvise, and tells us himself that he often did not know how a novel would end while he was writing it. Consequently, reading a chapter of

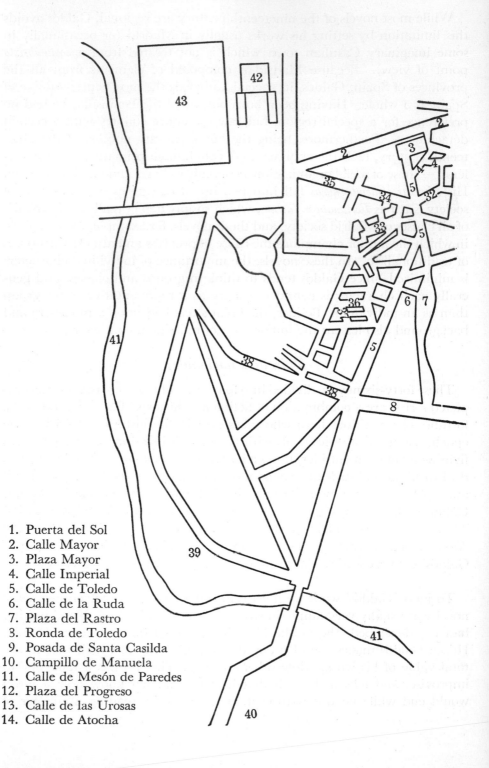

1. Puerta del Sol
2. Calle Mayor
3. Plaza Mayor
4. Calle Imperial
5. Calle de Toledo
6. Calle de la Ruda
7. Plaza del Rastro
3. Ronda de Toledo
9. Posada de Santa Casilda
10. Campillo de Manuela
11. Calle de Mesón de Paredes
12. Plaza del Progreso
13. Calle de las Urosas
14. Calle de Atocha

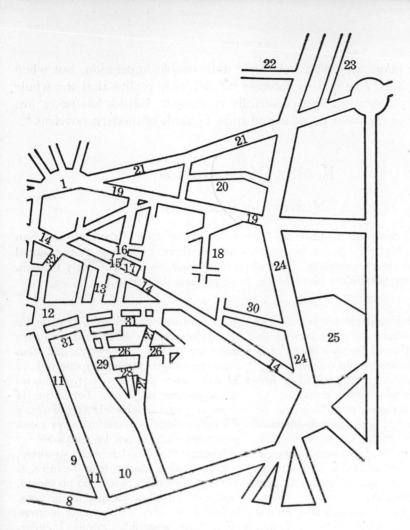

Galdós, we may carry off a relatively unfavorable impression, but when we have finished one or two volumes we suddenly realize that the whole is artistically conceived and powerfully expressed. Galdós has never lost his position as the most popular and most Spanish of modern novelists.*

Benito Pérez Galdós

Misericordia (abridged)

[The novel opens on a blustering March day at the door of the church of San Sebastián in Madrid. Seven beggars are posted there, collecting an occasional farthing from the churchgoers. Two of them, Benina, an old, but lively woman, and Almudena, an almost blind Moor, have just left the group.]

. . .

Ahora conviene decir que la ausencia de la *señá* Benina y del ciego Almudena no era casual aquel día, por lo cual allá van[1] las explicaciones de un suceso que merece mención en esta verídica historia. Salieron ambos, como se ha dicho, uno tras otro, con diferencia de algunos minutos; pero como la anciana se detuvo un ratito en la verja, hablando con Pulido,[2] el ciego marroquí se le juntó, y ambos emprendieron juntos el camino por las calles de San Sebastián y Atocha.

— Me detuve a charlar con Pulido por esperarte, amigo Almudena. Tengo que hablar contigo.

Y agarrándole por el brazo con solicitud cariñosa, le pasó de una acera a otra. Pronto ganaron la calle de las Urosas, y parados en la esquina, a resguardo de coches y transeúntes volvió a decirle: «Tengo que hablar contigo, porque tú solo puedes sacarme de un gran compromiso; tú solo, porque los demás *conocimientos*[3] de la parroquia para nada me sirven. ¿Te enteras tú? Son unos egoístas, corazones de pedernal. El que tiene, porque tiene; el que no tiene, porque no tiene. Total, que la dejarán a una morirse de vergüenza, y si a mano viene[4] se gozarán en ver a una pobre mendicante por los suelos.»

Almudena volvió hacia ella su rostro, y hasta podría decirse que la miró, si mirar es dirigir los ojos hacia un objeto, poniendo en ellos, ya que no la vista, la intención, y en cierto modo la atención, tan sostenida como ineficaz. Apretándole la mano, le dijo: — *Amri, saber tú que servirte Almudena él, Almudena mí, como pierro. Amri, dicermi cosas tú . . . de cosas tigo.*[5]

— Sigamos para abajo, y hablaremos por el camino. ¿Vas a tu casa?

— Voy a do *quierer* tú.[6]

— Paréceme que te cansas. Vamos

* List of some important works:

    Episodios nacionales:
      Trafalgar
      Zaragoza
    Novelas contemporáneas:
      Doña Perfecta
      La familia de León Roch
      Fortunata y Jacinta
      Ángel Guerra
      Misericordia

[1] Translate, here are
[2] One of the beggars
[3] Popular for *conocidos*
[4] *si . . . viene*, if the occasion arises
[5] Almudena speaks a very broken Spanish. We shall put most of his speeches into their correct wording. Here: *Señora* (*amri* is from the Arabic *emir*, 'master'), *tú sabes que Almudena, él te servirá; Almudena, yo te serviré como un perro. Señora, dime cosas — tus cosas.*
[6] *Voy a donde tú quieras*

muy a prisa. ¿Te parece bien que nos sentemos un rato en la Plazuela del Progreso para poder hablar con tranquilidad?

Sin duda respondió el ciego afirmativamente, porque cinco minutos después se les veía sentados, uno junto a otro, en el zócalo de la verja que rodea la estatua de Mendizábal.[7] El rostro de Almudena, de una fealdad expresiva, moreno cetrino, con barba rala, negra como el ala del cuervo, se caracterizaba principalmente por el desmedido grandor de la boca, que cuando sonreía, afectaba una curva cuyos extremos, replegando la floja piel de los carrillos, se ponían muy cerca de las orejas. Los ojos eran como llagas ya secas e insensibles, rodeados de manchas sanguinosas; la talla mediana, torcidas las piernas. Su cuerpo había perdido la conformación airosa por la costumbre de andar a ciegas, y de pasar largas horas sentado en el suelo con las piernas dobladas a la morisca. Vestía con relativa decencia, pues su ropa, aunque vieja y llena de mugre, no tenía desgarrón ni avería que no estuvieran enmendados por un zurcido inteligente, o por aplicaciones de parches y retazos.

— Pues a lo que íbamos, Almudena — dijo la señá Benina, quitándose el pañuelo para volver a ponérselo, como persona desasosegada y nerviosa que quiere ventilarse la cabeza. — Tengo un grave compromiso, y tú, nada más que tú, puedes sacarme de él.

— Dicermi ella, tú . . .

— ¿Qué pensabas hacer esta tarde?

— En casa mí, mocha que jacer mí: lavar ropa mí, coser mocha, remendar mocha.[8]

— Eres el hombre más apañado que hay en el mundo. No he visto otro como tú . . . Eres de lo que no hay: y si en el mundo hubiera justicia y las cosas estuvieran dispuestas con razón, debieran darte un premio . . . Bueno, hijo: pues lo que es[9] esta tarde no te dejo trabajar, porque tienes que hacerme un servicio . . . Para las ocasiones son los amigos.

— ¿Qué sucieder tí?[10]

— Una cosa tremenda. Estoy que no vivo.[11] Soy tan desgraciada, que si tú no me amparas me tiro por el viaducto . . . Como lo oyes.

— Amri . . . tirar no.

— Es que hay compromisos tan grandes, tan grandes, que parece imposible que se pueda salir de ellos. Te lo diré de una vez para que te hagas cargo: necesito un duro . . .

— ¡Un durro! — exclamó Almudena, expresando con la súbita gravedad del rostro y la energía del acento el espanto que le causaba la magnitud de la cantidad.

— Sí, hijo, sí . . . un duro, y no puedo ir a casa si antes no lo consigo. Es preciso que yo tenga ese duro: discurre tú, pues hay que sacarlo de debajo de las piedras, buscarlo como quiera que sea.

— Es mocha . . . mocha . . . — murmuraba el ciego volviendo su rostro hacia el suelo.

— No es tanto — observó la otra, queriendo engañar su pena con ideas optimistas. — ¿Quién no tiene un duro? Un duro, amigo Almudena, lo tiene cualquiera . . . Con que ¿puedes buscármelo tú, sí o no?

Algo dijo el ciego en su extraña lengua que Benina tradujo por la palabra «imposible,» y lanzando un suspiro profundo, al cual contestó Almudena con otro no menos hondo y lastimero, quedóse un rato en meditación dolorosa, mirando al suelo y después al cielo y a la estatua de Mendizábal, aquel verdinegro señor de bronce que ella no

---

[7] Prime Minister of Spain in 1835, who caused monastic property to be sold.

[8] En mi casa tengo mucho que hacer: lavar mi ropa, coser mucho, remendar mucho.

[9] See p. 257, n. 40

[10] ¿Qué te sucede?

[11] I'm half dead.

sabía quién era ni por qué le habían puesto allí. Con ese mirar vago y distraído que es, en los momentos de intensa amargura, como un giro angustioso del alma sobre sí misma, veía pasar por una y otra banda del jardín gentes presurosas o indolentes. Unos llevaban un duro, otros iban a buscarlo. Pasaban cobradores del Banco con el taleguillo al hombro; carricoches con botellas de cerveza y gaseosa; carros fúnebres, en el cual era conducido al cementerio alguno a quien nada importaban ya los duros. En las tiendas entraban compradores que salían con paquetes. Mendigos haraposos importunaban a los señores. Con rápida visión, Benina pasó revista a los cajones de tanta tienda,[12] a los distintos cuartos de todas las casas, a los bolsillos de todos los transeúntes bien vestidos, adquiriendo la certidumbre de que en ninguno de aquellos repliegues de la vida faltaba un duro . . .

Esto pensaba, cuando Almudena, volviendo de una meditación calculista, que debía de ser muy triste por la cara que ponía, le dijo:

— ¿No tener tú cosa que *peinar*?[13]

— No, hijo: todo empeñado ya, hasta las papeletas.

— ¿No haber persona que *priestar ti*?[14]

— No hay nadie que me fíe ya. No doy un paso sin encontrar una mala cara . . .

— No llorar, *amri*. Tú ser buena *migo*; yo arremediando ti[15] . . . Veslo ahora.

— ¿Qué se te ocurre? Dímelo pronto.

— Yo *peinar* ropa.

— ¿El traje que compraste en el Rastro?[16] ¿Y cuánto crees que te darán?

— Dos *piesetas* y media.

— Yo haré por sacar tres. ¿Y lo demás?

— Vamos a casa *migo*, — dijo Almudena levantándose con resolución.

— Prontito, hijo, que no hay tiempo que perder. Es muy tarde. ¡Pues no hay poquito que andar de aquí a la posada de Santa Casilda!

Emprendieron su camino presurosos por la calle de Mesón de Paredes, hablando poco. Benina, más sofocada por la ansiedad que por la viveza del paso, echaba lumbre de su rostro, y cada vez que oía campanadas de relojes hacía una mueca de desesperación. El viento frío del Norte les empujaba por la calle abajo, hinchando sus ropas como velas de un barco. Las manos de uno y otro eran de hielo; sus narices rojas destilaban. Enronquecían sus voces; las palabras sonaban con oquedad fría y triste.

No lejos del punto en que Mesón de Paredes desemboca en la Ronda de Toledo, hallaron el parador de Santa Casilda, vasta colmena de viviendas baratas alineadas en corredores sobrepuestos. Éntrase a ella por un patio o corralón largo y estrecho, lleno de montones de basura, residuos, despojos y desperdicios de todo lo humano. El cuarto que habitaba Almudena era el último del piso bajo, al ras del suelo, y no había que franquear un solo escalón para penetrar en él. Componíase la vivienda de dos piezas separadas por una estera pendiente del techo; a un lado la cocina, a otro la sala, que también era alcoba o gabinete, con piso de tierra bien apisonado, paredes blancas, no tan sucias como otras del mismo caserón o humana madriguera. Una silla era el único mueble, pues la cama consistía en un jergón y mantas pardas, arrimado todo a un ángulo. La cocinilla no estaba desprovista de pucheros, cacerolas, botellas, ni tampoco de víveres. En el centro de la habitación, vió Benina un bulto negro, algo como un lío de ropa, o un costal abandonado.

---

[12] Translate in the plural
[13] ¿No tienes alguna cosa que *empeñar*?
[14] ¿ . . . que te *preste algo*?

[15] *Tú eres buenu conmigo; yo te ayudaré*
[16] The famous open-air market of second-hand articles held in the Plaza del Rastro.

A la escasa luz que entraba después de cerrada la puerta, pudo observar que aquel bulto tenía vida. Por el tacto, más que por la vista, comprendió que era una persona.

— Ya estar aquí la *Pedra* borracha.

— ¡Ah! ¡qué cosas! Es esa que te ayuda a pagar el cuarto... Borrachona, sinvergüenzonaza... Pero no perdamos tiempo, hijo; dame el traje, que yo lo llevaré... y con la ayuda de Dios, sacaré siquiera dos ochenta. Ve pensando en buscarme lo que falta. La Virgen Santísima te lo dará, y yo he de rezarle para que te lo dé doblado, que a mí seguro es que no quiere darme cosa ninguna.

Haciéndose cargo de la impaciencia de su amiga, el ciego descolgó de un clavo el traje que él llamaba nuevo,... y lo entregó a su amiga, que en cuatro zancajos se puso en el patio y en la Ronda, tirando luego hacia el llamado Campillo de Manuela. El mendigo, en tanto, pronunciando palabras coléricas, que no es fácil al narrador reproducir, por ser en lengua arábiga, palpaba el bulto de la mujer embriagada, que como cuerpo muerto en mitad del cuartucho yacía. A las expresiones airadas del ciego, sólo contestó con ásperos gruñidos, y dió media vuelta, espatarrándose y estirando los brazos para caer de nuevo en sopor más hondo y en más brutal inercia.

Almudena metía mano por entre las ropas negras, cuyos pliegues, revueltos con los del mantón, formaban un lío inextricable... Allí sacó rosarios, escapularios, un fajo de papeletas de empeño envuelto en un pedazo de periódico, trozos de herradura, recogidos en las calles, muelas de animales o de personas, y otras baratijas. Terminado el registro, entró la Benina, de vuelta ya de su diligencia, la cual había despachado con tanta pres-

teza, como si la hubieran llevado y traído en volandas los angelitos del cielo. Venía la pobre mujer sofocadísima del veloz correr por las calles; apenas podía respirar, y su rostro sudoroso despedía fuego, sus ojos alegría.

— Me han dado tres — dijo mostrando las monedas, — una en cuartos. No he tenido poca suerte en que estuviera allí Valeriano; que a llegar a estar el ama, la Reimunda, trabajo me costara sacarle dos y pico.

Respondiendo al contento de la anciana, Almudena, con cara de regocijo y triunfo, le mostró entre los dedos una peseta.

— Encuentrarla aquí, en el *piecho*[17] de ésta... Cogerla *tigo*.[18]

— ¡Oh, qué suerte! ¿Y no tendrá más? Busca bien, hijo.

— No tener más...

Siguió parloteando el ciego, y por las explicaciones que le dió del carácter y costumbres de la mujerona, pudo comprender que si se hubieran encontrado a ésta en estado de normal despejo, les habría dado la peseta con sólo pedirla. Con una breve frase sintetizó Almudena a su compañera de hospedaje: «Ser güena, ser mala... Coger ella *tudo*, dar ella *tudo*»[19]

Acto continuo levantó el colchón, y escarbando en la tierra, sacó una petaca vieja y sucia, que cuidadosamente escondía entre trapos y cartones, y metiendo los dedos en ella, como quien saca un cigarro, extrajo un papelejo, que desenvuelto mostró una monedita de dos reales, nueva y reluciente. La cogió Benina, mientras Almudena sacaba de su bolsillo, donde tenía multitud de herramientas, tijeras, canuto de agujas, navaja, etc., otro envoltorio con dos perras gordas... y lo dió todo a la pobre anciana, diciéndole: «*Amri*, arriglar así *tigo*.»[20]

---

[17] *pecho*
[18] *La cogí para ti.*
[19] *Ella es buena y es mala. Ella todo lo coge o todo lo da.*
[20] *Señora, arréglate así.*

—Sí, sí . . . Pongo lo mío de hoy, y ya falta tan poco, que no quiero molestarte más. ¡Gracias a Dios! Me parece mentira. ¡Ay, hijo, qué bueno eres! Mereces que te caiga la lotería, y si no te cae, es porque no hay justicia en la tierra ni en el cielo . . . Adiós, hijo, no puedo detenerme ni un momento más . . . Dios te lo pague . . . Estoy en ascuas. Me voy volando a casa . . . Quédate en la tuya . . . y a esta pobre desgraciada, cuando despierte, no la pegues, hijo, ¡pobrecita! Cada uno, por el aquel de[21] no sufrir se emborracha con lo que puede: ésta con el aguardentazo,[22] otros con otra cosa. Yo también las cojo; pero no así: las mías son de cosa de más adentro . . . Ya te contaré, ya te contaré.

Y salió disparada, las monedas metidas en el seno, temerosa de que alguien se las quitara por el camino, o de que se le escaparan volando, arrastradas de sus tumultuosos pensamientos. Al quedarse solo, Almudena fué a la cocina, donde, entre otros cachivaches tenía una palanganita de estaño y un cántaro de agua. Se lavó las manos y los ojos; después cogió un cazuelo en que había cenizas y carbones apagados, y pasando a una de las casas vecinas, volvió al poco rato con lumbre, sobre la cual derramó un puñadito de cierta substancia que en un envoltorio de papel tenía junto a la cama. Levantóse del fuego humareda muy densa y un olor penetrante. Era el sahumerio de benjuí, única remembranza material de la tierra nativa que Almudena se permitía en su destierro vagabundo. El aroma especial, característico de casa mora, era su consuelo, su placer más vivo, práctica juntamente casera y religiosa, pues envuelto en aquel humo se puso a rezar cosas que ningún cristiano podía entender . . .

Casi no es hipérbole decir que la señá Benina, al salir de Santa Casilda, poseyendo el incompleto duro que calmaba sus mortales angustias, iba por rondas, travesías y calles como una flecha. Con sesenta años a la espalda, conservaba su agilidad y viveza, unidas a una perseverancia inagotable . . . Con increíble presteza entró en una botica de la calle de Toledo; recogió medicinas que había encargado muy de mañana; después hizo parada en la carnicería y en la tienda de ultramarinos, llevando su compra en distintos envoltorios de papel, y, por fin, entró en una casa de la calle Imperial, próxima a la rinconada en que está el Almotacén y Fiel Contraste.[23] Deslizóse a lo largo del portal angosto, obstruído y casi intransitable por los colgajos de un comercio de cordelería que en él existe; subió la escalera, con rápidos andares hasta el principal, con moderado paso hasta el segundo; llegó jadeante al tercero, que era el último, con honores de sotabanco. Dió vuelta a un patio grande, por galería de emplomados cristales, de suelo desigual, a causa de los hundimientos y desniveles de la vieja fábrica, y al fin llegó a una puerta de cuarterones, despintada; llamó . . . Era su casa, la casa de su señora, la cual, en persona, tentando las paredes, salió al ruido de la campanilla, o más bien afónico cencerreo, y abrió, no sin la precaución de preguntar por la mirilla, cuadrada, defendida por una cruz de hierro.

—Gracias a Dios, mujer . . . — le dijo en la misma puerta. — ¡Vaya unas horas! Creí que te había cogido[24] un coche, o que te había dado un accidente.

Sin chistar siguió Benina a su señora hasta un gabinetillo próximo, y ambas se sentaron. Excusó la criada las explicaciones de su tardanza por el

[21] por el aquel de, for the purpose of, in order to
[22] a good dose of liquor
[23] Almotacén y Fiel Contraste, the old city custom house and office of weights and measures
[24] Here, to run over

miedo que sentía de darlas, y se puso a la defensiva, esperando a ver por dónde salía Doña Paca, y qué posiciones tomaba en su irascible genio. Algo la tranquilizó el tono de las primeras palabras con que fué recibida; esperaba ella una fuerte reprimenda, vocablos displicentes. Pero la señora parecía estar de buenas,[25] domado, sin duda, el áspero carácter por la intensidad del sufrimiento. Benina se proponía, como siempre, acomodarse al son que le tocara la otra, y a poco de estar junto a ella, cambiadas las primeras frases, se tranquilizó. — ¡Ay, señora, qué día! Yo estaba deshecha; pero no me dejaban salir de aquella bendita casa.

— No me lo expliques — dijo la señora, cuyo acentillo andaluz persistía, aunque muy atenuado, después de cuarenta años de residencia en Madrid. — Ya estoy al tanto.[26] Al oír las doce, la una, las dos, me decía yo: «Pero, Señor, por qué tarda tanto la Nina?» Hasta que me acordé . . .

— Justo.

— Me acordé . . . como tengo en mi cabeza todo el almanaque . . . de que hoy es[27] San Romualdo, confesor y obispo de Farsalia . . .

— Cabal.

— Y son los días[28] del señor sacerdote en cuya casa estás de asistenta.

— Si yo pensara que usted lo había de adivinar, habría estado más tranquila — afirmó la criada, que en su extraordinaria capacidad para forjar y exponer mentiras, supo aprovechar el sólido cable que su ama le arrojaba. — ¡Y que no ha sido floja la tarea!

— Habrás tenido que dar un gran almuerzo. Ya me lo figuro. ¡Y que no serán cortos de tragaderas los curánganos de San Sebastián,[29] compañeros y amigos de tu D. Romualdo!

— Todo lo que le diga es poco.

— Cuéntame: ¿qué les has puesto? — preguntó ansiosa la señora que gustaba de saber lo que se comía en las casas ajenas. — Ya estoy al tanto. Les harías una mayonesa.

— Lo primero un arroz, que me quedó muy a punto.[30] ¡Ay, Señor, cuánto lo alabaron! Que si[31] era yo la primera cocinera de toda la Europa . . . que si por vergüenza no se chupaban los dedos . . .

— ¿Y después?

— Una pepitoria que ya la quisieran para sí los ángeles del cielo. Luego, calamares en su tinta . . . luego . . .

— Pues aunque te tengo dicho que no me traigas sobras de ninguna casa, pues prefiero la miseria que me ha enviado Dios, a chupar huesos de otras mesas . . . como te conozco, no dudo que habrás traído algo. ¿Dónde tienes la cesta?

Viéndose cogida, Benina vaciló un instante; mas no era mujer que se arredraba ante ningún peligro, y su maestría para el embuste le sugirió pronto el hábil quite:[32] — Pues, señora, dejé la cesta, con lo que traje, en casa de la señorita Obdulia, que lo necesita más que nosotras.

— Has hecho bien. Te alabo la idea, Nina. Cuéntame más. ¿Y un buen solomillo, no pusiste?

— ¡Anda, anda! Dos kilos y medio, señora. Sotero Rico me lo dió de lo superior.

— ¿Y postres, bebidas? . . .

— Hasta *Champaña de la Viuda*. Son el diantre los curas, y de nada se privan . . . Pero vámonos adentro, que

[25] *estar de buenas*, to be in good humor
[26] *estar al tanto*, to be informed (about something), to know all about it
[27] is (the day of)
[28] Here, saint's day (also, birthday). These often coincide as children are frequently named for the saint of the day on which they are born.
[29] *Y . . . Sebastián*, The priests of San Sebastián must be great eaters
[30] *quedó . . . punto*, which turned out just right
[31] (They said) that indeed
[32] A bullfighting term, the act of drawing the bull's attention away from a fallen companion; hence, escape

es muy tarde, y estará la señora desfallecida.

— Lo estaba; pero . . . no sé; parece que me he comido todo eso de que has hablado . . . En fin, dame de almorzar.

— ¿Qué ha tomado? ¿El poquito de cocido que le aparté anoche?

— Hija, no pude pasarlo. Aquí me tienes con media onza de chocolate crudo.

— Vamos, vamos allá. Lo peor es que hay que encender lumbre. Pero pronto despacho . . . ¡Ah! también le traigo las medicinas. Eso lo primero.

— ¿Hiciste todo lo que te mandé? — preguntó la señora, en marcha las dos hacia la cocina. ¿Empeñaste mis dos enaguas?

— ¿Cómo no? Con las dos pesetas que saqué, y otras dos que me dió D. Romualdo por ser su santo, he podido atender a todo.

— ¿Pagaste el aceite de ayer?

— ¡Pues no!

— ¿Y la tila y la sanguinaria?

— Todo, todo . . . Y aun me ha sobrado, después de la compra, para mañana.

— ¿Querrá Dios traernos mañana un buen día? — dijo con honda tristeza la señora, sentándose en la cocina, mientras la criada, con nerviosa prontitud, reunía astillas y carbones.

— ¡Ay! sí, señora: téngalo por cierto.

— ¿Por qué me lo aseguras, Nina? . . .

— Dios es bueno.

— Conmigo no lo parece. No se cansa de darme golpes: me apalea, no me deja respirar. Tras un día malo, viene otro peor. Pasan años aguardando el remedio, y no hay ilusión que no se me convierta en desengaño. Me canso de sufrir, me canso también de esperar. Mi esperanza es traidora, y como me engaña siempre, ya no quiero esperar cosas buenas, y las espero malas para que vengan . . . siquiera regulares.

— Pues yo que la señora — dijo Benina dándole[33] al fuelle, — tendría confianza en Dios, y estaría contenta . . . Ya ve que yo lo estoy . . . ¿no me ve? Yo siempre creo que cuando menos lo pensemos nos vendrá el golpe de suerte, y estaremos tan ricamente, acordándonos de estos días de apuros, y desquitándonos de ellos con la gran vida que nos vamos a dar.

— Ya no aspiro a la buena vida, Nina — declaró casi llorando la señora: — sólo aspiro al descanso.

— ¿Quién piensa en la muerte? Eso no: yo me encuentro muy a gusto en este mundo fandanguero, y hasta le tengo ley a[34] los trabajillos que paso. Morirse no.

— ¿Te conformas con esta vida?

— Me conformo, porque no está en mi mano el darme otra. Venga todo antes que la muerte, y padezcamos con tal que no falte un pedazo de pan, y pueda uno comérselo con dos salsas muy buenas: el hambre y la esperanza.

— ¿Y soportas, además de la miseria, la vergüenza, tanta humillación, deber a todo el mundo, no pagar a nadie, vivir de mil enredos, trampas y embustes, no encontrar quien te fíe valor de dos reales, vernos perseguidos de tenderos y vendedores?

— ¡Vaya si lo soporto! . . . Cada cual, en esta vida, se defiende como puede. ¡Estaría bueno que nos dejáramos morir de hambre, estando las tiendas tan llenas de cosas de substancia! Eso no: Dios no quiere que a nadie se le enfríe el cielo[35] de la boca por no comer, y cuando no nos da dinero, un suponer,[36] nos da la sutileza del caletre para inventar modos de allegar lo que hace falta, sin robarlo . . . eso no. Porque yo prometo pagar, y pagaré cuando lo tengamos. Ya saben que somos pobres . . . que hay forma-

---

[33] Well if I were you, said Benina working . . .
[34] *tener ley a*, to be fond of

[35] roof
[36] for example

lidad en casa, ya que no *haigan*[37] otras cosas. ¡Estaría bueno que nos afligiéramos porque los tenderos no cobran estas miserias, sabiendo, como sabemos, que están ricos! . . .

— Es que tú no tienes vergüenza, Nina; quiero decir, decoro; quiero decir, dignidad.

— Yo no sé si tengo eso; pero tengo boca y estómago natural, y sé también que Dios me ha puesto en el mundo para que viva, y no para que me deje morir de hambre. Los gorriones, un suponer, ¿tienen vergüenza? ¡Quiá! . . . lo que tienen es pico . . .

— Lo que yo digo, Nina, es que las cosas son del que las tiene . . . y las tiene todo el mundo menos nosotras . . . ¡Ea! date prisa que siento debilidad. ¿En dónde me pusiste las medicinas? . . . Ya: están sobre la cómoda. Tomaré una papeleta de salicilato antes de comer . . . ¡Ay, qué trabajo me dan estas piernas! En vez de llevarme ellas a mí, tengo yo que tirar de ellas. (*Levantándose con gran esfuerzo*)[38] Mejor andaría yo con muletas. ¿Pero has visto lo que hace Dios conmigo? ¡Si esto parece burla! Me ha enfermado de la vista, de las piernas, de la cabeza, de los riñones, de todo menos del estómago. Privándome de recursos, dispone que yo digiera como un buitre.

— Lo mismo hace conmigo. Pero yo no lo llevo a mal, señora. ¡Bendito sea el Señor, que nos da el bien más grande de nuestros cuerpos: el hambre santísima!

Ya pasaba de los sesenta[39] la por tantos títulos infeliz Doña Francisca

Juárez de Zapata, conocida en los años de aquélla su decadencia lastimosa por *doña Paca*,[40] a secas, con lacónica y plebeya familiaridad. Ved aquí en qué paran las glorias y altezas de este mundo, y qué pendiente hubo de recorrer la tal señora, rodando hacia la profunda miseria, desde que ataba los perros con longaniza,[41] por los años 59 y 60, hasta que la encontramos viviendo inconscientemente de limosna, entre agonías, dolores y vergüenzas mil . . . Nacida en Ronda, su vista se acostumbró desde la niñez a las vertiginosas depresiones del terreno;[42] y cuando tenía pesadillas, soñaba que se caía a la profundísima hondura de aquella grieta que llaman *Tajo*. Los nacidos en Ronda deben de tener la cabeza muy firme y no padecer de vértigos ni cosa tal, hechos[43] a contemplar abismos espantosos. Pero Doña Paca no sabía mantenerse firme en las alturas: instintivamente se despeñaba; su cabeza no era buena para esto ni para gobierno de la vida, que es la seguridad de vista en el orden moral.

El vértigo de Paquita Juárez fue un estado crónico desde que la casaron, muy joven, con D. Antonio María Zapata, que le doblaba la edad, intendente de ejército, excelente persona, de holgada posición por su casa, como la novia, que también poseía bienes raíces de mucha cuenta. Sirvió Zapata en el ejército de África, división de Echagüe, y después de Wad-Ras[44] pasó a la Dirección del ramo. Establecido el matrimonio en Madrid, le faltó tiempo a la señora[45] para poner su casa en un pie de vida frívola y aparatosa que si em-

---

[37] Popular for *hayan*, which in correct Spanish should be *haya*

[38] Notice how Galdós uses a stage direction in a novel. He believed that the drama and the novel were not essentially different forms, and even wrote whole novels in dialogue, reviving the dramatic novel of the type of the *Celestina*.

[39] Supply *años*

[40] One of the many nicknames for *Francisca*

[41] Literally, from the time when she tied up her dogs with strings of sausages; that is, since her opulent days

[42] Ronda, an Andalusian city, is traversed by a deep, narrow canyon.

[43] accustomed

[44] The last battle of the war which the Spaniards won from the Moroccans (1860).

[45] *le . . . señora*, the lady couldn't work fast enough

pezó ajustando las vanidades al marco de las rentas y sueldos, pronto se salió de todo límite de prudencia, y no tardaron en aparecer los atrasos, las irregularidades, las deudas. Hombre ordenadísimo era Zapata; pero de tal modo le dominaba su esposa, que hasta le hizo perder sus cualidades eminentes; y el que tan bien supo administrar los caudales del ejército, veía perderse los suyos, olvidado del arte para conservarlos. Paquita no se ponía tasa en el vestir elegante, ni el lujo de mesa, ni en el continuo zarandeo de bailes y reuniones, ni en los dispendiosos caprichos. Tan notorio fué ya el desorden, que Zapata, aterrado, viendo venir el trueno gordo, hubo de vencer la modorra en que su cara mitad le tenía y se puso a hacer números y a querer establecer método y razón en el gobierno de su hacienda; pero ¡oh triste sino de la familia! cuando más engolfado estaba el hombre en su aritmética, de la que esperaba su salvación, cogió una pulmonía, y pasó a mejor vida el Viernes Santo por la tarde, dejando dos hijos de corta edad: Antoñito y Obdulia.

Administradora y dueña del caudal activo y pasivo, Francisca no tardó en demostrar su ineptitud para el manejo de aquellas enredosas materias, y a su lado surgieron, como los gusanos en cuerpo corrupto, infinitas personas que se la comían por dentro y por fuera, devorándola sin compasión. En esta época desastrosa, entró a su servicio Benigna, que si desde el primer día se acreditó de cocinera excelente, a las pocas semanas hubo de revelarse como la más intrépida sisona de Madrid. Qué tal sería la moza en este terreno, que la misma Doña Francisca, de una miopía radical para la inspección de sus intereses, pudo apreciar la rapacidad minuciosa de la sirvienta, y aun se determinó a corregirla. En justicia,

debo decir que Benigna (entre los suyos llamada *Benina*,[46] y *Nina* simplemente por la señora) tenía cualidades muy buenas que, en cierto modo, compensaban, en los desequilibrios de su carácter, aquel defecto grave de la sisa. Era muy limpia, de una actividad pasmosa, que producía el milagro de agrandar las horas y los días. Además de eso, Doña Francisca estimaba en ella el amor intenso a los niños de la casa; amor sincero y, si se quiere, positivo, que se revelaba en la vigilancia constante, en los exquisitos cuidados con que sanos o enfermos les atendía. Pero las cualidades no fueron bastante eficaces para impedir que el defecto promoviera cuestiones agrias entre ama y sirviente, y en una de éstas, Benina fué despedida. Los niños la echaron muy de menos, y lloraban por su Nina graciosa y soboncita.

A los tres meses se presentó de visita en la casa. No podía olvidar a la señora ni a los nenes. Éstos eran su amor, y la casa, todo lo material de ella, la encariñaba y atraía. Paquita Juárez también tenía especial gusto en charlar con ella pues algo (no sabían qué) existía entre las dos que secretamente las enlazaba, algo de común en la extraordinaria diversidad de sus caracteres. Menudearon las visitas. ¡Ay! la Benina no se encontraba a gusto en la casa donde a la sazón servía. En fin, que[47] ya la tenemos otra vez en la domesticidad de Doña Francisca; y tan contenta ella, y satisfecha la señora, y los pequeñuelos locos de alegría. Sobrevino en aquel tiempo un aumento de las dificultades y ahogos de la familia en el orden administrativo: las deudas roían con diente voraz el patrimonio de la casa; se perdían fincas valiosas, pasando sin saber cómo, por artes de usura infame, a las manos de los prestamistas. Como carga preciosa que se arroja de la embarcación al mar en los

---

[46] Popular pronunciation, like *dino* for *digno*

[47] Omit in translating

apuros del naufragio, salían de la casa los mejores muebles, cuadros, alfombras riquísimas: las alhajas habían salido ya ... Pero por más que se aligeraba el buque, la familia continuaba en peligro de zozobra y de sumergirse en los negros abismos sociales.

Para mayor desdicha, en aquel funesto período del 70 al 80, los dos niños padecieron gravísimas enfermedades: tifoidea el uno; eclampsia y epilepsia la otra. Benina les asistió con tal esmero y solicitud tan amorosa, que se pudo creer que les arrancaba de las uñas de la muerte. Ellos le pagaban, es verdad, estos cuidados con un afecto ardiente. Por amor de Benina, más que por el de su madre, se prestaban a tomar las medicinas, a callar y estarse quietecitos, a sudar sin ganas, y a no comer antes de tiempo: todo lo cual no impidió que entre ama y criada surgiesen cuestiones y desavenencias, que trajeron una segunda despedida. En un arrebato de ira o de amor propio, Benina salió disparada, jurando y perjurando que no volvería a poner los pies en aquella casa, y que al partir sacudía sus zapatos para no llevarse pegado en ellos el polvo de las esteras ... pues lo que es alfombras, ya no las había.

En efecto: antes del año, aparecióse Benina en la casa. Entró, anegado en lágrimas el rostro, diciendo: «Yo no sé qué tiene la señora; yo no sé qué tiene esta casa, y estos niños, y estas paredes, y todas las cosas que aquí hay: yo no sé más sino que no me hallo[48] en ninguna parte. En casa rica estoy, con buenos amos que no reparan en dos reales más o menos; seis duros de salario ... Pues no me hallo, señora, y paso la noche y el día acordándome de esta familia, y pensando si estarán bien o no estarán bien. Me ven suspirar, y creen que tengo hijos. Yo no tengo a nadie en el mundo, más que a la señora, y sus hijos son mis hijos, pues como a tales les quiero ...» Otra vez Benina[49] al servicio de Doña Francisca Juárez, como criada única y para todo, pues la familia había dado un bajón tremendo en aquel año, siendo tan notorias las señales de ruina, que la criada no podía verlas sin sentir aflicción profunda. Llegó la ocasión ineludible de cambiar el cuarto en que vivían por otro más modesto y barato. Doña Francisca, apegada a las rutinas y sin determinación para nada, vacilaba. La criada, quitándole en momentos tan críticos las riendas del gobierno, decidió la mudanza, y desde la calle de Claudio Coello saltaron a la del Olmo. Por cierto que hubo no pocas dificultades para evitar un desahucio vergonzoso: todo se arregló con la generosa ayuda de Benina, que sacó del Monte[50] sus economías, importantes[51] tres mil y pico de reales, y las entregó a la señora, estableciéndose desde entonces comunidad de intereses en la adversa como en la próspera fortuna. Pero ni aún en aquel rasgo de caridad hermosa desmintió la pobre mujer sus hábitos de sisa, y descontó un pico para guardarlo cuidadosamente en su baúl, como base de un nuevo montepío, que era para ella necesidad de su temperamento y placer de su alma.

Como se ve, tenía el vicio del descuento, que en cierto modo, por otro lado, era la virtud del ahorro. Difícil expresar dónde se empalmaban y confundían la virtud y el vicio. La costumbre de escatimar una parte grande o chica de lo que se le daba para la compra, el gusto de guardarla, de ver cómo crecía lentamente su caudal de perras, se sobreponían en su espíritu a todas las demás costumbres, hábitos y placeres. Había llegado a ser el sisar y el reunir como cosa instintiva, y los actos de este linaje se diferenciaron poco de las ra-

[48] I don't feel at home
[49] Supply, entered
[50] *El Monte de Piedad*, the government pawnshop and savings bank
[51] amounting to

piñas y escondrijos de la urraca. En aquella tercera época, del 80 al 85, sisaba como antes, aunque guardando medida proporcional con los mezquinos haberes de Doña Francisca. Sucedié- 5 ronse en aquellos días grandes desventuras y calamidades. La pensión de la señora, como viuda de intendente, había sido retenida en dos tercios por los prestamistas; los empeños sucedían 10 a los empeños, y por librarse de un ahogo, caía pronto en mayores apreturas. Su vida llegó a ser un continuo afán; las angustias de una semana, engendraban las de la semana siguiente; 15 raros eran los días de relativo descanso. Para atenuar las horas tristes, sacaban fuerzas de flaqueza, alegrando con afectadas fantasmagorías los ratos de la noche, cuando se veían libres de acree- 20 dores molestos y de reclamaciones enfadosas. Fué preciso hacer nuevas mudanzas, buscando la baratura, y del *Olmo* pasaron al *Saúco*, y del *Saúco* al *Almendro*. Por esta fatalidad de los 25 nombres de árboles en las calles donde vivieron, parecían pájaros que volaban de rama en rama, dispersados por las escopetas de los cazadores o las pedradas de los chicos.

En una de las tremendas crisis de aquel tiempo, tuvo Benina que acudir nuevamente al fondo de su cofre, donde escondía el *gato*[52] o montepío, producto de sus descuentos y sisas. Ascendía el 35 montón a diez y siete duros. No pudiendo decir a su señora la verdad, salió con el cuento de que una prima suya, la Rosaura, que comerciaba en miel alcarreña, le había dado unos duros 40 para que se los guardara. «Dame, dame todo lo que tengas, Benina, así Dios te conceda[53] la gloria eterna, que yo te lo devolveré doblado cuando los primos de Ronda me paguen lo del 45 pejugar . . . ya sabes . . . es cosa de días . . . ya viste la carta.»

Y revolviendo en el fondo del baúl, entre mil baratijas y líos de trapos, sacó la sisona doce duros y medio y los dió a su ama diciéndole: «Es todo lo 5 que tengo. No hay más: puede creerlo; es tan verdad como que nos hemos de morir.»

No podía remediarlo. Descontaba su propia caridad, y sisaba en su 10 limosna.

Tantas desdichas, parecerá mentira, no eran más que el preámbulo del infortunio grande, aterrador, en que el infeliz linaje de los Juárez y Zapatas 15 había de caer, la boca del abismo en que sumergido le hallamos al referir su historia. Desde que vivían en la calle del Olmo, Doña Francisca fué 20 abandonada de la sociedad que la ayudó a dar al viento su fortuna, y en las calles del Saúco y Almendro desaparecieron las pocas amistades que le restaban. Por entonces la gente de la 25 vecindad, los tenderos chasqueados y las personas que de ella tenían lástima empezaron a llamarla *Doña Paca*, y ya no hubo forma de designarla con otro nombre. Gentezuelas desconsideradas 30 y groseras solían añadir al nombre familiar algún mote infamante: *Doña Paca la tramposa, la Marquesa del Infundio.*

Está visto que Dios quería probar a la dama rondeña, porque a las calami- 35 dades del orden económico añadió la grande amargura de que sus hijos, en vez de consolarla, despuntando por buenos y sumisos, agobiaran su espíritu con mayores mortificaciones, y clavaran 40 en su corazón espinas muy punzantes. Antoñito, defraudando las esperanzas de su mamá, y esterilizando los sacrificios que se habían hecho para encarrilarle en los estudios, salió de la piel 45 del diablo.[54] En vano su madre y Benina, sus dos madres más bien, se desvivían por quitarle de la cabeza las

---

[52] Slang, savings, 'nest egg'
[53] *así . . . conceda*, so may God grant you

[54] *salió . . . diablo*, turned out to be a wild one

malas ideas: ni el rigor ni las blanduras daban resultado . . . A los diez y nueve años, las malas compañías dieron ya carácter grave a sus diabluras; desaparecía de la casa por dos o tres días, se embriagaba, se quedó en los huesos.[55] Uno de los principales cuidados de las dos madres era esconder en las entrañas de la tierra la poca moneda que tenían, porque con él no había dinero seguro. La sacaba con arte exquisito del seno de Doña Paca, o del bolso mugriento de Benina. Arramblaba por todo, fuera poco, fuera mucho. Las dos mujeres no sabían qué escondrijos inventar, ni en qué profundidades de la cocina o de la despensa esconder sus mezquinos tesoros . . .

Por otro estilo, y con organismo totalmente distinto del de su hermano, la niña daba también mucha guerra. Desde los doce años se desarrolló en ella el neurosismo en un grado tal, que las dos madres no sabían cómo templar aquella gaita.[56] Si la trataban con rigor, malo; si con mimos, peor. Ya mujer, pasaba sin transición de las inquietudes epilépticas a una languidez mortecina. Sus melancolías intensas aburrían a las pobres mujeres tanto como sus excitaciones, determinantes de una gran actividad muscular y mental. La alimentación de Obdulia llegó a ser el problema capital de la casa, y entre los desganos y los caprichos famélicos de la niña, las madres perdían su tiempo, y la paciencia que Dios les había concedido al por mayor.[57] Un día le daban, a costa de grandes sacrificios, manjares ricos y substanciosos, y la niña los tiraba por la ventana; otro, se hartaba de bazofias que le producían horroroso flato. Por temporadas se pasaba días y noches llorando, sin que pudiera averiguarse la causa de su duelo; otras veces

se salía con un geniecillo displicente y quisquilloso que era el mayor suplicio de las dos mujeres. Según opinión de un médico que por lástima las visitaba, y de otros que tenían consulta gratuita, todo el desorden nervioso y psicológico de la niña era cuestión de anemia, y contra esto no había más terapéutica que el tratamiento ferruginoso, los buenos filetes y los baños fríos.

Era Obdulia bonita, de facciones delicadas, tez opalina, cabello castaño, talle sutil y esbelto, ojos dulces, habla modosita y dengosa cuando no estaba de morros[58] . . . La ilusión de Doña Paca era casarla con uno de los hijos de su primo Matías, propietario rondeño, chicos guapines y bien criados, que seguían carrera en Sevilla, y alguna vez venían a Madrid por San Isidro.[59] Uno de ellos, Currito Zapata, gustaba de Obdulia: casi se entablaron relaciones amorosas que por el carácter de la niña y sus extravagancias melindrosas no llegaron a formalizarse. Pero la madre no abandonaba la idea, o al menos, acariciándola en su mente, con ella se consolaba de tantas desdichas.

De la noche a la mañana, viviendo la familia en la calle del Olmo, se iniciaron, sin saber cómo, no sé qué relaciones telegráficas entre Obdulia y un chico de enfrente, cuyo padre administraba una empresa de servicios fúnebres. El bigardón aquel no carecía de atractivos: estudiaba en la Universidad y sabía mil cosas bonitas que Obdulia ignoraba, y fueron para ella como una revelación. Literatura y poesía, versitos, mil baratijas del humano saber pasaron de él a ella en cartitas, entrevistas y honestos encuentros.

No miraba esto con buenos ojos Doña Paca, atenta a su plan de casarla con el rondeño; pero la niña, que tomado

---

[55] *quedarse en los huesos*, to become nothing but skin and bones
[56] *cómo . . . gaita*, how to handle her
[57] *al por mayor*, wholesale

[58] *estar de morros*, to pout, to be in bad humor
[59] about the time of the festival of San Isidro (a great popular fair which takes place in Carabanchel on May 15). San Isidro is the patron saint of Madrid.

había en aquellos tratos no pocas lecciones de romanticismo elemental, se puso como loca viéndose contrariada en su espiritual querencia . . .

Pasado algún tiempo sin conseguir apartar a la descarriada Obdulia del trato amoroso con *el chico de la funebridad,* consintiéndoselo a veces por vía de transacción con la epilepsia, y por evitar mayores males, Dios quiso que el conflicto se resolviera de un modo repentino y fácil; y la verdad, con tal solución se ahorraban unas y otros muchos quebraderos de cabeza, porque también la *familia fúnebre* andaba a mojicones[60] con el chico para apartarle del abismo en que arrojarse quería. Pues sucedió que una mañanita la niña supo burlar la vigilancia de sus dos madres y se escapó de la casa; el mancebo hizo lo propio. Juntáronse en la calle, con propósito firme de ir a algún poético lugar donde pudieran quitarse la miserable vida, bien abrazaditos, expirando al mismo tiempo, sin que el uno pudiera sobrevivir al otro . . . Por fortuna, el chico tenía dinero, pues había cobrado la tarde anterior una factura de *féretro doble de zinc* y otra de un *servicio completo de cama imperial y conducción con seis caballos, etc.* . . . La posesión del dinero realizó el prodigio de cambiar las ideas de suicidio en ideas de prolongación de la existencia; y variando de rumbo se fueron a almorzar a un café, y . . . escribieron a sus respectivas familias, notificándoles que *ya estaban casados.*

Como casados, propiamente hablando, no lo estaban aún; pero el trámite que faltaba tenía que venir necesariamente. El padre del chico se personó en casa de Doña Paca, y allí se convino, llorando ella y pateando él, que no había más remedio que reco-

nocer y acatar los hechos consumados. Y puesto que Doña Francisca no podía dar a su niña dinero o efectos, ni aun en mínima cantidad para ayuda de un catre, él daría a *Luquitas* alojamiento en lo alto del depósito de ataúdes, y un sueldecillo en la sección de *Propaganda* . . .

No se había consolado aún la desventurada señora de la pena que el desatino de su hija le causara, y se pasaba las horas lamentándose de su suerte, cuando entró en quintas[61] Antoñito. La pobre señora no sabía si sentirlo o alegrarse. Triste cosa era verle soldado, con el chopo a cuestas: al fin era señorito, y se le despegaba la vida de los cuarteles. Pero también pensaba que la disciplina militar le vendría muy bien para corregir sus malas mañas. Por fortuna o por desgracia del joven, sacó un número muy alto, y quedó de reserva. Pasado algún tiempo, y después de una ausencia de cuatro días, presentóse a su madre y le dijo que se casaba, que quería casarse y que si no le daba su consentimiento él se lo tomaría . . .

A la pregunta de cajón[62] sobre el nombre, linaje y condiciones de la novia, replicó el silbante que la conceptuaba muy rica, y tan buena que no había más que pedir. Pronto se supo que era hija de una sastra, que pespuntaba con primor, y que no tenía más dote que su dedal.

— Bien, niño, bien — le dijo una tarde Doña Paca. — Me he lucido con mis hijos. Al menos Obdulia, viviendo entre ataúdes, tiene sobre qué caerse muerta[63] . . . Pero tú, ¿de qué vas a vivir? ¿Del dedal y las puntadas de ese prodigio? Verdad que como eres tan trabajador y tan económico, aumen-

---

[60] was at blows

[61] Antoñito's name was among those included in the draft lottery. Only a portion of the young men so included were actually forced to serve. Most of the well-to-do class hired substitutes.

[62] *de cajón,* expected, usual

[63] Playing on the expression *no tener sobre qué caerse muerto,* to be as poor as a church mouse.

tarás las ganancias de ella con tu arreglo. ¡Dios mío, qué maldición ha caído sobre mí y sobre los míos! Que me muera pronto para no ver los horrores que han de sobrevenir.

Debe notarse, la verdad ante todo, que desde que empezó el noviazgo de Antoñito con la hija de la sastra, se fué corrigiendo de sus mañas rapaces, hasta que se le vió completamente curado de ellas. Su carácter sufrió un cambio radical, mostrándose afectuoso con su madre y con Benina, resignábase a no tener más dinero que el poquísimo que le daban, y hasta en su lenguaje se conocía el trato de personas más honradas y decentes que las de antaño. Esto fué parte a que Doña Paca le concediera el consentimiento, sin conocer a la novia ni mostrar ganas de conocerla . . .

Al año del casorio, los hijos, que habían entrado en la vida matrimonial con regular desahogo, empezaron a recibir golpes de la suerte, como si heredaran la maldición recaída sobre la pobre madre. Obdulia, que no pudo habituarse a vivir entre cajas de muerto, enfermó de hipocondría; . . . sus nervios se desataron; la pobreza y las negligencias de su marido, que de ella no se cuidaba, agravaron sus males constitutivos. Mezquinamente socorrida por sus suegros, vivía en un sotabanco de la calle de la Cabeza, mal abrigada y peor comida, indiferente a su esposo, consumiéndose en letal ociosidad, que fomentaba los desvaríos de su imaginación.

En cambio, Antoñito se había hecho hombre formal después de casado, tal vez por obra y gracia de la virtud, buen juicio y laboriosidad de su mujer, que salió verdadera alhaja. Pero todos estos méritos, que habían producido el milagro de la redención moral de Antonio Zapata, no bastaban a defenderle de la pobreza. Vivía el matrimonio en un cuartito de la calle de San Carlos, que parecía el interior de una bombonera, y apenas se entraba en él se veía en todo una mano hacendosa. Para mayor dicha, el que en otro tiempo perteneció a la clase de los llamados golfos,[64] adquiría el hábito y el gusto del trabajo productivo, y no habiendo cosa mejor en que ocuparse, se había hecho corredor de anuncios. Todo el santo día le teníais como un azacán, de comercio en comercio, de periódico en periódico, y aunque de sus comisiones había que descontar el considerable gasto de calzado, siempre le quedaba para ayuda del cocido, y para aliviar a la Juliana de su enorme tarea en la Singer.[65] Y que la moza no se andaba en chiquitas:[66] su fecundidad no era inferior a su disposición casera, porque en el primer parto se trajo dos gemelos . . .

Al contrario de este matrimonio, el de los funerarios, Luquitas y Obdulia, iba mal, porque el esposo se distraía de sus obligaciones domésticas y de su trabajo . . . Obdulia no tenía ni asomos de arreglo; pronto se vió agobiada de deudas; cada lunes y cada martes enviaba recaditos a su madre con la portera, pidiéndole cuartos, que Doña Paca no podía darle. Todo esto era ocasión de nuevos afanes y cavilaciones para Benina, que amaba entrañablemente a la señorita de la casa, y no podía verla con hambre y necesidad, sin tratar al instante de socorrerla según sus medios. No sólo tenía que atender a su casa, sino a la de Obdulia, cuidando de que lo más preciso no faltase en ella. ¡Qué vida, qué fatigas horrorosas, qué pugilato con el destino, en las sombras tétricas de la miseria vergonzante, que tiene que guardar el crédito, mirar por el decoro! La situación llegó a ser un día tan extremadamente angustiosa, que la heroica anciana, cansada de mirar a cielo y

[64] Madrid slang, rogue
[65] sewing machine

[66] no se . . . chiquitas, didn't do things half way

tierra por si inopinadamente caía algún socorro, perdido el crédito en las tiendas, cerrados todos los caminos, no vió más arbitrio para continuar la lucha que poner su cara en vergüenza[67] saliendo a pedir limosna. Hízolo una mañana, creyendo que lo haría por única vez, y siguió luego todos los días, pues la fiera necesidad le impuso el triste oficio mendicante, privándola en absoluto de todo otro medio de atender a los suyos . . . Mas no queriendo que su señora se enterase de tanta desventura, armó el enredo de que le había salido una buena *proporción*[68] de asistenta, en casa de un señor eclesiástico, alcarreño, tan piadoso como adinerado. Con su presteza imaginativa bautizó al fingido personaje, dándole para engañar mejor a la señora, el nombre de D. Romualdo. Todo se lo creyó Doña Paca, que rezaba algunos Padrenuestros para que Dios aumentase la piedad y las rentas del buen sacerdote, por quien Benina tenía algo que traer a casa. Deseaba conocerle, y por las noches, engañando las dos su tristeza con charlas y cuentos, le pedía noticias de él y de sus sobrinas y hermanas, de cómo estaba puesta la casa, y del gasto que hacían; a lo que contestaba Benina con detalladas referencias y pormenores, simulacro perfecto de la verdad.

Pues señor, atando ahora el cabo[69] de esta narración, sigo diciendo que aquel día comió la señora con buen apetito, y mientras tomaba los alimentos adquiridos con el duro del ciego Almudena, digería fácilmente los piadosos engaños que su criada y compañera le iba metiendo en el cuerpo. Había llegado a tener Doña Paca tal confianza en la disposición de Benina, que apenas se inquietaba ya por las dificultades del mañana, segura de que la otra las había de vencer con su diligencia y conoci-

miento del mundo, valiéndole de mucho la protección del bendito D. Romualdo. Ama y criada comieron juntas, y de sobremesa Doña Paca le decía: — No debes escatimar el tiempo a esos señores, y aunque tu obligación es servirles no más que hasta las doce, si algún día quieren que te estés allí por la tarde, estáte, mujer, que ya me entenderé yo aquí como pueda.

— Eso no — respondió Benina, — que tiempo hay para todo, y yo no puedo faltar de aquí. Ellos son gente buena, y se hacen cargo[70] . . .

— Bien se les conoce. Yo le pido al Señor que les premie el buen trato que te dan, y mi mayor alegría hoy sería saber que a D. Romualdo me le hacían obispo.

— Pues ya suena el run run de que van a proponerle; sí, señora, obispo de no sé qué punto, allá en las islas de Filipinas.

— ¿Tan lejos? No, eso no. Por acá tienen que dejarle para que haga mucho bien.

— Lo mismo piensa la Patros, ¿sabe? la mayor de las sobrinas.

— ¿Esa que me has dicho tiene el pelo entrecano y bizca un poco?

— No; ésa es la otra.

— Ya, ya . . . Patros es la que tartamudea, y padece de temblores . . .

No pasó de aquí la conversación referente al imaginario sacerdote, a quien Doña Paca conocía ya como si le hubiera visto y tratado, forjándose en su mente un tipo real con los elementos descriptivos y pintorescos que Benina un día y otro le daba. Pero lo demás que picotearon se queda en el tintero[71] para dar lugar a cosas de mayor importancia.

— Cuéntame, mujer. Y Obdulia ¿qué dice?

— Pues nada. ¿Qué ha de decir la pobre? El pillo de Luquitas no parece por allí hace dos días . . .

---

[67] *poner . . . vergüenza*, to bring shame upon her head

[68] Familiar speech, opportunity, proposition

[69] *atando . . . cabo*, now picking up the thread

[70] *hacerse cargo*, to understand

[71] in the inkwell; that is, untold

— ¿Y estaba sola, enteramente sola con la chica?

— No, señora: allá estaba ese caballero tan fino que la acompaña algunas mañanas: ese que es de la familia de los Delgados, paisanos de usted.

— Ya . . . Frasquito Ponte. Figúrate si lo conoceré. Es de mi tierra o de Algeciras, que viene a ser lo mismo. Ha sido elegantón y se empeña en serlo todavía . . . porque te advierto que es más viejo que un palmar . . . Buena persona, caballero de principios, y que sabe tratar con damas, de estos que no se estilan ya, pues ahora todo es grosería y mala educación. Viene a ser Ponte[72] cuñado de unas primas de mi esposo, porque su hermana casó con . . . en fin, ya no me acuerdo del parentesco. Me alegro de que trate a mi hija, pues a ésta le convienen relaciones de sujetos dignos, decentes y de buena posición.

— Pues la posición del tal D. Frasquito me parece a mí que es como la del que está montado al aire, lo mismo que los brillantes.

— En mis tiempos era un solterón que se daba buena vida. Tenía un buen empleo, comía en casas grandes, y se pasaba las noches en el Casino.

— Pues debe de estar ahora más pobre que una rata, porque las noches se las pasa . . .

— ¿Dónde?

— En los palacios encantados de la *señá Bernarda*, calle de Mediodía Grande . . . la casa de dormir,[73] ¿sabe?

— ¿Qué me cuentas?

— Ese Ponte duerme allí cuando tiene los tres reales que cuesta la cama, en el dormitorio de primera.[74]

— Tú estás trastornada, Benina.

— Le he visto, señora. La Bernarda es amiga mía. Fué la que nos prestó los ocho duros aquellos, ¿sabe? cuando la señora tuvo que sacar cédula con recargo, y pagar un poder para mandarlo a Ronda . . .

[On the next day Almudena tells Benina that he can teach her a charm by which she can conjure up *Samdai*, the King of the Underworld, who will give her bushels of diamonds, rubies, and pearls. He himself has once seen the king. When offered his choice between riches and a perfect woman, Almudena chose the latter, and believes he has found her in Benina. Although incredulous, Benina is tempted to try conjuring *Samdai* — anything to bring relief to her poverty.

On her way home Benina stops at Obdulia's house, where she finds Frasquito Ponte reliving the days of his glory in the tales he is telling Obdulia. Benina has to buy and prepare them something to eat. The following day she again discusses the charm with Almudena and goes home resolved to try it.]

Halló a Doña Paca de mal temple, porque se había aparecido en la casa, muy de mañana, un dependiente de la tienda, y había la insultado con expresiones brutales y soeces. La pobre señora lloraba y se tiraba de los pelos, suplicando a su fiel amiga que arase la tierra en busca de los pocos duros que hacían falta, para tirárselos al rostro al bestia del tendero, y Benina se devanaba los sesos por encontrar la solución del terrible conflicto.

— Mujer, por piedad, discurre, inventa algo — le decía la señora, hecha un mar de lágrimas. — Para las ocasiones son los amigos. En circunstancias muy críticas, no hay más remedio que perder la vergüenza . . . ¿No se te ocurre, como a mí, que tu D. Romualdo podría sacarnos del compromiso?

La criada no contestó. Preparando

[72] Translate, Ponte is
[73] 'flop house'   [74] Supply, *clase*

la comida de su ama, daba vueltas en su mente a las combinaciones más sutiles. Repetida la proposición por Doña Paca, pareció que Benina la encontraba razonable. — D. Romualdo . . . sí, sí. Iré a ver . . . Pero no respondo, señora, no respondo. Quizás desconfíen . . . Una cosa es hacer caridad, y otra prestar dinero . . . y no salimos del paso con menos de diez duros . . . ¿Qué dijo ese bruto de Gabino? ¿que volvería mañana a darnos otro escándalo? . . . ¡Canalla, ladrón . . . que todo lo vende *adúltero*![75] . . . Pues, sí, es cosa de diez duros, y no sé si D. Romualdo . . . Por él no quedaría;[76] pero su hermana es *puño en rostro*[77] . . . ¡Diez duros! . . . Voy a ver . . . Pero no extrañe la señora que tarde un poco. Estas cosas . . . no sabe una cómo tratarlas . . . Depende de la cara que pongan; a lo mejor salen con aquello de «vuelva usted . . .» Me voy, me voy; ya le entra la desazón . . . tardaré . . . pero no tarda quien a casa llega . . .

— Sobre todo si no trae las manos vacías. Vete, hija, vete, y el Señor te acompañe y te afine las entendederas. Si yo tuviese tu talento, pronto saldría de estas trapisondas. Aquí me quedo rezando a todos los santos del cielo para que te inspiren, y a las dos nos saquen de este Purgatorio. Adiós, hija.

Habiéndose trazado un plan, el único que, en su certero juicio, le ofrecía remotas probabilidades de éxito, dirigióse Benina a la calle de Mediodía Grande, y a la casa de dormir propiedad de su amiga Doña Bernarda.

La dueña del establecimiento brillaba por su ausencia. Fué recibida Benina por la *encargada*, y por un hombre llamado Prieto, que disfrutaba de toda la confianza de aquélla, y llevaba la contabilidad del alquiler diario de camas. No tuvo la anciana más remedio que esperar, pues aquel par de *congrios*[78] carecían de facultades para resolverle el problema que tan atrozmente la inquietaba. Hablando, hablando, del negocio de dormir (el año iba muy malo, y cada noche dormía menos gente, y los *micos*[79] menudeaban), ocurrióle a Benina preguntar por Frasquito Ponte; a lo que respondió Prieto que la noche anterior se habían visto en el caso de no admitirle porque era deudor ya de *siete camas*, y no había dado nada a cuenta.

— ¡Pobre señor! — dijo Benina; — habrá dormido al raso[80] . . . Es un dolor . . . a sus años . . . Mejorando lo presente, es más viejo que la Cuesta de la Vega.[81]

Refirió la encargada que no sabiendo Don Frasquito donde meterse, había conseguido ser albergado en la casa del *Comadreja*,[82] calle de Mediodía Chica, dos pasos de allí. Por más señas, había corrido la noticia de que estaba enfermo. Al oír esto, olvidósele repentinamente a Benina el objeto principal que a tal sitio la llevara, y no pensó más que en averiguar qué había sido del desamparado Frasquito. Tiempo tenía de dar un salto a la casa del *Comadreja*, y volver a punto que regresase a su domicilio la Doña Bernarda. Dicho y hecho. Un momento después, entraba la diligente anciana en la fementida tabernucha que *da la cara*[83] al público en el *establecimiento* citado, y lo primero que allí vió fué la abominable estampa de Luquitas, el esposo de Obdulia, que con otros perdidos y dos o tres mujeres zarrapastrosas, jugaba a las cartas en una sucia mesilla circular, entre copas

[75] For *adulterado*, mixed with substitutes
[76] Supply *sin hacer*
[77] 'a tiger', a vixen
[78] Slang, stupid person
[79] Slang, 'dead beats' (persons who don't pay)

[80] See p. 274, n. 121.
[81] *Mejorando . . . Vega*, With your pardon, he's older than Methuselah.
[82] Nickname, the Weasel
[83] which serves as a front

de Cariñena y Pardillo. En el momento de entrar Benina, acababan un juego, y antes de echar otra mano[84] el hijo de Doña Paca tiró sobre la mesa los asquerosos naipes, que en mugre competían con las manos de los jugadores; se levantó tambaleándose, y con media lengua y finura desconcertada, de la que suelen emplear los borrachos, ofreció a la criada de su suegra un vaso de vino. «Quite allá, señorito, yo ya he bebido ... Se agradece ...» — dijo la anciana, rechazando el vaso.

Pero tan pesado se puso el señorito, y con tal insistencia le coreaban los demás pidiendo que bebiese la señora, que ésta tuvo miedo, y tomó la mitad del contenido del vaso pegajoso. No quería ponerse a mal[85] con aquella gentuza, por lo que pudiera tronar,[86] y sin perder tiempo ni meterse en dimes y diretes[87] con el vicioso Luquitas, por el abandono en que a su mujer tenía, se fué derecha a su objeto: ¿Y no está por aquí la Pitusa?[88]

— Aquí está para servirla, — dijo una mujer escuálida, saliendo por estrecha puertecilla, bien disimulada entre los estantes llenos de botellas y garrafas que había detrás del mostrador. Como grieta que da paso al escondrijo de una anguila, así era la puerta, y la mujer el ejemplar más flaco, desmedrado y escurridizo que pudiera encontrarse en la fauna a que tales hembras pertenecen. Tan flaco era su rostro, que al verlo de perfil podría tenérsele por construído de chapa, como las figuras de las veletas. En su cuello no cabían más costurones, y en una de su orejas el agujero del pendiente era tan grande, que por él se podría meter con toda holgura un dedo. Los dientes mellados y negros, las cejas calvas, las pestañas pitañosas, los ojos tiernos, de

mirada de lince, completaban su fisonomía ...

— ¿Qué trae por acá la señá Benina? — le dijo sacudiéndole de firme en los dos hombros. — Oí contar que estaba usted en grande,[89] en casa rica ... Ya, ya sacará buenas rebañaduras ... ¡Y que no tendrá usted mal gato! ...

— Hija, no ... De eso hace un siglo. Ahora estamos en baja.[90]

— ¿Qué? ¿Le va mal?

— Tirando, tirando.[91] Si sopas, comerlas y si no, nada ... Y el Comadreja, ¿está?

— ¿Para qué le quiere, señá Benina?

— Hija, te pregunto por saber de él, si está con salud.

— Se defiende. La herida se le abre cuando menos lo piensa.

— Vaya por Dios ... Dime otra cosa ...

— Mándeme.

— Quiero saber si has recogido en tu casa a un caballero que le llaman Frasquito Ponte, y si le tienes aquí todavía, porque me dijeron que anoche se puso muy malo.

Por toda respuesta, la Pitusa mandó a Benina que la siguiera, y ambas, agachándose, se escurrieron por el agujero que hacía las veces de puerta entre los estantillos del mostrador. De la otra parte arrancaba una escalera estrechísima, por la cual subieron una tras otra.

— Es una persona decente, como quien dice, personaje — añadía Benina, segura ya de encontrar allí al infortunado caballero.

— De la grandeza. Vele[92] aquí a dónde vienen a parar los títulos.

Por un pasillo mal oliente y sucio llegaron a una cocina, donde no se guisaba. Fogón y vasares servían de depósito de botellas vacías, cajas deshe-

---

[84] echar ... mano, dealing another hand
[85] ponerse a mal, to get in bad
[86] por ... tronar, because there might be fireworks
[87] dimes y diretes, arguments

[88] Nickname, Shorty
[89] in a fine position
[90] not so well-off
[91] I manage, I'm getting along
[92] For ve, perhaps contaminated with hele

chas, sillas rotas y montones de trapos. En el suelo, sobre un jergón mísero, yacía cuan largo era[93] D. Frasquito Ponte, en mangas de camisa, inmóvil, la fisonomía descompuesta. Dos mujeronas, de rodillas a un lado y otro, la una con un vaso de agua y vino, la otra atizándole friegas, le hablaban a gritos: «Vuelva en sí ... ¿Qué demonios le pasa? ... Eso no es más que maulería, ¿o quiere beber más?»

Benina, de hinojos, se puso también a gritarle, sacudiéndole: «D. Frasquito de mi alma, ¿qué es eso? Abra los ojos y véame: soy la Nina ...»

Manifestó Benina a la *Pitusa* que era un dolor mandar al Hospital a tan ilustre señorón, y que ella se determinaría a llevarle a su casa, si ... Hirió la mente de la anciana una atrevida idea, y con la resolución que era cualidad primaria de su carácter, se apresuró a ponerla en práctica con toda prontitud. — ¿Quieres oírme una palabrita? — dijo a la *Pitusa*, cogiéndola por el brazo para sacarla de la cocina. Y al extremo del pasillo, entraron en la única habitación *vividera*[94] de la casa: una alcoba con cama camera[95] de hierro, colcha de punto de gancho, espejos torcidos, láminas de odaliscas, cómoda derrengada, y un San Antonio en su peana, con flores de trapo y lamparilla de aceite. El diálogo fué rápido y nervioso:

— ¿Qué se le ofrece?

— Pues poca cosa. Que me prestes diez duros.

— *Señá* Benina, ¿está usted en sus cabales?

— En ellos estoy, Teresa Conejo, como lo estaba cuando te presté los mil reales, y te salvé de ir a la cárcel ... ¿No te acuerdas? Fué el año y el día del ciclón, que arrancó los árboles del Botánico[96] ... Tú habitabas en la calle del Gobernador; yo en la de San Agustín, donde servía ...

— Sí que me acuerdo. Yo la conocí a usted de que comprábamos juntas[97] ...

— Pues bien: ahora soy yo la que se ha caído: necesito doscientos reales, y tú me los vas a dar.

— ¿Cuándo?

— Ahora mismo.

— ¡Mecachis !... San Dios! ¡Como no se me vuelva dinero la chimenea de los garbanzos![98]

— ¿No los tienes? ¿Ni tu *Comadreja* tampoco?

— Estamos como el gallo de Morón[99] ... ¿Y para qué quiere los diez duros?

— Para lo que a ti no te importa. Di si me los das o no me los das. Yo te los pagaré pronto; y si quieres real[100] por duro, no hay *incomeniente*.[101]

— No es eso; es que no tengo un cuarto partido por medio.[102] Este ganado indecente no trae más que miseria.

— ¡Válgate Dios! ¿Y ...?

— No, no tengo alhajas. Si las tuviera ...

— Busca bien, *maestra*.

— Pues bueno. Hay dos sortijas. No son mías: son del *Rey de Bastos*,[103] un amigo de Rumaldo,[104] que se las dió a guardar, y Rumaldo me las dió a mí.

— Pues ...

— Si usted me da su palabra de desempeñarlas dentro de ocho días y

---

[93] *cuan largo era*, stretched out
[94] Popular, livable
[95] a regular bed (not a cot)
[96] Botanical Garden
[97] I knew you because we used to shop at the same places.
[98] *Como ... garbanzos*, Not unless money starts growing on trees!
[99] *como el gallo de Morón, cacareando y sin plumas;* meaning, one who is bested in a deal or quarrel but still has his pride
[100] Interest at the rate of a *real* (a fourth of a peseta) on the dollar
[101] For *inconveniente*
[102] *un cuarto ... medio*, a plugged penny (literally, split in half)
[103] Nickname, King of Clubs
[104] Rumaldo, Teresa Conejo's man, whose name is not to be confused with D. Romualdo, the imaginary priest.

traérmelas, pero palabra formal, ¡San Dios! lléveselas ... Darán los diez por largo,[105] pues una de ellas tiene un brillante que da *la catarata*.[106]

Poco más se habló. Cerraron bien la puerta, para que nadie pudiera fisgonear desde el pasillo. Si alguien lo hiciera, no habría oído más que un abrir y cerrar de los cajones de la cómoda, un cuchicheo de Benina, y roncas gárgaras[107] de la otra.

No fué, como es fácil suponer, floja sorpresa la de Doña Francisca al ver que le metían en la casa un cuerpo al parecer moribundo, transportado entre Benina y un mozo de cuerda. La pobre señora había pasado la tarde y parte de la noche en mortal ansiedad, y al ver cosa tan extraña, creía soñar o tener trastornado el sentido. Pero la traviesa criada se apresuró a tranquilizarla, diciéndole que aquél no era cadáver, como de su aspecto lastimoso podía colegirse, sino enfermo gravísimo, el propio D. Frasquito Ponte Delgado, natural de Algeciras, a quien había encontrado en la calle; y sin meterse en más explicaciones del inaudito suceso, acudió a confortar el atribulado espíritu de Doña Paca con la fausta noticia de que llevaba en su bolso nueve duros y pico, suma bastante para atender al compromiso más urgente, y poder respirar durante algunos días.

— ¡Ah, qué peso me quitas de encima de mi alma! — exclamó la señora elevando las manos. — El Señor te bendiga. Ya estamos en situación de hacer una obra de caridad, recogiendo a este desgraciado ... ¿Ves? Dios en un solo punto y ocasión nos ampara y nos dice que amparemos. El favor y la obligación vienen aparejados.

— Hay que tomar las cosas como las dispone ... *el que menea los truenos*.

— ¿Y dónde ponemos a este pobre mamarracho? — dijo Doña Paca palpando a Frasquito, que, aunque no estaba sin conocimiento, apenas hablaba ni se movía, yacente en el santo suelo, arrimadito a la pared.

Como después del casamiento de Obdulia y Antoñito habían sido vendidas las camas de éstos, surgió un conflicto de instalación doméstica, que Nina resolvió proponiendo armar su cama en el cuartito del comedor, para colocar en ella al pobre enfermo. Ella dormiría en un jergón sobre la estera, y ya verían, ya verían si era posible arrancar al cuitado viejo de las uñas de la muerte.

— Pero, Nina de mi alma, ¿has pensado bien en la carga que nos hemos echado encima? ... Tú que no puedes, llévame a cuestas,[108] como dijo el otro. ¿Te parece que estamos nosotras para meternos a protectoras de nadie? ... Pero acaba de contarme: ¿fué D. Romualdo bendito quien ...?

— Sí, señora, Rumaldo ... — respondió la anciana, que en su aturdimiento no se había preparado para el embuste.

— ¡Bendito mil veces, bendito señor!
— Ella ... Teresa Conejo.
— ¿Qué dices, mujer?
— Digo que ... ¿Pero usted no se entera de lo que hablo?
— Has dicho ... ¿Por ventura es cazador D. Romualdo?
— ¿Cazador?
— Como has dicho no sé qué de un conejo.
— Él no caza; pero le regalan ... qué sé yo ... tantas cosas ... la perdiz, el conejo de campo ... Pues esta tarde ...
— Ya; te dijo: «Benina, a ver como me pones mañana este conejo que me han traído ...»

---

[105] *por largo*, easily
[106] *que da la catarata*, which blinds you
[107] Here, mutterings
[108] An old proverb, said when someone

undertakes a difficult or impossible task; *como dijo el otro*, as the other fellow said (a common phrase in telling stories, often used when quoting anything)

— Sobre si había de ser en salmorejo o con arroz, estuvieron disputando; y como yo nada decía y se me saltaban las lágrimas, «Benina, ¿qué tienes? Benina, ¿qué te pasa? . . .» En fin, que del conejo tomé pie[109] para contarle el apuro en que me veía . . .

Convencida Doña Paca, ya no se pensó más que en instalar a Frasquito, el cual parecía no darse cuenta de lo que le pasaba. Al fin, cuando ya le habían acostado, reconoció a la viuda de Juárez . . .

— ¿Estoy en el palacio de la plaza del Ángel? — dijo Ponte examinando la mísera alcoba con extraviados ojos.

— Sí, señor . . . Arrópese ahora; estése quietecito para que coja el sueño. Luego le daremos buen caldo . . . y a vivir.

Dejáronle solo, y Benina se echó nuevamente a la calle, ávida de tapar la boca a los acreedores groseros, que con apremio impertinente y desvergonzado abrumaban a las dos mujeres. Dióse el gustazo de ponerles ante los morros[110] los duros que se les debían, hizo más provisiones, fué a la calle de la Ruda, y con su cesta bien repleta de víveres y el corazón de esperanzas, pensando verse libre de la vergüenza de pedir limosna, al menos por un par de días, volvió a su casa. Con presteza metódica se puso a trabajar en la cocina, en compañía de su ama, que también estaba risueña y gozosa. — ¿Sabes lo que me ha pasado — dijo a Benina — en el rato que has estado fuera? Pues me quedé dormidita en el sillón, y soñé que entraban en casa dos señores graves, vestidos de negro. Eran Don Francisco Morquecho y D. José María Porcell, paisanos míos, que venían a participarme el fallecimiento de D. Pedro José García de los Antrines, tío carnal de mi esposo.

— ¡Pobre señor; se ha muerto! — exclamó Nina con toda el alma.

— Y el tal D. Pedro José, que es uno de los primeros ricachos de la Serranía . . .

— Pero dígame: ¿es soñado lo que me cuenta o es verdad?

— Espérate, mujer. Venían esos dos señores, D. Francisco y D. José María, médico el uno, el otro secretario del Ayuntamiento . . . pues venían a decirme que el García de los Antrines, tío carnal de mi Antonio, les había nombrado testamentarios.

— Ya . . .

— Y que . . . la cosa es clara . . . como no tenía el tal sucesión directa, nombraba herederos . . .

— ¿A quién?

— Ten calma, mujer . . . Pues dejaba la mitad de sus bienes a mis hijos Obdulia y Antoñito, y la otra mitad a Frasquito Ponte. ¿Qué te parece?

— Que a ese bendito señor debían de hacerle santo.

— Dijéronme D. Francisco y D. José María que hace días andaban buscándome para darme conocimiento de la herencia, y que preguntando aquí y acullá, al fin averiguaron las señas de esta casa . . . ¿por quién dirás? por el sacerdote D. Romualdo, propuesto ya para obispo, el cual les dijo también que yo había recogido al señor de Ponte . . . «De modo — me dijeron echándose a reír, — que al venir a ofrecer a usted nuestros respetos, señora mía, matamos dos pájaros de un tiro.»

— Pero vamos a cuentas: todo eso es, como quien dice, soñado.

— Claro: ¿no has oído que me quedé dormida en el sillón? . . . Como que esos dos señores que estuvieron a visitarme, se murieron hace treinta años, cuando yo era novia de Antonio . . . y García de los Antrines era muy viejo entonces. No he vuelto a saber de él . . . Pues sí, todo ha sido obra de un sueño; pero tan a lo vivo, que aún me parece que les estoy mirando . . .

---

[109] que . . . pie, I took advantage of the rabbit

[110] Here, snout

Te lo cuento para que te rías . . . no, no es cosa de risa, que los sueños . . .

— Los sueños, los sueños, digan lo que quieran — manifestó Nina, — son también de Dios: ¿y quién va a saber lo que es verdad y lo que es mentira?[111] . . .

[Benina, still dreaming of a sudden turn of fortune, buys a small share of a lottery ticket, which one of the beggars claims is a sure proposition. When she meets Almudena she finds him very jealous of the care she has given Frasquito Ponte. She calms the Moor's wrath. He dashes one of her hopes by telling her that the charm she has been willing to try cannot be worked by a woman.]

No encontró la Nina en su casa grandes novedades, como por tal no se tuviera el contento de Doña Paca, que no cesaba de alabar la finura de su huésped, y la gracia con que a la conversación traía los recuerdos de Algeciras y Ronda. Sentíase la buena señora transportada a sus verdes años; casi olvidaba su pobreza, y movida del generoso instinto que en aquella edad primera había sido fundamento de su carácter imprevisor y de sus desgracias, propuso a Nina que se trajeran para Frasquito dos botellas de Jerez, pavo en gelatina, huevo hilado, y cabeza de jabalí.

— Sí, señora — replicó la criada: — todo eso traeremos, y luego nos vamos a la cárcel, para ahorrar a los tenderos el trabajo de llevarnos. ¿Pero usted se ha vuelto loca? Para esta noche haré unas sopas de ajo con huevos, y san sacabó.[112] Crea usted que

a ese caballero le sabrán a gloria, acostumbrado como está a comistrajos indecentes.

— Bueno, mujer. Se hará lo que tú quieras.

— En vez de cabeza de jabalí, pondremos cabeza de ajo.

— Creo, con tu permiso, que en todas las circunstancias, aunque sea sacrificándose, debe una portarse como quien es. En fin, ¿cuánto dinero tenemos?

— Eso a usted no le importa. Déjeme a mí, que ya sabré arreglarme. Cuando se acabe, no es usted quien ha de ir a buscarlo.

— Ya, ya sé que irás tú y lo buscarás. Yo no sirvo para nada.

— Sí sirve usted; y ahora, ayúdeme a pelar estas patatitas.

— Lo que quieras. ¡Ah! . . . se me olvidaba. Frasquito toma té . . . y como está tan delicadillo, hay que traerlo bueno.

— Del mejor. Iré por él a la China.

— No te burles. Vas a la tienda, y pides del que llaman Mandarín. Y de paso te traes un quesito bueno para postre . . .

— Sí, sí . . . eche usted y no se derrame.[113]

— Ya ves que está acostumbrado a comer en casas grandes.

— Justamente: como la taberna de Boto, en la calle del Ave María . . . ración de guisado, a real; con pan y vino, treinta y cinco céntimos.

— Estás hoy . . . que no se te puede aguantar. Pero a todo me avengo, Nina. Tú mandas.

— ¡Ay, si yo no mandara, bonitas andaríamos! Ya nos habrían llevado a San Bernardino o al mismísimo Pardo.[114]

---

[111] Galdós is fond of using dreams to forecast possible developments. Furthermore, the characters of this book are all obsessed with superstitious feelings of the imminence of a stroke of good fortune, which makes the reader share their expectancy.

[112] Se acabó means that's all; san adds little to the idea, translate: that's all the blessed food we'll have

[113] Literally, you pour and don't let it spill; figuratively and sarcastically, put on your fine manners

[114] San Bernardino, the municipal asylum for beggars; El Pardo, an asylum a few miles north of Madrid for old people. As we shall see, life in these institutions was hardly pleasant.

Bromeando así llegó la noche, y cenaron frugalmente, alegres los tres y resignados con la pobreza, mal tolerable y llevadero cuando no falta un pedazo de pan con que matar el hambre. Y el historiador debe hacer contar asimismo que el buen temple en que estaba Doña Paca se torció un poco al recogerse las dos en la alcoba, la señora en su cama, Benina en el suelo, por haber cedido su lecho a Frasquito. Como la viuda de Zapata era tan voluble de genio, en un instante, sin que se supiera el motivo, pasaba de la bondad apacible a la ira insana, de la credulidad infantil a la desconfianza marrullera, de las palabras razonables a los disparates más absurdos. Conocía muy bien la criada este fácil girar de los pensamientos y la voluntad de su señora, a quien comparaba con una veleta: y sin tomar a pecho sus displicencias y raptos de ira, esperaba que cambiase el viento. En efecto, éste variaba de improviso, rolando al cuadrante bueno; y si en un momento la malva se había convertido en cardo, en otro momento tornaba a su primera condición.

El mal humor de Doña Paca en la noche a que me refiero, debe atribuirse, según datos fehacientes, a que Frasquito, en sus conversaciones de la tarde, y en los ratos de la cena y sobremesa de ésta, mostró por Benina unas preferencias que lastimaron profundamente el amor propio de la viuda infeliz. A Benina manifestaba el buen señor casi exclusivamente su gratitud, reservando para la señora una cortés deferencia; para Benina eran todas sus sonrisas, sus frases más ingeniosas, la ternura de sus ojos lánguidos, como de carnero a medio morir; y a tantas indiscreciones unió Ponte la de llamarla *ángel* como unas doscientas veces en el curso de la frugal cena.

Y dicho esto, oigamos a Doña Paca, entre sábanas metida, mientras la otra se acostaba en el suelo: —Pues, hija, nadie me quita de la cabeza que le has dado un bebedizo a este pobre señor. ¡Vaya cómo te quiere! Si no fueras una vieja feísima y sin ninguna gracia, creería que le habías hecho tilín. Cierto que eres buena, caritativa, que sabes ganar la simpatía por lo bien que atiendes a todo, y por tu dulzura y ese modito suave . . . que bien podría engañar a los que no te conocen . . . Pero con todas esas prendas, imposible que un hombre tan corrido[115] se prende de ti . . . Si te lo crees y por ello estás inflada de orgullo, mi parecer es que no te compongas, pobre Nina. Siempre serás lo que fuiste . . . y no temas que yo le quite a D. Frasquito la ilusión, contándole tus malas mañas, lo sisona que eras, y otras cosillas, otras cosillas que tú sabes, y yo también . . . .

Callaba Benina, tapándose la boca con la sábana, y esta humildad y moderación encendieron más el rencorcillo de la viuda de Zapata, que prosiguió molestando a su compañera: —Nadie reconoce como yo tus buenas cualidades, porque las tienes; pero hay que ponerte siempre a distancia, no dejarte salir de tu baja condición, para que no te desmandes, para que no te subas a las barbas[116] de los superiores. Acuérdate de las dos veces que tuve que echarte de mi casa por sisona . . . ¡A tal extremo llegó tu descaro, ¿qué digo descaro? tu cinismo en aquel vicio feo, que . . . vamos, yo, que jamás he hecho una cuenta, ni me gusta, veía mi dinero pasando de mi bolsillo al tuyo . . . en chorro continuo! . . . Pero ¿qué? ¿No dices nada? . . . ¿No contestas? ¿Te has vuelto muda?

— Sí, señora, me he vuelto muda — fué la única respuesta de la buena mujer. — Puede que cuando la señora se canse y cierre el pico, lo abra yo para decirle . . . en fin, no digo nada.

---

[115] Here, sophisticated

[116] *subir a las barbas*, to annoy

—Ja, ja ... Di lo que quieras ... — prosiguió Doña Paca. — ¿Te atreverías a decir algo ofensivo de mí? ¡Que no he sabido llevar el Cargo y Data![117] ¿Y qué? ¿Quién te ha dicho a ti que las señoras son tenedoras de libros? El no llevar cuentas ni apuntar nada, no era más que la forma natural de mi generosidad sin límites. Yo dejaba que todo el mundo me robase; veía la mano del ladrón metiéndose en mi bolsillo, y me hacía la tonta ... Yo he sido siempre así. ¿Es esto pecado? El Señor me lo perdonará. Lo que Dios no perdona, Benina, es la hipocresía, los procederes solapados, y el estudio con que algunas personas componen sus actos para parecer mejores de lo que son. Yo siempre he llevado el alma en mi rostro, y me he presentado a los ojos de todo el mundo como soy, como era, con mis defectos y cualidades, tal como Dios me hizo ... ¿Pero tú no tienes nada que contestarme? ... ¿O es que no se te ocurre nada para defenderte?

—Señora, callo, porque estoy dormida.

—No, tú no duermes, es mentira: la conciencia no te deja dormir. Reconoces que tengo razón, y que eres de las que se componen para disimular y esconder sus maldades ... No diré que sean precisamente *maldades*, tanto no. Soy generosa en esto como en todo, y diré *flaquezas* ... pero ¡qué flaquezas! Somos frágiles: verdaderamente tú puedes decir: «No me llamo Benina, sino Fragilidad ...» Pero no te apures, pues ya sabes que no he de ir con cuentos al Sr. de Ponte para desprestigiarte, y deshojar la flor de sus ilusiones ... ¡Qué risa![118] ... No viendo en ti, como no puede verlo, una figura elegante, ni un rostro fresco y sonrosado, ni modales finos, ni educación de señora, ni nada de eso, que es por lo que se enamoran los hombres, habrá visto ... ¿qué? Por

Dios que no acierto. Si tú fueras franca, que no lo eres, ni lo serás nunca ... ¿Oyes lo que digo?

—Sí, señora, oigo.

—Si tú fueras franca, me dirías que el señor de Ponte te llama *ángel* por lo bien que haces las sopas de ajo, acartonaditas ... Y ¿te parece a ti que esto es suficiente motivo para que a una mujer la llamen *ángel* con todas sus letras?[119]

—¿Pero a usted qué le importa? ... Deje al señor de Ponte Delgado que me ponga los motes que quiera.

—Tienes razón, sí, sí ... Puede que te lo diga irónicamente, que estos señorones, muy curtidos en sociedad, emplean a menudo la ironía, y cuando parece que nos alaban, lo que hacen es tomarnos el pelo[120] como suele decirse.

—Por si[121] el hombre va por derecho, y se ha prendado de ti con buen fin ... que todo podría ser, Benina ... se ven cosas muy raras ... tú debes proceder con lealtad, y confesarle tus máculas, no vaya a creer Frasquito que la pureza de los ángeles del cielo es cualquier cosa comparada con tu pureza. Si así no lo haces, eres una mala mujer ... No, Nina, no; hija mía, dile todo, aunque se te ponga la cara muy colorada y se te congestione la berruga que llevas en la frente. Confiesa tu grave falta de aquellos tiempos, cuando contabas treinta y cinco años ... y ten valor para decirle: «Señor D. Frasquito, yo quise a un guardia civil que se llamaba Romero, el cual me tuvo trastornada más de dos años, y al fin se negó a casarse conmigo ...» Vamos, mujer, no es para que te pongas como la grana. Después de todo, ¿qué ha sido ello? Querer a un hombre. Pues para eso han venido las mujeres al mundo: para querer a los hombres. Tuviste la desgracia de tropezar con uno, que te salió malo. Cuestión de suerte, hija. Ello es

[117] Credit and Debit
[118] What a joke!
[119] *con todas sus letras*, without reservations
[120] *tomarnos el pelo*, to make fun of us
[121] *Por si*, just in case

que estuviste loca por él . . . Bien me acuerdo. No se te podía aguantar; no hacías nada al derecho. Sisabas de lo lindo, y mientras tú no tenías un traje decente, a él no le faltaban buenos puros . . . A mí, que veía tus padecimientos y tu ceguera, pues atormentada y sin un día de tranquilidad, en vez de huir del suplicio, ibas a él; a mí, que vi todo esto, nadie tiene que contármelo, Nina. Conozco la historia, aunque no la sé toda entera, porque algo me has ocultado siempre . . . y a mí me refirieron cosas que no sé si son ciertas o no . . . dijéronme que de tus amores tuviste . . .

— Eso no es verdad.

— Y que lo echaste a la Inclusa[122] . . .

— Eso no es verdad — repitió Benina con acento firme y sonora voz, incorporándose en el lecho. Al oírla, calló súbitamente Doña Paca, como el ratoncillo nocturno que cesa de roer al sentir los pasos o la voz del hombre. Oyóse tan sólo, durante largo rato, alguno que otro suspiro hondísimo de la señora, que después empezó a quejarse y a gruñir por lo bajo. La otra no chistaba. Había hecho rápida crisis el genio de la infeliz señora, determinándose un brusco giro de la veleta. La ira y displicencia trocáronse al punto en blandura y mimo. No tardó en presentarse el síntoma más claro de la sedación, que era un vivo arrepentimiento de todo lo que había dicho y la vergüenza de recordarlo, pues no significaban otra cosa los gruñidos, y el quejarse de imaginarios dolores. Como Benina no respondiera a estas demostraciones, Doña Paca, ya cerca de media noche, se arrancó a llamarla: — Nina, Nina, ¡si vieras qué mala estoy! ¡Vaya una nochecita que estoy pasando! Parece que me aplican un hierro caliente al costado, y que me arrancan a tirones los huesos de las piernas. Tengo la cabeza como si me hubieran sacado los sesos,

poniéndome en su lugar miga de pan y perejil muy picadito . . . Por no molestarte, no te he dicho que me hagas una tacita de tila, que me refriegues la espalda, y que me des una papeleta de salicilato, de bromuro, o de sulfonal . . . Esto es horrible. Estás dormida como un cesto.[123] Bien, mujer, descansa, engorda un poquito . . . No quiero molestarte.

Sin despegar los labios, abandonaba Nina el jergón, y, echándose una falda, hacía la taza de tila en la cocinilla económica, y antes o después daba la medicina a la enferma, y luego las friegas, y por fin acostábase con ella para arrullarla como a un niño, hasta que conseguía dormirla. Anhelando olvidar la señora su anterior desvarío, creía que el mejor medio era borrar con expresiones cariñosas las malévolas ideas de antes, y así, mientras su compañera la arrullaba, decíale: — Si yo no te tuviera, no sé qué sería de mí. Y luego me quejo de Dios, y le digo cosas, y hasta le insulto, como si fuera un cualquiera. Verdad que me priva de muchos bienes; pero me ha dado tu compañía y amistad, que vale más que el oro y la plata y los brillantes . . . Y ahora que me acuerdo, ¿qué me aconsejas tú que debo hacer para el caso de que vuelvan D. Francisco Morquecho y D. José María Porcell con aquella embajada de la herencia? . . .

— Pero, señora, si eso lo ha soñado usted . . . y los tales caballeros hace mil años que están muy achantaditos debajo de la tierra.

— Dices bien: yo lo soñé . . . Pero si no aquéllos, otros puede que vengan con la misma música el mejor día.

— ¿Quién dice que no? ¿Ha soñado usted con cajas vacías? Porque eso es señal de herencia segura.

— ¿Y tú, qué has soñado?

— ¿Yo? Anoche, que nos encontrábamos con un toro negro.

---

[122] the Foundling Hospital

[123] like a log

— Pues eso quiere decir que descubriremos un tesoro escondido ... Mira tú, ¿quién nos dice que en esta casa antigua, que habitaron en otro tiempo comerciantes ricos, no hay dentro de tal pared o tabique alguna olla bien repleta de peluconas?

— Yo he oído contar que en el siglo pasado vivieron aquí unos almacenistas de paños, poderosos, y cuando se murieron ... no se encontró dinero ninguno. Bien pudiera ser que lo emparedaran. Se han dado casos, muchos casos.

— Yo tengo por cierto que dinero hay en esta finca ... Pero a saber dónde demontres lo escondieron esos indinos.[124] ¿No habría manera de averiguarlo?

— ¡No sé ... no sé! — murmuró Benina, dejando volar su mente vagorosa hacia los orientales conjuros propuestos por Almudena.

— Y si en las paredes no, debajo de los baldosines de la cocina o de la despensa puede estar lo que aquellos señores escondieron, creyendo que lo iban a disfrutar en el otro mundo.

— Podrá ser ... Pero es más probable que sea en las paredes, o, un suponer, en los techos, entre las vigas ...

— Me parece que tienes razón. Lo mismo puede ser arriba que abajo. Yo te aseguro que cuando piso fuerte en los pasillos y en el comedor, y se estremece todo el caserón como si quisiera derrumbarse, me parece que siento un ruidillo ... así como de metales que suenan y hacen tilín ... ¿No lo has sentido tú?

— Sí, señora.

— Y si no, haz la prueba ahora mismo. Date unos paseos por la alcoba, pisando fuerte, y oiremos ...

Hízolo Benina como su señora mandaba, con no menos convicción y fe que ella, y en efecto ... oyeron un retintín metálico, que no podía provenir más

que de las enormes cantidades de plata y oro (más oro que plata seguramente) empotradas en la vetusta fábrica. Con esta ilusión se durmieron ambas, y en sueños seguían oyendo el tin, tin ...

La casa era como un inmenso cuerpo, y sudaba, y por cada uno de sus infinitos poros soltaba una onza, o centén, o monedita de veintiuno y cuartillo.

[Benina hears that Almudena has moved from his old room to *las Cambroneras*, one of the worst slums of Madrid. She goes there to look for him, but does not find him.]

En su casa no encontró novedad; digo, sí: encontró una, que bien pudiera llamarse maravilloso suceso, obra del subterráneo genio *Samdai*. A poco de entrar, díjole Doña Paca con alborozo: — Pero, mujer, ¿no sabes ...? Deseaba yo que vinieras para contártelo ...

— ¿Qué, señora?

— Que ha estado aquí D. Romualdo.

— ¡D. Romualdo! ... Me parece que usted sueña.

— No sé por qué ... ¿Es cosa del otro mundo que ese señor venga a mi casa?

— No; pero ...

— Por cierto que me ha dado que pensar ... ¿Qué sucede?

— No sucede nada.

— Yo creí que había ocurrido algo en casa del señor sacerdote, alguna cuestión desagradable contigo, y que venía a darme las quejas.

— No hay nada de eso.

— ¿No le viste tú salir de casa? ¿No te dijo que acá venía?

— ¡Qué cosas tiene! Ahora me va a decir a mí el señor a dónde va, cuando sale.

— Pues es muy raro ...

— Pero, en fin, si vino, a usted le diría ...

---

[124] Popular for *indignos*

— ¿A mí qué había de decirme, si no le he visto? . . . Déjame que te explique. A las diez bajó a hacerme compañía, como acostumbra, una de las chiquillas de la cordonera, la mayor, Celedonia, que es más lista que la pólvora.[125] Bueno: a eso de las doce menos cuarto, tilín, llaman a la puerta. Yo dije a la chiquilla: «Abre, hija mía, y a quien quiera que sea le dices que no estoy.» Desde el escándalo que me armó aquel tunante de la tienda, no me gusta recibir a nadie cuando no estás tú . . . Abrió Celedonia . . . Yo sentía desde aquí una voz grave, como de persona principal, pero no pude entender nada . . . Luego me contó la niña que era un señor sacerdote . . .

— ¿Qué señas?

— Alto, guapo . . . Ni viejo, ni joven.

— Así es — afirmó Benina, asombrada de la coincidencia. — ¿Pero no dejó tarjeta?

— No, porque se le había olvidado la cartera.

— ¿Y preguntó por mí?

— No. Sólo dijo que deseaba verme para un asunto de sumo interes.

— En ese caso, volverá.

— No muy pronto. Dijo que esta tarde tenía que irse a Guadalajara. Tú habrás oído hablar de ese viaje.

— Me parece que sí . . . Algo dijeron de bajar a la estación, y de la maleta, y no sé qué.

— Pues, ya ves . . . Puedes llamar a Celedonia para que te lo explique mejor. Dijo que sentía tanto no encontrarme . . . que a la vuelta de Guadalajara vendría . . . Pero es raro que no te haya hablado de ese asunto de interés que tiene que tratar conmigo. ¿O es que lo sabes y quieres reservarme la sorpresa?

— No, no: yo no sé nada del asunto ese . . . ¿Y está segura la Celedonia del nombre?

— Pregúntaselo . . . Dos o tres veces repitió: Dile a tu señora que ha estado aquí D. Romualdo.

Interrogada la chiquilla, confirmó todo lo expresado por Doña Paca. Era muy lista, y no se le escapaba una sola palabra de las que oyera al señor eclesiástico, y describía con fiel memoria su cara, su traje, su acento . . . Benina, confusa un instante por la rareza del caso, lo dió pronto al olvido por tener cosas de más importancia en que ocupar su entendimiento. Halló a Frasquito tan mejorado, que acordaron levantarle del lecho; mas al dar los primeros pasos por la habitación y pasillo, encontróse el galán con la novedad de que la pierna derecha se le había quedado un poco inválida . . . Esperaba, no obstante, que con la buena alimentación y el ejercicio recobraría dicho miembro su actividad y firmeza. Pronto le darían de alta. Su reconocimiento a las dos señoras, y principalmente a Benina, le duraría tanto como la vida . . . Sentía nuevo aliento y esperanzas nuevas, presagios risueños de obtener pronto una buena colocación que le permitiera vivir desahogadamente, tener hogar propio, aunque humilde, y . . . En fin, que estaba el hombre animado, y con la inagotable farmacia de su optimismo se restablecía más pronto . . .

[Benina makes a second expedition to the slums of *las Cambroneras* in search of Almudena. She meets and feeds an old beggar. From a legless beggar she discovers that Almudena sits all day on a rubbish heap near the river. Believing himself abandoned by Benina, he refuses to beg or feed himself. She finds him and promises to befriend him.]

· · ·

De vuelta a casa, lo primero que su señora le preguntó fué si sabía cuándo

---

[125] *más . . . pólvora,* as smart as a whip

regresaba de Guadalajara D. Romualdo, a lo que respondió ella que no se tenían aún noticias seguras del regreso del señor. Nada ocurrió aquel día digno de notarse, sino que Ponte mejoraba rápidamente, poniéndose muy gozoso con la visita de Obdulia, que estuvo cuatro horas platicando con él y con su mamá de cosas elegantes, y de sucesos rondeños anteriores en cuarenta años a la época presente. Debe hacerse notar también que a Benina se le iba mermando el dinero, pues comió allí la niña,[126] y fué preciso añadir merluza al ordinario condumio, y además dátiles y pastas para postres. Con el gasto de aquellos días, con las prodigalidades caritativas en las Cambroneras, los duros que restaron del préstamo de la *Pitusa*, después de saldados débitos apremiantes, se iban reduciendo por horas, hasta quedar en uno solo, o poco más, el día de la tercera escapatoria al arrabal del Puente de Toledo.

Es cosa averiguada que en aquella tercera excursión le salió al encuentro el anciano del día anterior, que dijo llamarse Silverio, y con él iban, formados como en línea de batalla, otros míseros habitantes de aquellos humildes caseríos, llevando de intérprete al hombre despernado, que se expresaba con soltura, como si con esta facultad le compensara la Naturaleza por la horrible mutilación de su cuerpo. Y fué y dijo, en nombre del gremio de pordioseros allí presente, que la señora debía distribuir sus beneficios entre todos sin distinción, pues todos eran igualmente acreedores a los frutos de su inmensa caridad. Respondióles Benina con ingenua sencillez que ella no tenía frutos ni cosa alguna que repartir, y que era tan pobre como ellos. Acogidas estas expresiones con absoluta incredulidad, y no sabiendo el lisiado qué

oponer a ellas, pues toda su oratoria se le había consumido en el primer discurso, tomó la palabra el viejo Silverio, y dijo que ellos no se habían caído de ningún nido,[127] y que bien a la vista estaba que la señora no era lo que parecía, sino una *dama disfrazada* que, con trazas y pingajos de *mendiga* de punto, se iba por aquellos sitios para *desaminar*[128] la verdadera pobreza y remediarla. Tocante a esto del disfraz no había duda, porque ellos la conocían de años atrás. ¡Ah! y cuando vino, *la otra vez*, la *señora disfrazada*, a todos les había socorrido igualmente. Bien se acordaban él y otros de la cara y modos de la tal, y podían atestiguar que era la misma, la misma que en aquel momento estaban viendo con sus ojos y palpando con sus manos.

Confirmaron todos a una vez lo dicho por el octogenario Silverio, el cual hubo de añadir que por santa fué tenida la señora de antes, y por santísima tendrían a la presente, respetando su disfraz, y poniéndose todos de rodillas ante ella para adorarla. Contestó Benina con gracejo que tan santa era ella como su abuela, y que miraran lo que decían y volvieran de su grave error. En efecto, había existido años atrás una señora muy linajuda, llamada Doña Guillermina Pacheco, corazón hermoso, espíritu grande, la cual andaba por el mundo repartiendo los dones de la caridad, y vestía humilde traje, sin faltar a la decencia, revelando en su modestia soberana la clase a que pertenecía. Aquella dignísima señora ya no vivía ... Los que oyeron la palabra de Doña Guillermina, que se expresaba al igual de los mismos ángeles, ¿cómo podían confundirla con quien decía las cosas en lenguaje ordinario? Había nacido ella en el pueblo de Guadalajara, de padres labradores, viniendo a servir a Madrid cuando sólo

[126] the young lady
[127] *que ellos . . . nido*, that they weren't born yesterday

[128] Popular for *examinar*, to investigate

contaba veinte años . . . Habíala hecho Dios generosa, eso sí; y si algo poseía, y encontraba personas más necesitadas que ella, le faltaba tiempo para[129] desprenderse de todo . . . y tan contenta.[130]

No se dieron por convencidos los miserables, dejados de la mano de Dios,[131] y alargando las suyas escuálidas, con afligidas voces pedían a Benina de Casia que les socorriese. Andrajosos y escuálidos niños se unieron al coro, y agarrándose a la falda de la infeliz alcarreña, le pedían pan, pan. Compadecida de tantas desdichas, fué la anciana a la tienda, compró una docena de panes altos, y dividiéndolos en dos, los repartió entre la miserable cuadrilla. La operación se dificultó en extremo, porque todos se abalanzaban a ella con furia, cada uno quería recibir su parte antes que los demás, y alguien intentó apandar dos raciones. Diríase que se duplicaban las manos en el momento de mayor barullo, o que salían otras de debajo de la tierra. Sofocada, la buena mujer tuvo que comprar más libretas, porque dos o tres viejas a quienes no tocó nada, ponían el grito en el cielo, y alborotaban el barrio con sus discordes y lastimeros chillidos.

Ya se creía libre de tales moscones, cuando la llamó con roncas voces una mujer que llevaba en brazos a un niño cabezudo, monstruoso . . . Pretendía la tal que Benina subiese con ella a un cuarto alto de casa de corredor,[132] donde le mostraría el más lastimoso cuadro que podría imaginarse . . .

Subieron, y en uno de los cuartos más estrechos del corredor alto, vió Benina el tremendo infortunio de aquella familia. El viejo reumático parecía loco; en la desesperación que le causaban sus dolores, vociferaba, blasfemando, y [una joven], de la inanición que la consumía,

estaba como idiota, y no hacía más que dar azotes en las nalgas a un chico mocoso, lloricón, y que ponía los ojos en blanco de la fuerza de sus berridos y contorsiones. En medio de este desbarajuste, las dos mujeres expresaron a Benina que su mayor apuro, a más[133] del hambre, era pagar al casero, que no las dejaba vivir, reclamando a todas horas las tres semanas que se debían. Contestó la anciana que, con gran sentimiento, no se hallaba en disposición de sacarlas del compromiso, por carecer de dinero, y lo único que podía ofrecerles era una peseta, para que se remediaran aquel día y el siguiente. Traspasado el corazón de lástima, se despidió de la infeliz patulea, y aunque se mostraron las dos mujeres agradecidas, bien se conocía que algún reconcomio se les quedaba dentro del cuerpo por no haber recibido el socorro que esperaban.

En la escalera detuvieron a Benina dos vejanconas, una de las cuales le dijo con mal modo: — ¡Vaya, que confundirla a usted con Doña Guillermina! . . . ¡Zopencos, más que burros! Si aquélla era un ángel vestido de persona,[134] y ésta . . . bien se ve que es una tía ordinaria[135] que viene acá dándose el pisto[136] de repartir limosnas . . . ¡Señora! . . . ¡vaya una señora! . . . apestando a cebolla cruda . . . y con esas manos de fregar . . . Ahora se dan santas del pan pringao,[137] y . . . ¡a cuarto las imágenes; caras de Dios a cuarto![138]

No hizo caso la buena mujer, y siguió su camino; pero en la calle, o como quiera que se llame aquel espacio entre casas, se vió importunada por sinnúmero de ciegos, mancos y paralíticos, que le pedían con tenaz insistencia pan, o perras con que comprarlo. Trató de sacudirse el molesto enjambre;

[129] See p. 413, n. 45.
[130] and she was very happy to do it
[131] dejados . . . Dios, forgotten by God
[132] casa de corredor, tenement
[133] a más de, besides   [134] human being
[135] vulgar woman
[136] darse pisto, to put on airs, to show off
[137] of bread sopped in grease or gravy; translate, cheap saints
[138] two-for-a-cent saints, worthless saints

pero la seguían, la acosaban, no la dejaban andar. No tuvo más remedio que gastarse en pan otra peseta y repartirlo presurosa. Por fin, apretando el paso, logró ponerse a distancia de la enfadosa pobretería, y se encaminó al vertedero donde esperaba encontrar al buen Mordejai.[139] En el propio sitio del día anterior estaba mi hombre aguardándola ansioso; y no bien se juntaron, sacó ella de la cesta los víveres que llevaba, y se pusieron a comer. Mas no quería Dios que aquella mañana le saliesen las cosas a Benina conforme a su buen corazón y caritativas intenciones, porque no hacía diez minutos que estaban comiendo, cuando observó que en el camino, debajito del vertedero, se reunían gitanillos maleantes, alguno que otro lisiado de mala estampa, y dos o tres viejas desarrapadas y furibundas. Mirando al grupo idílico que en la escombrera formaban la anciana y el ciego, toda aquella gentuza empezó a vociferar. ¿Qué decían? No era fácil entenderlo desde arriba. Palabras sueltas llegaban . . . que si[140] era santa de pega;[141] que si era una ladrona que se fingía beata para robar mejor . . . que si era una lame-cirios y chupa-lámparas[142] . . . En fin, aquello se iba poniendo malo, y no tardó en demostrarlo una piedra, ¡pim! lanzada por mano vigorosa, y que Benina recibió en la paletilla . . . Al poco rato, ¡pim, pam! otra y otras. Levantáronse ambos despavoridos, y recogiendo en la cesta la comida, pensaron en ponerse en salvo. La dama[143] cogió por el brazo a su caballero y le dijo: «Vámonos, que nos matan.»

Trepando difícilmente por el declive pedregoso, cayendo y levantándose a cada instante, cogidos del brazo, las cabezas gachas, huían del formidable tiroteo. Éste llegó a ser tan intenso, que no había respiro entre golpe y golpe. A Benina la tocaron los proyectiles en partes vestidas, donde no podían hacer gran daño; pero Almudena tuvo la desgracia de que un guijarro le cogiese la cabeza en el momento de volverse para increpar al enemigo, y la descalabradura fué tremenda. Cuando llegaron, jadeantes y doloridos, a un sitio resguardado de la terrible lluvia de piedras, la herida del marroquí chorreaba sangre, tiñendo de rojo su faz amarilla. Lo extraño era que el descalabrado callaba, y la que había salido ilesa ponía el grito en el cielo,[144] pidiendo rayos y centellas que confundieran a la infame cuadrilla. La suerte les deparó un guarda-agujas, que vivía en una caseta próxima al lugar del siniestro, hombre reposado y pío que, demostrando no tener en poco a las víctimas del atentado, las acogió como buen cristiano en su vivienda humilde, compadecido de su desgracia. A poco llegó la guardesa, que también era compasiva, y lo primero que hicieron fué dar agua a Benina para que le lavase la herida a su compañero, y de añadidura sacaron vinagre, y trapos para hacer vendas. El moro no decía más que: — Amri, ¿piedra ti no?[145]

— No, hijo: no me ha tocado más que una china en el cogote, que no me ha hecho sangre.

— ¿Dolier ti? Son los embaixos . . . espiritos malos de soterrá.[146]

— ¡Indecentes, granujas! ¡Lástima de pareja de la Guardia Civil, o siquiera del Orden!

Con los procedimientos más elementales le hicieron la cura al pobre ciego,

---

139 Almudena's given name
140 See p. 411, n. 31
141 de pega, false
142 Literally, a lick-candles and suck-lamps; a hypocrite, who makes a show of religion by always being close to the altar

143 lady (humorously applied to a servant)
144 poner el grito en el cielo, to shout to high heaven
145 ¿Señora, no te hirió una piedra?
146 ¿Te duele? Son los de la región baja, espíritus malos del reino subterráneo.

restañándole la sangre, y poniéndole
vendas que le tapaban uno de los ojos;
después le acostaron en el suelo, porque
se le iba la cabeza[147] y no podía tenerse
en pie. Volvió la mendiga a sacar de su
cesta el pan y la carne a medio comer,
ofreciendo partir con sus generosos
protectores; pero éstos, en vez de
aceptar, les brindaron con sardinas y
unos churros que les habían sobrado de
su almuerzo. Hubo por una y otra
parte ofrecimientos, finuras y delica-
dezas, y cada cual, al fin, se quedó con
lo suyo. Pero Benina aprovechó las
buenas disposiciones de aquella honrada gente para proponerles que alber-
gasen al ciego en la caseta hasta que
ella pudiese prepararle alojamiento en
Madrid. No había que pensar en que
volviese a las Cambroneras, donde sin
duda le tenían mala voluntad. A Madrid y a su casa de ella no podía con-
ducirlo, porque ella servía en una casa,
y él... En fin, que no era fácil
explicarlo... y si los señores guarda-
agujas pensaban mal de las relaciones
entre Benina y el moro, que pensaran.[148]
«Miren ustedes — dijo la anciana viéndoles perplejos y desconfiados, — no
poseo más dinero que esta peseta y estas
perras. Tómelas, y tengan aquí al
pobre ciego hasta mañana. Él no les
molestará, porque es bueno y honrado.
Dormirá en este rincón con sólo que le
den una manta vieja, y tocante a comer,
de lo que ustedes tengan.»

Después de corta vacilación acep-
taron el trato, y permitiéndose dar un
consejo a la para ellos extraña pareja,
dijo el guarda: «Lo que deben hacer
ustedes es dejarse de andar de vagancia
por calles y caminos, donde todo es
ajetreo y malos pasos, y ver de meterse
o que los metan en un asilo, la señora
en las *ancianitas*, el señor en otro recogimiento que hay para ciegos, y así
tendrían asegurado el comer y el abrigo

por todo el tiempo que vivieran.»
Nada contestó Almudena, que amaba
la libertad, y la prefería trabajosa y
miserable a la cómoda sujeción del
asilo. Benina, por su parte no queriendo entrar en largas explicaciones,
ni desvanecer el error de aquella buena
gente, que sin duda les creía asociados
para la vagancia y el merodeo, se
limitó a decir que no se recogían en un
establecimiento por causa de la mucha
existencia[149] de pobres, y que sin recomendaciones y tarjetas de personajes
no había manera de conseguir plaza.
A esto respondió la guardesa que
podrían lograr sus deseos de *recogerse*, si
se entendían con un señor muy piadoso
que anda en estas cosas de asilos; un
sacerdote... que le llaman D. Romualdo.

— ¡D. Romualdo!... ¡Ah! sí, ya
sé; digo, no le conozco más que de
nombre. ¿Es un señor cura, alto y
guapetón, que tiene una sobrina llamada Doña Patros, que bizca un poco?

Al decir esto, sintió la Benina que se
renovaba en su mente la extraña confusión y mezcolanza de lo real y lo
imaginado

— Yo no sé si bizca o no bizca la
sobrina... — prosiguió la guardesa;
— pero sé que el D. Romualdo es de
tierra de Guadalajara.

— Es verdad... Y ahora se ha ido
a su pueblo... Por cierto que le
proponen para Obispo, y habrá ido a
traer los papeles.

Convinieron todos en que el D.
Romualdo misterioso no vendría del
pueblo sin traerse los papeles, y en
seguida se cerró trato para el hospedaje
y custodia de Almudena en la caseta
por veinticuatro horas, dando Benina
la peseta y perras que tenía (menos tres
piezas chicas que guardó aparte), y
comprometiéndose los otros a cuidar
del ciego como si fuera su hijo. Aún

[147] *se le iba la cabeza*, he felt light-headed
[148] let them think it

[149] Literally, stock; large number of

tuvo la pobre Nina que bregar un poquito con el marroquí, empeñado en que le llevara *sigo*;[150] pero al fin pudo convencerle, encareciéndole el peligro de que la herida de la cabeza le trajera 5 algún trastorno grave si no se estaba quietecito. «*Amri, golver* ti mañana[151] — decía el infeliz al despedirla. — Si dejar mí solo, *murierme yo migo.*»[152] Prometió la anciana solemnemente volver a su 10 compañía, y se fué melancólica, revolviendo en su magín las tristezas de aquel día, a las cuales se unían presagios negros, barruntos de mayores afanes, porque se había quedado sin un cuarto, 15 por dejarse llevar del ímpetu caritativo de su corazón dando tanta limosna. Seguramente vendrían para ella grandes apreturas, pues tenía que devolver pronto a la *Pitusa* sus joyas, allegar 20 recursos para mantener a la señora y a su huésped, socorrer a Almudena, etc.... Tantas obligaciones se había echado encima, que ya no sabía cómo atender a ellas. 25

Llegó a su casa, después de hacer sus compras a crédito, y encontrando a Frasquito muy bien, propuso a Doña Paca darle de alta, y que se fuera a desempeñar sus obligaciones y a ganarse 30 la vida. Asintió a ello la señora, y la tristeza de ambas se aumentó con la noticia, traída por la criada de Obdulia, de que ésta se había puesto muy malita, con alta fiebre, delirio, y un traqueteo 35 de nervios que daba compasión. Allá se fué Benina, y después de avisar a los suegros de la señorita para que la atendieran, volvió a tranquilizar a la mamá. Mala tarde y peor noche pa- 40 saron, pensando en las dificultades y aprietos que de nuevo se les ofrecían, y a la siguiente mañana la infeliz mujer ocupaba su puesto en San Sebastián.[153]

pues no había otra manera de defenderse de tantas y tan complejas adversidades. Cada día mermaba su crédito, y las obligaciones contraídas en la calle de la Ruda, o en las tiendas de la calle Imperial, la abrumaban. Vióse en la necesidad de salir también al pordioseo de tarde, y un ratito por la noche, pretextando tener que llevar un recado a la *niña*. En la breve campaña nocturna, sacaba escondido un velo negro, viejísimo, de Doña Paca, para entapujarse la cara; y con esto y unos espejuelos verdes que para el caso guardaba, hacía 15 divinamente el tipo de señora ciega vergonzante, arrimadita a la esquina de la calle de Barrionuevo, atacando con quejumbroso reclamo a media voz a todo cristiano que pasaba. Con tal sistema, y *trabajando* tres veces por día, lograba reunir algunos cuartos; mas no todo lo necesario para sus atenciones, que no eran pocas, porque Almudena se había puesto mal, y seguía en la 25 caseta de las Pulgas.[154] Nada cobraba el guarda-agujas por hospedaje del infeliz moro; pero había que llevar a éste la comida. Obdulia no entraba en caja:[155] era forzoso asistirla de medicamentos y caldos, pues los suegros se llamaban Andana,[156] y no era cosa de mandarla al Hospital. Tenía, pues, sobre sí la heroica mujer carga demasiado fuerte; pero la soportaba, y 35 seguía con tantas cruces a cuestas por la empinada senda, ansiosa de llegar, si no a la cumbre, a donde pudiera. Si se quedaba en mitad del camino, tendría la satisfacción de haber cumplido 40 con lo que su conciencia le dictaba.

Por la tarde, pretextando compras, pedía en la puerta de San Justo, o junto al Palacio arzobispal; pero no podía entretenerse mucho, porque[157] su tar-

---

[150] *con ella* [151] *vuelve mañana*
[152] *yo me muero*
[153] The church at whose door Benina and Almudena were accustomed to beg
[154] The name of the section in which the house is situated

[155] *entrar en caja*, to come back to a normal state
[156] *llamarse Andana*, to neglect, to pay no attention
[157] For *para que*, so that

danza no inquietara demasiado a la señora. Al volver una tarde de su petitorio, sin más *ganancia* que una perra chica, se encontró con la novedad de que Doña Paca, acompañada de Frasquito, había ido a visitar a Obdulia. Díjole además la portera que momentos antes había subido a la casa un señor sacerdote, alto, de buena presencia, el cual, cansado de llamar se fué, dejando un recadito en la portería.

— ¡Ya! . . . Es D. Romualdo . . .

— Así dijo, sí, señora. Ya ha venido dos veces, y . . .

— ¿Pero se marcha otra vez a Guadalajara?

— De allá vino ayer tarde. Tiene que hablar con Doña Paca, y volverá cuando pueda.

Ya tenía Benina un espantoso lío en la cabeza con aquel dichoso clérigo, tan semejante, por las señas y el nombre, al suyo, al de su invención; y pensaba si, por milagro de Dios, habría tomado cuerpo y alma de persona verídica el ser creado en su fantasía por un mentir inocente, obra de las aflictivas circunstancias. «En fin, veremos lo que resulta de todo esto — se dijo subiendo pausadamente la escalera. — Bien venido sea ese señor cura si viene a traernos algo.» Y de tal modo arraigaba en su mente la idea de que se convertía en real el mentido y figurado sacerdote alcarreño, que una noche, cuando pedía con antiparras y velo, creyó reconocer en una señora, que le dió dos céntimos, a la mismísima Doña Patros, la sobrina que bizcaba una miaja.

Pues señor, Doña Paca y Frasquito trajeron la buena noticia de que Obdulia se restablecía lentamente. «Mira, Nina — le dijo la viuda: — como quiera que sea, has de llevarle a Obdulia una botella de amontillado. A ver si te la fían en la tienda; y si no, busca el dinero como puedas, que lo que tiene la *niña* es debilidad.» La otra se mostró conforme con esta esplendidez, por no chocar, y se puso a hacer la cena. Taciturna estuvo hasta la hora de acostarse, y Doña Francisca se incomodó con ella porque no la entretenía, como otras veces, con festivas conversaciones. Sacó fuerzas de flaqueza[158] la heroica anciana, y con su espíritu muy turbado, su mente llena de presagios sombríos, empezó a despotricar como una taravilla, para que se embelesara la señora con unas cuantas chanzonetas y mil tonterías imaginadas, y pudiera coger el sueño.

Repuesto de su herida el ciego moro, volvió a pedir, a instancias de su amiga, pues no estaban los tiempos para pasarse la vida al sol . . . Las necesidades aumentaban, imponíase la dura realidad, y era forzoso sacar las perras del fondo de la masa humana, como de un mar rico en tesoros de todas clases . . .

Un sábado por la tarde se colmaron sus desdichas con un inesperado y triste incidente. Salió a pedir en San Justo: Almudena hacía lo mismo en la calle del Sacramento. Estrenóse ella con diez céntimos, inaudito golpe de suerte, que consideró de buen augurio. ¡Pero cuán grande era su error, al fiarse de estas golosinas que nos arroja el destino adverso para atraernos y herirnos más cómodamente! Al poco rato del feliz estreno, se apareció un individuo de la ronda secreta que, empujándola con mal modo, le dijo: — Ea, buena mujer, eche usted a andar para adelante . . . Y vivo, vivo . . .

— ¿Qué dice? . . .

— Que se calle y ande . . .

— ¿Pero a dónde me lleva?

— Cállese usted, que le tiene más cuenta . . . ¡Hala! a San Bernardino.[159]

— ¿Pero qué mal hago yo . . . señor?

— ¡Está usted pidiendo! . . . ¿No le dije a usted ayer que el señor Gober-

---

[158] *Sacó . . . flaqueza*, made an effort

[159] See p. 427, n. 114

nador no quiere que se pida en esta calle?

— Pues manténgame el señor Gobernador. ¡Vaya con el hombre! . . .

— ¡Calle usted, so[160] borracha! . . . ¡Andando digo!

— ¡Que no me empuje! . . . Yo no soy criminala[161] . . . Yo tengo familia, conozco quien me abone . . . Ea, que no voy adonde usted quiere llevarme . . .

Se arrimó a la pared; pero el fiero polizonte la despegó del arrimo con un empujón violentísimo. Acercáronse dos de Orden público, a los cuales el de la ronda mandó que la llevaran a San Bernardino, juntamente con toda la demás pobretería de ambos sexos que en la tal calle y callejones adyacentes encontraran. Aún trató Benina de ganar la voluntad de los guardias, mostrándose sumisa en su viva aflicción. Suplicó, lloró amargamente; mas lágrimas y ruegos fueron inútiles. Adelante, siempre adelante, llevando a retaguardia al ciego africano, que en cuanto se enteró de que la recogían,[162] se fué hacia los del Orden, pidiéndoles que a él también le echasen la red, y al mismo infierno le llevaran, con tal que no le separasen de ella. Presión grande hubo de hacer sobre su espíritu la desgraciada mujer para resignarse a tan atroz desventura . . . ¡Ser llevada a un recogimiento de mendigos callejeros como son conducidos a la cárcel los rateros y malhechores! ¡Verse imposibilitada de acudir a su casa a la hora de costumbre, y de atender al cuidado de su ama y amiga! Cuando consideraba que Doña Paca y Frasquito no tendrían qué comer aquella noche, su dolor llegaba al frenesí: hubiera embestido a los corchetes para deshacerse de ellos, si fuerzas tuviera contra dos

hombres. Apartar no podía del pensamiento la consternación de su señora infeliz, cuando viera que pasaban horas, horas . . . y la Nina sin parecer. ¡Jesús, Virgen Santísima! ¿Qué iba a pasar en aquella casa? Cuando no se hunde el mundo por sucesos tales, seguro es que no se hundirá jamás . . . Más allá de las Caballerizas[163] trató nuevamente de enternecer con razones y lamentos el corazón de sus guardianes. Pero ellos cumplían una orden del jefe, y si no la cumplían, mediano réspice les echarían.[164] Almudena callaba, andando agarradito a la falda de Benina, y no parecía disgustado de la recogida y conducción al depósito de mendicidad.

Si lloraba la pobre postulante, no lloraba menos el cielo, concordando con ella en sombría tristeza, pues la llovizna que a caer empezó en el momento de la recogida, fué creciendo hasta ser copiosa lluvia, que la puso perdida de pies a cabeza. Las ropas de uno y otro mendigo chorreaban; el sombrero hongo de Almudena parecía la pieza superior de la fuente de los Tritones;[165] poco le faltaba ya para tener verdín. El calzado ligero de Benina, destrozado por el mucho andar de aquellos días, se iba quedando a pedazos en los charcos y barrizales en que se metía. Cuando llegaron a San Bernardino, pensaba la anciana que mejor estaría descalza. «Amri — le dijo Almudena cuando traspasaban la triste puerta del Asilo municipal, — no yorar ti . . . Aquí bien tigo migo . . . No yorar ti . . . contentado mí . . . Dar sopa, dar pan nosotras[166] . . .»

En su desolación, no quiso Benina contestarle. De buena gana le habría dado un palo. ¿Cómo había de hacerse cargo aquel vagabundo de la razón con

---

[160] so simply reinforces an opprobrious epithet

[161] Popular for criminal

[162] to pick up (slang)

[163] the Royal Stables

[164] mediano . . . echarían, they would be given no small reprimand

[165] A fountain in the Campo del Moro, near the Royal Palace

[166] No llores. Aquí serán buenos conmigo y contigo. No llores. Yo estoy contento. Nos darán sopa, nos darán pan.

que la infeliz mujer se quejaba de su suerte? ¿Quién, sino ella, comprendería el desamparo de su señora, de su amiga, de su hermana, y la noche de ansiedad que pasaría, ignorante de lo que pasaba? Y si le hacían el favor de soltarla al día siguiente, ¿con qué razones, con qué mentiras explicaría su larga ausencia, su desaparición súbita? ¿Qué podía decir, ni qué invento sacar de su fecunda imaginación? Nada, nada: lo mejor sería desechar todo embuste, revelando el secreto de su mendicidad, nada vergonzosa por cierto. Pero bien podía suceder que Doña Francisca no lo creyese, y que se quebrantara el lazo de amistad que desde tan antiguo las unía; y si la señora se enojaba de veras, arrojándola de su lado, Nina se moriría de pena, porque no podía vivir sin Doña Paca, a quien amaba por sus buenas cualidades y casi casi por sus defectos. En fin, después de pensar todo esto, y cuando la metieron en una gran sala ahogada y fétida, donde había ya como un medio centenar de ancianos de ambos sexos, concluyó por echarse en los brazos amorosos de la resignación, diciéndose: «Sea lo que Dios quiera. Cuando vuelva a casa diré la verdad; y si la señora está viva para cuando yo llegue y no quiere creerme, que no me crea; y si se enfada, que se enfade; y si me despide, que me despida; y si me muero, que me muera.»

Aunque Nina no lo pensara y dijera, bien se comprenderá que el desasosiego y consternación de Doña Paca en aquella triste noche superaron a cuanto pudiera manifestar el narrador. A medida que avanzaba el tiempo, sin que la criada volviese al hogar, crecía la angustia del ama, quien, si al principio echó de menos a su compañera por la falta que en el orden material hacía, pronto se inquietó más pensando

en la desgracia que habría podido ocurrirle, cogida de coche, verbigracia, o muerte repentina en la calle. Procuraba el bueno de Frasquito tranquilizarla, pero inútilmente. Y el desteñido viejo tenía que callarse cuando su paisana le decía: «¡Pero si nunca ha pasado esto; nunca, querido Ponte! Ni una sola vez ha faltado de casa en tantísimos años.»

Surgieron dificultades graves para cenar formalmente, y nada se adelantaba con que las chiquillas de la cordonera se brindasen oficiosas a sustituir a la criada ausente. Verdad que Doña Paca perdió en absoluto el apetito, y lo mismo, o poco menos, le pasaba a su huésped. Pero como no había más remedio que tomar algo para sostener las fuerzas, ambos se propinaron un huevo batido en vino y unos pedacitos de pan. De dormir, no se hable. La señora contaba las horas, medias y cuartos de la noche por los relojes de la vecindad, y no hacía más que medir el pasillo de punta a punta, atenta a los ruidos de la escalera. Ponte no quiso ser menos: la galantería le obligaba a no acostarse mientras su amiga y protectora estuviese en vela, y para conciliar las obligaciones de caballero con su fatiga de convaleciente, descabezó un par de sueñecitos en una silla. Para esto hubo de adoptar postura violenta, haciendo almohada de sus brazos, cruzados sobre el respaldo, y al dormirse se le quedó colgando la cabeza, de lo que le sobrevino un tremendo tortícolis a la mañana siguiente.

Al amanecer de Dios,[167] vencida del cansancio Doña Paca, se quedó dormidita en un sillón. Hablaba en sueños, y su cuerpo se sacudía de rato en rato con estremecimientos nerviosos. Despertó sobresaltada, creyendo que había ladrones en la casa, y el día claro, con el vacío de la ausencia de Nina, le resultó más triste y solitario que la

[167] When the blessed dawn came; cf. the proverb: *Dios amanecerá y medraremos*

noche. Según Frasquito, que en esto pensaba cuerdamente, ningún rastro parecía más seguro que informarse de los señores en cuya casa servía Benina de asistenta. Ya lo había pensado también su paisana la tarde anterior; pero como ignoraba el número de la casa de D. Romualdo en la calle de la Greda, no se determinaron a emprender las averiguaciones. Por la mañana, habiéndose brindado el portero a inquirir el paradero de la extraviada sirviente, se le mandó con el encargo, y a la hora volvió diciendo que en ninguna portería de tal calle daban razón.

Y a todas éstas, no había en la casa más que algún resto de cocido del día anterior, casi avinagrado ya, y mendrugos de pan duro. Gracias que los vecinos, enterados de conflicto tan grave, ofrecieron a la ilustre viuda algunos víveres; éste, sopas de ajo; aquél, bacalao frito; el otro, un huevo y media botella de peleón. No había más remedio que alimentarse, haciendo de tripas corazón,[168] porque la naturaleza no espera; es forzoso vivir, aunque el alma se oponga, encariñada con su amiga la muerte. Pasaban lentas las horas del día, y tanto Ponte como su paisana no podían apartar su atención de todo ruido de pasos que sonaba en la escalera. Pero tantos desengaños sufrieron, que, al fin, rendidos y sin esperanza, se sentaron uno frente a otro, silenciosos, con reposo y gravedad de esfinges, y mirándose confirieron tácitamente la solución del enigma a la divina voluntad. Ya se sabría el paradero de Nina, o los motivos de su ausencia, cuando Dios se dignara darlos a conocer por los medios y caminos a que nunca alcanza nuestra previsión.

Las doce serían ya, cuando sonó un fuerte campanillazo. La dama rondeña y el galán de Algeciras saltaron, cual muñecos de goma, en sus respectivos asientos. «No, no es ella — dijo Doña Paca con gran desaliento. — Nina no llama así.»

Y como quisiese Frasquito salir a la puerta, le detuvo ella con una observación muy en su punto:[169] «No salga usted, Ponte, que podría ser uno de esos gansos de la tienda que vienen a darme un mal rato. Que abra la niña. Celedonia, corre a abrir, y entérate bien: si es alguno que nos trae noticias de Nina, que pase. Si es alguien de la tienda, le dices que no estoy.»

Corrió la chiquilla, y volvió desalada al instante diciendo: «Señora, D. Romualdo.»

Efecto de gran intensidad emocional, que casi era terrorífica. Ponte dió varias vueltas de peonza sobre un pie, y Doña Paca se levantó y volvió a caer en el sillón como unas diez veces, diciendo: «Que pase . . . Ahora sabremos . . . ¡Dios mío, D. Romualdo en casa! . . . A la salita, Celedonia, a la salita . . . Me echaré la falda negra . . . Y no me he peinado . . . ¡Con qué facha le recibo! . . . Que pase, niña . . . Mi falda negra.»

Entre el algecireño y la chiquilla la vistieron de mala manera, y con la prisa le ponían la ropa del revés. La señora se impacientaba, llamándoles torpes y dando patraditas. Por fin se arregló de cualquier modo, pasóse un peine por el pelo, y dando tumbos se fué a la salita donde aguardaba el sacerdote, en pie mirando las fotografías de personas de la familia, única decoración de la mezquina y pobre estancia.

— Dispénseme usted, Sr. D. Romualdo — dijo la viuda de Zapata, que de la emoción no podía tenerse en pie, y hubo de arrojarse en una silla, después de besar la mano al sacerdote. — Gracias a Dios que puedo manifestar a usted mi gratitud por su inagotable bondad.

— Es mi obligación, señora. — repuso el clérigo un tanto sorprendido, — y nada tiene usted que agradecerme.

---

[168] See p. 463, n. 27

[169] *muy . . . punto*, very sensible

— Y dígame ahora, por Dios — agregó la señora, con tanto miedo de oír una mala noticia que apenas hablar podía; — dígamelo pronto. ¿Qué ha sido de mi pobre Nina?

Sonó este nombre en el oído del buen sacerdote como el de una perrita que a la señora se le había perdido.

— ¿No le parece? . . . — le dijo por decir algo.

— ¿Pero usted no sabe . . .? ¡Ay, ay! Es que ha ocurrido una desgracia, y quiere ocultármelo, por caridad.

Prorrumpió en acerbo llanto la infeliz dama, y el clérigo permanecía perplejo y mudo. — Señora, por piedad, no se aflija usted . . . Será, o no será lo que usted supone.

— ¡Nina, Nina de mi alma!

— ¿Es persona de su familia, de su intimidad? Explíqueme . . .

— Si el Sr. D. Romualdo no quiere decirme la verdad por no aumentar mi tribulación, yo se lo agradezco infinito . . . Pero vale más saber . . . ¿O es que quiere darme la noticia poquito a poco, para que me impresione menos? . . .

— Señora mía — dijo el sacerdote con impaciente franqueza, ávido de aclarar las cosas, — yo no le traigo a usted noticias buenas ni malas de la persona por quien llora, ni sé qué persona es ésa, ni en qué se funda usted para creer que yo . . .

— Dispénseme, Sr. D. Romualdo. Pensé que la Benina, mi criada, mi amiga y compañera más bien, había sufrido algún grave accidente en su casa de usted, o al salir de ella, o en la calle, y . . .

— ¿Qué más? . . . Sin duda, señora Doña Francisca Juárez hay en esto un error que yo debo desvanecer, diciendo a usted mi nombre: Romualdo Cedrón. He desempeñado durante veinte años el arciprestazgo de Santa María de Ronda, y vengo a manifestar a usted, por encargo expreso de los demás testamentarios, la última voluntad del que fué mi amigo del alma, Rafael García de los Antrines, que Dios tenga en su santa gloria.

Si Doña Paca viera que se abría la tierra y salían de ella escuadrones de diablos, y que por arriba el cielo se descuajaba, echando de sí legiones de ángeles, y unos y otros se juntaban formando una inmensa falanje gloriosa y bufonesca, no se quedara más atónita y confusa. ¡Testamento, herencia! ¿Lo que decía el clérigo era verdad, o una ridícula, despiadada burla? ¿Y el tal sujeto era persona real, o imagen fingida en la mente enferma de la dama infeliz? La lengua se le pegó al paladar, y miraba a D. Romualdo con aterrados ojos.

— No es para que usted se asuste, señora. Al contrario; yo tengo la satisfacción de comunicar a Doña Francisca Juárez el término de sus sufrimientos. El Señor, que ha probado sin duda ya con creces su conformidad y resignación, quiere premiar ahora estas virtudes, sacándola a usted de la tristísima situación en que ha vivido tantos años.

A Doña Paca le caía un hilo de lágrimas de cada ojo, y no acertaba a proferir palabra. ¡Cuál sería su emoción, cuáles su sorpresa y júbilo, que se borró de su mente la imagen de Benina, como si la ausencia y pérdida de ésta fuese suceso ocurrido muchos años antes!

— Comprendo — prosiguió el buen sacerdote enderezando su cuerpo y aproximando el sillón para tocar con su mano el brazo de Doña Francisca, — comprendo su trastorno . . . No se pasa bruscamente del infortunio al bienestar, sin sentir una fuerte sacudida. Lo contrario sería peor . . . Y puesto que se trata de cosa importante, que debe ocupar con preferencia su atención, hablemos de ello, señora mía, dejando para después ese otro asunto que la inquieta . . . No debe usted afanarse tanto por su criada o amiga . . . ¡Ya parecerá!

Esta frase llevó de nuevo al espíritu de Doña Paca la idea de Nina y el sentimiento de su misteriosa desaparición. Notando en el *ya parecerá* de D. Romualdo una intención benévola y optimista, dió en creer que el buen señor, después que despachase el asunto principal, le hablaría del caso de la anciana que sin duda no era de suma gravedad. Pronto la mente de la señora con rápido giro de veleta tornó a la idea de la herencia, y a ella se agarró, dejando lo demás en el olvido; y observando el presbítero su ansiedad de informes, se apresuró a satisfacerla.

— Pues ya sabrá usted que el pobre Rafael pasó a mejor vida el 11 de Febrero . . .

— No lo sabía, no, señor. Dios le haya dado su descanso . . . ¡ay!

— Era un santo. Su único error fué abominar del matrimonio, despreciando los excelentes partidos que sus amigos le proponíamos. Los últimos años vivió en un cortijo llamado las *Higueras de Juárez* . . .

— Lo conozco. Esa finca fué de mi abuelo.

— Justamente: de D. Alejandro Juárez . . . Bueno; pues Rafael contrajo en las *Higueras* la afección del hígado que le llevó al sepulcro a los cincuenta y cinco años de edad . . .

— ¡Ay! . . .

— ¡Y con qué resignación llevaba su mal, y qué bien se preparó para la muerte, mirándola como una sentencia de Dios, contra la cual no debe haber protesta, sino más bien una conformidad alegre! ¡Pobre Rafael, qué pedazo de ángel! . . .

— ¡Ay! . . .

— Yo no vivía ya en Ronda, porque tenía intereses en mi pueblo que me obligaron a fijar mi residencia en Madrid. Pero cuando supe la gravedad del amigo queridísimo, me planté allá

. . . Un mes le acompañé y asistí . . . ¡Qué pena! . . . Murió en mis brazos.

— ¡Ay! . . .

Estos ayes eran suspiros que a Doña Paca se le salían del alma, como pajaritos que escapan de una jaula abierta por los cuatro costados. Con noble sinceridad, sin dejar de acariciar en su pensamiento la probable herencia, se asociaba al duelo de D. Romualdo por el generoso solterón rondeño.

— En fin, señora mía: murió como católico ferviente, después de otorgar testamento . . .

— ¡Ay! . . .

— En el cual deja el tercio de sus bienes a su sobrina en segundo grado, Clemencia Sopelana, ¿sabe usted? la esposa de D. Rodrigo del Quintanar, hermano del Marqués de Guadalerce. Los otros dos tercios los destina, parte a una fundación piadosa, parte a mejorar la situación de algunos de sus parientes que, por desgracia de familia, malos negocios u otras adversidades y contratiempos, han venido a menos. Hallándose usted y sus hijos en este caso, claro está que son de los más favorecidos, y . . .

— ¡Ay! . . . Al fin Dios ha querido que yo no me muera sin ver el término de esta miseria ignominiosa. ¡Bendito sea una y mil veces el que da y quita los males, el Justiciero, el Misericordioso, el Santo de los Santos! . . .

Con tal efusión rompió en llanto la desdichada Doña Francisca, cruzando las manos y poniéndose de hinojos, que el buen sacerdote, temeroso de que tanta sensibilidad acabase en una pataleta, salió a la puerta, dando palmadas, para que viniese alguien a quien pedir un vaso de agua.

Acudió el propio Frasquito con el socorro del agua, y D. Romualdo, en cuanto la señora bebió y se repuso de su emoción, dijo al desmedrado caballero: — Si no me equivoco, tengo el honor de hablar con D. Frasquito Ponte Delgado . . . natural de Algeciras . . . Por muchos años.[170] ¿Es usted primo en tercer grado de Rafael Antrines, de cuyo fallecimiento tendrá noticia?

— ¿Falleció? . . . ¡Ay, no lo sabía! — replicó Ponte muy cortado. — ¡Pobre Rafaelito! Cuando yo estuve en Ronda el año 56, poco antes de la caída de Espartero,[171] él era un niño, tamaño así. Después nos vimos en Madrid dos o tres veces . . . Él solía venir a pasar aquí temporadas de otoño; iba mucho al Real,[172] y era amigo de los Ustáriz; trabajaba por Ríos Rosas[173] en las elecciones, y por los Ríos Acuña[174] . . . ¡Oh, pobre Rafael! ¡Excelente amigo, hombre sencillo y afectuoso, gran cazador! . . . Congeniábamos en todo, menos en una cosa: él era muy campesino, muy amante de la vida rústica, y yo detesto el campo y los arbolitos. Siempre fuí hombre de poblaciones, de grandes poblaciones . . .

— Siéntese usted aquí — le dijo D. Romualdo, dando tan fuerte palmetazo en un viejo sillón de muelles, que de él se levantó espesa nube de polvo.

Un momento después, habíase enterado el galán fiambre[175] de su participación en la herencia del primo Rafael, quedándose en tal manera turulato, que hubo de beberse, para evitar un soponcio, toda el agua que dejara Doña Francisca.

Entrando en pormenores, que los herederos de Rafael anhelaban conocer, Cedrón les dió noticias prolijas del testamento, que tanto Doña Paca como Ponte oyeron con la religiosa atención que fácilmente se supone . . . En la parte que a las dos personas allí presentes interesaba, disponía Rafael lo siguiente: a Obdulia y a Antoñito, hijos de su primo Antonio Zapata, les dejaba el cortijo de Almoraima, pero sólo en usufructo. Los testamentarios les entregarían el producto de aquella finca, que dividida en dos mitades pasaría a los herederos del Antonio y de la Obdulia, al fallecimiento de éstos. A Doña Francisca y a Ponte les asignaba pensión vitalicia, como a otros muchos parientes, con la renta de títulos de la Deuda,[176] que constituían una de las principales riquezas del testador.

Oyendo estas cosas, Frasquito se atusaba sobre la oreja los ahuecados mechones de su melena, sin darse un segundo de reposo. Doña Francisca, en verdad, no sabía lo que le pasaba: creía soñar. En un acceso de febril júbilo, salió al pasillo gritando: — ¡Nina, Nina, ven y entérate! . . . ¡Ya somos ricas! . . . ¡digo, ya no somos pobres! . . .

Pronto acudió a su mente el recuerdo de la desaparición de su criada, y volviendo al lado de Cedrón, le dijo entre sollozos: — Perdóneme; yo no me acordaba de que he perdido a la compañera de mi vida . . .

— Ya parecerá, — repitió el clérigo, y también Frasquito, como un eco:

— Ya parecerá.

— Si se hubiera muerto — indicó Doña Francisca, — creo que la intensidad de mi alegría la haría resucitar.

— Ya hablaremos de esa señora — dijo Cedrón. — Antes acabe de enterarse de lo que tanto le interesa. Los testamentarios, atentos a que usted, lo mismo que el señor, se hallan en situación muy precaria, por causas que no quiero examinar ahora, ni hay para qué, han decidido . . . señalar a ustedes la cantidad mensual de cincuenta duros como asignación provisional, o si se quiere anticipo, hasta que determine-

---

[170] A greeting: 'How do you do?'; literally, May you live for many years.
[171] A general who served as regent and dictator of Spain from 1841–3 and 1854–6.
[172] *El Teatro Real*, where opera was played

[173] A politician from Ronda
[174] Probably minor politicians whose name has now been forgotten
[175] Literally, cold meat; here, lifeless
[176] *títulos de la Deuda*, government bonds

mos la cifra exacta de la pensión. ¿Está comprendido?

— Sí, señor; sí, señor ... comprendido, perfectamente comprendido, — clamaron los dos al unísono.

— Antes hubieran uno y otro recibido este jicarazo[177] — dijo el clérigo; — pero me ha costado un trabajo enorme averiguar dónde residían. Creo que he preguntado a medio Madrid ... y por fin ... No ha sido poca suerte encontrar juntas en esta casa a las dos piezas, perdonen el término de caza, que vengo persiguiendo como un azacán desde hace tantos días.

Doña Paca le besó la mano derecha, y Frasquito Ponte la izquierda. Ambos lagrimeaban.

— Dos meses de pensión han devengado ustedes ya, y ahora nos pondremos de acuerdo para las formalidades que han de llenarse, a fin de que uno y otro perciban desde luego ...

Llegó a creer Ponte que hacía una rápida ascensión en globo, y se agarró con fuerza a los brazos del sillón, como el aeronauta a los bordes de la barquilla.

— Estamos a sus órdenes — manifestó Doña Francisca en alta voz; y para sí: — Esto no puede ser; esto es un sueño.

La idea de que no pudiera Nina enterarse de tanta felicidad, enturbió la que en aquel momento inundaba su alma. A este pensamiento hubo de responder, por misteriosa concatenación, el de Ponte Delgado, que dijo:

— ¡Lástima que Nina, ese ángel no esté presente! ... Pero no debemos suponer que le haya pasado ningún accidente grave. ¿Verdad, Sr. D. Romualdo? Ello habrá sido ...

— Me dice el corazón que está buena y sana, que volverá hoy ... — declaró Doña Paca con ardiente optimismo, viendo todas las cosas envueltas en rosado celaje. Por cierto que ... Perdone usted, señor mío: hay tal confusión en mi pobre cabeza ... Decía que ... Al anunciarse el señor D. Romualdo en mi casa, yo creí, fijándome sólo en el nombre, que era usted el dignísimo sacerdote en cuya casa es asistenta mi Benina. ¿Me equivoco?

— Creo que sí.

— Es propio de las grandes almas caritativas esconderse, negar su propia personalidad, para de este modo huir del agradecimiento y de la publicidad de sus virtudes ... Vamos a cuentas, Sr. D. Romualdo, y hágame el favor de no hacer misterio de sus grandes virtudes. ¿Es cierto que por la fama de éstas le proponen para Obispo?

— ¡A mí! ... No ha llegado a mi noticia.

— ¿Es usted de Guadalajara o su provincia?

— Sí, señora.

— ¿Tiene usted una sobrina llamada Doña Patros?

— No, señora.

— ¿Dice usted la misa en San Sebastián?

— No, señora: la digo en San Andrés.

— ¿Y tampoco es cierto que hace días le regalaron a usted un conejo de campo? ...

— Podría ser ... ja, ja ... pero no recuerdo ...

— Sea como fuere, Sr. D. Romualdo, usted me asegura que no conoce a mi Benina.

— Creo ... vamos, no puedo asegurar que me es desconocida, señora mía. Antójaseme que la he visto.

— ¡Oh! bien decía yo que ... Sr. de Cedrón, ¡qué alegría me da!

— Tenga usted calma. Veamos; ¿esa Benina es una mujer vestida de negro, así como de sesenta años, con una verruga en la frente? ...

— La misma, la misma, Sr. D. Romualdo: muy modosita, algo vivaracha, a pesar de su edad.

— Más señas: pide limosna, y anda

[177] Literally, blow with a chocolate cup; here, stroke of good luck

por ahí con un ciego africano llamado Almudena.

— ¡Jesús! — exclamó con estupefacción y susto Doña Paca. — Eso no, ¡válgame Dios! eso no . . . Veo que no la conoce usted.

Y con una mirada puso por testigo a Frasquito de la veracidad de su denegación. Miró también Ponte al clérigo, después a la señora, atormentado por ciertas dudas que inquietaron su conciencia. — Benina es un ángel — se permitió decir tímidamente. — Pida o no pida limosna, y esto yo no lo sé, es un ángel, palabra de honor.

— ¡Quite usted allá! . . . ¡Pedir mi Benina . . . y andar por esas calles con un ciego! . . .

— Moro, por más señas — indicó D. Romualdo.

— Yo debo manifestar — dijo Ponte con honrada sinceridad, — que no hace muchos días, pasando yo por la Plaza del Progreso, la vi sentada al pie de la estatua, en compañía de un mendigo ciego, que por el tipo me pareció . . . oriundo del Riff.[178]

El aturdimiento, el vértigo mental de Doña Paca fueron tan grandes, que su alegría se trocó súbitamente en tristeza, y dió en creer que cuanto decían allí era ilusión de sus oídos; ficticios los seres con quienes hablaba, y mentira todo, empezando por la herencia. Temía un despertar lúgubre. Cerrando los ojos, se dijo: — ¡Dios mío, sácame de tan terrible duda; arráncame esta idea! . . . ¿Es esto mentira, es esto verdad? ¡Yo heredera de Rafaelito Antrines; yo con medios de vivir! . . . ¡Nina pidiendo limosna; Nina con un riffeño! . . .

— Bueno — exclamó al fin con súbito arranque. — Pues viva Nina, y viva con su moro, y con toda la morería de Argel, y véala yo, y vuelva a casa,

aunque se traiga al africano metido en la cesta.

Echóse a reír D. Romualdo, y explicando el cuándo y cómo de conocer a Benina, dijo que por un amigo suyo, coadjutor en San Andrés, clérigo de mucha ilustración y humanista muy aprovechado, que picaba en las lenguas orientales, había conocido al árabe Almudena. Con él vió a una mujer que le acompañaba, de la cual le dijeron que a una señora viuda servía, andaluza por más señas, habitante en la calle Imperial. — No pude menos de relacionar estas referencias con la señora Doña Francisca Juárez, a quien yo no había tenido el gusto de ver todavía, y hoy, al oír a usted lamentarse de la desaparición de su criada, pensé y dije para mí: «Si la mujer que se ha perdido es la que yo creo, busquemos el caldero y encontraremos la soga;[179] busquemos al moro, y encontraremos a la odalisca; digo, a esa que llaman ustedes . . .»

— Benigna de Casia . . . de Casia, sí, señor . . .

Añadió el Sr. de Cedrón que, no por sus merecimientos, sino por la confianza con que le distinguían los fundadores del Asilo de ancianos y ancianas de la Misericordia,[180] era patrono y mayordomo mayor del mismo; y como a él se dirigían las solicitudes de ingreso, no daba un paso por la calle sin que le acometieran mendigos importunos, y se veía continuamente asediado de recomendaciones y tarjetazos pidiendo la admisión. — Podríamos creer — añadió, — que es nuestro país inmensa gusanera de pobres, y que debemos hacer de la nación un Asilo sin fin, donde quepamos todos, desde el primero al último. Al paso que vamos, pronto seremos el más grande Hospicio

---

[178] A part of Spanish Morocco

[179] A proverbial expression: Let us look for the kettle and we'll find the rope (which is tied to it).

[180] It is ironical that this asylum, the last

place that Benina wishes to go, should be called la Misericordia. Thus the compassion of the well-to-do social group, taking form in the hated asylum, contrasts with Benina's personal compassion.

de Europa . . . He recordado esto, porque mi amigo Mayoral, el cleriguito aficionado a letras orientales, me habló de recoger en nuestro Asilo a la compañera de Almudena.

— Yo le suplico a usted, mi Sr. D. Romualdo — dijo Doña Francisca enteramente trastornada ya, — que no crea nada de eso; que no haga ningún caso de las Beninas figuradas que puedan salir por ahí, y se atenga a la propia y legítima Nina; a la que va de asistenta a su casa de usted todas las mañanas, recibiendo allí tantos beneficios, como los he recibido yo por conducto de ella. Ésta es la verdadera; ésta la que hemos de buscar y encontraremos con la ayuda del Sr. de Cedrón y de su digna hermana Doña Josefa, y de su sobrina Doña Patros . . . Usted me negará que la conoce, por hacer un misterio de su virtud y santidad; pero esto no le vale, no señor. A mí me consta que es usted santo, y que no quiere que le descubran sus secretos de caridad sublime; y como me consta, lo digo. Busquemos, pues, a Nina, y cuando a mi compañía vuelva, gritaremos las dos: ¡Santo, santo, santo!

Sacó en limpio de esta perorata el Sr. de Cedrón que Doña Francisca Juárez no tenía la cabeza buena; y creyendo que las explicaciones y el contender sobre lo mismo no atenuarían su trastorno, puso punto final en aquel asunto, y se despidió, quedando en volver al día siguiente para el examen de papeles, y la entrega, mediante recibo en regla, de las cantidades devengadas ya por los herederos.

Duró largo rato la despedida, porque tanto Doña Paca como Frasquito repitieron, en el tránsito desde la salita a la escalera, sus expresiones de gratitud como unas cuarenta veces, con igual número de besos, más bien más que menos, en la mano del sacerdote. Y cuando desapareció por las escaleras abajo el gran Cedrón, y se vieron solos

de puerta adentro la dama rondeña y el galán de Algeciras, dijo ella: — Frasquito de mi alma, ¿es verdad todo esto?

— Eso mismo iba ya a preguntar a usted . . . ¿Estaremos soñando? ¿Usted qué cree?

— ¿Yo? . . . no sé . . . no puedo pensar . . . Me falta la inteligencia, me falta la memoria, me falta el juicio, me falta Nina.

— A mí también me falta algo . . . No sé discurrir. ¿Nos habremos vuelto tontos o locos? . . .

— Lo que yo digo; ¿por qué nos niega D. Romualdo que su sobrina se llama Patros, que le proponen para Obispo, y que le regalaron un conejo?

— Lo del conejo no lo negó . . . dispense usted. Dijo que no se acordaba.

— Es verdad . . . ¿Y si ahora, el D. Romualdo que acabamos de ver nos resultase un ser figurado, una creación de la hechicería o de las artes infernales . . . vamos, que se nos evaporara y convirtiera en humo, resultando todo una ilusión, una sombra, un desvarío?

— ¡Señora, por la Virgen Santísima!

— ¿Y si no volviese más?

— ¡Si no volviese! . . . ¡Que[181] no vuelve, que no nos entregará la . . . los . . . !

Al decir esto, la cara flácida y desmayada del buen Frasquito expresaba un terror trágico. Se pasó la mano por los ojos, y lanzando un graznido, cayó en el sillón con un accidente cerebral, semejante al de la noche lúgubre . . .

Gracias a los cuidados de Doña Paca, asistida de las chicas de la cordonera, pronto se repuso Ponte de aquella nueva manifestación de su mal, y al anochecer, conversando con la dama rondeña convinieron ambos en que D. Romualdo Cedrón era un ser efectivo

[181] Translate. if

y la herencia una verdad incuestionable. No obstante, entre la vida y la muerte estuvieron hasta el siguiente día, en que se les apareció por segunda vez la imagen del benéfico sacerdote, acompañado de un notario, que resultó antiguo conocimiento de Doña Francisca Juárez de Zapata. Arreglado el asunto, previo examen de papeles, en lo que no hubo dificultad, recibieron los herederos de Rafaelito Antrines, a cuenta de su pensión, cantidad de billetes de Banco que a entrambos pareció fabulosa, por causa, sin duda, de la absoluta limpieza de sus respectivas arcas. La posesión del dinero, acontecimiento inaudito en aquellos tristes años de su vida, produjo en Doña Paca un efecto psicológico muy extraño; se le anubló la inteligencia; perdió hasta la noción del tiempo; no encontraba palabras con que expresar las ideas, y éstas zumbaban en su cabeza como las moscas cuando se estrellan contra un cristal, queriendo atravesarlo para pasar de la obscuridad a la luz. Quiso hablar de su Nina, y dijo mil disparates. Como se oye un rumor de lejanas disputas, de las cuales sólo se perciben sílabas y voces sueltas, oía que Frasquito, y los otros dos señores hablaban del asunto; creyó entender que la fugitiva parecería, que ya se había encontrado el rastro, pero nada más . . . Los tres hombres estaban en pie, el notario junto a Cedrón. Chiquitín y con perfil de cotorra, parecía un perico que se dispone a encaramarse por el tronco de un árbol.

Despidiéronse al fin los amables señores con ofrecimientos y cortesanías afectuosas, y solos la rondeña y el de Algeciras, se entretuvieron, durante mediano rato, en dar vueltas de una parte a otra de la casa, entrando sin objeto ni fin alguno, ya en la cocina, ya en el comedor, para salir al instante, cambiando alguna frase nerviosa cuando uno con otro se tropezaban. Doña Paca, la verdad sea dicha, sentía que se le aguaba la felicidad por no poder hacer partícipe de ella a su compañera y sostén en tantos años de penuria. ¡Ah! Si Nina entrara en aquel momento, ¡qué gusto tendría su ama en darle la gran sorpresa, mostrándose primero muy afligida por la falta de cuartos, y enseñándole después el puñado de billetes! ¡Qué cara pondría!

[Doña Paca and Ponte order a sumptuous meal sent in. Afterwards the latter goes to see his tailor. That evening, in a restaurant, he chances to meet Antonio and a friend, Polidura. The young men have found out that Benina and Almudena are detained in *El Pardo*, but believe they can secure their release. All agree to go to the Pardo some Sunday, the young men on bicycles, Ponte on horseback, to effect the release and, incidentally, to give themselves a pleasant outing. Antonio warns them not to speak of the excursion to his family, as his wife does not allow him to spend money so frivolously.]

No se consolaba Doña Paca de la ausencia de Nina, ni aun viéndose rodeada de sus hijos, que fueron a participar de su ventura, y a darle parte principal[182] de la que ellos saboreaban con la herencia. Con aquel cambio de impresiones placenteras, fácilmente se transportaba el espíritu de la buena señora al séptimo cielo, donde se le aparecían risueños horizontes; pero no tardaba en caer en la realidad, sintiendo el vacío por la falta de su compañera de trabajos. En vano la volandera imaginación de Obdulia quería llevársela, cogida por los cabellos, a dar volteretas en la región de lo ideal. Dejábase conducir Doña Francisca, por su natural afición a estas correrías; pero

---

[182] *a darle parte principal*, to inform her thoroughly

pronto se volvía para acá, dejando a la otra, desmelenada y jadeante, de nube en nube y de cielo en cielo. Había propuesto la *niña* a su mamá vivir juntas, con el decoro que su posición les permitía. *De hecho*[183] se separaba de Luquitas, señalándole una pensión para que viviera; tomarían un hotel con jardín; se abonarían a dos o tres teatros; buscarían relaciones y amistades de gente distinguida ... «Hija, no te corras tanto, que aún no sabes lo que te rentará tu mitad de la Almoraima; y aunque yo, por lo que recuerdo de esa hermosa finca, calculo que no será un grano de anís, bueno es que sepas qué tamaño ha de tener la sábana antes de estirar la pierna.»[184]

Al decir esto, hablaba la viuda de Zapata con las ideas de la práctica Nina, que se renovaban en su mente y en ella lucían como las estrellas en el cielo. Por de pronto, Obdulia dejó su casa de la calle de la Cabeza, instalándose con su madre, movida del propósito de buscar pronto vivienda mejor, nuevecita y en sitio alegre, hasta que llegara el día de sentar sus reales[185] en el hotel que ambicionaba. Aunque más moderada que su hija en el prurito de grandezas, sin duda por el vapuleo con que la domaba la implacable experiencia, Doña Paca se iba también del seguro, y creyéndose razonable, dejábase vencer de la tentación de adquirir superfluidades dispendiosas. Se le había metido entre ceja y ceja la compra[186] de una buena lámpara para el comedor, y hasta que viese satisfecho su capricho, no podía tener sosiego la pobre señora. El maldito Polidura le proporcionó el *negocio*, encajándole un disforme mamotreto, que apenas cabía en la casa, y que, colgado en su sitio, tocaba en la mesa con sus colgajos de cristal. Como pronto habían de tener casa de techos

altos, esto no era inconveniente. También le hizo adquirir ... unos muebles chapeados de palosanto, y algunas alfombras buenas, que tuvieron el acierto de no colocar, extendiendo sólo retazos allí donde cabían, para darse el gusto de pisar en blando.

Obdulia no cesaba de dar pellizcos al tesoro de su mamá para adquirir tiestos de bonitas plantas, en los próximos puestos de la Plazuela de Santa Cruz, y en dos días puso la casa que daba gloria verla: los sucios pasillos se trocaron en verjeles, y la sala en risueño pensil. En previsión de la vida de hotel, adquirió también plantas decorativas de gran tamaño, latanias, palmitos, *ficus* y helechos arborescentes ...

Todo el día se lo pasaba Obdulia cuidando sus macetas, y tanto las regaba, que en algún momento faltó poco para que se hiciera preciso atravesar a nado el trayecto desde la salita al comedor. Ponte la incitaba con sus ponderaciones y aspavientos a seguir comprando flores, y a convertir su casa en Jardín Botánico, o poco menos ...

Curiosa, como hembra, [Doña Paca] no pudo menos de gulusmear en los paquetes que llevó Ponte. — ¿A ver qué trae usted ahí? Mire que no he de permitirle tirar el dinero. Veamos: un hongo claro ... Bien, me parece muy bien. A buen gusto nadie le gana. Botas altas ... ¡Hombre, qué elegantes! Vaya un pie: ya querrían muchas mujeres ... Corbatas: dos, tres ... Mira, Obdulia, qué bonita esta verde con motas amarillas. Un cinturón que parece un corsé-faja. Bueno debe de ser esto para evitar que crezca el vientre ... Y esto ¿qué es? ... ¡Ah! espuelas. Pero Frasquito, por Dios, ¿para qué quiere usted espuelas?

— Ya ... es que va a salir a caballo

---

[183] in fact, without legal action
[184] A proverbial expression: Cut the cloth to fit your purse.

[185] Literally, to pitch her camp; figuratively, to establish herself
[186] *Se le ... la compra*, she had determined to buy

— dijo Obdulia gozosa. — ¿Pasará por aquí? ¡Ay, qué pena no verle! . . . ¿Pero a quién se le ocurre vivir en este cuartucho interior, sin un solo agujero a la calle?

— Cállate, mujer; pediremos a la vecina, Doña Justa, la profesora en partos, que nos permita pasar y asomarnos cuando el caballero nos ronde la calle . . . ¡Ay, pobre Nina, cuánto 10 se alegraría también de verle!

Explicó Ponte Delgado su inopinado renacer a la vida hípica, por el compromiso en que se veía de ir al Pardo en excursión de recreo con varios 15 amigos *de la mejor sociedad.* Él solo iba a caballo; los demás, a pie o en bicicleta. De las distintas clases de *sport* o *deportes* hablaron un rato con grande animación, hasta que les interrumpió la 20 entrada de Juliana, la mujer de Antonio, que desde la noticia de la herencia frecuentaba el trato de su suegra y cuñada. Era mujer garbosa, simpática, viva de genio, de tez blanca y magnífico 25 pelo negro, peinado con arte. Cubría su cuerpo con mantón alfombrado, y la cabeza con pañuelo de seda de cuarteles chillones; calzaba preciosas botinas, y sus bajos[187] denotaban 30 limpieza y un buen avío de ropa.

— ¿Pero esto es el Retiro, o la Alameda de Osuna?[188] — dijo al ver el enorme follaje de arbustos y flores. — ¿A qué viene tanta *vegetación?* 35

— Caprichos de Obdulia — replicó Doña Paca, que se sentía dominada por el carácter, ya enérgico, ya bromista, de su graciosa nuera. — Esta monomanía de hacer de mi casa un bosque, 40 me está costando un dineral.

— Doña Paca — le dijo su nuera cogiéndola sola en el comedor, — no sea usted tan débil de natural, y déjese guiar por mí, que no he de engañarla. 45 Si hace caso de las bobadas de Obdulia,

pronto se verá usted tan perdida como antes, porque no hay pensión que baste cuando falta el arreglo. Yo suprimiría el bosque y las fieras . . . dígolo por ese orangután mal *pintao*[189] que han 5 traído ustedes a casa, y que deben poner en la calle más pronto que la vista.

— El pobre Ponte se va mañana a su casa de huéspedes.

— Déjese llevar por mí, que entiendo 10 del gobierno de una casa . . . Haga lo que yo, que me estoy donde estaba, y no dejaré mi trabajo hasta que no vea claro eso de la herencia, y me entere de lo que da de sí el cortijo. Quítele a su 15 hija de la cabeza lo del hotel si no quieren verse por puertas,[190] y tome una criada que les guise, y ataje el chorro de dinero que se va todos los días a la tienda de Botín. 20

Conforme con estas ideas se mostraba Doña Francisca, asintiendo a todo, sin atreverse a contradecirla ni a oponer una sola objeción a tan juiciosos consejos. Sentíase oprimida bajo la autori- 25 dad que las ideas de Juliana revelaban con sólo expresarse, y ni la ribeteadora se daba cuenta de su influjo gobernante, ni la suegra de la pasividad con que se sometía. Era el eterno predominio de 30 la voluntad sobre el capricho, y de la razón sobre la insensatez.

— Esperando que vuelva Nina — indicó tímidamente la señora, — he pedido a Botín . . . 35

— No piense usted más en la Nina, Doña Paca, ni cuente con ella aunque la encontremos, que ya lo voy dudando. Es muy buena, pero ya está caduca, mayormente, y no le sirve a usted para 40 nada. Además, ¿quién nos dice que quiere volver, si sabemos que por su voluntad se ha ido? Le gusta andar de pingo,[191] y no hará usted carrera de ella como[192] la prive de estarse la mitad 45 del día tomando medida a las calles.

---

[187] hcm (of dress)
[188] public parks
[189] *mal pintao,* wretched looking
[190] *por puertas,* in poverty

[191] *andar de pingo,* to go wandering about the streets
[192] *no hará . . . como,* you won't be able to do a thing with her if

Para no perder ripio,[193] insistió Juliana en la recomendación que ya había hecho a su suegra de una buena criada para todo. Era su prima Hilaria, joven, fuerte, limpia y hacendosa ... y de fiel no se dijera. Ya vería pronto la *diferiencia*[194] entre la honradez de Hilaria y las rapiñas de otras.

— ¡Ay! ... Pero es muy buena la Nina — exclamó Doña Paca, rebulléndose bajo las garras de la ribeteadora, para defender a su amiga.

— Muy buena, sí, y debemos socorrerla ... No faltaba más ... darle de comer ... Pero créame, Doña Paca, no hará usted nada de provecho sin mi prima. Y para que no dude más, y se quite quebraderos de cabeza, esta misma tarde, anochecido, se la mando.

— Bueno, hija, que venga, y se encargará de la casa ... Y a propósito: aquí hay una gallina asada que se va a perder. Ya me indigesta tanta gallina. ¿Quieres llevártela?

— ¡Cómo no! Venga.

— También quedaron cuatro chuletas. Ponte ha comido fuera.

— Vengan.

— ¿Te lo mando con Hilaria?

— No, que me lo llevo yo misma. Vamos a ver cómo me arreglo. Lo pongo todo en un plato, y el plato en una servilleta ... así; agarro mis cuatro puntas ...

— ¿Y este pedazo de pastel? ... Es riquísimo.

— Lo envuelvo en un periódico, y ¡hala, que es tarde! Y toda esta fruta, ¿para qué la quiere? Pues apenas[195] ha traído manzanas y naranjas ... Déme acá ... las pongo en mi pañuelo ...

— Vas a ir cargada como un burro.

— No importa ... ¡A lo que estamos, tuerta![196] Mañana vendré por aquí, a ver cómo anda esto, y a decirle a usted lo que tiene que hacer ... Pero, cuidadito, que no salgamos con echarse en el surco[197] y volver a las andadas. Porque si mi señora suegra se tuerce en cuanto yo vuelvo la espalda, y empieza a derrochar y hacer disparates ...

— No, no, hija ... ¡Qué cosas tienes!

— Claro, que si se me dice tanto así,[198] yo no me meto en nada. Con su pan se lo coma,[199] y cada palo aguante su vela.[200] Pero yo quiero que usted tenga *conduta*[201] y no pase malos ratos, ni se vea, como hasta ahora, entre las uñas de los usureros.

— ¡Ay, si cuanto dices es la pura razón! Tú sí que sabes, tú sí que vales, Juliana. Cierto que tienes el geniecillo un poco fuerte; pero ¿quién no ha de alabártelo, si con ese *ten con ten*[202] has domado a mi Antonio? De un perdido has hecho un hombre de bien.

— Porque no me achico; porque desde el primer día le administré el bautismo de los cinco mandamientos;[203] porque le chillo en cuanto le veo cerdear un poco; porque le hago andar derecho como un huso, y me tiene más miedo que los ladrones a la Guardia Civil.

— ¡Y cómo te quiere!

— Es natural. Se hace una querer del marido, enjaretándose los calzones como me los enjareto yo ... Así se gobiernan las casas chicas y las grandes, señora, y el mundo.

— ¡Qué salero tienes![204]

— Alguna sal me ha puesto Dios, sobre todo en la mollera. Ya lo irá usted conociendo. Ea, que me marcho. Tengo que hacer en casa.

---

[193] *no perder ripio*, not to lose an opportunity
[194] Popular for *diferencia*   [195] Ironical
[196] A proverbial expression: Beggars can't be choosers; we mustn't be fussy.
[197] *echarse en el surco*, to give up, to fall back in the old rut
[198] *tanto así*, a little bit; *que ... así*, if one gives me so much as a hint
[199] Proverb: Everyone gets his just deserts.
[200] Proverb: Everyone has to put up with his own shortcomings.
[201] Popular for *conducta*
[202] prudence, good sense
[203] *le ... mandamientos*, 'I lit into him'
[204] How clever you are!

Mientras esto hablaban suegra y nuera, en la salita Obdulia y Ponte departían acerca de aquélla, diciendo la niña que jamás perdonaría a su hermano haber traído a la familia una persona tan ordinaria como Juliana, que decía diferiencia, petril[205] y otras barbaridades. No harían nunca buenas migas.[206] Al despedirse, Juliana dió besos a Obdulia, y a Frasquito un apretón de manos, ofreciéndose a plancharle las camisolas, al precio corriente, y a volverle la ropa,[207] por lo mismo o menos de lo que le llevaría el sastre más barato . . . y la despidieron todos en la puerta, ayudándola a cargarse los diversos bultos, atadijos y paquetes que gozosa llevaba.

No queriendo ser Obdulia inferior a su cuñada, ni aparecer en la casa con menos autoridad y mangoneo que la intrusa chulita, dijo a su madre que no podrían arreglarse decorosamente con una criada para todo, y pues Juliana impuso la cocinera, ella imponía la doncella . . . ¡así! Discutieron un rato, y tales razones dió la niña en apoyo de la nueva funcionaria, que no tuvo más remedio Doña Francisca que reconocer su necesidad. Sí, sí: ¿cómo se habían de pasar sin doncella? Para desempeñar cargo tan importante, había elegido ya Obdulia a una muchacha finísima, educada en el servicio de casas grandes, y que se hallaba libre a la sazón, viviendo con la familia del dorador y adornista de la Empresa fúnebre. Llamábase Daniela, era una preciosidad por la figura, y un portento de actividad hacendosa. En fin, que Doña Paca, con tal pintura, deseaba que fuese[208] pronto la doncella fina para recrearse en el servicio que le había de prestar.

Por la noche llegó Hilaria, que se inauguró dando a Doña Francisca un recado de Juliana, el cual parecía más

bien una orden. Decía su prima que no pensara la señora en hacer más compras, y que cuando notase la falta de alguna cosa necesaria, le avisase a ella, que sabía como nadie tratar el género, y sacarlo bueno y arreglado. Ítem: que reservase la señora la mitad lo menos del dinero de la pensión, para ir desempeñando las infinitas prendas de ropa y objetos diversos que estaban en Peñíscola,[209] dando la preferencia a las papeletas cuyo vencimiento estuviese al caer, y así en pocos meses podría recobrar sin fin de cosas de mucha utilidad. Celebró Doña Paca la feliz advertencia de Juliana, que era la previsión misma . . . y si Juliana quería encargarse de comisión tan fastidiosa como el desempeñar, mejor que mejor. Contestó la nueva cocinera que lo mismo servía ella para el caso que su prima, y acto continuo empezó a disponer la cena, que fué muy del gusto de Doña Paca y de Obdulia.

Al día siguiente se agregó a la familia la doncella; y tan necesarios creían hija y madre sus servicios, que ambas se maravillaban de haber vivido tanto tiempo sin echarlos de menos. El éxito de Daniela el primer día fué, pues, tan franco y notorio como el de Hilaria. Todo lo hacía bien, con arte y presteza, adivinando los gustos y deseos de las señoras para satisfacerlos al instante. ¡Y qué buenos modos, qué dulce agrado, qué humildad y ganas de complacer! Diríase que una y otra joven trabajaban desafiadas y en competencia, apostando a cuál conquistaría más pronto la voluntad de sus amas. Doña Francisca estaba en sus glorias, y lo único que la afligía era la estrechez de la habitación, en la cual las cuatro mujeres apenas podían revolverse.

Juliana, la verdad sea dicha, no vió con buenos ojos la entrada de la don-

[205] Popular for pretil (railing)
[206] hacer buenas migas, to understand each other well, to be good friends
[207] to turn his clothes (reversing the cloth in a suit so the worn side is on the inside)
[208] Translate, should come
[209] Slang for pawn-shop

cella, que maldita la falta que hacía; pero por no chocar tan pronto, no dijo nada, reservándose el propósito de plantarla en la calle cuando se consolidase un poco más el dominio que había empezado a ejercer. En otras materias aconsejó y llevó a la práctica disposiciones tan atinadas, que la misma Obdulia hubo de reconocerla como maestra en arte de gobierno. Ocupábase además en buscarles casa; pero con tales condiciones de comodidad, ventilación y baratura la quería, que no era fácil decidirse hasta no[210] revolver bien todo Madrid. Claro es que Frasquito ya se había ido con viento fresco[211] a su casa de pupilos (Concepción Jerónima, 37), y tan contento el hombre . . . Fiel a la estimación que a Doña Francisca debía, la visitaba Ponte diariamente mañana y tarde, y un sábado anunció para el siguiente domingo la excursión al Prado, en que se proponía reverdecer sus aficiones y habilidades caballerescas.

¡Con qué placer y curiosidad salieron las cuatro al balcón prestado del vecino para ver el jinete! Pasó muy gallardo y tieso en un caballote grandísimo, y saludó y dió varias vueltas, parando el caballo y haciendo mil monerías. Agitaba Obdulia su pañuelo, y Doña Paca, en la efusión de su amistoso cariño, no pudo menos de gritarle desde arriba:— Por Dios, Frasquito, tenga mucho cuidado con esa bestia, no vaya a tirarle al suelo y a darnos un disgusto.

Picó espuelas el diestro jinete, trotando hacia la calle de Toledo para tomar la de Segovia y seguir por la Ronda hasta incorporarse con sus amigos en la Puerta de San Vicente. Cuatro jóvenes de buen humor formaban con Antonio Zapata la partida de ciclistas en aquella excursión alegre, y en cuanto divisaron a Ponte y su gigantesca cabalgadura, saludáronle con vítores y cuchufletas. Antes de partir en dirección a la Puerta de Hierro,[212] hablaron Frasquito y Zapata del asunto que principalmente les reunía, diciendo éste que al fin, con no pocas dificultades, había conseguido la orden para que fuesen puestos en libertad Benina y su moro. Partieron gozosos, y a lo largo de la carretera empezó el *match* entre el jinete del caballo de carne y los del de hierro, animándose y provocándose recíprocamente con alegres voces e imprecaciones familiares. Uno de los ciclistas, que era campeón laureado, iba y venía, adelantándose a los otros, y todos corrían más veloces que el jamelgo de Frasquito, quien tenía buen cuidado de no hacer locuras, manteniéndose en un paso y trote moderado.

Nada les ocurrió en el viaje de ida. Reunidos allá con Polidura y otros amigos pedestres, que habían salido con la fresca, almorzaron gozosos, pagando por mitad, según convenio, Frasquito y Antonio; visitaron rápidamente el recogimiento de pobres, sacaron a los cautivos, y a la tarde se volvieron a Madrid, echando por delante a Benina y Almudena. No quiso Dios que la vuelta fuese tan feliz como la ida, porque uno de los ciclistas, llamado, y no por mal nombre, *Pedro Minio*,[213] de la piel del diablo, había empinado el codo más de la cuenta en el almuerzo, y dió en hacer gracias con la máquina, metiéndose y sacándose por angosturas peligrosas hasta que en uno de aquellos pasos fué a estrellarse contra un árbol, y se estropeó una mano y un pie, quedándose inutilizado para continuar *pedaleando*. No pararon aquí las desdichas, y más acá de la Puerta de Hierro, ya cerca de los Viveros,[214] el corcel de Frasquito, que sin duda estaba ya cargado del vertiginoso girar con que las bicicletas pasaban y repasaban de-

[210] Omit in translating
[211] con viento fresco, auspiciously
[212] La Puerta de Hierro, a gate north of Madrid, at the entrance to the Royal Park of El Pardo
[213] As a common noun, minio means red paint.
[214] The municipal nurseries and gardens

lante de sus ojos, sintiéndose además mal gobernado, quiso emanciparse de un jinete ridículo y fastidioso. Pasaron unas carretas de bueyes con carga de retama y carrasca para los hornos de Madrid, y ya fuera que se espantase el jaco, ya que fingiera el espanto, ello es que empezó a dar botes y más botes, hasta que logró despedir hacia las nubes a su elegante caballero. Cayó el pobre Ponte como un saco medio vacío, y en el suelo se quedó inmóvil, hasta que acudieron sus amigos a levantarle. Herida no tenía, y por fortuna tampoco sufrió golpe de cuidado en la cabeza, porque conservaba su conocimiento, y en cuanto le pusieron en pie empezó a dar voces, rojo como un pavo, apostrofando al carretero que, según él, había tenido la culpa del *siniestro*. Aprovechando la confusión, el caballo, ansioso de libertad, escapó desbocado hacia Madrid, sin dejarse coger de los transeúntes que lo intentaron, y en pocos minutos Zapata y sus amigos le perdieron de vista.

Ya habían traspuesto Benina y Almudena, en su tarda andadura, la línea de los Viveros, cuando la anciana vió pasar, veloz como el viento, el jamelgo de Ponte, y comprendió lo que había pasado. Ya se lo temía ella, porque no estaba Frasquito para tales bromas, ni su edad le consentía tan ridículos alardes de presunción. Mas no quiso detenerse a saber lo cierto del lance, porque anhelaba llegar pronto a Madrid para que descansase Almudena, que sufría de calenturas y se hallaba extenuado. Paso a paso avanzaron en su camino, y en la Puerta de San Vicente, ya cerca de anochecido, sentáronse a descansar, esperando ver pasar a los expedicionarios con la víctima en una parihuela. Pero no viéndoles en más de media hora que allí estuvieron, continuaron su camino por la Virgen del Puerto, con ánimo de subir a la calle Imperial por la de Segovia. En lastimoso estado iban los dos: Benina descalza, desgarrada y sucia la negra ropa; el moro envejecido, la cara verde y macilenta; uno y otro revelando en sus demacrados rostros el hambre que habían padecido, la opresión y tristeza del forzado encierro en lo que más parece mazmorra que hospicio.

No podía apartar la Nina de su pensamiento la imagen de Doña Paca, ni cesaba de figurarse, ya de un modo, ya de otro, el acogimiento que en su casa tendría. A ratos esperaba ser recibida con júbilo; a ratos temía encontrar a Doña Francisca furiosa por el aquel de[215] haber ella pedido limosna, y, sobre todo, por andar con un moro. Pero nada ponía tanta confusión y barullo en su mente como la idea de las novedades que había de encontrar en la familia, según Antonio con vagas referencias le dijera al salir del Pardo. ¡Doña Paca, y él, y Obdulia eran ricos! ¿Cómo? Ello fué cosa súbita, traída de la noche a la mañana por D. Romualdo ... ¡Vaya con Don Romualdo! Le había inventado ella, y de los senos obscuros de la invención salía persona de verdad, haciendo milagros, trayendo riquezas, y convirtiendo en realidades los soñados dones del Rey *Samdai*. ¡Quiá! Esto no podía ser. Nina desconfiaba, creyendo que todo era broma del guasón de Antoñito, y que en vez de encontrar a Doña Francisca nadando en la abundancia, la encontraría ahogándose, como siempre, en un mar de trampas y miserias.

Temblorosa llegó a la calle Imperial, y habiendo mandado al moro que se arrimara a la pared y la esperase allí, mientras ella subía y se enteraba de si podía o no alojarle en la que fué su casa, le dijo Almudena: — No *bandonar* tú mi, *amri*.[216]

---

[215] on account of

[216] *No me abandones, señora*

— ¿Pero estás loco? ¿Abandonarte yo ahora que estás malito, y los dos andamos tan de capa caída?[217] No pienses tal desatino, y aguárdame. Te pondré ahí enfrente, a la entrada de la calle de la Lechuga.

— ¿No *n'gañar* tú mí? *¿Golver ti pronta?*[218]

— En seguidita que vea lo que ocurre por arriba, y si está de buen temple mi Doña Paca.

Subió Nina sin aliento, y con gran ansiedad tiró de la campanilla. Primera sorpresa: le abrió la puerta una mujer desconocida, jovenzuela, de tipito elegante, con su delantal muy pulcro. Benina creía soñar. Sin duda los demonios habían levantado en peso[219] la casa para cargar con ella, dejando en su lugar otra que parecía la misma y era muy diferente. Entró la prófuga sin preguntar, con no poco asombro de Daniela, que al pronto no la conoció. ¿Pero qué significaban, qué eran, de dónde habían salido aquellos jardines, que formaban como alameda de preciosos arbustos desde la puerta, en todo lo largo del pasillo? Benina se restregaba los ojos, creyendo hallarse aún bajo la acción de las estúpidas somnolencias del Pardo, en las fétidas y asfixiantes cuadras. No, no; no era aquélla su casa, no podía ser, y lo confirmaba la aparición de otra figura desconocida, como de cocinera fina, bien puesta, de semblante altanero... Y mirando al comedor, cuya puerta al extremo del pasillo se abría, ¡vió! ...¡Santo Dios, qué maravilla, qué cosa...! ¿Era sueño? No, no, que bien segura estaba de verlo con los ojos corporales. Encima de la mesa, pero sin tocar a ella, como suspendido en el aire, había *un montón* de piedras preciosas, con diferentes brillos, luces y matices, encarnadas unas, azules o verdes otras. ¡Jesús, qué preciosidad!

¿Acaso Doña Paca, más hábil que ella, había efectuado el conjuro del Rey *Samdai*, pidiéndole y obteniendo de él las carretadas de diamantes y zafiros? Antes de que pudiera comprender que todo aquel centellear de vidrios procedía de los colgajos de la lámpara del comedor, iluminados por una vela que acababa de encender Doña Paca para revisar los cuchillos que de la casa de préstamos acababa de traerle Juliana, apareció ésta en la puerta del comedor, y cortando el paso a la pobre vieja, le dijo entre risueña y desabrida:

— Hola, Nina, ¿tú por aquí? ¿Has parecido ya? Creímos que te habías ido al Congo... No pases, no entres; quédate ahí, que nos vas a poner perdidos los suelos, lavados de esta tarde ... ¡Bonita vienes! ... Quita allá esas patas, mujer, que manchas los baldosines.

— ¿En dónde está la señora? — dijo Nina, volviendo a mirar los diamantes y esmeraldas, y dudando ya que fueran efectivos.

— La señora está aquí... Pero te dice que no pases, porque vendrás llena de miseria...

En aquel momento apareció por otro lado la señorita Obdulia, chillando:

— Nina, bien venida seas; pero antes de que entres en casa, hay que fumigarte y ponerte en la colada... No, no te arrimes a mí ¡Tantos días entre pobres inmundos!... ¿Ves qué bonito está todo?

Avanzó Juliana hacia ella sonriendo; pero al través de la sonrisa, hubo de vislumbrar Nina la autoridad que la ribeteadora había sabido conquistar allí, y se dijo: — Ésta es la que ahora manda. Bien se le conoce el despotismo.

— A las arrogancias revestidas de benevolencia con que la acogió la tirana, respondió Nina que no se iría sin ver a su señora.

---

[217] *andamos ... caída*, we are in so bad a condition

[218] *¿Tú no me engañas? ¿Volverás pronto?*
[219] *levantar en peso*, to lift up in the air

— Mujer, entra, entra — murmuró desde el fondo del comedor, con voz ahogada por los sollozos, la señora Doña Francisca Juárez.

Manteniéndose en la puerta, le contestó Benina con voz entera. — Aquí estoy, señora, y como dicen que mancho los baldosines no quiero pasar; digo que no paso . . . Me han sucedido cosas que no le quiero contar por no afligirla . . . Lleváronme presa, he pasado hambres . . . he padecido vergüenzas, malos tratos . . . Yo no hacía más que pensar en la señora, y en si tendría también hambre, y si estaría desamparada.

— No, no, Nina; desde que te fuiste, ¡mira qué casualidad! entró la suerte en mi casa . . . Parece un milagro, ¿verdad? ¿Te acuerdas de lo que hablábamos, aburriditas en esta soledad ¡ay! en aquellas noches de miseria y sufrimientos? Pues el milagro es una verdad, hija, y ya puedes comprender que nos lo ha hecho tu Don Romualdo, ese bendito, ese arcángel, que en su modestia no quiere confesar los beneficios que tú y yo le debemos . . . y niega sus méritos y virtudes . . . y dice que no tiene por sobrina a Doña Patros . . . que no le han propuesto para Obispo . . . Pero es él, es él, porque no puede haber otro, no, no puede haberlo, que realice estas maravillas.

Nina no contestó sílaba, y arrimándose a la puerta, sollozaba.

— Yo de buena gana te recibiría otra vez aquí — afirmó Doña Francisca, a cuyo lado, en la sombra, se puso Juliana, sugiriéndole por lo bajo lo que había de decir; — pero no cabemos en casa, y estamos aquí muy incómodas . . . Y sabes que te quiero, que tu compañía me agrada más que ninguna . . . pero . . . ya ves . . . Mañana estaremos de mudanza, y se te hará un hueco en la nueva casa . . . ¿Qué dices? ¿Tienes algo que decirme? Hija, no te quejarás: ten presente que te fuiste de mala manera, dejándome sin una miga de pan en casa, sola, abandonada . . . ¡Vaya con la Nina! Francamente, tu conducta merece que yo sea un poquito severa contigo . . . Y para que todo hable en contra tuya, olvidaste los sanos principios que siempre te enseñé, largándote por esos mundos en compañía de un morazo . . . Sabe Dios qué casta de pájaro será ése, y con qué sortilegios habrá conseguido hacerte olvidar las buenas costumbres. Dime, confiésamelo todo: ¿le has dejado ya?

— No, señora.

— ¿Le has traído contigo?

— Sí, señora. Abajo está esperándome.

— Como eres así, capaz te creo de todo . . . ¡hasta de traérmele a casa!

— A casa le traía, porque está enfermo, y no le voy a dejar en medio de la calle — replicó Benina con firme acento.

— Ya sé que eres buena, y que a veces tu bondad te ciega y no miras por el decoro.

— Nada tiene que ver el decoro con esto, ni yo falto porque vaya con Almudena, que es un pobrecito. Él me quiere a mí . . . y yo le miro como un hijo.

La ingenuidad con que expresaba Nina su pensamiento no llegó a penetrar en el alma de Doña Paca, que sin moverse de su asiento, y con los cuchillos en la falda, prosiguió diciéndole:

— No hay otra como tú para componer las cosas, y retocar tus faltas hasta conseguir que parezcan perfecciones; pero yo te quiero, Nina; reconozco tus buenas cualidades, y no te abandonaré nunca.

— Gracias, señora, muchas gracias.

— No te faltará qué comer, ni cama en qué dormir. Me has servido, me has acompañado, me has sostenido en mi adversidad. Eres buena, buenísima;[220] pero no abuses, hija; no me digas que

[220] Frequently used for *bonísima*

venías a casa con el moro *de los dátiles*, porque creeré que te has vuelto loca.

— A casa le traía, sí, señora, como traje a Frasquito Ponte, por caridad ... Si hubo misericordia con el otro, ¿por qué no ha de haberla con éste? ¿O es que la caridad es una para el caballero de levita, y otra para el pobre desnudo? Yo no lo entiendo así, yo no distingo ... Por eso le traía; y si a él no le admite, será lo mismo que si a mí no me admitiera.

— A ti siempre ... digo, siempre no ... quiero decir ... es que no tenemos hueco en casa ... Somos cuatro mujeres, ya ves ... ¿Volverás mañana? Coloca a ese desdichado en una buena fonda ... no, ¡qué disparate! en el Hospital ... No tienes más que dirigirte a D. Romualdo ... Dile de mi parte que yo le recomiendo ... que lo miro como cosa mía ... ¡ay, no sé lo que digo! ... como cosa tuya, y tan tuya ... En fin, hija, tú verás ... Puede que os alberguen en la casa del Sr. de Cedrón, que debe de ser muy grande ... tú me has dicho que es un caserón enorme que parece un convento ... Yo, bien lo sabes, como criatura imperfecta, no tengo la virtud en el grado heroico que se necesita para alternar con la pobretería sucia y apestosa ... No, hija, no: es cuestión de estómago y de nervios ... De asco me moriría, bien lo sabes. ¡Pues digo, con la miseria que traerás sobre ti! ... Yo te quiero, Nina; pero ya conoces mi estómago ... Veo una mota en la comida, y ya me revuelvo toda, y estoy mala tres días ... Llévate tu ropa, si quieres mudarte ... Juliana te dará lo que necesites ... ¿Oyes lo que te digo? ¿Por qué callas? Ya, ya te entiendo. Te haces la humilde para disimular mejor tu soberbia ... Todo te lo perdono: ya sabes que te quiero, que soy buena para ti ... En fin, tú me conoces ... ¿Qué dices?

— Nada, señora, no he dicho nada, ni tengo nada que decir — murmuró Nina entre dos suspiros hondos. — Quédese con Dios.

— Pero no te irás enojada conmigo — añadió con trémula voz Doña Paca, siguiéndola a distancia en su lenta marcha por el pasillo.

— No, señora ... ya sabe que yo no me enfado ... — replicó la anciana mirándola más compasiva que enojada. — Adiós, adiós.

Obdulia condujo a su madre al comedor diciéndole:

— ¡Pobre Nina! ... Se va. Pues mira, a mí me habría gustado ver a ese moro Muza y hablar con él ... ¡Esta Juliana, que en todo quiere meterse! ...

Atontada por crueles dudas que desconcertaban su espíritu, Doña Francisca no pudo expresar ninguna idea, y siguió revisando los cubiertos desempeñados. En tanto, Juliana, conduciendo a la Nina hasta la puerta con suave opresión de su mano en la espalda de la mendiga, la despidió con estas afectuosas palabras: — No se apure, *señá* Benina, que nada ha de faltarle ... Le perdono el duro que le presté la semana pasada, ¿no se acuerda?

— Señora Juliana, sí que me acuerdo. Gracias.

— Pues bien: tome además este otro duro para que se acomode esta noche ... Váyase mañana por casa, que allí encontrará su ropa ...

— Señora Juliana. Dios se lo pague.

— En ninguna parte estará usted mejor que en la *Misericordia*, y si quiere, yo misma le hablaré a D. Romualdo, si a usted le da vergüenza. Doña Paca y yo la recomendaremos ... Porque mi señora madre política ha puesto en mí toda su confianza, y me ha dado su dinero para que se lo guarde ... y le gobierne la casa y le *suministre* cuanto pueda necesitar. Mucho tiene que agradecer a Dios por haber caído en estas manos ...

— Buenas manos son, señora Juliana.

— Vaya por casa, y le diré lo que tiene que hacer.

— Puede que yo lo sepa sin necesidad de que usted me lo diga.

— Eso usted verá . . . Si no quiere ir por casa . . .

— Iré.

— Pues, *señá* Benina, hasta mañana.

— Señora Juliana, servidora de usted.

Bajó de prisa los gastados escalones, ansiosa de verse pronto en la calle. Cuando llegó junto al ciego, que en lugar próximo la esperaba, la pena inmensa que oprimía el corazón de la pobre anciana reventó en un llorar ardiente, angustioso, y golpeándose la frente con el puño cerrado exclamó:

— ¡Ingrata, ingrata, ingrata!

— No *yorar* ti, *amri* — le dijo el ciego cariñoso, con habla sollozante. — Señora tuya mala ser, tú *ángela*.[221]

— ¡Qué ingratitud, Señor! . . . ¡Oh mundo . . . oh miseria! . . . Afrenta de Dios es hacer bien . . .

— *Dir* nosotros *luejos* . . . *dirnos, amri* . . . *Dispreciar* ti *mondo* malo.[222]

— Dios ve los corazones de todos; el mío también lo ve . . . Véalo, Señor de los cielos y la tierra, véalo pronto . . .

---

[221] *Tu señora es mala, tú eres ángel.*

[222] *Nos iremos lejos . . . nos iremos, señora . . . Desprecia el mundo malo.*

José María de Pereda

PEREDA (1833–1906) was born, lived, and died in a small town, Polanco, near Santander. He almost never left his home except to go to Madrid as a student for two years and for a year as a deputy representing the Carlist cause.

As Galdós is the supreme champion of liberalism, so Pereda is the greatest representative of the traditional cause. Yet, strangely enough, these two men were always good friends. Pereda, by instinct and personal inclination, loved the old ways — in politics, religion, and even language. Even within his beloved native region, it was the remote and primitive village (Tablanca, in *Peñas arriba*) or the by-gone days (*old* Santander in *Sotileza*) of which he really approved. Consequently, Pereda's novels divide into two groups: those set in his native region, in which he expresses his love of the old-fashioned ways; and those, usually set in Madrid, revealing his indignation at progressive ideas and materialistic city life. In the second type, he never attained outstanding success as in the former.

Each one of his novels is really a gallery of pictures of people and landscapes. The plot is not emphasized, and the excellence of each individual scene detracts our attention from the novel as a whole. Moreover, all parts are equally interesting, so the work does not move to a climax. For this reason some critics have said that Pereda's most artistic work is in his collections of *cuadros de costumbres*.

Nevertheless, two novels, both of his native region, are looked upon as Pereda's masterpieces — *Sotileza*, set among the fishermen of Santander, and especially *Peñas arriba*, which shows how a young man, corrupted by city life, is gradually won over to virtue and usefulness in society by contact with the simple existence of the country. Both these books lay great stress upon nature; the first upon the sea, the second, the mountains; and in both, nature is conceived in its epic rather than idyllic aspect.

As a stylist, Pereda is usually ranked as the best of the nineteenth century, and it is his sure mastery of a vast vocabulary, his skill in portraying characters or painting grand natural scenery, which have given him his high rank in literature.

José María de Pereda

Selections from *Peñas arriba*

[The hero of *Peñas arriba* relates a conversation with the village doctor.]

Era nativo de Robacío[1] (igual que Chisco[2]), y su padre, don Servando Celis, un señor por el arte de mi tío Celso,[3] había deseado que se hiciera médico, porque ya tenía otro hijo, el mayor, estudiando leyes en Valladolid. A él, que estudiaba tercero[4] del bachillerato en Santander, lo mismo le daba. No sentía aversión ni apego a ninguna carrera literaria o científica: todos sus cinco sentidos los tenía puestos en el terruño natal. Esto no se lo decía a nadie; pero lo sentía, y muy hondo. Por este lado hasta se había alegrado de la elección de carrera hecha por su padre, porque la de médico era quizás la única compatible con sus aspiraciones y tendencias. Además, podían engañarle en esto las ilusiones de muchacho; y de todas suertes, su padre tenía mucha razón en sacarle de allí para darle una ocupación que, cuando menos,[5] había de ilustrarle el entendimiento y ponerle en contacto con el mundo. En esta prueba,[6] forzosamente había de manifestarse y triunfar su verdadera vocación. Y se sometió a ella hasta gustoso, no contando por tal[7] la de su campaña de humanista[8] en Santander, porque a aquella edad y encerrado en un colegio no se forma nadie cabal idea de esas cosas tan delicadas y complejas. Hecha la prueba durante siete años de estudios en Madrid, resultó lo que él esperaba: el triunfo definitivo de sus primeras inclinaciones.

— ¿Está usted seguro — le dije siguiendo mi sistema de interrupciones y preguntas, para obtener más de lo que espontáneamente me ofrecía su agradable laconismo — de haber puesto de su parte[9] todo el esfuerzo que requería la empresa?[10]

— ¡Segurísimo! — me respondió sin vacilar; y añadió sonriéndose: — Puedo jurarle a usted que en ese linaje de estudios aproveché bien el tiempo.

— Pues me parece muy extraño el resultado — repliqué —, juzgando de sus sentimientos por los míos.

— ¿Por qué? — me interrogó muy serio.

— Porque no es eso lo usual y corriente entre mozos de las condiciones personales de usted, porque con ellas y en Madrid y en roce continuo con el mundo y sus golosinas, lo natural es que se las vaya tomando el gusto.

— No he dicho yo que me desagradaran — se apresuró a replicarme el médico —. Lo que hay es que esas golosinas, sin desagradarme, no me satisfacían, no me llenaban, y me dejaban siempre despierto el apetito de otra cosa más del gusto de mi paladar.

— Y ¿cuál era esa cosa, si puede saberse?

— Lo de acá, la tierra nativa.

— Pero ¿qué demonios puede usted hallar en ella de apetecible hasta ese punto? — exclamé entonces, verdaderamente asombrado.

[1] A village near Santander
[2] A servant of the hero's uncle
[3] The uncle, an old man about to die, has called his nephew from Madrid. The uncle has been the patriarch of the village, a father and wise counselor to all the peasants, and hopes that his nephew will carry on his work. But the youth's first impressions of the remote mountain village are very unfavorable.

[4] Read, *el tercer año*
[5] *cuando menos*, at least
[6] trial (i.e. of another way of life)
[7] such; that is, trial
[8] *campaña de humanista*, campaign to get his bachelor's degree
[9] *de su parte*, on your part
[10] undertaking (i.e. of making himself into a cultured city dweller)

— Lo que no hay en lo otro — me respondió al instante.

— Pues no lo entiendo — concluí.

— Ni es fácil — me dijo muy sosegadamente —, desde el punto de vista de usted, tan diferente del mío.

— Diferente — añadí —, según y conforme;[11] pues, al cabo, se trata de un hombre que ha visto el mundo algo más que por un agujero, y de aquí[12] mi asombro precisamente.

Me miró entonces el mediquillo con cierta insistencia recelosa, cambió dos veces de postura en el sillón, sonrióse un poco y me dijo al fin:

— ¿Tacharía usted a un hombre, de los llamados cultos, porque hiciera coplas . . . de las buenas, se entiende, o pintara cuadros magistrales, copiados de la Naturaleza?

— No por cierto — respondí.

— Pues aquí donde usted me ve — añadió acentuando la sonrisa, que ya picaba en maliciosa — me atrevo a creerme algo poeta y un poco artista . . . a mi modo, por supuesto.

— Enhorabuena — repliqué —; y sin adularle, no hay en la noticia el menor motivo para que yo me maraville; pero ¿en qué se opone ella[13] a lo que yo digo?

— Supóngame usted — prosiguió el médico, sin dejar de sonreír, pero más animoso y atrevido que antes —, supóngame usted con el delirio del más grande de los poetas y con la fiebre del más admirable de los pintores: pero suponga también (y en ello no supondrá más que lo cierto) que no sé hacer una mala copla ni coger los pinceles en la mano; suponga usted igualmente que, aunque me enamoran las buenas poesías y los hermosos cuadros, no satisfacen por completo las necesidades de esa especie que padezco yo, y suponga, por último, que en este valle mínimo, y en los montes que le circun-

dan de cerca y de lejos, cuya visión continua le abruma y le entristece a usted, y en el conjunto de todo ello, con la luz que lo envuelve, espléndida a ratos, mortecina a veces, tétrica muy a menudo, dulce y soledosa siempre, y con los ruidos de su[14] lenguaje, desde el fiero de la tempestad hasta el rumoroso de las brisas de mayo, y su fragancia exquisita nunca igualada por los artificios orientales, encuentro yo cada día, cada hora, cada momento, el himno sublime, el poema, el cuadro, la armonía insuperables, que no se han escrito, ni pintado, ni compuesto, ni soñado todavía por los hombres, porque no alcanza ni alcanzará jamás a tanto la pequeñez del ingenio humano: el arte supremo, en una palabra . . . ¿No halla usted en esta razón, poco más que esbozada, algo que justifique estas inclinaciones mías que tan inexplicables le parecen? . . .

— ¡Pero esta monotonía de aquí . . .!

— ¡Monotonía! — repitió el mozo enardeciéndose un poquillo —. ¡Y yo que la encuentro solamente en las tierras llanas y en sus grandes poblaciones! Madrid, Sevilla, Barcelona . . . París, la capital que usted quiera, ¿pasa de ser[15] una jaula más o menos grande, mejor o peor fabricada, en la cual viven los hombres amontonados, sin espacio en que moverse ni aire puro que respirar . . .? ¡Ocupaciones . . .! ¡La ocupación del negocio, la ocupación del café, la ocupación del paseo, la ocupación de la calle, la ocupación del casino, o del teatro, o de la Bolsa . . .! Yo no digo que algunas de estas ocupaciones y otras muchas de los mundanos no sean útiles y necesarias para los fines de la vida, de lo que se llama vida de los pueblos y de las naciones; pero niego que con excepciones muy contadas, sea cómodo, vario y entretenido nada de ello para la vida espiritual en natura-

---

[11] según y conforme, according (to what you mean); translate, that depends
[12] Supply, comes

[13] i.e. la noticia
[14] i.e. of the valley
[15] pasa de ser, is it more than

lezas como la mía y otras muchas . . . incluso la de usted — añadió volviendo a sonreírse —, si tuviera yo la fortuna de hacerle percibir la infinita variedad de encantos y de aspectos que se encierra y se contiene en esto que, a las primeras ojeadas de un profano, sólo parece un hacinamiento enorme de peñascos y bardales.

Siguió a este desahogo un himno entusiástico, hermosa y altamente entonado, a la «madre Naturaleza;» di por visto,[16] y de muy buena gana, lo que él deseaba que yo viera; y más por hundir otro poco mi sonda en sus adentros que con intención de arrancarle sus ilusiones, díjele al cabo:

— Pase, pues, lo de la amenidad, lo de la hermosura y hasta la sublimidad y la elocuencia de este escenario que le encanta y maravilla; pero ¿y los actores que le acompañan a usted en la égloga perenne de su vivir? ¿Qué me dice usted de ellos . . . del hombre . . . vamos, de los hombres?

— ¿Qué tienen esos hombres que tachar? — preguntóme a su vez el médico.

— Que son rústicos, que están ineducados.

— Como deben ser y como deben estar — me replicó inmediatamente — para el destino que tienen en el cuadro. Lo absurdo y lo indisculpable fuera en mí, que no pido ni puedo pedir en estas soledades agrestes las óperas del Teatro Real, ni los salones del gran mundo, ni los trenes lujosos de la Castellana,[17] exigir a estos pobres campesinos la elocuencia de nuestros grandes tribunos, las habilidades de nuestros políticos y el saber de nuestros doctores y académicos.

— Santo y bueno[18] — dije yo entonces creyendo poner una pica en Flandes[19] — para la vida contemplativa, para la de pura delectación esté-

tica; pero no se trata de eso, amigo mío, sino de la realidad prosaica de la vida social y, digámoslo así, de todos los días. Estos hombres tienen las miseriucas y las roñas propias y peculiares de su baja condición, y, además, por su ignorancia no pueden entenderse con usted.

Aquí fué donde el médico se enardeció casi de veras, como si hasta entonces no hubiera tomado el asunto verdaderamente por lo serio.

Comenzó por decirme que dondequiera que había hombres, cultos o incultos, había debilidades, roñas y grandes flaquezas; pero que, roña por roña, flaqueza por flaqueza y debilidad por debilidad, prefería la de los aldeanos, que muy a menudo le hacían reír, a la de los hombres ilustrados, cuyas causas y cuyos fines, por su abominable naturaleza y sus alcances, casi siempre le ponían a punto de llorar. En cuanto a no poder entenderse con los vecinos de Tablanca, era otro error mío y de otros muchos hombres cultos, empeñados[20] en tomar ciertas cosas al revés. ¿Por qué ha de ser el hombre de los campos el que se eleve hasta el hombre de la ciudad, y no el hombre de la ciudad el que descienda con su entendimiento, más luminoso, hasta el hombre de los campos para entenderse los dos? Hágase este trueque, y se verá cómo resulta la inteligencia mutua que se da como imposible por los que no saben buscarla. Y no haya temor de que las dos naturalezas se compenetren y de las roñas de la una se contamine la otra; porque la comunicación no ha de ser continua ni para todo, y al hombre culto, por lo mismo que es más inteligente, le sobran medios para no rebasar de los límites de la prudencia y hacer que cada uno de los dos guarde el puesto que le corresponde. Y en este equilibrio, que no deja de ofrecer difi-

[16] Translate, I considered as seen, understood
[17] The greatest boulevard of Madrid
[18] *Santo y bueno*, very well
[19] *poner una pica en Flandes*, to achieve a triumph
[20] insisting

cultades, ¡cuánto se aprende a veces del hombre rudo de los montes, por el hombre culto de las ciudades, y cuánto halla éste que ver y que admirar allí donde los ojos avezados a los relumbrones llamativos del mundo civilizado, sólo distinguen sombras, monotonía, soledades y tristezas! . . .

[Marcelo, the hero of *Peñas arriba*, climbs a mountain with the village priest.]

Cuando menos lo esperaba, me dijo el Cura al despedirse de mí en el estragal[21] de la casona,[22] cerca ya de la hora de comer:

—Mañana, si Dios quiere, y a caballo los dos.[23] Yo iría mejor a pie, como suelo, y como irá Chisco[24] para acompañarnos y cuidar de las bestias en ocasiones que se presentarán; pero usted es madera de otro robledal[25] más flojo, y hay que tenerlo todo presente.[26] Antes de romper el día, por supuesto.

Entendíle y respondí, haciendo de tripas corazón:[27]

—A caballo y antes de romper el día.

—Pues que se entere Chisco de ello, y *sufícit*.[28]

Con esto y una risotada se apartó de mí, y echó cambera[29] abajo en demanda de[30] su puchera.[31]

Con los sueños que yo cogía tras de las fatigas que me daba por los montes del contorno, le costó a Chisco Dios y ayuda[32] despertarme al día . . . ¿qué digo día? a lo más espeso y tenebroso de la noche siguiente. Tona,[33] después de vestirme yo tiritando de frío y sin conciencia cabal de lo que hacía, me sirvió un cangilón de café que acabó de espabilarme; y cuando bajé al portal, vislumbré, a la opaca luz de un farol que tenía Chisco en la mano, la negra silueta de don Sabas,[34] a caballo en su jaquita rucia, que no me era desconocida, así como el espelurciado[35] jamelgo[36] que casi me metió el espolique[37] entre las piernas para abreviarme la operación de montar en él.

Rompimos los tres la marcha por el mismo camino que había traído yo la noche de mi llegada a Tablanca, tan a obscuras como entonces, aunque mejor acompañado y menos dolorido de riñones. Por respeto a mí, pues a mis dos acompañantes igual les daba el día que las tinieblas para caminar a pie seguro por aquellas escabrosidades, conservaba Chisco, que nos precedía, el farol encendido en la mano; pero hubiera jurado yo que más que la luz del farol del espolique, me alumbraban las chispas que sacaban de los pedernales del suelo las herraduras del tordillo[38] de don Sabas; el cual don Sabas hacía los imposibles por entretenerme y hasta divertirme durante el paso de aquella negra, áspera e interminable senda; pero ¡ay! sin conseguir su noble y generoso empeño. Porque en aquellas *bajuras* y envuelto en tan espesa obscuridad, don Sabas era todavía el cura soso[39] de la cocina de mi tío, y todas

[21] vestibule
[22] manor house (of Marcelo's uncle)
[23] both (of us)
[24] The servant in charge of the horses
[25] oak grove
[26] *tener presente*, to keep in mind
[27] *hacer de tripas corazón;* literally, to make heart out of intestines; translate, to screw up one's courage
[28] Latin, that's enough
[29] cart track   [30] in search of
[31] stew; here, dinner
[32] *Dios y ayuda*, a great effort
[33] A maidservant
[34] Don Sabas is the priest.
[35] shaggy   [36] nag
[37] groom, servant on foot who accompanies a rider
[38] dapple-gray
[39] insipid, dull. Marcelo has not held a high opinion of the priest's ability as a conversationalist.

sus observaciones en romance[40] y todos sus salmos en latín, le resultaban a destiempo y fuera de toda oportunidad.[41]

Anda que te anda,[42] resbalando aquí, y allá pujando y suspirando mi cabalgadura, al cabo de una hora empezaron a dibujarse los perfiles de los montes sobre el cielo confusamente iluminado por la tenue claridad del crepúsculo. En la garganta por donde caminábamos era de noche todavía para nosotros; y en rigor de verdad, no nos amaneció hasta que coronamos[43] el repecho[44] escabroso y llegamos al santuario de la Virgen que me era bien conocido. El Cura, que parecía tener esa condición de los pájaros del monte, a medida que se elevaba y veía surgir la luz por encima de las barreras tenebrosas del horizonte, se volvía más locuaz y empezaba a soltar poco a poco las ocultas armonías de sus cánticos; no muchos, pero agradables, y, sobre todo, al caso.[45] A los primeros fulgores del crepúsculo, alabó a Dios en una salutación fervorosa, y aunque no de su caletre,[46] bien sentida en su corazón. Un poco más arriba, en lo que pudiera, sin mucho agravio de la verdad, denominarse llano, y antes de llegar a la ermita, todavía en la penumbra que nos haría invisibles a no muy larga distancia, atracó su rocín al mío, y deteniéndole por las riendas que casi me arrancó de las manos, después de tener el suyo, me dijo apuntando con su diestra ociosa[47] a un altísimo y lejano picacho[48] en cuya cúspide se estrellaba el primer rayo de sol que penetraba en aquellas montaraces regiones:

— ¡Mira, hombre! — acostumbraba

a tutearme o a hablarme en impersonal en cuanto nos elevábamos un poco sobre el nivel de Tablanca —. ¡Mira, Marcelo! ¿No jurarías que aquello que resplandece y flamea allá arriba, allá arriba, en aquel picacho, es la última de las luminarias[49] con que el mundo festeja a su Creador mientras el sol anda apagado por los abismos de la noche? ¡Cosa buena! ¡Cosa grande! *Laudate Dominum omnes gentes* . . . *Magnificentia opus ejus, manet in aeternum.*[50]

Al llegar al santuario nos descubrimos y rezó don Sabas en alta voz, y en voz alta le contestamos nosotros lo que nos correspondía. El rezo fué breve, y en latín la mitad de él. Después se acercó Chisco al enverjado, y por entre dos de sus barrotes metió el farol, que ya no necesitábamos, y le dejó en el suelo, muy arrimado a la paredilla, para recogerle a la vuelta, mas no sin santiguarse[51] antes de meter la mano y después de sacarla, ni sin contemplar la imagen con una veneración que tenía algo de recelosa, como si la pidiera, a la vez[52] que seguridad para la prenda que dejaba allí depositada, perdón por lo que pudiera haber de irreverente en su atrevimiento.

Pasada la vadera no tomamos, como esperaba yo, el camino que conduce directamente al Puerto, sino otro por el estilo[53] a la derecha; y montes y colladas van, tajos y barrancas vienen;[54] aquí siguiendo la cuenca del río, allá perdiéndola de vista, y siempre subiendo o bajando de risco en risco, de pueblo en pueblo, vi a lo lejos el principal[55] del valle de Promisiones en que radicaba[56] el solar[57] de mi abuela pa-

---

[40] A Romance language; here, Spanish
[41] *fuera de toda oportunidad,* inopportune
[42] *Anda que te anda;* translate, going on and on
[43] to reach the top of
[44] short, steep slope
[45] *al caso,* apropos
[46] brain; hence, not composed by him
[47] unoccupied   [48] great peak
[49] Here, a vigil light (kept burning before an altar)

[50] Latin: Praise the Lord, all ye peoples. The glory is his work, he abideth forever.
[51] to cross oneself
[52] *a la vez,* at the same time
[53] *por el estilo,* of the same kind, similar
[54] *montes . . . vienen;* translate, now traversing hills and passes, now gorges and ravines
[55] i.e. *pueblo*
[56] to take root, to be established
[57] estate

terna, y llegamos, al cabo de dos horas de caminata, a un ancho desfiladero entre dos montañas que parecían, por su grandeza, no caber en el mundo.

Por ser la más accesible para mí «por entonces,» según dictamen de don Sabas, comenzamos a faldear la de la izquierda; y sube que te sube,[58] dimos al fin en un entrellano donde ya escaseaba la vegetación y se me iba haciendo insoportable la brisa matinal por su frescura. Allí se apeó don Sabas, y me ordenó que hiciera yo lo mismo. Hícelo y de muy buena gana, porque me sentía entumecido sobre la dura silla[59] de mi rocín, amén de que[60] me conceptuaba más seguro a pie que a caballo en aquella cornisa, sobre el rápido declive de la montaña.

—Lo que falta hay que subirlo a pie — me dijo el Cura —, porque no es camino de caballos, sino de hombres y, todo lo más, de cabras. Conque ¡ánimo y arriba!

Y sin esperar mi respuesta comenzó a trepar con pies y manos entre peñas y raigones. ¡Cómo envidié yo a Chisco, que se quedaba en la explanadita de abajo con las cabalgaduras! Don Sabas tenía la práctica de aquellas ascensiones, y además la pasión de las alturas; pero yo, que carecía de ambas cosas, ¿para qué me aventuraba en la subida de tan tremebundos despeñaderos?

Al fin llegamos arriba, yo por milagro de Dios, siguiendo gateo a gateo[61] los[62] de don Sabas; pero muerto de cansancio y empapado en sudor.

—Reposa unos momentos — me dijo el Cura allí —; pero con los ojos cerrados, ¡y cuidado con[63] abrirlos hasta que yo lo mande!

Más por necesidad que por obediencia, cumplí al pie de la letra[64] el man-

dato de don Sabas. Estuve un largo rato tumbado en el suelo, boca arriba y con ambas manos sobre los ojos, porque sólo así encontraba el absoluto descanso que me era indispensable entonces. Sentía fuertes latidos en el corazón que repercutían en las sienes, y al vivo compás de este golpeteo funcionaban mis pulmones.

Cuando el uno y los otros volvieron a su ritmo sosegado y normal, llamé a don Sabas y me puse a sus órdenes. Estaba muy cerca de mí, encaramado en una peña en la actitud de costumbre y empezando a embriagarse por los ojos, y no sin motivo ciertamente.

—Arrímate un poco acá — me dijo desde su pedestal calizo[65] con manchones de musgo y poco más alto que yo —. Arrímate, contempla . . . ¡y pásmate, Marcelo!

Habíamos subido por el Oeste de la montaña, que es el lado por donde las[66] hay mayores que ella, y el panorama con que me brindaba el Cura se veía por las otras vertientes; es decir, que era cosa nueva para mí y recién aparecida ante mis ojos. Particularmente hacia el Este y hacia el Norte parecía no tener límites a mi vista, poco avezada a estimar espectáculos de la magnitud de aquél; y era de una originalidad tan sorprendente y extraña, que no acertaba a darme cuenta cabal ni de su naturaleza ni de su argumento.[67] Por el Sur se dominaba el hermoso valle de Campóo, ya en otra ocasión visto y admirado por mí; en la misma dirección, y más lejos, los tonos pardos de la tierra castellana; más cerca, el Puerto de marras[68] con sus monolitos[69] descarnados y su soledad desconsoladora. Al Oeste, y asombrándolo todo con sus moles, Peña Sagra y los Picos

[58] See n. 42.
[59] saddle
[60] amén de que, not to mention that
[61] gateo a gateo, scrambling on both hands and feet
[62] i.e. gateos
[63] cuidado con, be careful not to
[64] al pie de la letra, to the letter
[65] of limestone
[66] i.e. montañas [67] meaning
[68] de marras, already mentioned
[69] upright stone columns

de Europa separados por el Deva,[70] cuya profunda y maravillosa garganta se distinguía fácilmente en muchos de sus caprichosos escarceos[71] entre los peñascos inaccesibles y fantásticos de una y otra ribera; y más allá del Deva, en sus valles bajos, según iba informándome don Sabas con el laconismo y el modo con que señala el maestro de escuela con una caña en un cartel las sílabas a sus educandos, una buena parte de la provincia de Asturias.

Pero lo verdaderamente admirable y maravilloso de aquel inmenso panorama era cuanto abarcaban los ojos por el Norte y por el Este. En lo más lejano de él, pero muy lejano, y como si fuera el comienzo de lo infinito, una faja azul recortando el horizonte: aquella faja era el mar, el mar Cantábrico; hacia su último tercio, por la derecha, y unida a él como una rama al tronco de que se nutre, otra mancha menos azul, algo blanquecina, que se internaba en la tierra y formaba en ella como un lago: la bahía de Santander. Pero es el caso (y aquí estaba la verdadera originalidad del cuadro, lo que más me desorientaba en él y me sorprendía) que la faja azul se presentaba a mis ojos mucho más elevada que el perfil de la costa, y que con ella se fundían otras[72] mucho más blancas que iban extendiéndose y prolongándose hacia nosotros, quedando entre la mayor parte de ellas islotes de las más extrañas formas; picos y hasta cordilleras que parecían surgir de una repentina inundación.

A todo esto, el sol, hiriéndolo con sus rayos, sacaba de la superficie de aquellos golfos, rías[73] y ensenadas,[74] haces[75] de chispas, como si vertiera su luz sobre llanuras empedradas[76] de diamantes.

— Es la niebla baja de los valles — me advirtió el Cura, y fué señalándolos y nombrándomelos todos uno a uno.

Ya me lo había imaginado yo; pero, aun así, no podía ni deseaba deshacer aquella ilusión de óptica que me presentaba el panorama como un fantástico archipiélago cuyas islas venían creciendo en rigurosa gradación desde las más bajas sierras, primer peldaño de la enorme escalera que comenzaba en la costa y terminaba detrás de nosotros, en el mismo cielo cuya bóveda parecía descansar por aquel lado sobre los picos de Bulnes y Peñavieja.

— Según vaya subiendo el sol — me decía don Sabas desde su plinto[77] calcáreo[78] — y arreciando el remusgo allá abajo, irá la niebla esparciéndose y dejándose ver lo que está tapado ahora... ¡Pues también es cosa de verse desde aquí la salida del sol!... Y algún día hemos de verlo, si Dios quiere... y mejor desde más arriba... desde allá...

Y me apuntaba, vuelto un poco a la derecha, hacia una loma altísima en que, según me advirtió también, convergían tres cordilleras.

Entretanto yo no podía apartar los ojos del archipiélago, en el cual me iba forjando la fantasía todo cuanto puede concebirse en materia de líneas y de formas; el templo ojival, el castillo roquero, la pirámide egipcia, el coloso tebano,[79] el paquidermo[80] gigante... No había antojo que no satisficiera la imaginación a todo su gusto en aquellas sorprendentes lejanías.

La predicción de don Sabas no tardó en cumplirse. Poco a poco fueron las nieblas encrespándose y difundiéndose, y con ello alterándose y modificándose los contornos de los islotes, muchos de los cuales llegaron a desaparecer bajo

---

[70] A river
[71] windings (usually said of the twisting of a bucking horse)
[72] i.e. *fajas*
[73] narrow arm of the sea　　[74] bay

[75] bundle, multitude
[76] set (with precious stones)
[77] plinth, base (of pillar)
[78] of limestone　　[79] of Thebes
[80] pachyderm, elephant

la ficticia inundación. Después, para que la ilusión fuera más completa, vi las negras manchas de sus moles sumergidas, transparentadas en el fondo; hasta que, enrarecida más y más la niebla, fué desgarrándose y elevándose en retazos que, después de mecerse indecisos en el aire, iban acumulándose en las faldas de los más altos montes de la cordillera.

Roto, despedazado y recogido así el velo que me había ocultado la realidad del panorama, se destacó limpia y bien determinada la línea de la costa sobre la faja azul de la mar, y aparecieron las notas difusas de cada paisaje en el ambiente de las lejanías y en los valles más cercanos: las manchas verdosas de las praderas, los puntos blancos de sus barriadas,[81] los toques[82] negros de las arboledas, el azul carminoso de los montes, las líneas plateadas de los caminos reales, las tiras relucientes de los ríos culebreando por el llano a sus desembocaduras, las sombrías cuencas de sus cauces entre los repliegues de la montaña ... Todos estos detalles, y otros y otros mil, ordenados y compuestos con arte sobrehumano en medio de un derroche de luz, tenían por complemento de su grandiosidad y hermosura el silencio imponente y la augusta soledad de las salvajes alturas de mi observatorio.

Jamás había visto yo porción tan grande de mundo a mis pies, ni me había hallado tan cerca de su Creador, ni la contemplación de su obra me había causado tan hondas y placenteras impresiones. Atribuíalas al nuevo punto de vista, y no sin racional y juicioso fundamento. Hasta entonces sólo había observado yo la Naturaleza a la sombra de sus moles, en las angosturas de sus desfiladeros, entre el vaho de sus cañadas y en la penumbra de sus bosques; todo lo cual pesaba, hasta el extremo de anonadarle, sobre mi espíritu, formado entre la refinada molicie de las grandes capitales, en cuyas maravillas se ve más el ingenio y la mano de los hombres que la omnipotencia de Dios; pero en aquel caso podía yo saborear el espectáculo en más vastas proporciones, en plena luz y sin estorbos; y sin dejar por eso de conceptuarme gusano por la fuerza del contraste de mi pequeñez con aquellas magnitudes, lo[83] era, al cabo, de las alturas del espacio y no de los suelos cenagosos de la tierra. Hasta entonces había necesitado el contagio de los fervores de don Sabas para leer algo en el gran libro de la Naturaleza, y en aquella ocasión le leía yo solo, de corrido[84] y muy a gusto.

Y leyéndole embelesado, llegué a sumirme en un cúmulo de reflexiones que, empalmándose[85] por un extremo en la monótona insulsez de toda mi vida mundana y embebiéndose en seguida en el espectáculo en que se recreaban mis ojos, se remontaban después sobre las cumbres altísimas que limitaban el horizonte a mi espalda, y aun seguían elevándose a través del éter purísimo por donde suben las plegarias de los desdichados y los suspiros de las almas anhelosas del Sumo Bien.

Volviendo, al fin, los ojos hacia don Sabas, de quien me había olvidado un buen rato, porque el mismo tiempo hacía que no se cuidaba él de mí, le hallé, por las trazas, leyendo el gran libro en la misma página que yo. Estaba en pleno hartazgo de Naturaleza, según declaraban sus ojos resplandecientes, su boca entreabierta y como ávida de aire serrano, y aquella su especial inquietud de músculos y hasta de ropa.

— ¿Se ha visto todo bien? — me preguntó volviendo en sí[86] de repente.

— A todo mi sabor — le respondí.

---

[81] village
[82] touch, brush-stroke
[83] i.e. *gusano*   [84] *de corrido*, rapidly

[85] to join, to branch off
[86] *volver en sí*, to come to oneself, to one's senses

— Pues hacerse cuenta de que ya se ha visto algo de las grandes obras de Dios que tenemos por acá.

— ¡Grande es, en efecto, y hermoso y admirable este espectáculo! — repliqué.

— ¿Grande? — repitió el Cura; y volvió a contemplarle en todas direcciones con los brazos extendidos, como si quisiera darme de aquel modo la medida de su magnitud.

Después se descubrió la cabeza, cuyos cabellos grises flotaron en el aire; elevó al cielo la mirada y la mano con sombrero y todo, y exclamó con voz solemne y varonil que vibraba con extraño son en el silencio imponente de aquellas alturas majestuosas:

«*Excelsus super omnes gentes, Dominus, et super coelos . . . gloria ejus.*»[87]

Sería por el estado excepcional de mi espíritu o por obra de un agente externo cualquiera; pero es lo cierto que a mí me pareció que aquella nota final estampada en el cuadro por el Cura de Tablanca, rayaba[88] en lo sublime.

[87] Latin: The Lord is exalted over all peoples, and His glory is above the heavens.

[88] to border

Campoamor and Realism in Poetry

AFTER the romantic school had spent its force, lyric poetry declined in Spain. In the second half of the century we have very few real poets. Of course, Bécquer wrote from 1860 to 1870, but we have considered him as a late romanticist. Poetry became more and more regional in scope and restricted in ideas. We shall take up only one poet who stands out during this period, Ramón de Campoamor (1817–1901).

There is nothing poetic about the life of Campoamor. He lived a calm, unworried, bourgeois existence, playing a conservative role in politics, holding the office of governor of Alicante, and being several times a conservative deputy to the Cortes. He himself said that his only vices were reading and sleeping. He was also different from most other poets of his century in that he enjoyed great popularity with the reading public throughout his lifetime.

Although Campoamor aspired to be a philosopher and wrote several books on philosophical subjects, he is known for three collections of short poems, *Doloras* (1846), *Pequeños poemas* (1872–94), and *Humoradas* (1886–8). All of this verse is written in simple, everyday language and deals with subjects which could occur in everyday life. Hence in language and subject matter it falls within the scope of realism.

Behind each poem is an idea, often humorous or ironical, which serves as an example of, or a commentary on, some accepted value in life. Frequently they narrate a coincidence of the type we call 'irony of fate,' as when a young girl falls down and hurts herself while praying. This gives a sly dig at an accepted value, in this case, religion. Campoamor is constantly showing that everything depends upon the point of view and that in the case of most established truths more than one point of view is possible. Therefore, although a conservative in life and in politics, Campoamor in his writing is constantly undermining the most fundamental conservative beliefs, especially any form of idealism. It is evident that Campoamor's sly attacks on idealism tend to bring his readers back from an unreal world to the hard facts of the real world around us. Thus his philosophy is realistic, too. His view of life is disillusioned, seemingly that of an old man past his youthful enthusiasms.

His *Doloras* (a word he invented himself) are poems running from a few lines to two or three pages, which present an ironical contrast, often in

dialogue form and emphasizing dramatic elements in their presentation
The *Pequeños poemas* are longer *Doloras*, but the *Humoradas* (another word of
his invention) are very short, merely the kernel or the idea presented in its
most economical form. Most of them have only two lines and seldom do
they run to more than four.

Campoamor's popularity continues unabated to this day because of his
clever ideas, simply expressed.

Ramón de Campoamor

Doloras

I.

Rogad a tiempo[1]

Marchando con su madre, Inés resbala,
Cae al suelo, se hiere, y disputando
Se hablan así después las dos llorando:
— ¡Si no fueras tan mala! . . . — No soy mala.
— ¿Qué hacías al caer? . . . — ¡Iba rezando!

II.

Cuestión de nombre

De una hermosa pagana la existencia
Salvó un cristiano, y, con fervor divino,
La pagana dió gracias al *Destino*
Y el cristiano alabó la *Providencia.*[2]

III.

Cuestión de fe

Ya el amor los hastía
Y hablan de astronomía;
Y en tanto que él, impío,
Llama al cielo *el vacío,*
¡Ella, con santo celo,
Llama al vacío *el cielo!*

[1] Translate: Pray at the right time
[2] A beautiful illustration of two points of
view. The pagan girl sees only Fate or Predestination, where the Christian sees the
watchfulness and personal care of God. What
it is depends on the person who is thinking
about it. Hence Truth is relative; or there is
no Absolute Truth. Again Campoamor is
undermining an accepted belief. We can
understand why he is so often called 'corrosive'
by the Spaniards. Compare this poem with
Dolora III and *Humorada 5.*

IV.

Cosas del tiempo

Pasan veinte años; vuelve él,
Y al verse, exclaman él y ella:
(— ¡Santo Dios! ¿y éste es aquél? . . .)
(— ¡Dios mío! ¿y ésta es aquélla? . . .)[3]

V.

¡Quién supiera escribir![4]

— Escribidme una carta, señor Cura.[5]
   — Ya sé para quién es.
— ¿Sabéis quién es, porque una noche oscura
Nos visteis juntos? — Pues.

— Perdonad; mas . . . — No extraño[6] ese tropiezo.[7]   5
La noche . . . la ocasión . . .
Dadme pluma y papel. Gracias. Empiezo:
   Mi querido Ramón:

— ¿Querido? . . . Pero, en fin, ya lo habéis puesto . . .
   — Si no queréis . . . — ¡Sí, sí!   10
— *¡Qué triste estoy!* ¿No es eso? — Por supuesto.
   — *¡Qué triste estoy sin ti!*

Una congoja, al empezar me viene . . .
   — ¿Cómo sabéis mi mal? . . .
— Para un viejo, una niña siempre tiene   15
El pecho de cristal.

¿Qué es sin ti el mundo? Un valle de amargura.
   ¿Y contigo? Un edén.
— Haced la letra[8] clara, señor Cura;
   Que lo entienda eso bien.   20

— *El beso aquel que de marchar a punto[9]*
   Te di . . . — ¿Cómo sabéis? . . .
— Cuando se va y se viene y se está junto,
   Siempre . . . no os afrentéis.

---

[3] This situation has been made into a charming one act play, entitled *Mañana de sol*, by the Quintero brothers.

[4] Translate: If I only knew how to write. (This is the best known of all Campoamor's work.)

[5] Notice that this poem is a dialogue between a priest and a charming but illiterate peasant girl. Remember the dashes indicate a change of speaker.

[6] to be surprised at

[7] slip, peccadillo

[8] writing, hand

[9] Read: *a punto de marchar*

Y si volver tu afecto no procura,[10]   25
  Tanto me harás sufrir . . .
— ¿Sufrir y nada más? No, señor Cura,
  ¡Que me voy a morir!

— ¿Morir? ¿Sabéis que es ofender al cielo . . .
  — Pues, sí, señor, ¡morir!   30
— Yo no pongo *morir.* — ¡Qué hombre de hielo!
  ¡Quién supiera escribir!

¡Señor Rector, señor Rector! en vano
  Me queréis complacer,
Si no encarnan los signos de la mano   35
  Todo el ser de mi ser.

Escribidle, por Dios, que el alma mía
  Ya en mí no quiere estar;
Que la pena no me ahoga cada día . . .
  Porque puedo llorar.   40

Que mis labios, las rosas de su aliento,
  No se saben abrir;
Que olvidan de la risa el movimiento
  A fuerza de sentir.[11]

Que mis ojos, que él tiene por tan bellos,   45
  Cargados con mi afán,
Como no tienen quien se mire en ellos,
  Cerrados siempre están.

Que es, de cuantos tormentos he sufrido,
  La ausencia el más atroz;   50
Que es un perpetuo sueño de mi oído
  El eco de su voz . . .

Que siendo por su causa, el alma mía
  ¡Goza tanto en sufrir! . . .
Dios mío, ¡cuántas cosas le diría   55
  Si supiera escribir! . . .

Epílogo

— Pues señor, ¡bravo amor! Copio y concluyo;
  A don Ramón . . . En fin,
Que es inútil saber para esto arguyo
  Ni el griego ni el latín.[12]   60

---

[10] to try, find a way. Read: *si tu afecto no procura volver*

[11] Translate, feeling sad

[12] The ironical contrast which is the basis of this poem is the constant opposition between wise and restrained old age and impetuous youth. The latter does not see or weigh the consequences of its acts, while the former is inclined to weigh them too much.

Humoradas

1.   Ser fiel, siempre que quieres,[1] es tu lema;
        pero tú ¿quieres siempre? He aquí el problema.

2.   Todo en amor es triste,
        mas, triste y todo, es lo mejor que existe.

3.   Hay quien pasa la vida
        en ese eterno juego
        de hacer caer a la mujer y luego
        rehabilitar a la mujer caída.

4.   ¡Qué bien has aprendido en tu provecho
        que ser mala es un cálculo mal hecho!

5.   Con tal que yo lo crea,
        ¿qué importa que lo cierto no lo sea?

6.   Para él la simetría es la belleza,
        aunque corte a las cosas la cabeza.

7.   Toda cosa es nacida
        para tener un trágico destino
        y girar y girar en remolino[2]
        en torno del sepulcro: ésta es la vida.

8.   ¡Quién de su pecho desterrar pudiera
        la duda, nuestra eterna compañera![3]

9.   Al mover tu abanico con gracejo
        quitas el polvo al corazón más viejo.[4]

[1] Notice the untranslatable play on words, since *quieres* means either 'you are in love' or 'you wish.'

[2] *en remolino,* whirling

[3] How is *¡Quién . . . pudiera* to be translated? This little poem repeats something which Campoamor tells us in many other places —

that doubt is the basis of his thought despite his yearnings for certitude.

[4] Although Campoamor thought he had invented a new form in these *Humoradas,* we can see that they are really epigrams. Their similarity to Spanish proverbs is also great.

Naturalism

ABOUT 1870, in France, a new concept of literature was set forth by Émile Zola. Based on realism, this new school added a certain scientific or pseudo-scientific aspect. It tried to make the novel even more faithful in its reproduction of life by precise documentation (that is, the author took from life masses of notes out of which he chose the material for his descriptions), and it attempted to apply to literature recent findings on the subject of heredity, which were interpreted to mean that everyone's life is predetermined by his ancestry. Naturalistic characters cannot decide their own course in life; their actions may seem voluntary but in reality they are merely the effect resulting from ancestral causes. Moreover, naturalism, in order to show more easily the results of heredity, deliberately chose abnormal characters, many times mentally unstable or even insane, and its situations were daring and violent, such as adultery and incest. Its emphasis was always on the seamy side of life.

Although naturalism influenced somewhat such authors as Galdós, its warmest advocate in Spain was a woman, Emilia Pardo Bazán (1851–1921). She set forth the theory of naturalism in a series of twenty articles collected under the title *La cuestión palpitante* (1883), and illustrated it in her best novel, *Los pazos de Ulloa* (1886) and its sequel, *La madre naturaleza* (1887). *Los pazos de Ulloa* tells the story of a degenerate Marqués living in a ramshackle palace of Galicia, who has as his mistress the daughter of the overseer of his estates. The latter readily consents to this arrangement as a means of acquiring money and power for himself. When the Marqués marries a cousin from Santiago de Compostela, the innocent bride, discovering the relations between her husband and his mistress, seeks consolation from an idealistic young priest, and the greedy overseer spreads the rumor that they are carrying on an affair. The book ends with the death of the wife. The sequel tells of the love affair between two children of the Marqués, one by his wife, the other by his mistress, who finally are horrified to discover their relationship.

As one can gather from these summaries, Pardo Bazán has the daring situations of naturalism. She also has an abundance of accurate descriptive detail. But since she was always a good Catholic, she never could accept the belief in determinism, so essential to naturalism. Furthermore, her descriptions of vicious situations are always purely external, never giving

474

the inner feeling or the psychological sensation of the situation. We are not surprised that Pardo Bazán gave up naturalism about the end of the century and later denounced it as a false system. During the twentieth century, her work takes on a tinge of Christian idealism quite opposed to the tone of her earlier production.

Pardo Bazán also handled the short story with a sureness and technical mastery which have been equalled by few Spanish writers.

The only other outstanding proponent of naturalism in Spain was Leopoldo Alas, generally known under the pseudonym of *Clarín*. A professor of law in the University of Oviedo, Clarín was a great liberal. He is better known as an essayist and critic of literature than as a novelist. In his essays he is greatly concerned with 'the Spanish problem,' the future and the improvement of his country. Hence in many ways Clarín reminds us of Larra. His greatest novel, *La regenta* (1884), is naturalistic in theme — adultery — and in detailed description and documentation, but Clarín, too, gave up naturalism about 1890 and, as Pardo Bazán, turned to Christianity as the basis of his thought.

Emilia Pardo Bazán

La risa

Conocí en París a la marquesa de Roa, con motivo de encontrarnos frecuentemente en la antesala del célebre especialista en enfermedades nerviosas doctor Dinard. Yo iba allí por encargo de[1] una madre que no tenía valor para llevar en persona a su hija, atacada de uno de esos males complicados, mitad del alma, mitad del cuerpo, que la ciencia olfatea pero no discierne aún, y la marquesa iba por cuenta propia, — porque era víctima de un padecimiento también muy singular —. La marquesa sufría accesos de risa sin fin, en que las carcajadas se empalmaban con las carcajadas, y de los cuales salía despedazada, exánime, oscilando entre la locura y la muerte.

Uno tuve ocasión de presenciar en la misma salita de espera del doctor, de vulgar mobiliario elegante, adornada con cuadros y bustos que atestiguaban el reconocimiento de una clase muy expuesta a la neurosis, los artistas; y aseguro que ponía grima y espanto el aspecto de aquella mujer retorciéndose[5] convulsa, hecha una ménade,[2] sin una lágrima en los ojos, sin una inflexión tierna en la voz, escupiendo la risa sardónica y cruel, como si se mofase, no sólo de la humanidad, sino de sí misma,[10] de su destino, de lo más secreto y hondo de su propio ser . . .

Fué el especialista, que se hizo un poco amigo mío y a quien invitamos a almorzar en nuestro hotel varias veces,[15] quien me enteró de la causa del achaque, que no acertó a curar, sino solamente a aliviar algo, consiguiendo que las crisis crónicas se presentasen con menos frecuencia. Él me refirió la historia,[20] justificando así su aparente indiscreción:

Se trata de cosa muy pública en la

---

[1] *por encargo de*, on behalf of

[2] frenzied woman, bacchante

ciudad[3] española donde ocurrió, y me sorprende que usted no esté enterada; pregunte a cualquiera de allí y se lo referirá punto por punto. Yo tengo que confesar a mis clientes, pues dada mi especialidad, el conocimiento de los antecedentes psicológicos me sirve de guía. ¡Camino por una selva tan oscura; es un misterio tan profundo éste de la neurosis! Y no crea usted que ha sido negocio fácil la confesión, porque, al acordarse no más[4] de la causa de su risa, la marquesa se siente acometida de nuevas crisis furiosas, y ríe, ríe, ríe inextinguiblemente.

Parece que esta señora, joven y bella entonces (hoy el horrible mal la ha desfigurado), estaba enamoradísima de su marido, con el cual se había casado contra toda la voluntad de su madre. Ella era rica, poderosa: dehesas, cortijos, olivares, y el título hereditario. Él no poseía capital, a menos que por capital se cuente lo agradable de la figura, lo simpático del trato, un encanto especial que le atraía corazones. Manolito — así le llamaban sus amigos — se contaba en el número de esas personas imprescindibles en toda fiesta y jarana, y, a pesar de su casamiento, continuó, en parte, haciendo vida de soltero alegre, consintiéndolo la marquesa. — No me parece mal — decía ésta — que te diviertas con los muchachos jóvenes. Lo que no habré de tolerar será que estas diversiones sirvan de pretexto a devaneos con mujeres. Si quieres a otra, si otra te atrae más que yo, me lo dices:[5] podré habituarme a vivir sin tu amor, pero nunca, ¿entiendes?, soportaré en ti, amándote como te amo, la mentira. Acuérdate de esto, Manolo... Mira que yo creo en ti, y que para existir necesito creer. No me mientas, ¡eso nunca! No podría resistirlo...

Debió él de prometer y aun jurar — todo eso que se hace en análogas situaciones — y ella, con la confianza propia de las almas nobles, de la gente incapaz de vileza, se fió sin recelo alguno en promesas y juramentos. Por la maldad de la naturaleza humana, a los confiados es a quienes más se engaña, hasta sin escrúpulo. Manolo sabía que Dolores Roa era incapaz de espionaje, y que si llegasen a traerla chismes y delaciones, antes prestaría fe a las palabras del hombre amado que a las de los extraños; así es que, no mucho después de la boda, comenzó a enredarse en aventurillas galantes, y acabó por establecer relación íntima con una de las amigas de Dolores, señora de la mejor sociedad, esposa de un banquero que hacía continuos viajes a París, Londres y Hamburgo, lo cual daba a los amantes facilidad para verse y pasar reunidos largas horas.

Explicaba Manolo las ausencias con cacerías, comidas, expediciones y giras[6] en compañía de sus amigos, y Dolores, fiel a su sistema de tolerancia cariñosa, llegaba hasta animarle para que no faltase, y celebraba a la vuelta las anécdotas y lances de la función, referidos por Manolo con humorística gracia, porque el hábil engañador tenía cuidado de no mentir siempre, y de concurrir no pocas veces, en efecto, a las distracciones adonde decía que concurría, por tener — si su mujer preguntaba o hacía indagaciones — más elementos para justificarse en cualquier caso.

Una noche acostóse Dolores nerviosamente intranquila, sin saber el motivo. Mejor dicho: lo sabía, o se figuraba saberlo. Manolo formaba parte de numerosa expedición por el río abajo, a caza de patos silvestres; iban en un vaporcillo viejo, comprado de desecho[7] y que se alquilaba para estos

---

[3] Sevilla, judging from details given later
[4] no más, only, just
[5] A firm statement in the indicative used instead of an imperative.

[6] Also written jira; outing, picnic
[7] second-hand, as unfit for service

casos, y Dolores, noticiosa del mal estado del vapor, sentía una angustia profética y vaga, en que el corazón parecía reducírsele de tamaño — son sus palabras — y convertirse en una bolita microscópica. Española de raza, saltó de la cama, encendió dos velas a una Virgen de los Dolores traspasada con los siete puñales,[8] y rezó largas oraciones antes de volver a recogerse. Su sueño fué agitado, lleno de terribles pesadillas; veía a Manolo con la cara negra, el pelo pegado a las sienes, chorreante, y despertó gritando, llamando a su esposo con infinita ansiedad.

Era la hora del amanecer, tan poética en los países del Mediodía. Los azahares perfumaban el aire, y el sol salía claro y puro, como si acabase de bañarse en las aguas del río. La marquesa, reanimada, se arregló el pelo y se puso una mantilla para ir a misa a la iglesia próxima. Al primer grupo de gente madrugadora que encontró se detuvo, hecha la estatua del espanto. Hablaban de una catástrofe, de la pérdida de un vapor en que iba gente conocida,[9] de fiesta y broma, a una cacería de patos en el río... Se habían salvado pocos, pereciendo ahogados los más.

Blanca como la pared, castañeteando los dientes, Dolores apenas tuvo fuerzas para volver a su casa, tambaleándose. Loca y paralizada a la vez, ni sabía qué hacer, ni a quién llamar; lo inmenso del horror la trastornaba. Sólo acertaba a repetir: «¡Manolo! ¡Manolo!»

con el acento del que llama a un ser sobrenatural... Y cuando repetía con más dolor y extravío: «¡Manolo!...» he aquí que aparece en la puerta Manolo en persona, sonriente, alegre, tendiéndola los brazos... No se sabe qué instinto de lucidez, qué extraña astucia vital se desarrolla en momentos supremos. Lo cierto es que Dolores, encarándose con su esposo, en vez de referirse a la catástrofe, hizo esta extraña pregunta:

— ¿Os habéis divertido mucho, eh? ¿No ha ocurrido nada desagradable?

— ¿Qué iba a ocurrir? Una excursión deliciosa... bonitísima...

Y ella, entonces, después de mirarle fijamente, rompió a reír a carcajadas... ¡Su risa llenaba la casa de ecos fúnebremente burlones; reía sin tasa y sin tregua; abofeteaba, escupía su risa al rostro del descarado engañador, que llegaba en derechura[10] de pasar su noche amorosa, y no sabía palabra de la catástrofe...!

Y desde entonces, Dolores rió, rió insensatamente, retorciendo sus nervios, gastando su vigor en la convulsión de aquella risa, escarnio de su ilusión destrozada, de su alma generosa en ridículo...

Riendo se separó del embustero, riendo arrastró su amargura por tierras lejanas...

Ahí tiene usted la explicación de la enfermedad extraordinaria de la marquesa de Roa.

---

[8] dagger. The *Virgen de los Dolores* is represented with seven daggers piercing her heart, symbolical of the seven griefs she suffered because of the persecution and death of her Son.
[9] well-known   [10] *en derechura*, directly

The Generation of 1898

THE literature of the first twenty-five or thirty years of the twentieth century is dominated in the main by a group of authors which we call the 'Generation of '98.' Some critics have claimed that these men do not form a true literary group or school; perhaps their relationship is not so much literary as ideological. The date attributed to this group refers to the Spanish-American War, and to the Spaniard that war was a national catastrophe. The young men who grew up and began to write under the influence of this disaster blamed it on the self-satisfied attitude of the past generation. They regarded the nineteenth century as a complete failure in its attempts to reform governmental and social institutions. The desire for a complete break with the nineteenth century was common to all the new generation.

The young men of '98 felt that their first duty was to see Spain clearly, to lay aside the rose-colored glasses of optimism and see all the faults and shortcomings of their fatherland. Even in the description of landscape they avoided the smiling aspects of nature. In choice of characters and settings they also exposed the sores and wounds of the nation. With themselves they were no more indulgent. They pried into the recesses of their own minds and souls with the desire of finding out why they (and all the young people of their generation) were failures. They discovered within themselves a tremendous lack of will to face the struggles of life. Thus their first principle was to discover the ills of Spain in order to attempt to heal them.

But when it came to positive suggestions of reforms and improvements, the Generation of '98 had no strikingly new solutions to offer. Its social program was largely a continuation of ideas of Larra, Galdós, and other less known nineteenth-century reformers. However, many new ideas were brought in from outside Spain, and the young authors felt enthusiasm for Nietzsche, Ibsen, and many other European thinkers. Spain itself produced philosophers of outstanding caliber and originality for the first time in over two hundred years.

All this with regard to the social, political, and philosophical side of the Generation of '98. From the strictly literary point of view we find two characteristics in most of its members. The emphasis on originality of style is infinitely greater than ever before. All the young authors wish to break with the rhetorical style of the nineteenth century with its long sentences

478

and frequent improvisation. No common style was established, each author being completely original, but careful workmanship and a nervous, concise manner of writing was the rule. A great interest in the materials of their art — in this case, words — and the variety of new effects possible through new combinations is seen in these writers, just as a similar interest in materials can be observed in the young painters of the time. In the second place, many of this group of authors show a new kind of realism, tortured by pain, which appears in both landscape and characters. Oftentimes the characters reflect in their mental disturbances the mentality of the new generation, introspective, analytical, and thoroughly dissatisfied with itself.

Novelists

Pío Baroja (1872–   ), a rough, virile Basque, naturally turned to action as the remedy for the ills of life. But he felt that the checks and restrictions of society had robbed him of the freedom to act. Consequently a deep hatred for all branches of society runs throughout his work. As if to compensate himself, he turned to writing of men of action, men in conflict with society and indifferent to its laws. A great many of his heroes are adventurers or vagabonds; but he also has a type of hero who, like himself, suffers from the inability to act. His narratives relate, in a deliberately rough style, devoid of all literary devices and sham, the rather haphazard adventures of his protagonists.[1]

Ramón del Valle-Inclán (1869–1936) contrasts sharply with Baroja and with his whole generation in that he escapes from the problems of everyday life into a poetic, unreal world. Externally it resembles his native Galicia, but his imagination peoples it with primitive peasants filled with ancient superstitions and semi-pagan beliefs, and despotic, cruel noblemen. Like Bécquer, Valle-Inclán never could divide what he imagined from what he really saw. He has an aristocratic distaste for the common stuff of life, and the artist's desire to remove himself from humdrum, bourgeois existence.

While seeking violent and weird emotions, Valle-Inclán falls into a decadent enjoyment of sensation for itself. Perhaps his attitude is best expressed by the word 'perverse,' for he often gives us exactly the contrary emotion to one which we normally expect. For instance, he portrays with approval a feudal nobleman who hates his sons and is in turn bitterly hated by them.

All this matter is written in an unusually lyric style, more like poetry than prose. It is no doubt mannered, but it possesses beautiful rhythms

[1] Important novels: *Zalacaín, el aventurero; La busca; Camino de perfección; Paradox, rey*

and is expressed in words often chosen not so much for their sense as for their power of suggestion.[2]

AZORÍN (real name, José Martínez Ruiz) (1874–   ) is really more of an essayist than a novelist. He is a splendid example of the Generation of '98's scrutinizing attitude towards Spain and the problem of personal adjustment to the world. All of his attention centers on two things: the landscape or atmosphere of Spanish life, and himself. His novels are his own spiritual history. He depicts himself as a shy, over-refined young man, too developed intellectually and too analytical to have will for action. In painting atmosphere, Azorín fixes his attention on small, humble things and is fond of describing minutely everything in a landscape, a street, or a room — as, for example, all the utensils and tools in a farm kitchen. He feels that these minute details are suggestive of the feeling of the whole scene. Moreover, while many great and important things pass away with time, the small, humble, everyday objects continue to exist. Azorín likes to give us the sensation of the passage of time through this device of showing how small things continue while men and even civilizations pass away.[3]

Azorín, too, has a very personal style. He seldom uses any but the present tense, is fond of using subject pronouns and of repetition of words.[4]

Philosophers

MIGUEL DE UNAMUNO (1864–1936) was, like Baroja, a Basque and had similar qualities of roughness and vitality. But Unamuno was also a widely read, cultured professor of Greek and president of the University of Salamanca. From these opposing elements, a spiritual conflict developed within him between his vital instinct, leading to an intense desire for immortality, and his European culture, which led him to skepticism. This inner battle between intuition and logical thought was what Unamuno had in mind when he defined himself by saying: 'I am a man of contradiction and of strife.' His yearning for immortality, his terror at the thought of ceasing to be, turned him more and more towards intuitive faith. He concluded his greatest work with the typical words: 'And[5] if what is reserved for us [after this life] is nothingness, let us act so that this will be an injustice.'[6]

[2] Important novels: *Sonata de estío; Romance de lobos; Flor de santidad*
[3] Thus Azorín developed the ideas and techniques used so successfully by the **Frenchman** Proust some years later.
[4] Important novels: *La voluntad; Doña Inés*
  Important collections of essays: *Castilla; Los pueblos*
[5] «Y si es la nada lo que nos está reservada, hagamos que sea una injusticia esto,» from *Del sentimiento trágico de la vida*. Compare this attitude with the Stoicism of Quevedo, Vol. I, p. 208
[6] Important works: *Del sentimiento trágico de la vida; La agonía del cristianismo; Ensayos* (many volumes)

José Ortega y Gasset (1883–   ), as well as Unamuno, believes that the living man must be the center of all philosophical thought. But this author is a select, cultured man with little sympathy for the masses and what he calls 'mass-ideas.' He believes that Spain's difficulties lie precisely in the lack of a select minority and that the nineteenth century as a whole is characterized by the triumph of the commonplace through a false application of democracy to non-political spheres such as art, education, and philosophy. He says man became less and less important throughout the nineteenth century and things (cf. the materialism of science, manufacturing, and business) took precedence over man. Ortega, therefore, hopes for a violent break with the nineteenth century and a shaking off of the bonds of materialism. He, like Unamuno, concludes that intuitive thought is more important than logic, as it places greater value on man's feeling towards things than on the things in themselves. Ortega y Gasset has been widely read in translation outside of Spain and is much admired in the English-speaking world.[7]

Drama

Jacinto Benavente (1868–   ) began his career as a playwright with severely realistic pictures of Spanish life, showing a cold, cynical attitude towards the shortcomings of his characters. Benavente was born in Madrid, and in his early works he portrays the upper and middle classes of the capital. His tendency is to see the evil they do much more clearly than the good and to present it without moralization and with a frigid indifference to reform. In this early period he also deliberately tones down the dramatic intensity of his work.

Later in life he modifies all these characteristics. He often sets his plays in imaginary places, thus getting rid of the realism imposed by the Madrid atmosphere; he begins to moralize and to champion Goodness and Kindliness (which he finds only in women); and he often allows himself the most intense dramatic situations and violent action.

Benavente captured the stage from his great predecessor, Echegaray, and broke almost completely with Spanish tradition. He sought his models outside of Spain, in Shakespeare, Molière, Ibsen, and the contemporary French dramatists. The new direction he gave the drama was followed by all the younger group, including Martínez Sierra and Linares Rivas, and to some extent by the Quintero brothers.[8]

[7] Important works: *España invertebrada; La rebelión de las masas; El tema de nuestro tiempo*
[8] Important plays of Benavente: *Los intereses creados; La comida de las fieras; La noche del sábado; La malquerida; Señora ama.* Of Martínez Sierra: *Canción de cuna; El reino de Dios.* Of Linares Rivas: *La garra; El abolengo.* Of Los Quintero: *Malvaloca; Doña Clarines*

Pío Baroja

I. Self-criticism from *Juventud, egolatría*

Yo parezco poco patriota; sin embargo, lo soy. Yo no puedo hacer que mi calidad de español o de vasco sean las únicas categorías para mirar el mundo, y si creo que un concepto nuevo se puede adquirir colocándose en una actitud internacionalista, no tengo inconveniente en dejar momentáneamente de sentirme español y vasco.

A pesar de esto, tengo normalmente la preocupación de desear el mayor bien para mi país; pero no el patriotismo de mentir.

Yo quisiera que España fuera el mejor rincón del mundo, y el país vasco, el mejor rincón de España.

Es éste un sentimiento tan natural y tan general que no vale la pena de explicarlo.

El clima de la Turena[1] y de la Toscana,[2] los lagos de Suiza, el Rhin con sus castillos, todo lo mejor de Europa, lo llevaría por mi voluntad entre los Pirineos y el Estrecho.[3] Al mismo tiempo desnacionalizaría a Shakespeare y a Dickens, a Tolstoi y a Dostoievski, para hacerlos españoles; desearía que rigieran en nuestra tierra las mejores leyes y las mejores costumbres. Mas al lado del patriotismo de desear, está la realidad. ¿Qué se puede adelantar con ocultarla? Yo creo que nada.

Para muchos, el patriotismo único es el patriotismo de mentir, lo que, para mí, es más que un sentimiento una retórica.

Estos patriotas falsificadores suelen contender con frecuencia con unos internacionalistas falsificadores.

— Sólo lo nuestro es bueno — dicen los primeros.

— Sólo lo de los demás es bueno — dicen los segundos.

La verdad nacional, calentada por el deseo del bien y por la simpatía, creo yo que debe ser el patriotismo.

Alguno me dirá: Este patriotismo de usted no es más que una irradiación del egoísmo y de la utilidad. ¡Claro que sí! ¿Es que puede haber otro patriotismo?

En mis libros, como en casi todos los libros modernos, se nota un vaho de rencor contra la vida y contra la sociedad.

La moral de nuestra sociedad me ha perturbado y desequilibrado. Por eso la odio cordialmente y la devuelvo en cuanto puedo todo el veneno de que dispongo. Ahora, que a veces me gusta dar a ese veneno una envoltura artística.

Como todos los que se creen un poco médicos preconizan un remedio, yo también he preconizado un remedio para el mal de vivir: la acción. Es un remedio viejo como el mundo, tan útil a veces como cualquier otro, y tan inútil como todos los demás. Es decir, que no es un remedio.

La fuente de la acción está dentro de nosotros mismos, en la vitalidad que hemos heredado de nuestros padres. El que la tiene la emplea siempre que quiere; el que no la tiene, por mucho que la busque, no la encuentra.

[1] Touraine, a province of central France, noted for its fertility and pleasant climate.

[2] Tuscany, a province of Italy, in which Florence is situated.

[3] Strait (of Gibraltar)

II. The origin and childhood of a man of action, from *Zalacaín, el aventurero*

A la izquierda del camino, antes de la muralla, había hace años un caserío viejo, medio derruído, con el tejado terrero lleno de pedruscos[4] y la piedra arenisca[4] de sus paredes desgastada por la acción de la humedad y del aire. En el frente de la decrépita y pobre casa, un agujero indicaba donde estuvo en otro tiempo el escudo,[5] y debajo de él se adivinaban, más bien que se leían, varias letras que componían una frase latina: *Post funera virtus vivit.*[6]

En este caserío nació y pasó los primeros años de su infancia Martín Zalacaín de Urbía, el que, más tarde, había de ser llamado Zalacaín el Aventurero; en este caserío soñó sus primeras aventuras y rompió los primeros pantalones.

Los Zalacaín vivían a pocos pasos de Urbía; pero ni Martín ni su familia eran ciudadanos: faltaban a su casa unos metros para formar parte de la villa.

El padre de Martín fué labrador, un hombre obscuro y poco comunicativo, muerto en una epidemia de viruelas; la madre de Martín tampoco era mujer de carácter; vivió en esa obscuridad psicológica normal entre la gente del campo, y pasó de soltera a casada, y de casada a viuda, con absoluta inconsciencia. Al morir su marido quedó con dos hijos, Martín y una niña menor llamada Ignacia.

El caserío donde habitaban los Zalacaín pertenecía a la familia de Ohando, familia la más antigua, aristocrática y rica de Urbía.

Vivía la madre de Martín casi de la misericordia de los Ohandos.

En tales condiciones de pobreza y de miseria, parecía lógico que, por herencia y por la acción del ambiente, Martín fuese como su padre y su madre: obscuro, tímido y apocado; pero el muchacho resultó decidido, temerario y audaz.[7]

En esta época, los chicos no iban tanto a la escuela como ahora, y Martín pasó mucho tiempo sin sentarse en sus bancos. No sabía de ella más si no que era un sitio obscuro, con unos cartelones blancos en las paredes, lo cual no le animaba a entrar. Le alejaba también de aquel modesto centro de enseñanza el ver que los chicos de la calle[8] no le consideraban como uno de los suyos, a causa de vivir fuera del pueblo y de andar siempre hecho un andrajoso.

Por este motivo les tenía algún odio; así que cuando algunos chiquillos de los caseríos de extramuros[9] entraban en la calle y comenzaban a pedradas[10] con los ciudadanos, Martín era de los más encarnizados en el combate; capitaneaba las hordas bárbaras, las dirigía y hasta las dominaba.[11]

Tenía entre los demás chicos el ascendiente de su audacia y de su temeridad. No había rincón del pueblo que Martín no conociera. Para él, Urbía era la reunión de todas las bellezas, el compendio de todos los intereses y magnificencias.

Nadie se ocupaba de él, no compartía con los demás chicos la escuela y huroneaba por todas partes. Su abandono le obligaba a formarse sus ideas espontáneamente y a templar la osadía con la prudencia.

---

[4] sandstone   [5] coat of arms
[6] Latin: Manly conduct lives after death.
[7] The man of action, a sort of little Nietzschean superman, is born not made. He is a biological sport, although among his remote ancestors Zalacaín had brave and daring men.
[8] Here, the main street of the area within the walls

[9] from the region outside the city walls
[10] stone fights
[11] Martín is already a person set apart from and disdaining society and one who will set the fulfilment of his own destiny higher than society's laws. Of course, the tendencies are subconscious and not deliberately adopted.

Mientras los niños de su edad aprendían a leer, él daba la vuelta a la muralla, sin que le asustasen las piedras derrumbadas, ni las zarzas que cerraban el paso.

Sabía donde había palomas torcaces, e intentaba coger sus nidos, robaba fruta y cogía moras y fresas silvestres.

A los ocho años, Martín gozaba de una mala fama, digna ya de un hombre. Un día, al salir de la escuela, Carlos Ohando, el hijo de la familia rica que dejaba por limosna el caserío a la madre de Martín, señalándole con el dedo, gritó:

— ¡Ése! Ése es un ladrón.

— ¡Yo! — exclamó Martín.

— Tú, sí. El otro día te vi que estabas robando peras en mi casa. Toda tu familia es de ladrones.

Martín, aunque respecto a él no podía negar la exactitud del cargo, creyó no debía permitir este ultraje dirigido a los Zalacaín, y, abalanzándose sobre el joven Ohando, le dió una bofetada morrocotuda. Ohando contestó con un puñetazo; se agarraron los dos y cayeron al suelo; se dieron de trompicones;[12] pero Martín, más fuerte, tumbaba siempre al contrario. Un alpargatero tuvo que intervenir en la contienda, y a puntapiés y a empujones separó a los dos adversarios. Martín se separó triunfante, y el joven Ohando, magullado y maltrecho, se fué a su casa.

La madre de Martín, al saber el suceso, quiso obligar a su hijo a presentarse en casa de Ohando y a pedir perdón a Carlos; pero Martín afirmó que antes lo matarían. Ella tuvo que encargarse de dar toda clase de excusas y explicaciones a la poderosa familia.

Desde entonces, la madre miraba a su hijo como a un réprobo.

— ¡De dónde ha salido este chico así![13] — decía; y experimentaba al pensar en él un sentimiento confuso de amor y de pena sólo comparable con el asombro y la desesperación de la gallina cuando empolla huevos de pato y ve que sus hijos se zambullen en el agua sin miedo y van nadando valientemente.

Ramón del Valle-Inclán

Selection from *Sonata de estío*

[The hero of *Sonata de estío* is the Galician Marqués de Bradomín, who describes himself as '*feo, católico y sentimental*.' He has left Spain for Mexico, to forget one of his many love affairs. When the frigate touches a port of Yucatán, he makes an excursion on horseback to some Maya ruins; there he discovers a fascinating woman who awakens all his old instincts.]

Sin hacer alto una sola vez, llegamos a Tequil. En aquellas ruinas de palacios, de pirámides y de templos gigantes, donde crecen polvorientos sicomoros[1] y anidan verdes reptiles, he visto por primera vez una singular mujer a quien sus criados indios, casi estoy por decir sus siervos, llamaban dulcemente la Niña Chole. Me pareció la Salambó[2] de aquellos palacios. Venía de camino hacia San Juan de Tuxtlan y descansaba a la sombra de una pirámide, entre el cortejo de sus

---

[12] *darse de trompicones*, to trip each other
[13] *De . . . así*, From whom did this boy get these traits!   [1] sycamore

[2] A princess of ancient Carthage, the heroine of a book of the same name by the French author Flaubert.

servidores. Era una belleza bronceada, exótica, con esa gracia extraña y ondulante de las razas nómadas, una figura hierática y serpentina, cuya contemplación evocaba el recuerdo de aquellas princesas hijas del sol, que en los poemas indios resplandecen con el doble encanto sacerdotal y voluptuoso . . . Por desgracia, yo solamente podía verla el rostro aquellas raras veces que hacia mí lo tornaba, y la Niña Chole tenía esas bellas actitudes de ídolo, esa quietud extática y sagrada de la raza maya, raza tan antigua, tan noble, tan misteriosa, que parece haber emigrado del fondo de la Asiria. Pero a cambio del rostro, desquitábame en aquello que no alcanzaba a velar[3] el rebocillo, admirando como se merecía la tornátil morbidez de los hombros y el contorno del cuello. ¡Válgame Dios! Me parecía que de aquel cuerpo bruñido por el ardiente sol de México se exhalaban lánguidos efluvios, y que yo los aspiraba, los bebía, que me embriagaba con ellos . . . Un criado indio trae del diestro el palafrén de aquella Salambó, que le habla en su vieja lengua y cabalga[4] sonriendo. Entonces, al verla de frente, el corazón me dió un vuelco. Tenía la misma sonrisa de Lilí. ¡Aquella Lilí, no sé si amada, si aborrecida!

. . .

Los ojos de la Niña Chole habían removido en mi alma tan lejanas memorias, tenues como fantasmas, blancas como bañadas por luz de luna. Aquella sonrisa, evocadora de la sonrisa de Lilí, había encendido en mi sangre tumultuosos deseos y en mi espíritu ansia vaga de amor. Rejuvenecido y feliz, con cierta felicidad melancólica, suspiraba por los amores ya vividos, al mismo tiempo que me embriagaba con el perfume de aquellas rosas abrileñas que tornaban a engalanar el viejo tronco. El corazón, tanto tiempo muerto, sentía con la ola de savia juvenil que lo inundaba nuevamente, la nostalgia de viejas sensaciones: Sumergíase en la niebla del pasado y saboreaba el placer de los recuerdos, ese placer de moribundo que amó mucho y en formas muy diversas. ¡Ay, era delicioso aquel estremecimiento que la imaginación excitada comunicaba a los nervios! . . .[5]

Y en tanto, la noche detendía[6] por la gran llanura su sombra llena de promesas apasionadas, y los pájaros de largas alas volaban de las ruinas. Di algunos pasos, y con voces que repitió el eco milenario de aquellos palacios, llamé al indio que me servía de guía. Con el overo ya embridado asomó tras un ídolo gigantesco esculpido en piedra roja. Cabalgué y partimos. El horizonte relampagueaba. Un vago olor marino, olor de algas y brea, mezclábase por veces al marcante de la campiña, y allá, muy lejos, en el fondo oscuro del Oriente, se divisaba el resplandor rojizo de la selva que ardía. La naturaleza, lujuriosa y salvaje, aun palpitante del calor de la tarde, semejaba dormir el sueño profundo y jadeante . . . En aquellas tinieblas pobladas de susurros nupciales y de moscas de luz que danzan entre las altas yerbas, raudas y quiméricas, me parecía respirar una esencia suave, deliciosa, divina: La esencia que la madurez del Estío vierte en el cáliz de las flores y en los corazones.

[3] Here, to veil, to cover
[4] Here, to mount; usually, to ride horseback
[5] This is a key passage for understanding Valle-Inclán's attitude towards emotion. His decadent enjoyment of sensation for its own sake is best illustrated in the last sentence.
[6] to spread (word invented by Valle-Inclán)

Azorín

Las nubes

Calisto y Melibea se casaron — como sabrá el lector, si ha leído *La Celestina*[1] — a pocos días de ser descubiertas las rebozadas entrevistas que tenían en el jardín. Se enamoró Calisto de la que después había de ser su mujer un día que entró en la huerta de Melibea persiguiendo un halcón. Hace de esto[2] diez y ocho años. Veintitrés tenía entonces Calisto. Viven ahora marido y mujer en la casa solariega[3] de Melibea; una hija les nació que lleva, como su abuela, el nombre de Alisa. Desde la ancha solana[4] que está a la parte trasera de la casa se abarca[5] toda la huerta en que Melibea y Calisto pasaban sus dulces coloquios de amor. La casa es ancha y rica; labrada escalera de piedra arranca de lo hondo[6] del zaguán. Luego, arriba, hay salones vastos, apartadas y silenciosas camarillas, corredores penumbrosos, con una puertecilla de cuarterones en el fondo, que — como en *Las Meninas*,[7] de Velázquez — deja ver un pedazo de luminoso patio. Un tapiz[8] de verdes ramas y piñas gualdas[9] sobre fondo bermejo cubre el piso del salón principal: el salón, donde en cojines de seda, puestos en tierra, se sientan las damas. Acá y allá destacan silloncitos de cadera,[10] guarnecidos de cuero rojo, o sillas de tijera[11] con embutidos[12] mudéjares;[13] un contador[14] con cajonería[15] de pintada y estofada[16] talla,[17] guarda papeles y joyas; en el centro de la estancia, sobre la mesa de nogal, con las patas y las chambranas[18] talladas, con fiadores[19] de forjado hierro, reposa un lindo juego de ajedrez con embutidos de marfil, nácar y plata; en el alinde[20] de un ancho espejo refléjanse las figuras aguileñas, sobre fondo de oro, de una tabla[21] colgada en la pared frontera.

Todo es paz y silencio en la casa. Melibea anda pasito por cámaras y corredores. Lo observa todo; ocurre a todo. Los armarios están repletos de nítida y bien oliente ropa — aromada por gruesos membrillos[22] — . . .[23] Todo lo previene y a todo ocurre la diligente Melibea; en todo pone sus dulces ojos verdes. De tarde en tarde, en el silencio de la casa, se escucha el lánguido y melodioso son de un clavicordio: es Alisa que tañe. Otras veces, por los viales de la huerta, se ve escabullirse calladamente la figura alta y esbelta de una moza: es Alisa que pasea entre los árboles.

La huerta es amena y frondosa. Crecen las adelfas a par de[24] los jazmineros; al pie de los cipreses inmutables ponen los rosales la ofrenda fugaz — como la vida — de sus rosas amarillas, blancas y bermejas. Tres colores llenan

[1] The famous novel written at the end of the fifteenth century by Fernando de Rojas. Its hero and heroine, Calisto and Melibea, are passionate, ill-starred lovers. As we already know (Vol. I, p. 63), both die in the original version. During a rendez-vous he falls from the high garden wall, and she commits suicide by leaping from the tower of the mansion. But Azorín has imagined a different outcome, and slyly makes the reader a party to his changes.
[2] *de esto*, from the present time
[3] manor house   [4] sun gallery
[5] to take in (here, visually)
[6] *lo hondo*, the back

[7] A famous picture in the Museo del Prado, Madrid, showing the princesses and their dwarf companions.   [8] Here, carpet
[9] yellow   [10] low armchair
[11] *silla de tijera*, X-shaped chair
[12] inlay work   [13] Moorish
[14] counting table, desk
[15] set of drawers   [16] ornamented
[17] carved wood   [18] frame
[19] catch, hook
[20] quicksilver (obsolete word)
[21] Here, picture   [22] quince
[23] A description of the rest of the house, rich in the details so dear to Azorín, has been omitted.   [24] *a par de*, along with

los ojos en el jardín: el azul intenso del cielo, el blanco de las paredes encaladas y el verde del boscaje. En el silencio se oye — al igual de un diamante sobre un cristal — el chiar de las golondrinas, que cruzan raudas sobre el añil del firmamento. De la taza de mármol de una fuente cae deshilachada, en una franja, el agua. En el aire se respira un penetrante aroma de jazmines, rosas y magnolias. «Ven por las paredes de mi huerto,» le dijo dulcemente Melibea a Calisto hace diez y ocho años.

Calisto está en el solejar, sentado junto a uno de los balcones. Tiene el codo puesto en el brazo del sillón, y la mejilla reclinada en la mano ... Nada puede conturbarle ni entristecerle. Y, sin embargo, Calisto, puesta en la mano la mejilla, mira pasar a lo lejos, sobre el cielo azul, las nubes.

Las nubes nos dan una sensación de inestabilidad y de eternidad. Las nubes son — como el mar — siempre varias y siempre las mismas. Sentimos, mirándolas, cómo nuestro ser y todas las cosas corren hacia la nada,[25] en tanto que ellas — tan fugitivas — permanecen eternas. A estas nubes que ahora miramos, las miraron hace doscientos, quinientos, mil, tres mil años, otros hombres con las mismas pasiones y las mismas ansias que nosotros. Cuando queremos tener aprisionado el tiempo — en un momento de ventura — vemos que han pasado ya semanas, meses, años. Las nubes, sin embargo, que son siempre distintas, en todo momento, todos los días, van caminando por el cielo. Hay nubes redondas, henchidas, de un blanco brillante, que destacan en las mañanas de primavera sobre los cielos translúcidos. Las hay como cendales tenues, que se perfilan en un fondo lechoso. Las hay grises sobre una lejanía gris. Las hay de carmín y de oro en los ocasos inacabables, profundamente melancólicos, de las llanuras. Las hay como velloncitos iguales e innumerables, que dejan ver por entre algún claro un pedazo de cielo azul. Unas marchan lentas, pausadas; otras pasan rápidamente. Algunas, de color de ceniza, cuando cubren todo el firmamento, dejan caer sobre la tierra una luz opaca, tamizada, gris, que presta su encanto a los paisajes otoñales.

Siglos después de este día en que Calisto está con la mano en la mejilla, un gran poeta — Campoamor — habrá de dedicar a las nubes un canto en uno de sus poemas titulado *Colón*. «Las nubes — dice el poeta — nos ofrecen el espectáculo de la vida» ... «Vivir ... es *ver pasar*.» Sí; vivir es ver pasar: ver pasar, allá en lo alto, las nubes. Mejor diríamos: vivir es *ver volver*. Es ver volver todo en un retorno perdurable, eterno; ver volver todo — angustias, alegrías, esperanzas — como esas nubes que son siempre distintas y siempre las mismas, como esas nubes fugaces e inmutables.

Las nubes son la imagen del Tiempo. ¿Habrá sensación más trágica que aquélla de quien sienta el Tiempo, la de quien vea ya en el presente el pasado y en el pasado lo por venir?

En el jardín, lleno de silencio, se escucha el chiar de las rápidas golondrinas. El agua de la fuente cae deshilachada por el tazón de mármol. Al pie de los cipreses se abren las rosas fugaces, blancas, amarillas, bermejas. Un denso aroma de jazmines y magnolias embalsama el aire. Sobre las paredes de nítida cal resalta el verde de la fronda; por encima del verde y del blanco se extiende el añil del cielo. Alisa se halla en el jardín, sentada, con un libro en la mano. Sus menudos pies asoman por debajo de la falda de fino contray;[26] están calzados con chapines de terciopelo negro, adornados con

---

[25] nothingness

[26] a fine cloth

rapacejos[27] y clavetes[28] de bruñida[29] plata. Los ojos de Alisa son verdes, como los de su madre; el rostro, más bien alargado que redondo. ¿Quién podría contar la nitidez y sedosidad de sus manos? Pues de la dulzura de su habla, ¿cuántos loores no podríamos decir?

En el jardín todo es silencio y paz. En lo alto de la solana, recostado sobre la barandilla, Calisto contempla extá-tico a su hija. De pronto, un halcón aparece revolando rápida y violentamente por entre los árboles. Tras él, persiguiéndole, todo agitado y descompuesto, surge un mancebo. Al llegar frente a Alisa, se detiene absorto, sonríe y comienza a hablarla.

Calisto lo ve desde el carasol y adivina sus palabras. Unas nubes redondas, blancas, pasan lentamente, sobre el cielo azul, en la lejanía.[30]

[27] border
[28] stud, nail
[29] burnished
[30] In precisely this same way, chasing his straying falcon, Calisto entered this same garden and saw Melibea for the first time. History is repeating itself. Calisto can guess the young man's words because the emotional situation is identical, and human emotion is the most unchanging element throughout the centuries of man's existence. So Calisto looks at the clouds and sees that they too are evanescent and fleeting, but withal ever returning and eternal.

Modern Poetry

WE have seen that during the last half of the nineteenth century poetry became more restricted, more local in interest, more regional in theme, and more prosaic in diction. At the end of the century, a great wave of regeneration, called *modernismo*, passed over Spanish poetry, not only in Spain but throughout all the Hispanic lands. The great prophet of this new movement was Rubén Darío (1867–1916), undoubtedly one of the greatest poets ever to write in Spanish.

RUBÉN DARÍO was born in Nicaragua, but during a life of constant agitation spent much time in Chile, the Argentine, Spain, and Paris. He was a man of childlike candor and often had difficulty in managing his practical affairs. While his debauches filled him with remorse, he felt that his true self — hidden within his 'inner kingdom' — remained unsullied by the world. With a poet's disdain for materialism, he made a precarious living with newspaper writing and diplomatic work.

Modernismo became generally accepted with the publication of *Prosas profanas* (1896). Here Darío shows himself a universal man, thoroughly alive to the currents of literary thought from all nations and all times, although particularly influenced by the French poets Hugo, Leconte de Lisle, and especially Verlaine. He incorporates all these elements of most diverse origin into Spanish, assimilating thoroughly all of his borrowings and fusing them in new rhythms and new poetic diction. Despite his borrowings, Darío made *modernismo* a declaration of poetic independence, of the right of the poet to express the hidden recesses of his soul in whatever form and language he pleased. He made Spanish poetry once more universal in scope and brought it abreast of the innovations of other lands.

In another book of prime importance, *Cantos de vida y esperanza* (1905), our poet shows a more marked predilection for American themes. He calls upon the republics of Latin America to unite, asks of them a sympathy for the bleeding mother country, Spain, and extols the 'Latin race,' their great common source. Furthermore these later poems show fewer of the artifices of poetry and a greater profundity of emotion. They are not so much made as felt.[1]

The influence of Rubén Darío was as great in Spain as in Latin America. No poet of the twentieth century fails to show an impress of the great

[1] Principal works of Rubén Darío: *Azul; Prosas profanas; Cantos de vida y esperanza.*

master's art, but the three Spanish poets from whom we have chosen selections are perhaps the ones least directly influenced by Rubén Darío.

ANTONIO MACHADO (1875–1938), although born in Sevilla, spent the formative period of his life in Madrid and in the small Castilian city of Soria. He himself says: '*Cinco años en la tierra de Soria, hoy para mí sagrada — allí me casé; allí perdí a mi esposa a quien adoraba, — orientaron mis ojos y mi corazón hacia lo esencial castellano.*' And the essence of Castilla is to be found in his descriptions of the arid steppes alternately baked by the sun or frozen by the cold of winter. Antonio Machado is really the only poet of the Generation of '98; he looks at the Castilian landscape and speaks of '*aquellas tierras tan tristes que tienen alma.*' His amount of production is small, and he had no imitators.[2]

About 1900 a second Spanish poet began to publish, JUAN RAMÓN JIMÉNEZ (1881–   ). An Andalusian, from the region near Huelva, Juan Ramón writes essentially subjective poetry, the internal music of the soul. Nothing very great or transcendental is discussed in his works, yet the poet's delicately shaded feelings are communicated to the reader. The method is impressionistic. By giving us little indications symbolical of his sensation, Juan Ramón creates in our minds his own feeling. His verse is always musical, and many times no other effect than music is desired. He is generally melancholic, yet at times the color and vivacity of Andalusian popular dance melodies give their rhythm to his verse.[3]

Juan Ramón is the great master of the many competent poets of modern Spain. Most of them specialized in one element found in the more inclusive art of Juan Ramón. Thus FEDERICO GARCÍA LORCA (1898–1936) specialized in the popular and folklore elements. His poetry calls to mind the dances of his native Granada, especially those of the gypsies. Many times he assumes deliberately the naiveté of the nursery rhyme. This poet's tragic death during the Spanish Civil War did much to enhance his fame.[4]

Rubén Darío

Sonatina

La princesa está triste . . . ¿qué tendrá la princesa?
Los suspiros se escapan de su boca de fresa,
que ha perdido la risa, que ha perdido el color.
La princesa está pálida en su silla de oro,
está mudo el teclado de su clave sonoro;   5
y en un vaso olvidada se desmaya una flor.

[2] Principal work of Antonio Machado: *Campos de Castilla.*
[3] Principal works of Juan Ramón Jiménez: *Segunda antolojía poética; Diario de un poeta recién casado* (prose and verse); *Platero y yo* (prose).
[4] Principal works of Federico García Lorca: *Romancero gitano; Poema del cante jondo; Llanto por Ignacio Sánchez Mejías*

El jardín[1] puebla el triunfo de los pavos reales.
Parlanchina, la dueña dice cosas banales,
y vestido de rojo piruetea el bufón.
La princesa no ríe, la princesa no siente;   10
la princesa persigue por el cielo de Oriente
la libélula[2] vaga de una vaga ilusión.

¿Piensa acaso en el príncipe de Golconda[3] o de China,
o en el que ha detenido su carroza argentina
para ver de sus ojos la dulzura de luz,   15
o en el rey de las islas de las rosas fragantes,
o en el que es soberano de los claros diamantes,
o en el dueño orgulloso de las perlas de Ormuz?[4]

¡Ay! la pobre princesa de la boca de rosa
quiere ser golondrina, quiere ser mariposa,   20
tener alas ligeras, bajo el cielo volar;
ir al sol por la escala[5] luminosa de un rayo,[6]
saludar a los lirios con los versos de Mayo,
o perderse en el viento sobre el trueno del mar.

Ya no quiere el palacio, ni la rueca de plata,   25
ni el balcón encantado, ni el bufón escarlata,
ni los cisnes unánimes[7] en el lago de azur.
Y están tristes las flores por la flor de la corte;
los jazmines de Oriente, los nelumbos del Norte,
de Occidente las dalias y las rosas del Sur.   30

¡Pobrecita princesa de los ojos azules!
Está presa en sus oros, está presa en sus tules,
en la jaula de mármol del palacio real;
el palacio soberbio que vigilan los guardas,
que custodian cien negros con sus cien alabardas,   35
un lebrel que no duerme y un dragón colosal.

¡Oh, quién fuera[8] hipsipila[9] que dejó la crisálida![10]
(La princesa está triste. La princesa está pálida.)
¡Oh visión adorada de oro, rosa y marfil!
¡Quién volara a la tierra donde un príncipe existe   40
(La princesa está pálida. La princesa está triste.)
más brillante que el alba, más hermoso que Abril!

---

[1] Object of *puebla* whose subject is *triunfo*, triumphal parade
[2] damsel-fly (a small, brightly colored dragon-fly)
[3] A city of India, whose princes possessed fabulous treasures of precious stones.
[4] An Arabian town on an island in the Persian Gulf, still a center of pearl fishing.
[5] stairway, ladder
[6] ray (of light)
[7] of one mind; here probably referring to the habit of swans of swimming all in one direction at the same time, often in single file. Some editions of this poem read *ecuánimes* here.
[8] *quien fuera*, would I were
[9] butterfly
[10] chrysalis

¡Calla, calla, princesa — dice el hada madrina[11] —
en caballo con alas hacia acá se encamina,
en el cinto la espada y en la mano el azor,   45
el feliz caballero que te adora sin verte,
y que llega de lejos, vencedor de la Muerte,
a encenderte los labios con su beso de amor![12]

(*Prosas profanas*)

Salutación del optimista

Ínclitas[13] razas ubérrimas,[14] sangre de Hispania fecunda,[15]
espíritus fraternos, luminosas almas, ¡salve!
Porque llega el momento en que habrán de cantar nuevos himnos
lenguas de gloria. Un vasto rumor llena los ámbitos;
mágicas ondas de vida van renaciendo de pronto;   5
retrocede el olvido, retrocede engañada la muerte;
se anuncia un reino nuevo,[16] feliz sibila[17] sueña
y en la caja pandórica[18] de que tantas desgracias surgieron
encontramos de súbito, talismánica,[19] pura, riente,
cual pudiera decirla en sus versos Virgilio divino,   10
la divina reina de luz, ¡la celeste Esperanza!

· · ·

Abominad la boca que predice desgracias eternas,
abominad los ojos que ven sólo zodíacos[20] funestos,
abominad las manos que apedrean las ruinas[21] ilustres,
o que la tea[22] empuñan o la daga suicida.   15
Siéntense sordos[23] ímpetus de las entrañas del mundo,
la inminencia de algo fatal hoy conmueve a la tierra;
fuertes colosos[24] caen, se desbandan[25] bicéfalas águilas,[26]
y algo se inicia como vasto social cataclismo
sobre la faz del orbe. ¿Quién dirá que las savias dormidas   20
no despierten entonces en el tronco del roble[27] gigante
bajo el cual se exprimió[28] la ubre de la loba romana?

[11] *el hada madrina*, the fairy godmother
[12] The princess is, of course, in love with love. The awakening of her heart is accompanied by a vague restlessness and unexplained melancholy.
[13] illustrious
[14] most fruitful. The poem is addressed to the peoples of Hispanic America.
[15] These verses are an imitation of the great hexameter line of Virgil: '*Arma virumque canō, Trōiae quī primus ab ōris.*' It is the same meter imitated in English by Longfellow in *Evangeline:* 'This is the forest primeval, the murmuring pines and the hemlocks . . .' Notice that Rubén Darío cannot maintain the exact meter in many of his lines.
[16] a new kingdom, i.e. of brotherhood
[17] sibyl (a semi-divine woman of ancient days who could foretell the future, often from her dreams)

[18] Pandora's box, from which a myth tells us that all the evils of the world sprang.
[19] like a magic symbol
[20] zodiac; here, sky
[21] ruins (referring to Spain after its defeat by the United States)
[22] torch (with which to destroy what is left of Spain)
[23] occult, half-revealed
[24] i.e. powerful nations
[25] to break apart
[26] two-headed eagles (found in the coats of arms of several nations — Germany, Austria, Russia — and great families — the Hapsburgs)
[27] Referring to the 'Latin race,' of which both Spaniards and Latin Americans form a part
[28] to press out, milk (referring to Romulus and Remus, mythological beginners of the 'Latin race,' who were fed by a she-wolf)

¿Quién será el pusilánime que al vigor español niegue músculos
y que al alma española juzgase áptera y ciega y tullida?
No es[29] Babilonia ni Nínive enterrada en olvido y en polvo   25
ni entre momias y piedras reina que habita el sepulcro,
la nación generosa, coronada de orgullo inmarchito,
que hacia el lado del alba fija las miradas ansiosas,
ni la que tras los mares en que yace sepulta[30] la Atlántida,[31]
tiene su coro de vástagos, altos, robustos y fuertes.   30

Únanse, brillen, secúndense, tantos vigores dispersos;
formen todos un solo haz de energía ecuménica.[32]
Sangre de Hispania fecunda, sólidas, ínclitas razas,
muestren los dones pretéritos[33] que fueron antaño su triunfo.

. . .

Un continente y otro renovando las viejas prosapias,   35
en espíritu unidos, en espíritu y ansias y lengua,
ven llegar el momento en que habrán de cantar nuevos himnos.
La latina estirpe verá la gran alba futura;
en un trueno de música gloriosa, millones de labios
saludarán la espléndida luz que vendrá del Oriente,   40
Oriente augusto en donde todo lo cambia y renueva
la eternidad de Dios, la actividad infinita.
Y así sea Esperanza la visión permanente en nosotros,
¡ínclitas razas ubérrimas, sangre de Hispania fecunda!

(Cantos de vida y esperanza)

Canción de otoño en primavera

Juventud, divino tesoro,
¡ya te vas para no volver!
Cuando quiero llorar, no lloro . . .
Y a veces lloro sin querer . . .

Plural[34] ha sido la celeste   5
historia de mi corazón.
Era[35] una dulce niña, en este
mundo de duelo y aflicción.

Miraba como el alba pura;
sonreía como una flor.   10
Era su cabellera oscura
hecha de noche y de dolor.

Yo era tímido como un niño.
Ella, naturalmente, fué,
para mi amor hecho de armiño,[36]   15
Herodías y Salomé . . .[37]

Juventud, divino tesoro,
¡ya te vas para no volver! . . .
Cuando quiero llorar, no lloro,
y a veces lloro sin querer . . .   20

La otra[38] fué más sensitiva
y más consoladora y más
halagadora y expresiva,
cual no pensé encontrar jamás,

[29] The subject of *es* is *la nación*, two lines below.
[30] *yace sepulta*, lies buried
[31] Atlantis, a fabulous continent, believed by some to have existed in the middle of the Atlantic Ocean, from which civilization spread to both Europe and to the Indians of Central and South America. This land is supposed to have sunk beneath the sea.
[32] universal   [33] past

[34] multifold
[35] Here begins the first of the many adventures of his heart.
[36] ermine (which, being pure white, symbolizes purity)
[37] Salome asked for the head of John the Baptist, instigated by her mother, Herodias, whom John had denounced as a sinful woman. Symbolically, these women represent killers of innocence.   [38] next

Pues a su continua ternura
una pasión violenta unía.
En un peplo de gasa pura
una bacante[39] se envolvía . . .

En brazos tomó mi ensueño
y lo arrulló como a un bebé . . .   30
Y le mató, triste y pequeño,
falto de luz, falto de fe . . .

Juventud, divino tesoro,
¡te fuiste para no volver!
Cuando quiero llorar, no lloro,   35
y a veces lloro sin querer . . .

       . . .

¡Y las demás! en tantos climas,
en tantas tierras, siempre son,
si no pretextos de mis rimas,
fantasmas de mi corazón.   40

25   En vano busqué a la princesa
que estaba triste de esperar.
La vida es dura. Amarga y pesa.[40]
¡Ya no hay princesa que cantar!

Mas a pesar del tiempo terco,   45
mi sed de amor no tiene fin;
con el cabello gris, me acerco
a los rosales del jardín . . .

Juventud, divino tesoro,
ya te vas para no volver . . .   50
Cuando quiero llorar, no lloro,
y a veces lloro sin querer . . .

¡Mas es mía el Alba de oro![41]
      (*Cantos de vida y esperanza*)

Antonio Machado

Campos de Soria (VI)

¡Soria fría, *Soria pura*,
cabeza[1] *de Extremadura*,[2]
con su castillo guerrero
arruinado, sobre el Duero;
con sus murallas roídas[3]   5
y sus casas denegridas!

¡Muerta ciudad de señores
soldados[4] o cazadores;[4]
de portales con escudos
de cien linajes hidalgos,   10
y de famélicos galgos,
de galgos flacos y agudos,
que pululan
por las sórdidas callejas,
y a la media noche ululan,   15
cuando graznan las cornejas!

[39] bacchante, woman who indulges in excesses
[40] Verbs, not adjectives
[41] Probably the Golden Dawn of Immortality
[1] *cabeza*, chief city
[2] The ancient motto of Soria during the time of the reconquest of Spain from the Moors. Extremadura, now a province far from Soria, was then the name given all the advanced and dangerous territory next to the Moors.
[3] Here, crumbled away
[4] Used as an adjective

¡Soria fría! La campana
de la Audiencia[5] da la una.
Soria, ciudad castellana
¡tan bella! bajo la luna.   20

Juan Ramón Jiménez

Convalecencia

Sólo tú me acompañas, sol amigo.
Como un perro de luz lames mi lecho blanco;
y yo pierdo mi mano por tu pelo de oro,
caída de cansancio.

       ¡Qué de cosas que fueron   5
se van ... más lejos todavía!

                  Callo
y sonrío, igual que un niño,
dejándome lamer de ti, sol manso.

... De pronto, sol, te yergues,[1]   10
fiel guardián de mi fracaso,
y, en una algarabía ardiente y loca,
ladras a los fantasmas vanos
que, mudas sombras, me amenazan
desde el desierto del ocaso.   15

                        (Estío)

Anochecer de otoño

En la hora negra, fría y solitaria,
el muelle, que esta tarde
me pareció llevarme hasta el poniente de oro,
¡es tan pequeño, ¡ay!, tan de juguete!

Y yo, juguete oscuro y triste, voy soñando, niño grande   5
— en este nuevo juego, que, hace una hora,
creía realidad definitiva
de hombre que recuerda riendo sus juguetes
de niño, sus barquitos, —
juguete oscuro y triste, voy soñando   10
en unas cosas altas,
de las que son juguetes
el mar, la tierra, las estrellas ...

                        (Piedra y cielo)

---

[5] court house   [1] erguir, to straighten up, rise

Ya están ahí las carretas . . .

Ya están ahí las carretas . . .
— Lo han dicho el pinar y el viento,
lo ha dicho la luna de oro,
lo han dicho el humo y el eco . . .
Son las carretas que pasan   5
estas tardes, al sol puesto,
las carretas que se llevan
del monte los troncos muertos.
   ¡Cómo lloran las carretas,
camino de Pueblo Nuevo!   10
   Los bueyes vienen soñando,
a la luz de los luceros,
en el establo caliente
que sabe a[2] madre y a heno.
Y detrás de las carretas,   15
caminan los carreteros,
con la aijada sobre el hombro
y los ojos en el cielo.
   ¡Cómo lloran las carretas,
camino de Pueblo Nuevo!   20
   En la paz del campo, van
dejando los troncos muertos
un olor fresco y honrado
a corazón descubierto.
Y cae el ángelus desde   25
la torre del pueblo viejo,
sobre los campos talados,[3]
que huelen a cementerio.
   ¡Cómo lloran las carretas,
camino de Pueblo Nuevo!   30

                    (Pastorales)

Federico García Lorca

Canción de jinete

Córdoba.
Lejana y sola.

Jaca negra, luna grande,
y aceitunas en mi alforja.
Aunque sepa[1] los caminos   5
yo nunca llegaré a Córdoba.

---

[2] *saber a*, to taste like; here, smell of; *madre*, here, home
[3] where trees have been felled   [1] Subject, *yo*

Por el llano, por el viento,
jaca negra, luna roja.
La muerte me está mirando
desde las torres de Córdoba.   10

    ¡Ay, qué camino tan largo!
¡Ay, mi jaca valerosa!
¡Ay, que la muerte me espera
antes de llegar a Córdoba!

    Córdoba.   15
Lejana y sola.

VOCABULARY

Vocabulary

The following abbreviations are used: *arch.* — archaic (indicating words no longer in common use), *adj.* — adjective, *adv.* — adverb, *fig.* — figurative, *n.* — noun, *plu.* — plural, *aug.* — augmentative, *dim.* — diminutive, *super.* — superlative.

This vocabulary does not contain all the words in the book. Omitted are all the common pronouns, conjunctions, prepositions, et cetera, as well as many of the commonest words (according to Buchanan's count) and a considerable number of words whose forms and meaning are closely similar in Spanish and English. However, words which are not exact cognates and all less familiar cognates have been included. The meaning of adverbs ending in *mente* must usually be sought under the corresponding adjective.

A

abad abbot, priest

abajar *arch.* to lower, bring down to earth

abalanzarse to rush, leap; — **a** (or **sobre**) to leap upon

abandonar to abandon, leave, give up

abandono abandonment, abandon; slovenliness, negligence

abanico fan

abarcar to take in, include

abastar to provide, provision

abatanar to pound, beat

abatido downcast, dejected

abatir to cast down; to strike down; to dismay; to humble

abeja bee

aberración aberration

abismar to sink

abismo abyss; *plu.* hell

ablandar to soften, melt

abnegación abnegation, self-denial

abofetear to strike, slap

abolengo lineage, family tree

abominar to abominate, hate

abonar to guarantee, recommend, speak for; to justify; ——**se a** to subscribe to, take a season ticket for

abono favor, behalf

aborrecer to hate, abhor

aborrecible abominable, abhorrent

aborrecimiento abhorrence

aborto abortion; hideous offspring

abrasado hot, burning

abrasar to burn

abrazador, -a embracer

abrazar to embrace

abrazo embrace

ábrego southwest wind

abreviadamente in brief, briefly

abreviar to shorten, abbreviate

abrigar to harbor, shelter

abrigo shelter, protection

abrileño April, of April

abrochar to fasten, button

abrojo thistle

abrumar to depress; to overwhelm; to pester

absolución absolution, forgiveness of sins

absolver (ue) to absolve; to excuse

absorber to absorb

absorbción absorption

absortar *arch.* to absorb

absorto wrapt, absorbed

abstenerse to abstain

abstinencia abstinence

abuela grandmother

abuelo grandfather; ancestor

abultar to enlarge

abundancia abundance

abundar to abound; *arch.* to adorn

aburrir to bore, tire

abusar de to abuse, impose on

abuso abuse

abyección abjection, abjectness

acabado finished, perfect

acabar to finish, end; —— **de** to have just; **no** **de** to be at a loss to; **se acabó** that's all, it's all over

acacia acacia tree

academia academy; university

académico academician

acaecer to happen, occur

acaloramiento ardor, excitement; moment of enthusiasm

acallar to quiet

acariciar to caress

acarrear to transport, bring

acartonado thick, dry

acaso *n.* chance; *adv.* perhaps; **por si** —— just in case

acatar to respect

acceder to accede, give in

accesible accessible

acceso access; attack (of sickness)

accidentado in a faint

accidente accident; attack (of sickness), swoon
acechar to lie in wait for, ambush
aceite oil
aceituna olive; olives
acémila pack-animal
acemilero mule driver
acento accent
acentuar to accentuate
aceña water-mill
aceptar to accept
acequia irrigation ditch
acera sidewalk
acerado steely, of steel
acerbo bitter
acercar to bring near, approach; ——se to draw near, approach
acero steel
acertado right
acertar (ie) to hit the mark, be right; to do right; to solve, guess; —— a to succeed in; to happen
aciago n. bitterness; adj. fatal, unfortunate, bitter
acíbar bitterness
acicalar to polish
acierto good sense; success
aclarar to explain, make clear, clear up, clarify; to cultivate
acobardar to make cowardly, frighten; ——se to be terrified
acoger to receive, take in; ——se to take shelter
acogida reception; asylum; dar —— a to welcome, receive
acogimiento reception, welcome
acometer to attack; to accost; to undertake
acometimiento encounter
acomodado well-to-do, rich
acomodar to accommodate; to make comfortable; to furnish; to arrange
acompañamiento company
acompañante companion
acongojar to grieve, afflict
aconsejar to advise
acontecer to happen
acontecimiento event
acordado harmonized, harmonious; well-tuned
acordar (ue) to agree; to determine, decide on; to accord, give; to tune

acorde in harmony
acorralar to corral, round up
acosar to harass
acostarse (ue) to go to bed; to fall down
acostumbrar to accustom; to be accustomed
acotación citation
acotar to cite
acrecentar (ie) to increase
acreditar to authorize; to affirm; to give credence to; ——se to prove (oneself), demonstrate
acreedor n. creditor; adj. deserving
activo active
acto act; —— continuo immediately afterwards
actual present, present-day
acuchillar to cut, slash; ——se to fight with knives or swords
acudir to hasten, come; to help, rescue; to resort
acuerdo agreement; de —— con in accord with; along with
acullá there
acumular to gather, accumulate
acurrucar to cuddle; ——se to curl up, get comfortable
acusación accusation
acusador accusing
acusar to accuse; to complain of
achacar to impute
achantado hidden
achaque attack; illness; en —— de on the pretext of
achicarse to humble oneself
adarga shield
adarve top of wall
adecuado adequate, suitable
adefesio ridiculous person
adelantado n. governor of a border province (especially on the Moorish frontier); adj. advanced, ahead
adelantar to advance, go ahead; to progress; to further; ——se to advance, go ahead; to be early
adelanto progress, improvement
adelfa oleander
adeliñar arch. to go, direct oneself; ——se to direct onself, go

ademán manner, gesture, look
adentro adv. within; n. plu. insides; en mis ——s within me, inwardly
aderezar to set straight, set aright, fix
adestrar (ie) to guide, lead
adherirse a (ie) to join oneself to
adiestrado trained
adinerado moneyed, rich
adivinar to guess, divine
adivinatorio prophetic
adminículo a necessary thing, necessity
administrar to administrate, direct, manage
admiración admiration; surprise, amazement
admirador admirer
admirar to admire; to astound, amaze; ——se de to be astounded at
adolescencia adolescence
adoptar to adopt
adorador adorer
adorar to adore
adornar to adorn
adornista painter
adquirir (ie) to acquire
adquisición acquisition
adrede on purpose
aduana custom-house
aducir to adduce
adulación adulation, flattery
adulador adj. flattering
adular to flatter
adúltero adulterous, corrupt
adusto austere, stern
advenedizo parvenu, adventurer, man of no position, upstart
adverso adverse
advertencia warning
advertir (ie) to inform; to state; to note, notice, be aware
adyacente adjacent
aéreo airy, light
aeronauta aviator
afabilidad affability, pleasantness
afable pleasant, affable
afán anxiety, solicitude, tender care; longing, desire
afanado anxious, eager, keenly interested
afanarse to toil, strive for; to worry

iv

afear to make ugly; to speak evil of
afección disease
afectado imaginary
afectar to affect; to assume
afecto affection, love
afectuoso affectionate
afeitar to shave
afeite cosmetic
afición affection, liking, fondness
aficionado n. fan (of sports); adj. —— a fond of
afilado sharp, pointed
afinar to polish; to tune; to make keen
afirmación affirmation
afirmar to state, affirm; to resolve; to be firmly established; —— la mano to strike a blow
afirmativo affirmative
aflictivo grievous, distressing
afligir to afflict, distress
aflojar to loosen; to diminish
afónico unharmonious
afortunado fortunate, lucky
afrancesado partisan of the French (in 18th and early 19th centuries)
afrenta affront, insult; arch. suffering
afrentar to insult; to attack; —— se to be insulted
afrentoso insulting
afuera outside; ¡ —— ! get out!
afufarse to run away
agachar to bend down, stoop
agalla gill
agarrar to clutch, seize; to get; —— se to clutch
agasajar to entertain, regale, treat
agente agent
ágil agile
agilidad agility
agitación agitation
agitar to agitate, upset; to wave; —— se to wave; to stir
agobiar to crush, overwhelm
agonía agony
agonizante dying, at death's door
agora arch. for ahora
agorero prophetic; addicted to augury
agotar to exhaust, dry up
agradar to please

agradecer to be grateful (for), thank (for)
agradecimiento gratitude
agrado agreeableness
agrandar to enlarge; to lengthen
agravar to aggravate
agraviar to affront, insult
agravio insult, offense; harm, wrong
agraz: en —— unseasonably
agregar to add; to join
agreste wild
agrio bitter
agrónomo agricultural
agruparse to gather, form a group
aguacero shower, downpour
aguador water-seller
aguaducho water-seller's stand
aguamanos water for washing
aguantar to bear, endure
aguar to water, dilute; to spoil
aguardar to wait (for)
aguardiente a kind of cheap liquor; —— de anís liqueur of anise, anisette
agudeza sharpness; witticism
agudo sharp; keen; clever; lean, thin
agüero augury
aguijar to spur
aguijón spur; goad
aguijonear to spur
águila eagle
aguileño aquiline
aguja needle; spire
agujerado pierced with holes
agujero hole; hiding place
ah ah; ahoy; —— del coche hey, you in the coach
ahijado godson
ahinco eagerness; perseverance, persistence
ahito indigestion
ahogar to stifle, suffocate; to drown; to choke
ahogo suffocation; affliction
ahondar to delve, penetrate
ahorcar to hang
ahorrar to save; to spare
ahorro saving
ahuecado loose
aijada goad
airado angry, wrathful
aire air; breeze
airoso airy, windy; graceful; brilliant

ajar to crumple; —— le a uno la vanidad to wound one's vanity
ajedrez chess
ajenjo wormwood
ajeno that belonging to another person, another's; —— de foreign to
ajetreo agitation, confusion; weariness
ajo garlic
ajuar trousseau; furnishings
ajustar to adjust, fit
al arch. another thing, anything else
ala wing; brim (of hat)
alabanza praise
alabar to praise
alabarda halberd
alabastro alabaster
alambicado very subtle, over-refined
alameda poplar grove, grove; public walk
álamo poplar tree
alarde display; parade
alargado long
alargar to lengthen, stretch out; to hold out, hand to; to protract, postpone
alarido howl, shriek
alarmante alarming
alazán sorrel
alba dawn
albahaca sweet basil
albañil mason
albarda saddle; pack-saddle
albedrío will; free will
albergar to lodge
albergue shelter, dwelling
alborada dawn
alborear to dawn
alborotador agitator
alborotar to make noise, disturb; to stir up; —— se to become excited
alboroto tumult, hubbub, disturbance
alborozo gaiety, joy
albricias reward (for good news); good news
alcabala a 10% sales tax
alcahueta procuress, go-between
alcaide jailer
alcalde mayor; warden; judge; **alcalde-corregidor** mayor
álcali alkali
alcance extent; pursuit
alcanza arch. pursuit

alcanzar to overtake; to reach, arrive at, attain; to succeed in; to ascertain; to comprehend; to obtain

alcarreño from la Alcarria, a region a few miles east of Guadalajara

alcázar castle

alcoba bedroom

alcotán lanner, bird of prey

alcuza flask

aldaba door-knocker; catch, hook

aldabilla dim. of aldaba

aldea village

aldeano, -a n. villager, peasant; adj. country, rustic

alderredor same as alrededor

alegar to allege

alejar to separate; to keep away; ——se to move away

alemán German

aleve treacherous

alevoso treacherous

alfamar blanket

alfiler pin

alfombra rug

alfombrado figured

alforja saddle-bag (also worn over the shoulder as a knapsack)

alga seaweed, water plant

algarabía Arabic (language); din, clamor

algazara noise

algecireño from Algeciras

algo something; arch. wealth, worldly goods

algodón cotton; cotton cloth

alguacil constable

alhaja jewel; fine furnishing

alhelí gilliflower

alianza alliance

aliciente incentive

aliento breath; courage; desire

aligerar to lighten

alijo contraband goods; bundle of smuggled goods

alimentación feeding

alimentar to feed; to sustain; ——se to eat

alimento food

alinear to align; to line up

aliño spread, feast

alisar to smooth

aliviar to alleviate, relieve

alivio alleviation, relief, improvement

almacén store; warehouse

almacenista merchant

almagre red ochre

almanaque almanac; calendar of saints

almena battlement

almendro almond tree

almete helmet

almíbar syrup; sweet drink; preserves

almo venerable; revivifying

almohada pillow

almohaza currycomb

almorzar (ue) to lunch

almotacén office of market inspector

almuerzo lunch

alojamiento lodging

alojar to lodge

alongado away, at a distance

alpargatero maker of alpargatas (peasant's sandals); shoemaker

alquilar to rent

alquiler rent, hire

alquimia alchemy

alrededor adv. around; n. plu. surroundings; —— de around

altanería plu. lofty regions

altanero lofty; arrogant, haughty

altar altar

altarito dim. of altar

alteración irritation, strong emotion

alterar to anger, upset; to alter, change

altercar to dispute, bicker; —— razones to converse

alternar to alternate; to associate

alternativamente alternately; at regular intervals

alternativo alternate

alteza honor; height

Altísimo God, the Most High

altivez haughtiness, loftiness

altivo haughty, lofty

alto high; deep, profound; n. height; lo —— the upper part, the top; dar de alta to release (from hospital), to declare cured

¡alto! halt

altura height

alucinación hallucination

aludir to allude

alumbrar to light; to enlighten

alusión allusion

alusivo allusive

alzado raised; cejas alzadas arched eyebrows

alzar to raise; to gather up

allá: más —— de beyond

allanarse to acquiesce; to resign oneself

allegar to procure

allende beyond; —— de beyond

ama housekeeper; mistress; hostess; nurse; —— de llaves housekeeper

amabilidad amiability, kindness

amable amiable, kind

amador lover

amagar to threaten

amancillar to stain

amanecer to dawn; to arrive or be at dawn; al —— at dawn

amansar to tame; to pacify, placate

amante lover

amargar to embitter

amargo bitter

amargura bitterness

amarillento yellowish

amarrar to moor; to tie

amartelado smitten

amasar to knead

amatar arch. to extinguish

amazona amazon; woman's riding costume

ámbar ambergris

ambicionar to desire, yearn for

ambiente atmosphere; —— vital life

ámbito compass, realm

ambrosía ambrosia

amedrentado frightened

amenaza threat

amenazar to menace, threaten

amenidad pleasantness

ameno pleasant, agreeable

amigote aug. of amigo pal

amistad friendship

amistoso friendly

amo master

amonestación admonition

amonestar to admonish, warn, advise

amontillado fine Sherry wine

amontonar to pile up

amor love; plu. love affair; words of love; —— propio vanity

amoratado purple

amoroso amorous, loving

amoroso-pastoril on love and nature
amortecer to faint
amortecido in a swoon; at the point of death
amortiguar to deaden; ——se to die down
amostazar to irk, exasperate; ——se to become angry
amparar to shelter, protect
amparo shelter
ampo pure white
anafre small oven, stove
anal *plu.* annals
analizar to analyze
análogo analogous, in accord with
anatómico of anatomy
anca haunch, crupper
ancianía old age
ancianidad old age
anciano old; **ancianitas** old women's home
ancho wide; **a mis anchas** at my ease
andada track, trail; **volver a las —— -s** to backslide, go back to one's old ways
andador fond of walking; fast-walking
andadura walk, pace
andaluz Andalusian
andamio stand
andar *n.* step
andas stretcher, bier
andrajoso *n.* ragamuffin; *adj.* ragged
anegar to drown
anemia anemia
ángelus angelus
Ángelus Domini prayer to the guardian angel
angosto narrow
angostura narrow place, pass
anguila eel
angustia anguish
angustiado anguished
angustioso filled with anxiety; difficult
anhelante longing, yearning, desiring
anhelar to yearn for
anhelo yearning, desire
anheloso yearning, desiring, longing
anidar to nest
ánima soul
animación animation
animal animal; brute
animar to animate, cheer, encourage

ánimo mind, spirit; courage
animoso courageous, spirited
aniquilar to annihilate, overcome, destroy
anís aniseed, anise
anochecer to grow dark; *n.* nightfall
anochecido after dark
anonadar to annihilate, exterminate; to stupefy
anónimo anonymous
anotación note
ansí *arch. for* así
ansia yearning
ansiar to long for, desire
ansiedad anxiety
ansioso anxious, eager
antaño last year; previously
ante before, in front of; —— que *arch. for* antes que
antecedente antecedent
antecesor predecessor
antecoger to drive before
antena yard-arm, spar
anteojo spyglass
anterior previous, foregoing, former
antes *adv.* before; rather
antesala waiting room
anticipado in advance
anticipo advance
antigüedad antiquity, age
antiguo old, ancient
antiparras glasses
antojadizo whimsical, capricious
antojársele a uno to occur to one, seem to one
antojo whim
anublar to cloud
anudar to knot
anular to annul
anunciar to announce
anuncio announcement; advertisement
añadidura: de —— in addition
añadir to add
añejo old
añil indigo blue
añudar to entwine
apacible peaceful
apagado wan
apagar to extinguish, put out (light)
apalear to beat
apandar to pilfer, steal
apañado clever; mended
aparato apparatus
aparatoso showy
aparecer to appear

aparejado in pairs; together
aparejar to prepare
aparejo preparation, disposition; means; opportunity; *plu.* trappings; saddle
aparentar to pretend, feign
aparición apparition, vision
apariencia appearance; manifestation
apartado distant, remote; retired, solitary
apartamiento solitude; separation
apartar to withdraw, send away, draw away, draw aside, remove, set aside; ——se (de) to step to one side, move away; to differ (from)
aparte aside
apasionado impassioned, passionate
apearse to dismount
apedrear to stone
apegado attached, devoted
apego fondness, attachment
apelar to appeal, have recourse (to), call (on)
apellido surname
aperador overseer, foreman
apercibir to warn, advise; to get ready
apesadumbrar to grieve
apestar to stink
apestoso foul-smelling, sickening, offensive
apetecer to wish, hope for, desire
apetecible desirable, enticing
apetito appetite; desire
apiñar to crowd
apisonar to trample
aplacar to placate, quiet
aplaudir to applaud
aplauso applause
aplicación application
aplicar to apply; to impute; to judge
aplomo aplomb, self-possession
apocado meek, humble, pusillanimous
apocalíptico apocalyptical, of the Apocalypse (or Revelation)
apoderarse de to take possession of
aporrear to club
aposentar to lodge
aposento room

apostar (ue) to bet; ——se to risk

apostólico apostolic

apostrofar to apostrophize, address

apóstrofe apostrophe, salutation

apoyar to lean (on); to base one's assertions (on)

apoyo support, aid

apreciar to appreciate; to value; to become aware of

aprecio esteem; appreciation

apremiante pressing

apremio insistence

aprendiz apprentice

apresurar to hasten; ——se to hasten; —— el paso to quicken one's step

apretado tight, close

apretar (ie) to tighten; to press; to oppress; —— el paso to hasten one's step; ——se con to press against

apretón pressure; —— de manos handshake

apretura difficulty

apriesa swiftly

aprieto strait, trouble

aprisionar to imprison

aprobación approval; estar a la —— to be waiting for approval

aprobar (ue) to approve

aprovechado proficient

aprovechar to take advantage of; to profit by; ——se de to take advantage of

aproximar to bring near; ——se a to approach; ——se de to approach within

áptero wingless

apto capable, competent

apuesta bet, wager

apuesto graceful; elegant

apuntación note, jotting

apuntar to bet; to jot down; to point

apurar to drain, exhaust; to scrutinize; ——se to worry

apuro worry, trouble, difficulty

aquejar to grieve, afflict

aquese, -a arch. for ese, esa

aqueste, -a arch. for este, esta

aquesto arch. for esto

aquilón north wind

arábigo Arabic

araña spider

arañar to scratch

arar to plough

arbitrio will; means, expedient; discretion, judgment

arboleda grove

arborescente arborescent, tree-like

arbusto bush

arca chest, money box, coffer

arcabucear to shoot

arcángel archangel

arcano secret

arciprestazgo position of archpriest

arcipreste archpriest

arco arch; bow

archiduquesa archduchess

archipiélago archipelago

archipobre arch-poor

archivo archive, record

arder to burn

ardiente ardent, hot, burning

ardor heat; ardor; courage

ardoroso fiery, ardorous

arena sand

Argel Algiers

argentino silvery

argolla ring

argucia subtlety

argüir to argue; to show, reveal

argumento argument; summary

árido arid

arisco surly

arista chaff

Aristóteles Aristotle

aritmética arithmetic

arma arm, weapon

armada armada, fleet; expedition

armadura armor

armar to arm; to set up, establish, prepare; to begin; to wage

armario cupboard, wardrobe

armero arms' rack

armiño n. ermine; adj. of ermine

armonía harmony

armonioso harmonious

aroma perfume, scent, aroma

aromado perfumed

arpa harp

arquero archer

arrabal suburb, quarter

arraigado deep-rooted

arraigar to root, take root; ——se to take root

arramblar to sweep over, sweep away

arrancar to tear from, tear out, tear away; to pull out; to start

arranque sudden start; outburst, burst

arras wedding gift; gift

arrasar to tear down, demolish

arrastrado n. rascal, good-for-nothing

arrastrar to drag

arrayán myrtle

arre get up!

arrebañadura last bit

arrebatado sudden, impetuous

arrebatar to snatch away; ——se a to act hastily in

arrebato transport, fit

arrebol dawn

arreciar to become stronger; ——se to gather one's strength

arredrar to terrify

arreglado moderate; at a moderate price

arreglar to arrange; ——se to get along, make out, manage; to fix oneself up

arreglo arrangement; order, good management

arrellanar to settle comfortably, lean back

arremangado with sleeves rolled up

arremeter to attack; to launch forth

arremolinar to swirl; ——se to churn about

arreo dress, decoration; plu. trappings

arrepentimiento repentance

arrepentirse (ie) to repent

arriate border (in gardens)

arriba up; upstairs

arribar to arrive

arriero muleteer

arriesgar to risk

arrimado close

arrimar to approach, draw near, bring near; to stow; ——se to approach; ——se a to lean against, press against, support oneself on

arrimo shelter; prop

arroba weight of 25 pounds

arrobamiento ecstasy

arrodillado kneeling

arrodillamiento kneeling

arrodillarse to kneel
arrogancia bravery
arrogante arrogant
arrojado bold
arrojar to cast, throw, hurl; ——**se** to dash, rush
arrojo impulsiveness, dash, boldness
arrollar to roll over, crush
arroparse to bundle up
arropía taffy
arrostrar to face
arroyo brook; gutter
arroyuelo *dim. of* **arroyo**
arroz rice; rice dish
arrugar to wrinkle, crumple
arruinar to ruin
arrullador luller, comforter
arrullar to lull
arrullo cooing
arte art; sort, kind; trick; **con buen** —— cleverly; **por tal** —— in such a way; **de poco** —— of low degree; **por el** —— **de** of the style of, like
articular to join
artículo article
artífice craftsman
artificio craft; artifice, trick
arzobispal of the archbishop
arzobispo archbishop
arzón saddle-tree
as ace
asa handle
asador spit
asadura *plu.* insides, guts
asaltar to assault
asalto assault, attack
asar to roast
asaz sufficient(ly), quite
ascender (ie) to ascend; to reach, amount (to)
ascendiente ancestor; influence
ascensión climb, ascent
asceta hermit
ascético ascetic
asco nausea, repugnance; **poner** —— to cause nausea *or* repugnance; **tener** —— to be sickened, be repelled by
ascua glowing coal, ember; **estar en** ——**s** to be on pins and needles; **hecho** —— glowing
aseado neat
asechanza snare, stratagem
asediar to besiege
asegurar to assure, state
asenderado persecuted

asentar (ie) to seat; to fix, establish, set; to settle, calm; to take service
asentir (ie) to assent
aseo neatness
asequible attainable
asesinar to murder, assassinate
asesino assassin
asestar to aim; to shoot
asfixiante asphyxiating
así: —— ... **como** in the same way ... as; as much ... as
asiento seat, resting place; position; **hacer** —— to settle
asignación share; assignment
asignar to assign
asilo asylum
asimismo likewise
asir to seize; to cling
asistencia aid, care; service, work as a servant
asistenta servant
asistente assistant, helper
asistir to attend, be present (at); to take care of; to assist
asno ass
asociar to associate; ——**se a** to join in
asomar to appear; to show; to look out of; to look; ——**se** to peek out, look out
asombrar to startle, astonish; to take by surprise
asombro astonishment
asombroso amazing
asomo sign, indication, trace, bit
aspaviento fuss, emotional demonstration
aspereza roughness; asperity; *plu.* rough terrain
áspero rough
aspiración aspiration, desire, objective
aspirante *n.* aspirant, candidate; *adj.* aspiring
aspirar to aspire
asqueroso repugnant
asta shaft (of lance)
astil shaft (of lance)
astilla splinter; kindling
astillero rack
astro star; *fig.* destiny
astrología astrology
astucia astuteness, cunning
astuto astute, cunning

asunto subject; affair
asurar to burn
asustar to startle, frighten
atacar to attack
atadijo bundle
atajar to cut off
atapar *arch.* to cover
atar to tie, fasten, bind; **loco de** —— stark mad
ataúd coffin
atavío gear, finery, adornment
atemorizar to frighten
atenacear to tear off the flesh with pincers
atenazar *same as* **atenacear**
atención attention; *plu.* affairs, obligations
atender (ie) to pay attention; to take care of; to expect; ——**se a** to take account of, take into consideration
atenerse a to abide by, adhere to; to depend on
atentado attack
atento attentive, heedful
atenuación attenuation; moderation
atenuar to attenuate, diminish
aterrador terrifying
aterrar (ie) to cast down
aterrar to terrify
atesorar to treasure up, hold
atestado crowded, full of
atestar (ie) to stuff, fill up
atestiguar to bear witness to, testify
ático classic; high-toned
atinado sensible
atinar to succeed in; to guess (correctly), divine; —— **con** to hit on
atizar to poke, stir; —— **friegas** to massage vigorously
atolondramiento recklessness, forwardness
átomo atom
atónito astonished
atontado stupefied
atormentador tormenter, torturer
atormentar to torment
atortolado intimidated
atosigar to poison
atracar to bring near, approach; to stuff
atractivo *n.* attraction
atraer to attract

atrancar to bar, bolt
atrapar to catch, get
atraso *plu.* arrears
atravesar (ie) to cross; to pierce; ——se to change hands
atreverse to dare
atrevido bold, daring, insolent
atrevimiento daring
atribuir to attribute
atribular to grieve, afflict; ——se to become despondent
atrocidad atrocity; unjust act
atropellar to crush; to trample; to push (through)
atropello outrage
atroz atrocious, frightful
atufar to anger
aturdido upset, befuddled, stunned
aturdimiento befuddlement, perturbation
aturdir to upset, confuse
aturrullar to bewilder, daze
atusar to smooth
audacia audacity
audaz audacious
audiencia: dar —— to receive (official visitors)
augurar to augur, betoken
augurio augury
augusto august
aullido howl
aumentar to augment
aumento increase; **ir en** —— to increase
aura breeze
aurora dawn
ausencia absence
ausente absent
austeridad austerity, puritanical living
austero austere
auxiliar to aid; *n.* helper; *adj.* auxiliary
auxilio aid
avanzar to advance
avariento avaricious, greedy
avasallar to subject, dominate
ave bird
avecinado settled
avecinarse to draw near
avellana hazelnut
avellanado withered, wrinkled
avellano hazelnut tree
avemaría Hail Mary

avenir to reconcile; ——se to agree; to put up with
aventajado superior, great, superb; gifted, charming
aventajarse to excel; to have the advantage
aventura adventure; **por** —— peradventure, perchance
aventurero *n.* adventurer; knight errant; *adj.* adventuresome
avergonzar (üe) to shame; ——se de to be ashamed of
avería damage
averiguación inquiry
averiguado well-known
averiguar to find out
avestruz ostrich
avezado accustomed
ávido avid, eager
avinagrado sour
avío preparation; care; *plu.* utensils, things necessary; **al** —— let's get started
avisar to give notice, inform, advise; to take counsel
aviso notice, warning; information; advice; care, watchfulness
avivar to sharpen; to enliven, quicken; to inflame; ——se to rally one's forces
ay oh!, ah!; —— **de mí** woe is me!
ayuda aid, help; **para** —— **de** to help toward
ayudante aide, assistant
ayunar to fast; to do without
ayuno fast, fasting
ayuntamiento city council
azacán water-carrier; *fig.* one who works very hard, slave
azafrán saffron
azahar orange blossom
azar hazard, chance
azaroso hazardous
azófar brass
azor falcon, hawk
azorado confused, nervous
azotar to whip, lash
azote whip, scourge; blow; *plu.* whipping
azotea flat roof
azúcar sugar
azucarillo stick of honeycombed sugar for sweetening drinks
azufre sulphur

azur azure
azuzar to urge on

B

babilonia disorder, confusion
bacalao codfish
bacía basin
bachiller bachelor (of arts, etc.); chatterbox
bachillerato undergraduate work
bailar to dance
bailarín dancer
baile dance
bajel vessel (*poetic word*)
bajeza baseness
bajo low; **por lo** —— in a low tone
bajón lessening; fall; backward step
bajura lowland
bala bullet
baladí ordinary, common
balar to bleat
balazo bullet wound
balbuciente stammering
balcón balcony; window
baldado lame
balde: en —— in vain, fruitlessly; **de** —— free, gratis
baldosín tile
balsa pool
bálsamo balsam, ointment, salve
baluarte bulwark
ballesta crossbow
bambolearse to sway, wobble
banal banal
banca bank
banco bench
banda scarf; side; **por** —— on each side
bandeja tray
bandera flag, banner
bandolera game bag
bandolero highwayman
banquero banker
banquillo *dim. of* **banco**
baraja pack of cards
barandilla railing
baratija trifle
baratura cheapness, low cost
barba beard; chin; **hacer la** —— to shave
barbado bearded
barbaridad barbarity; nonsense

bárbaro n. barbarian; adj.
barbarous
barbero barber
barbudo bearded
barca small boat
barco ship, boat
bardal thicket of brambles
barniz polish
barnizado glossy
barón baron
baroncita dim. of barona
baroness
barquilla basket (of balloon)
barra bar; weight; —— de
nariz bridge of nose; sin
daño de ——s without in-
jury or danger
Barrabás thief who was
saved from crucifixion instead of Christ
barraca hut, cabin
barranco ravine
barrer to sweep
barrera barrier, wall; forti-
fication
barriga belly
barrio quarter (of town)
barrizal mire; mudhole
barro clay
barrote heavy bar
barrunto conjecture
barullo commotion, confu-
sion
bastar to be enough, be
sufficient
bastardo illegitimate
bastidor wing (of stage setting)
bastón cane
basura refuse
bata robe, dressing gown,
negligée
batallar to battle, struggle
batallón battalion
batanear to beat
batir to beat; —— se to fight
batueco fool
baúl trunk
bautismo baptism
bautizo baptism
bayoneta bayonet
bazofia refuse, slops
beata woman who frequents
the churches; hypocrite
bebé baby
bebedizo potion, philter
bebida drink
becerro calf
beldad beauty
bellaco rogue
bellota acorn

bendición blessing, benedic-
tion
bendito blessed; agua bendita holy water
beneficio benefit, blessing;
profit
benéfico beneficent, generous
benemérito worthy, meri-
torious
benevolencia benevolence,
kindness
benévolo benevolent
benigno benign
benino poetic for benigno
benjuí benzoin
bergantín n. brigantine; adj.
brigantine-rigged
bermejo reddish
bermellón vermilion
berrear to bellow
berrendo spotted
berrido bellow, shout
berruga for verruga wart
berza cabbage
bestia animal
bíblico Biblical
bicicleta bicycle
bicho bug; creature
bien n. good; happiness; plu.
wealth, treasure, blessings;
con —— safely; hombre de
—— worthy man; Sumo
Bien supreme good, God;
adv. quite, very; indeed; no
—— hardly, scarcely, as
soon as
bienaventurado n. fortu-
nate person; adj. fortunate,
blessed
bienaventuranza blessed-
ness, glory
bien-compuesto orderly
bienestar well-being
bienhacer charity, good
deeds
bienhechor benefactor
bigardón loafer
bigote mustache
billete ticket; banknote, bill;
note
binar to cultivate for the
second time
bisabuelo great grandfather
bisoño tenderfoot
bizarría splendor; gener-
osity
bizarro gallant; generous
bizcar to squint
bizcocho lady finger; sponge
cake

blanca a copper coin, farthing
blanco adj. white; n. target,
mark; poner los ojos en
—— to show the whites of
one's eyes
blancura whiteness
blandengue wishy-washy
person
blando soft; gentle
blandura softness; blandish-
ment
blanquecino whitish
blasfemar to blaspheme
blasfemia blasphemy
bobada silly notion, foolishness
bobo fool
bocado mouthful; bite; delicacy
boceto sketch
bochornoso humiliating
boda or bodas marriage
bodega cellar
bodegón wine cellar
bofetada blow, slap
bola ball
bolita dim. of bola
bolsa stock exchange; purse
bolsilla purse
bolsillo pocket; purse
bombonera candy box
bonanza calm
bondad goodness, kindness
bonete hat
bonitamente neatly
bonito pretty
borbollón: a ——es in gushes
bordadura embroidery
bordar to embroider
borde edge, border; al ——
de at the edge of
bordón staff (of pilgrim)
borracho drunk
borrador rough draft
borrar to erase
borrasca squall
borrascoso squally, stormy
borrico, -a donkey
borrón blot, stain
boscaje grove
bosque woods, forest
bostezar to yawn
bota shoe, boot; wineskin
botarate blustering fellow
bote bound; bucking; jar
botecillo dim. of bote
botella bottle
botica drugstore
boticario apothecary, drug-
gist

botín boot
botina *dim. of* bota
botón button
bóveda dome
bozo down
bramar to bellow
bramido bellow, roar
brasero brazier, heater
bravío wild
bravo *n.* bully; *adj.* wild; fine
bravura bravery
braza fathom
brazo arm; *arch.* sword arm
brea pitch
bregar to work hard, struggle
breve brief, short
brevedad brevity; speed
breviario breviary, prayer book
brial *arch.* silk skirt
brida bridle
brillante diamond
brillar to shine
brillo brilliance, lustre; renown
brincar to jump, jump up and down (for joy); to bounce
brinco jump; hopping
brindar to toast, drink a toast; to offer; —— con to treat with; to offer
brío spirit, dash; animation, life
brioso spirited
brisa breeze
brisca a card game; —— cruzada a card game
brizna sprig, blade; bit
brocado brocade
brocal curb (of well)
broche brooch
broma joke, jokingly; en —— as a joke, jokingly
bromista joking
bromuro bromide
bronce bronze
bronceado bronzed
brotar to spring forth, bud
bruja witch
brujo wizard
brújula compass
bruma mist
bruñir to polish, give lustre to
brusco *n.* kneeholly; *adj.* brusque
buba pustule
bucle curl
buenaventura fortune

buey ox
bufete desk
bufón court fool
bufonesco comical, clownish
buho owl
buhonero peddler
buitre vulture
bula bull, indulgence
bulto bundle; form, bulk
bulla noise, bustle; meter —— to make a lot of noise
bullicio noise, stir, hubbub, bustle
bullicioso noisy; spirited, animated
bullirse to stir, move
buñolería cruller stand
buñolero selling crullers
buñuelo cruller
buque boat
burla joke, trick, mockery; de ——s jokingly
burlador trickster, libertine
burlar to mock, deceive; to evade; ——se to joke, mock, make light of
burleta joke
burlón *n.* banterer, mocker; *adj.* mocking, bantering
burra ass, donkey
burro ass, donkey; —— ciego a card game; —— con vista a card game
busca search
buscón cheat
busto bust
butaca armchair

C

ca *arch.* for
cabal perfect, precise(ly); estar en sus ——es to be in one's right mind
cabalgadura mount
cabalgar to ride (horseback); to mount
cabalgata cavalcade
caballeresco chivalrous; equestrian
caballería cavalry; cavalcade; chivalry; mount
caballeriza stable
caballero gentleman; knight
caballista horseman, expert on horses
caballo horse; queen (in cards)
caballote *aug. of* caballo
cabe next to

cabecera head of bed; pillow
cabellera hair
caber to be contained in; to fit; to be possible; to be natural; to fall to one's lot; to belong
cabestro halter
cabeza head; mala —— uncontrolled person, 'bad actor'
cabezudo big-headed
cabida acceptance; influence
cable cable
cabo end; l'envoi; a —— de at the end of; at the edge of; al —— finally; in short; dar —— to bring to an end
cabra goat
cabrerizo goatherd
cabrilla kid
cabrón goat
cacería hunting party
cacerola pan, casserole
cacicato position of political boss
cacique political boss
cachivache worthless utensil, junk
cadalso scaffold, gallows
cadáver corpse
cadavérico death-like
cadena chain
cadete youngster
caduco perishable, frail; old, worn-out
caer to fall; dejar —— to drop; to bring down; ya caigo I see, I catch on
cafetera coffee pot
caída fall
caja box
cajón drawer, money drawer
cajoncito *dim. of* cajón
cal whitewash
calabaza pumpkin; dar ——s to refuse; llevar ——s to be refused
calabazada knock (with the head against something)
calabozo dungeon, prison cell
calamar squid, ink fish; ——es en su tinta squid prepared in a sauce made of the black fluid they contain
calamidad calamity
calamitoso calamitous
calandria lark
calar to pierce, run through

calavera *n.* skull; wild fellow; *adj.* wanton, loose-living

calcular to calculate; to be scheming in

calculista calculating

cálculo calculation; scheming; plan

caldera caldron, kettle

caldero kettle

caldo broth

calentar (ie) to heat, warm; to animate; —— la cabeza to excite

calentura fever

calenturiento feverish

caletre mind

calidad nature; rank; quality

calificación qualification

calificar to qualify, classify

cáliz chalice, cup

calmar to calm; ——se to calm oneself

calumniar to slander

caluroso hot

calvo bald, hairless

calzado shoe; footwear

calzar to shoe; to wear (shoes); to put on (shoes)

calzas breeches

calzones breeches, trousers

callado silent

callar to be silent; tan callando so silently

calleja narrow street

callejero street

callejón narrow street

cama bed; —— imperial expensive coffin

cámara bedchamber

camarada comrade

camarero valet, steward

camareta *dim. of* cámara

camarilla bedchamber

camarín boudoir

cambio change; exchange; a —— de in exchange for; en —— on the other hand

camilla stretcher; cot

caminante traveler

caminar to walk; to go; to travel

caminata traveling

camino road, path; —— real highway; de —— in passing; in traveling costume; ready for traveling

camisa shirt; chemise

camisola fancy shirt

camorra quarrel

campamento camp

campana bell

campanada stroke of a bell

campanario bell tower

campanilla *dim. of* campana

campanillazo ringing (of bell)

campanudo bell-like; pompous

campaña campaign

campeador *arch.* surpassing in bravery, champion

campeón champion

campesino, -a country man or woman

campestre country, rural

campiña countryside

campo country; field

can dog

cana white hair

canalla rabble; cur, vile person

cananea *Sancho's mistake for* hacanea Canaanite

canario canary (bird)

cancela iron grating at entrance of patio

cancillería chancelry

cancionero book of poetry, anthology

candado padlock

candela light; candle

candelero candelabrum, candlestick

candente incandescent

cándido candid, pure; simple

candil lamp

candilón *aug. of* candil

candiotera wine cellar

candor candor

candoroso filled with candor, simple, unaffected

cangilón pitcher, jar

cano white-haired, gray-haired

canónico canonical; canon

canónigo canon, priest attached to a cathedral

cansancio weariness

cantábrico Cantabrian; mar —— Bay of Biscay

cantador singer

cantar *n.* lay, song

cántaro jug, pitcher

cante jondo Gypsy music

cántico song, chant

cantidad quantity

cantiga song, lay

canto singing

cantor *n.* singer; *adj.* singing

canuto tubular case

caña pointer; cane; wicker; pole

cañada ravine

cañizo wicker frame

cañón cannon; bristle

cañonazo cannon shot

caoba mahogany

caos chaos

capa cape

capacete helmet

capacidad capacity

capataz foreman

capaz capable

capellán chaplain

capilla chapel

capital *n. masc.* capital (funds); *n. fem.* capital city; large city

capitán captain

capitanear to captain

capítulo chapter

capote large cape

capricho caprice, whim; a —— capriciously

caprichoso capricious

capucha hood

capuz cloak

caracol snail; curl (of hair)

caracolear to cavort

caracterizar to characterize

caramba the dickens!

carasol solarium, sun porch

carbón coal; charcoal

carbunclo precious stone; ruby

carcajada burst of laughter

cárcel prison, jail

carcomido worm-eaten, rotten

cardenal cardinal; bruise, welt

cardo thistle

carecer de to lack

carencia lack

carga burden, load; cargo

cargado loaded, laden; estar —— de to have one's fill of, be sick of

cargar to load; to carry; to charge; to run off with; ——se to become peeved; —— sobre to be resting on

cargo charge; job, task; hacer —— a to blame, incriminate; llevar (a) —— to have in charge; tener a —— to be in charge

caricia caress

caridad charity

Cariñena a kind of wine

cariño affection

cariñoso affectionate

carirredondo round-faced

caritativo charitable
carmelita Carmelite
carmín carmine
carminoso reddish
carnal blood (relation)
carnero sheep; mutton
carnicería butcher shop
carnívoro carnivorous
carnoso fleshy
caro dear
carrasca swamp oak
carrera run, dash; career; course; profession; way, road; seguir —— to study for a profession
carreta wagon, cart
carretada cartload
carretero cart driver
carricoche carriage; wagon
carrillo cheek
carro cart; chariot; —— fúnebre hearse
carroza carriage
carta letter; playing card
cartel chart, placard
cartelón aug. of cartel
cartera card case, billfold
cartón cardboard
casada married woman
casamiento marriage
casar to marry (off); ——se con to marry
cascada waterfall
casco plu. brains, mind
casería farmhouse
caserío farmhouse, farm buildings; group of houses
casero n. landlord; adj. domestic
caserón aug. of casa
caseta hut
casilla keeper's lodge
casino casino, club; dance hall
caso case; situation; condition; event; hacer —— to pay attention
casorio marriage
caspa dandruff
casta race, breed
castaña pug (of hair)
castañetear to chatter
castaño n. chestnut tree; adj. chestnut-colored
castañuela castanet
casticismo the quality of being purely Spanish, without foreign influences or modern innovations
castigar to punish; to instruct, teach

castigo punishment
castillo castle
casto chaste
casual casual; accidental
casualidad chance
casuco hut; den, dive
cataclismo upheaval
catalejo spy-glass
catar to look at, see
catarata cataract
catástrofe catastrophe
catecúmeno catechumen, neophyte
cátedra professor's chair; lecture hall
catedral cathedral
catedrático professor
categoría class, category
categórico categorical, precise
caterva swarm
catre cot
cauce channel, watercourse, bed (of stream)
caudal n. wealth, funds, fortune; adj. having much water, great (of rivers)
causa cause; lawsuit, case
causador, -a causer
cautela caution; precaution
cautivar to captivate, capture
cautivo, -a n. and adj. captive; arch. wretched
cavar to dig
caverna cave, cavern
cavilación thought; worry
cavilar to ponder, think over carefully
cayado staff
caza hunt
cazador hunter
cazar to hunt
cazuelo pot
cebada barley
cebar to stuff
cebra zebra
ceder to give in to, yield
cedro cedar
cédula document; —— con recargo document with surcharge
céfiro zephyr
cegado blinded; deafened
cegar (ie) to blind; to become blind
ceguedad blindness
ceguera blindness
ceja eyebrow
celada helmet; —— de encaje helmet with neckpiece

celaje skyscape, cloud effect; bright cloud
celar to be jealous
celda cell
celebérrimo super. of célebre
celebrado famous
celebral arch. adj. brain
celebrar to celebrate; to honor, praise, applaud
célebre famous
celebridad fame
celemín peck; basket or measure containing a peck
celeste celestial, heavenly
celestial celestial
celillos dim. of celos
celo zeal; jealousy; plu. jealousy
celosía Venetian blind
celoso jealous; zealous
cementerio cemetery
cenador outdoor dining room
cenagoso muddy
cenar to sup, have supper; —— fuerte to dine and wine well
cencerrada tin-pan serenade
cencerreo noise of cowbell
cencerro mule bell, cowbell
cendal gauze
ceniza ash, ashes
censura censure, blame
censurar to censure
centauro centaur
centella spark; lightning bolt
centellear to sparkle
centén an old Spanish coin worth about twenty-five pesetas
centenar one hundred
centeno rye
céntimo one hundredth of a peseta
centinela sentinel
céntrico central
centro center; fuera de mi —— outside my orbit
ceñido tight-fitting
ceñidor belt
ceñir (i) to gird on; to encircle
ceño frown
cepa stump; strain, species
cepillo brush
cepo plu. stocks (for prisoners)
cera wax; candles
cerca n. hedge, fence; city wall
cercanía plu. nearby regions
cercano near

cercar to surround; to besiege
cercenar to cut through
cerco hedge; siege
cerda bristle
cerdear to refuse to do something
cerdo pig, hog
cerebro brain, mind
ceremonioso ceremonious
cerradura lock
cerrar (ie) to close; to seal
cerro hill
cerrojo bolt
certero sure
certidumbre certitude
certificar to certify; to assure
certísimo *super. of* cierto
cerveza beer
cerviz neck
cesar to cease
césped sod
cesta basket
cesto basket
cetrino yellowish, lemon-colored
cetro scepter
cicatrizar to heal
ciclista bicyclist
ciclón cyclone
ciego blind; a ciegas gropingly
cielo sky; heaven
ciencia science, knowledge
cieno mud
científico scientific
cierto certain, true; de —— certainly, for sure; por —— indeed
ciervo stag
cierzo north wind
cifra figure
cifrado in resumé, summed up
cigarra locust, cicada fly
cigüeña stork
cilicio hair shirt
cima peak, top; dar —— to bring to a happy conclusion; por —— de above
cimbel decoy
cimbreante vibrating
cimera plumes (on helmet), crest
cincha cinch
cinchar to cinch up
cinismo cynicism
cinta ribbon; belt
cinto belt
cintura waist

cinturón belt
ciprés cypress
circular to circulate
círculo circle
circundar to surround
cirujano surgeon
cisne swan
cita rendez-vous, appointment, meeting
citar to cite, mention, mention by name; to quote
cítara zither
ciudadano *n.* citizen, townsman; *adj.* of the city
clamar to cry, exclaim
clamor noise
claridad clarity; brilliance, (strong) light, brightness
clarificar to clarify; to purify
claro *n.* opening; *adj.* clear, bright; light-colored; famous; de —— en —— from dusk to dawn
clásico classic; classicist, partisan of the classic point of view
claustro cloister
clavar to nail, fix, fix firmly (to a spot), stick (to)
clave clavichord
clavicordio clavichord
clavija peg
clavo nail
clemencia clemency, mercy
clerical priestly
clérigo clergyman; theological student; student
clero clergy
cliente client; patron; patient
clima climate; region
coadjutor coadjutor, assistant
cobarde coward
cobardía cowardice
cobardón *aug. of* cobarde
cobertura cover
cobrador collector; bank messenger
cobrar to collect; to acquire; to recover
cobrir *arch. for* cubrir
cobro shelter, safe place
cocer (ue) to boil, cook
cocido stew
cocina kitchen; cooking; —— económica stove
cocinera cook
coco bogeyman
coche carriage, coach, chariot

cochera carriage shed
cochero coachman
códice manuscript
codicia avarice, greed
codiciar to covet, desire
codicioso greedy; eager
código code of laws, law book
codo elbow
codorniz quail
cofre coffer
coger to catch, seize; to gather
cogida attack (of bull); —— de coche accident caused by a carriage
cogote back of the neck
cohecho bribery
cohete skyrocket; —— tronador explosive skyrocket
cojín cushion
cojo lame
cola tail
colada wash
colcha bedspread
colchón mattress, pad
colegial student
colegio secondary school
colegir (i) to deduce; to select
cólera wrath
colérico angry, wrathful, irascible
colgajo hanging article, pendant
colgar (ue) to hang
colmar to heap, fill to overflowing; to come to a climax; to overwhelm
colmena beehive
colocación position, job
colocar to place
colodrillo nape of neck
coloquio colloquy, conversation
color color; appearance
colorado red
colorar to color
coloso colossus
columbrar to make out
columna column, pillar
coluna *arch. for* columna
collada (mountain) pass
collar collar
comarca region, district
comarcano neighboring
combate fight, duel, struggle
combatido battered
combatiente combatant, adversary
combatir to combat, fight

comedido polite, courteous
comedimiento civility, politeness; polite expression
comedirse (i) to be kind enough, be obliging
comentar to comment on
comentario commentary
comerciante merchant, storekeeper
comerciar en to deal in
comercio store; business
cometa comet
cometer to commit; to attempt
cómico comical, ridiculous
comido fed
comienzo beginning
comisario agent
comisión commission, order
comistrajo mess, hodgepodge
comitiva company; committee
cómoda commode, bureau
comodidad comfort; opportunity
cómodo comfortable; suitable
como que as if
como quiera que as
como quier que *arch.* although
compadecer to pity
compadecido de pitying, filled with compassion for
compadre crony
compaginar to bring into harmony; to unite
compañero, -a companion; pal
comparación comparison
comparsa group
compartir to share
compás rhythm, time; compass; **a —** in rhythm, rhythmically
compasión compassion, pity
compasivo compassionate
compatriota fellow citizen
compendio summary, compendium
compenetrarse to mingle
compensar to compensate
competencia competition
competente adequate
competir (i) to compete
complacencia complacency; pleasure
complacer to please; **—se en** to get pleasure by, enjoy oneself in
complejo complex

complemento complement
completo: por — completely
complexión build, stature
complicado complicated
cómplice accomplice, one who shares guilt
componer to compose; to arrange, settle; to mend, fix; to prepare; to strengthen; **—se** to fix oneself up; to get one's hopes up
comportarse to bear oneself
compostura modesty; composure, sedateness; structure
compra purchase
comprador buyer, shopper
comprometer to compromise; to jeopardize; **—se** to be obligated
compromiso compromise; promise; engagement; predicament
compuesto well-arranged
compungido afflicted
común common; **por lo —** commonly
comunero member of party which upheld civic liberties against Charles V
comunicar to communicate; to instill in
comunidad community
conato attempt
concatenación concatenation, linking
concebir (i) to conceive
conceder to concede, grant
concejil public; **prado —** common
concepción conception
concepto concept; conceit, cleverly phrased thought
conceptuar to consider
concertar (ie) to arrange; to agree; to bring into harmony; **—se** to be joined; to harmonize; to make an agreement
conceto *arch. for* **concepto**
conciencia conscience; consciousness
concierto concert; plan; concord, agreement
concluir to conclude, finish; **—se** to come to an end
concordar (ue) to agree
concorde concordant, harmonious
concordia agreement

concurrido crowded
concurrir to attend, frequent; to come together; to be in conjunction
concurso company, crowd; contest; aid, help
concha shell
conde count
condenación punishment; condemnation
condenar to condemn; to damn
condición condition, quality, nature, character; rank, state, station
condigno worthy
condolecerse to condole
conducción transportation; leading
conducir to lead; to carry
conducta conduct
conducto conduit; **por — de** through
condumio fare
conejo rabbit; **— de campo** wild rabbit
confección confection, concoction
confeccionar to cook up, prepare
conferir (ie) to confide
confesar (ie) to confess
confesión confession
confesionario confessional
confesor confessor
confianza confidence, intimacy, trust
confiar to trust; to entrust, confide
confidenta confident
confín end, limit
confirmación confirmation
confirmar to confirm
confite preserves
conflicto conflict
conformación conformation, shape, figure
conformar to conform; **—se con** to resign oneself to; to conform oneself with
conforme corresponding, accordant, in conformity; **— con** in agreement with; in favor of
conformidad conformity
confortar to comfort
confundir to confound, abash; to mingle
confuso confused, puzzled; jumbled

congeniar to be congenial

congestionar to congest; ——se to become flushed

congoja anguish; fainting spell

congojarse to be afflicted

congrio conger eel

conjetura conjecture

conjeturar to conjecture

conjunto whole, ensemble

conjurar to conjure, entreat, implore; to conspire

conjuro entreaty; incantation; charm

conmoción trembling; mental disturbance; shock

conmover (ue) to move, stir; ——se to become excited; to be moved

conocer to know; to recognize

conocido acquaintance

conocimiento knowledge, consciousness, senses; understanding; acquaintance

conque so that

conquista conquest

conquistar to conquer, win

consabido aforementioned

consagrar to consecrate; to devote

consecuencia consequence

conseguir (i) to obtain, attain; to succeed in

conseja tale, yarn

consejar *arch. for* aconsejar

consejero adviser, counsellor

consejo council; advice, counsel; consultation; opinion; —— de guerra court martial

consentimiento consent

consentir (ie) to consent, permit

conservación preservation, upkeep

conservar to keep

consideración consideration; thought, meditation; deduction; **tener —— con** to show consideration for

considerado esteemed, respected

considerar to consider; to think

consignar to consign; to state in writing

**consiguiente: por —— consequently

consistencia substance

consistir to consist; —— en to consist of

consolador consoling

consolar (ue) to console

consolatorio consoling

consonancia harmony

consorcio union

constancia constancy, steadiness

constante constant

constar to be a fact, be evident; to consist; to be stated

consternación consternation

consternado overcome with consternation, horrified

consternarse to be consternated

constituir to constitute, establish

constitutivo constitutional

consuelo consolation

consulta consultation

consumar to consummate

consumir to consume, burn out, use up

consurrección revival, revivification

contabilidad bookkeeping

contado counted, limited in number, rare; **ser para —— to be fit to be told

contador money cabinet

contadorcillo *dim. of* **contador**

contagio contagion

contagioso contagious

contaminar to contaminate, infect

contar (ue): —— con to count on

contemplar to contemplate

contemplativo contemplative

contender (ie) to contend, dispute

contener (ie) to contain; to restrain; ——se to restrain oneself

contenido contents

contentamiento contentment

contentar to content

contento *n.* happiness, joy, contentment; *adj.* happy

contienda quarrel, dispute

contiguo adjoining

continente *n.* mien, bearing; continent; *adj.* abstemious

continuación constant succession

continuo continuous; **de —— constantly

contorno region; contour, outline, figure

contorsión contortion

**contra: en —— mía against me

contrabando contraband, smuggled goods

contradanza quadrille

contradecir to contradict

contradictorio contradictory

contraer to contract

contrahecho disfigured

contraminar to countermine; to get the better of

contrariado vexed

contrariar to contradict; to thwart; to offend

contrario *n.* opponent, adversary; *arch.* adverse fortune, harm; *adj.* contrary, opposite; adverse; opposed; **al —— on the other hand, on the contrary, quite the contrary

contraste contrast

contratiempo mishap

contravenir to go against

contribuir to contribute

contrito contrite

conturbar to disturb

contusión bruise, contusion

convaleciente convalescent

convencer to convince

convenible fitting

conveniente fitting

convenio agreement

convenir to agree; to suit; ——se en to agree on

convento monastery; convent

conversar to converse

conversión conversion, change

convertir (ie) to change, convert, turn

convexo convex

convidar to invite

convite invitation; party

convocar to call, convoke

convulso convulsed, convulsive

conyugal conjugal, of marriage

coordinar to coordinate

copa goblet, glass; treetop; *plu.* clubs (in cards)

copar to bet a sum equal to what there is in the bank (in gambling games)

copete forelock; vanity

copia copy

copiar to copy

copioso copious

copla stanza; verse; song
copo tuft
coqueta coquette
coquetear to flirt
coquetería coquetry, flirtation
coracha leather bag
coraje anger
coral coral
coraza breastplate, armor
corazón heart; courage
corbata necktie
corcel steed
corcovo caper
corchete policeman
cordel cord, string
cordelejo: dar —— to jest
cordelería shop where rope is made or sold
cordero lamb
cordillera mountain range
cordobés Cordovan, from Córdoba
cordón cord, ribbon, narrow sash
cordonera rope maker's wife
cordura good sense, sanity
corear to form a chorus; to chime in with
cornada blow, wound (with horn)
corneja raven, crow
cornisa cornice, ledge
coro chorus, choir; **de ——** by heart
corona crown
coronar to crown
coronel colonel
coronela wife of colonel
corporal corporal, bodily
corpulento thick, large
corral corral, barnyard, yard
corralera a type of folk-song
corralón aug. of **corral**
corredor n. corridor; solicitor; adj. fast-running
corregir (i) to correct
correo mail; courier
correonazo blow with leather strap
correría excursion
correrse to become ashamed; to spread oneself
correspondencia reciprocation
corresponder to correspond; to pertain (to), belong (to); to love in return
correspondiente corresponding; fitting

corrida run; —— **de toros** bullfight
corridica dim. of **corrida**
corrido ashamed
corriente n. and adj. current; adj. running
corro group
corroído crumbled, weather-beaten
corromper to corrupt
corrompido corrupt, imperfect
corrupto decayed
corsario corsair, pirate
corsé-faja girdle
cortado confused, abashed; fashioned
cortar to cut, cut off
corte court, capital; plu. parliament
cortecilla little slice
cortejo cortège, suite
cortés courteous, polite
cortesanía courtesy
cortesano courtly, courteous; citified, stylish
cortesía courtesy
corteza bark; covering
cortijo farm
cortina curtain
corto short, brusque; **pecar de —— to** sin through omission
corveta caper, bound
corzo deer
cosa de que possible that
cosaria hang-out
coscorrón bump (on the head)
cosecha harvest
coser to sew
cosmético cosmetic
cosquillas tickling; teasing, joking; misgivings
costa cost; coast; **a toda ——** at all costs
costado side
costal sack
costanilla steep street
costear to pay for, stand the expense of
costilla rib
costoso costly
costumbre custom; **de ——** usual
costumbrista pertaining to local customs
costura sewing; seam
costurón scab
cotorra magpie; kind of parrot

coyuntura joint; opportune moment
coz kick
creador n. creator; adj. creative
crear to create
crecer to grow, grow up
creces: con —— abundantly
crecido lofty; full
crédito credit, credence
credo credo; moment
credulidad belief
creencia belief
crepúsculo dim light, twilight
cretense Cretan
cría offspring; colt
criado, -a servant; arch. masc. ward
criar to bring up, raise, rear; to cause to grow; ——**se** to grow
criatura creature; child, baby
cribar to sieve
cribo sieve
crimen crime
crinado like a mane, long (of hair)
crisma pate, crown
cristal window pane; glass; crystal
cristalino crystalline, clear
criterio criterion, judgment
crítica criticism
criticar to criticize
crónica chronicle
crónico chronic
crucificar to crucify; to torment
crucifijo crucifix
crudo raw, uncooked; crude, rough
crujir to creak, squeak; to clash
cruzada crusade
cruzar to cross; to fold; —— **la cara a uno** to strike one in the face
cuadra stable; ward
cuadrado square
cuadrante point of compass
cuadrar to suit
cuadrilla band
cuadro picture; bed (of garden); —— **de costumbres** descriptive essay on everyday life
cuádruple quadruple
cuajado n. meat pie; adj. congealed, coagulated
cual prep. like

cualidad quality

cuando when; *arch.* even if; —— más at the most

cuantioso large, vast, copious

cuanto: —— antes as soon as possible; en —— as soon as

cuarentena about forty (of anything); forty days; quarantine

cuaresma Lent

cuartel barracks; quarter (of escutcheon); square; general general headquarters

cuarterón panel

cuartilla sheet (of paper)

cuarto room; apartment; a small coin (less than a cent); quarter; *plu.* money; ——s traseros hind quarters

cuartucho wretched room *or* apartment

cuasi almost

cubierta cover; envelope

cubierto table silver

cuchara spoon

cucharón *aug. of* cuchara

cuchicheo whispering

cuchilla knife

cuchillada blow (with knife or sword)

cuchillo knife; —— de monte hunting knife

cuchufleta jest

cudicia *arch. for* codicia

cuello neck; collar

cuenca valley, hollow

cuenta account, reckoning; bead; a buena —— on account; caer en la —— to realize; darse —— de to realize; hacer —— to make believe, take for granted; más de la —— more than proper; tener —— to keep account; vamos a ——s let's get down to brass tacks

cuento tale, short story; sin —— innumerable

cuerda cord, rope

cuerdo wise, sane, discreet

cuero skin; leather

cuerpo body, form; person

cuervo crow

cuesta hill; a ——s on one's back; burdened

cuestión question; argument

cueva cave; —— de ladrones nest of thieves

cuévano large deep basket

cuidado care, worry; delicate health; love affair, love; de —— serious; perder —— not to worry

cuidadoso careful

cuidar to care for, take care of; to think

cuita care, trouble

cuitado wretched, unfortunate

culebrear to wind

culpa fault, blame

culpable guilty, blameworthy

culpado blamed, guilty

culpar to blame

culto *n.* cult; *adj.* cultured

cumbre mountain top, peak

cumplido fulfilled, passed; full, complete; large

cumplimiento compliment

cumplir to fulfill, carry out, attain; to be fitting, necessary *or* important; —— (veinte) años to reach the age of (twenty); —— con to carry out

cúmulo mass, lot, series

cuna cradle; source

cundir to spread; to grow

cuñada sister-in-law

cuñado brother-in-law

Cupido Cupid

cupiera *third person singular imperfect subjunctive of* caber

cupo *third person singular preterit of* caber

cura cure; convalescence; priest

curango priest

curar to care; to cure; ——se to care; —— de to care about; to take care of

curiosidad curiosity

curita *dim. of* cura

cursar to take a course in, study

curso course

curtido experienced

curva curve

cúspide point, peak

custodia custody; monstrance

custodiar to care for, look after

CH

chabacano rude, rough

chacota noisy mirth

cháchara chit-chat

chaleco vest

champaña champagne

chamuscar to scorch, singe

chancear to joke; ——se to joke

chanza joke; ni de —— not even in jest

chanzoneta joke

chapa sheet metal

chapear to veneer

chapín slipper

chaquetón jacket

charada puzzle

charco puddle

charlar to chat; to chatter

charlatán humbug, fake

charretera epaulet

chasqueado tricked, deceived

chato pug-nosed

chiar to squeak, chirp

chico *n.* child; *adj.* small, little

chillar to shriek, shout

chillido shriek

chillón loud

chimenea fireplace

china pebble

chinesco Chinese

chiquillada childish deed

chiquillo *dim. of* chico

chirrido squeak, shrill sound

chisme *plu.* gossip

chispa spark

chistar to utter a word

chiste joke; tener —— to be a joke

chitón silence!

chocar to displease; to clash

chocho doddering; —— por doting on

chopo (*slang*) musket, gun

choque clash, shock

chorreante dripping

chorro stream, trickle

choza hut

chuleta chop

chulo, -a dandy *or* coquette of the lower classes

chupar to suck

churro fritter, kind of doughnut

D

dádiva gift

dado que provided that

daga dagger

dama lady

damasco damask, fine figured silk cloth

Danubio Danube
danzante dancer
danzar to dance
dañado harmful
dañar to harm, hurt
dañino harmful
daño harm
dañoso harmful, injurious
dar to give; to strike, hit; —se to be considered; — con to find; to strike; to land (in); — con su cuerpo to land, fall; — de alta to release (from hospital); to declare cured; — de comer to feed; — de mano to strike; — de pie to kick; — en to take to, hit upon, bring oneself to, come upon; — lugar to give occasion; — lugar a to cause, permit; — por libre to set free; —se por to consider oneself (as) — sobre to attack, fall upon; **lo mismo le da** it's all the same to him
dardo dart
dátil date
dato information
deán dean
deber to owe; ought; *n.* duty
debido due
débil weak
debilidad weakness
debilitar to weaken
débito debt
decadencia decadence
decantar to exaggerate; to praise
decencia decency; respectability
decente respectable
decidido resolved, determined
decidir to decide; to persuade; —se to make up one's mind
décimo tenth
decisión determination
declaración explanation, elucidation
declarar to declare; —se to make a declaration of love; **estar declarado** to be engaged
declive slope
decoración stage setting
decorar to memorize

decoro decorum
decoroso decorous, proper
decreto decree
dechado mold, model
dedal thimble
dedo finger
defecto fault, defect
defender (ie) to defend
defensa defense; safety
deferencia deference
definición definition; decision
definitivo definite, definitive
defraudar to defraud; to frustrate
degenerar to degenerate
degollar (üe) to behead
dehesa grazing land
deidad deity, divinity, divine nature
dejadez lassitude
dejar to leave; — de to leave off, cease, leave aside, abstain from; to fail to
dél *arch. for* de él
delación accusation; scandalous information
delantal apron
delantero front, forward
delatar to proclaim
delectación pleasure, delight
deleitable delectable
deleitar to delight; —se to enjoy
deleite delight
deleitoso delightful
delgado slender, thin
delicado delicate
delicia delight
delicioso delightful
delincuente delinquent, guilty
delinquir to transgress
delirante delirious
delirar to be delirious
delirio delirium, madness, passion
delito crime
della *arch. for* de ella
demacrado emaciated
demanda demand; petition; endeavor
demandadero a monastery servant
demandar to beg, ask (for)
demás: los — others; — de *arch.* besides
demasía excess; en — excessively
demediar *arch.* to be half through; to be half enough

demencia madness
demente demented, crazy
demonio demon; qué —s what the dickens
demontre dickens
demostrar (ue) to represent, show
denegación negation, denial
denegrir to become black (by weathering)
dengoso finicky; affected
denostar (ue) to insult
denotar to denote
dentadura teeth
denuedo daring, bravery
denuesto insult
denunciar to denounce
deparar to provide; to present
departir to talk, converse
depender to depend
dependiente clerk
deplorar to deplore
deponer to put aside
deporte sport
depositar to deposit
depositaria depository, custodian
depósito storehouse, depository, depot
depresión depression, hollow
depurado purified, pure
de que *arch.* after
derecho *n.* right; law; fee; *adj.* straight; **al** — properly; **a la derecha** to the right
derramar to pour; to shed; to strew, spread; —se to fall (of water); to spill
derredor: en — around
derrengado crippled
derretir (i) to melt
derribado low (of shoulders)
derribar to knock down, strike down, throw down; to take down; to conquer
derrochar to squander
derroche flood
derruir to demolish, tumble down
derrumbadero cliff
derrumbarse to fall
desaborido insipid; witless
desabrido disagreeable, rude
desabrimiento rudeness, harshness
desacierto error, blunder; lack of success
desacreditar to discredit

desafiar to challenge; to rival, compete with

desafío challenge; duel

desaforado excessive, immense; given to excesses; very loud

desagradar to displease

desaguisado *n.* improper *or* unjust deed; *adj.* improper, senseless

desahogado comfortable, easy

desahogar to unburden

desahogo relief, ease, comfort; outpouring

desahucio dispossession

desairado unpleasant, unbecoming, graceless

desairar to rebuff, scorn

desalado hasty, impatient

desalentado breathless

desaliento discouragement

desalojar to dislodge

desalumbrado dazzled, flattered

desamar to hate

desamor lack of love

desamparado unprotected, helpless, abandoned

desamparar to abandon

desamparo helplessness

desandar to retrace

desaparecer to disappear

desaparición disappearance

desapiadado pitiless

desarmar to disarm

desarrapado ragged

desarrollar to develop

desarrollo development

desasir to loosen, free

desasosegado restless

desasosegar (ie) to upset; ——se to become nervous

desasosiego restlessness, perturbation

desastrado disastrous, ill-fated, unfortunate, fatal

desastre disaster, misfortune

desastroso disastrous, unfortunate

desatar to untie, undo, loosen; ——se to become frayed (of the nerves)

desatender (ie) to neglect

desatentado discourteous; injudicious

desatinado senseless, stupid, unintelligent

desatinar to talk foolishly

desatino stupidity, foolishness

desavenencia disagreement

desazón uneasiness

desbancar to break the bank

desbarajuste disorder, confusion

desbaratar to destroy, break up

desbocado runaway (horse); broken-mouthed (jug)

descabalgar to dismount

descabellado crack-brained

descabezar: —— un sueño to nap

descalabrado wounded in the head

descalabradura wound in the head

descalabrar to break one's head, wound in the head

descalzar to take off (shoes or stockings)

descalzo barefoot

descansado restful, calm

descansar to rest; to ease

descanso rest, ease; (*military command*) at ease!

descarado barefaced, impudent

descargar to unload, unburden

descargo exoneration; excuse

descarnado bare

descaro impudence, effrontery

descarriado straying, wandering

descender (ie) to descend; to get down

descolgar (ue) to hang down; to take down

descolorido discolored

descollar (ue) to stand out

descomedido discourteous

descomponer to distort; to disarrange, unsettle; ——se to lose one's temper

descompuesto unprepared; slovenly

descomunal extraordinary

desconcertado disarranged; garbled

desconcertar (ie) to disconcert

desconcierto disturbance, confusion

desconfiado doubtful, suspicious

desconfianza distrust; diffidence

desconfiar to mistrust, doubt

desconocido unknown

desconsiderado inconsiderate

desconsolado miserable, disconsolate

desconsolador disheartening, grief-inspiring

desconsuelo desolation, misery

descontar (ue) to discount; to keep out

descontentamiento discontent

descontentar to displease

descontento dissatisfaction

descorazonado dejected; cowardly

descorazonar to discourage

descorrer to run back, draw aside

descortés discourteous

descortesía discourtesy

descoser to rip out

descuajar to dissolve

descubierta *n.* reconnoitering

descubierto unprotected

descubrir to discover, uncover, find; to reveal; ——se to take off one's hat; to uncover oneself

descuento discount; discounting

descuidado careless; unaware, off-guard

descuidar to neglect; to be at ease; ——se to neglect

descuido carelessness

desdecir to deny; to be out of harmony with

desde luego immediately; of course

desdén disdain

desdeñar to disdain

desdeñoso disdainful

desdicha unhappiness, misfortune

desdichado unhappy, unfortunate, wretched, unlucky

desechar to reject, cast aside

desecho rubbish

desembarazado empty; unencumbered, free

desembarazar to clear; ——se to free oneself from

desembarcadero landing place

desembaular to bring out, take out

desembocadura mouth (of river)

desembocar to open; to enter

desembozarse to unmuffle oneself

desemejado strange looking

desempedrado unpaved

desempeñar to perform, carry out; to redeem (from pawn-shop)

desencadenar to unchain, unleash; ——se to be unleashed

desencajado popping (of eyes)

desencuadernado unbound

desenfado ease, natural manner

desengañar to disillusion, undeceive; ——se to become disillusioned

desengaño disillusionment, undeceiving; (bitter) truth

desenlace outcome

desenojarse to calm oneself

desentonar to clash with, be out of harmony with

desentrañar to dig out

desenvainar to unsheathe

desenvoltísimo *super. of* **desenvuelto**

desenvoltura ease, facility

desenvolver (ue) to unwrap, undo; ——se to develop

desenvuelto forward, free and easy; clever

deseoso desirous

desequilibrar to unbalance

desequilibrio lack of balance

desertor deserter

desesperación desperation, hopelessness

desesperado hopeless, desperate

desesperar to despair, be hopeless, desperate

desfallecer to decline, diminish; to grow weak

desfallecimiento weakness, faintness

desfavorecer to disdain

desfigurar to disfigure

desfiladero narrow mountain pass

desgano lack of appetite

desgarrador rending, tearing

desgarrar to shred, tear

desgarrón rip, tear

desgastar to wear

desgracia misfortune

desgraciado unfortunate, miserable, luckless, unlucky

desgranar to fall to pieces

deshacer to undo; to destroy; ——se to be undone; to collapse; ——se en to work hard at something, do a thing vehemently; to be overcome with

deshecho undone, consumed, destroyed

desherrar (ie) to unshoe (a horse)

deshilachar to shred

deshojado leafless; undone

deshojar to strip the leaves off of; to wither; ——se to lose leaves; to fade *or* die

deshonesto indecent

deshonor dishonor

deshonrar to dishonor

deshora: a —— untimely; unexpectedly

desierto *n.* desert, wild region; *adj.* arid, desert

designar to designate; to show; to outline

desigual uneven, unequal; different

desigualdad inferiority

desinteresado disinterested, impartial

desistir to desist, refrain

deslenguado foul-mouthed

desligar to untie

deslizar to slip, slide; ——se to slip

deslumbrar to dazzle

deslustrar to tarnish

desmandarse to get out of hand; to go so far as

desmañado clumsy, awkward

desmayar to fade, disappear; ——se to faint, swoon

desmayo swooning, fainting, weakness; setting (of sun)

desmedido without measure, immense

desmedrar to deteriorate

desmelenado disheveled (hair)

desmentir (ie) to give the lie to, contradict

desmérito lack of merit, worthlessness

desnaturalizar to denationalize

desnivel unevenness

desnudar to bare; to unsheathe (a sword)

desnudez nakedness; simplicity

desnudo bare, naked; —— de devoid of

desocupado unoccupied, idle, empty

desolado desolate

desorden disorder

desordenado disorderly, haphazard

desorientar to confuse

despabilar to brighten by snuffing *or* trimming; to snuff out; to sharpen (one's eyes)

despachar to dispatch, accomplish, finish; to attend to

despacho office

despavorido startled, terrified

despechado spiteful

despechar to spite, pique, anger

despecho spite; despair; a —— de in spite of

despedazar to break to bits, pulverize

despedida leave-taking, parting; dismissal

despedir (i) to discharge; to give off; to send (away); ——se to take leave

despegar to part, open; to tear away; ——sele a uno to dislike

despeinado uncombed, disheveled

despejado wide awake; bright; clear

despejar to clear

despejo spriteliness, ease, smartness; wakefulness

despensa pantry

despeñadero cliff, precipice

despeñar to throw (from a precipice); ——se to fall; to throw oneself

desperdiciar to waste; not to avail oneself of

desperdicio garbage

despernado legless

despertador arouser; stimulus

despiadado heartless

despintado unpainted

despintar to disfigure, disguise

desplegar (ie) to unfold, open

desplomarse to plunge, fall

desplumar to pluck; to strip *or* despoil of property; to clean out

despojar to plunder, despoil, rob, take as booty

despojo plunder, spoils; *plu.* spoils; leavings; treasure

despotismo despotism

despotricar to chatter

despreciar to despise

desprecio scorn

desprender to let fall; to loosen; ——se to detach; to fall; to follow, be a consequence of; ——se de to give up, give away

desprestigiar to lessen one's prestige, bring into disrepute

desprovisto devoid

despuntar to begin, start; to break (of the dawn)

des que *or* **desque** *arch.* after

desquitar to get even, make up for

desquite revenge, satisfaction

destacar to cause to stand out; ——se to stand out

deste *arch. for* **de este**

destello flash

destemplado untuned, out of tune

desteñido faded, lustreless

desterrado exiled

desterrar (ie) to exile

destiempo: a —— untimely

destierro exile

destilar to distill; to run

destinar to destine

destino destiny, fate

destreza dexterity, skill

destrozar to break, destroy

destruir to destroy

desvalido helpless, destitute

desvanecer to cause to disappear, sweep away, dissolve; ——se to fade away; to faint

desvariado extravagant, mad, delirious

desvariar to rave, be mad

desvarío mental disturbance, wandering, raving; strange idea

desvelarse to lie awake

desvelo vigilance; anxiety; pains

desventajoso unfavorable

desventura misfortune

desventurado unhappy; unlucky

desvergonzado shameless

desviar to turn aside

desvío deviation; going astray; aversion, coldness

desvivirse to outdo oneself, make every effort

detallado detailed

detalle detail

detención delay, halt; **con —— closely, carefully**

detener to detain, hold back, restrain; to put off; ——se to stop; to delay

detenidamente at length, carefully

deteriorado deteriorated

determinado definite

determinante determining; —— de bringing about, conducive to

determinar to determine; to persuade; to ascertain; to decide; to define, outline

detestar to detest

detrimento detriment

deuda debt

deudo relative

deudor *n.* debtor; *adj.* owing, in debt

devanar to wind up; —— los sesos to rack one's brains

devaneo mental aberration, illusion, dream; giddiness, dissipation; vanity

devengar to draw, earn

devolver (ue) to return

devorador devouring

devorante devouring

devorar to devour

devoto devout, religious; devoted; ——s míos devoted to me

día day; **el mejor —— some one of these days**; **en el —— at the present time**

diablura mischief, prank, deviltry

diabólico diabolic

diamante diamond

diantre demon

diario daily, every-day

dibujar to sketch, outline

diccionario dictionary

dictamen opinion

dictar to dictate

dicha happiness; fortune; **por —— by chance**

dicho saying

dichoso happy; blessed

diestro *n.* halter; fencing master; *adj.* right (hand); dexterous

dieta diet

diferir (ie) to differ

dificultarse to become difficult

dificultoso difficult

difundir to spread, diffuse; to infuse

difunto dead, deceased

difuso diffused, scattered

digerir (ie) to digest

dignarse to deign

dignidad dignity; high office

digno worthy

digresión digression

dije ornament, trinket

dilación delay

dilatado extensive, long

dilatar to dilate; to put off, delay

dilema dilemma

diligencia errand; diligence, care, activity; stage-coach

diligente diligent, indefatigable

diluir to dilute

diluvio deluge, flood

dineral fortune

dinero money; obsolete silver coin

diocesano of the diocese

diosa goddess

diputado deputy, congressman

dirección administration, management

directe directly

director, -a director, manager

dirigir to direct; ——se (a una persona) to address, direct oneself to, go toward

discernir (ie) to discern clearly

disciplina discipline, penance; *plu.* whip, scourge

discípulo pupil

discordancia discord

discorde discordant

discreción cleverness; discretion

discreto clever; discreet

disculpa excuse, pardon

disculpable excusable

disculpar to excuse

discurrir to discourse; to reflect

discurso speech, discourse; thought

discutible questionable
disertación dissertation, speech
disforme hideous
disfraz disguise
disfrazar to disguise
disfrutar to enjoy
disgustar to displease
disgusto displeasure
disimular to feign, pretend, dissemble, hide
disimulo dissimulation
disipar to disperse, scatter, dissipate
disminuir to diminish
disonar (ue) to be dissonant, out of tune
disparado like a shot
disparar to shoot; to break out, begin suddenly
disparate crazy idea, stupidity, foolish notion
dispendioso expensive
dispensa dispensation
dispensar to pardon
dispersar to disperse, scatter
disperso dispersed
displicencia peevishness
displicente peevish, unpleasant
disponer to dispose; to prepare
disposición aptitude, bent; arrangement; appearance
dispuesto disposed; trained
disputa dispute
disputar to dispute
distar to be distant
distinción distinction
distinguir to make out, distinguish; to show regard for
distinto distinct; different
distracción distraction, amusement
distraer to distract, amuse; ——se de to be inattentive to
distraído absent-minded
disturbar to disturb
disturbio disturbance
diversidad diversity, difference
diverso different, diverse; several
divertido amusing
divertir (ie) to divert, turn aside; ——se to amuse oneself, have a good time
divinal divine
divinidad divinity, divine nature

divino divine, holy
divisar to make out, sight
divulgar to divulge, spread
do *arch.* where
doblar to double, bend, fold; to cross; to turn (a corner); to toll (of bells)
doble double
doblegarse to bend
doblez fold
doblón doubloon
docena dozen
docto learned
doctor learned man
doctrina doctrine; learning; de gran —— filled with learning
dolencia illness
doler (ue) to ache, pain
doliente doleful, sorrowful; suffering
dolorido suffering; aching
domar to tame
domesticidad household
domicilio domicile
dominador dominating
dominante predominant, dominant
dominar to dominate
dominio domain; sway, rule
dompedro morning-glory
don gift
donación donation, gift
donaire witticism; wit; grace
doncel youth; squire
doncella damsel, maiden; housemaid
dónde: ¿—— bueno? where are you off to?
donoso charming; witty
don-pedro *see* **dompedro**
doquier *arch. or poetic for* **dondequiera** everywhere, wherever
dorado golden
dorador gilder
dorar to gild, brighten
dormitorio bedroom; dormitory
dosel canopy; curtain
dotar to endow
dote dowry
dromedario dromedary
ducado ducat
duda doubt
dudar to doubt; to wonder
dudoso doubtful
duelo duel; grief
dueña possessor; chaperon; lady-in-waiting; *arch.* woman

dueño owner, possessor; master; employer
dulcificar to sweeten
dulzor sweetness
dulzura sweetness; gentleness
duplicar to duplicate
duquesa duchess
durar to last, endure; to remain
durazno variety of peach
dureza harshness; hardness; obstinacy
duro *n.* dollar (five-peseta piece); *adj.* hard
dux doge

E

ea well, all right, come on
ébano ebony
écarté (*French*) card game for gambling
eclampsia convulsions
eclesiástico ecclesiastical
eclipsar to eclipse; to disappear
eco echo
economía thriftiness, saving, economy
económico financial; thrifty
ecuánime unruffled
ecuestre equestrian
echar to throw; to pay (compliments); to put; to set out; to stretch out; to set aside; to dismiss; —— de ver to show; —— menos (cf. **echar de menos**) to miss; —— por delante to send ahead; —— por otro lado to turn aside; —— un cigarro to smoke a cigar; —— un sermón to lecture (*slang*); —— un viaje to take a trip; ——se to lie down; to slip on (of a garment); ——se a to begin; **echado adelante** daring, reckless
edad age; —— media Middle Ages
edén Eden, paradise
edicto edict
edificio building
educación rearing
educando pupil
educar to rear
efectivamente in fact
efectivo real
efecto effect; dramatic effect; result; en —— in fact

efectuar to carry out
efeto *arch. for* **efecto**
eficacia effectiveness; efficiency; strength, force
eficaz efficacious; efficient
efímero ephemeral
efluvio emanation
efusión effusion; expression
egipcio Egyptian
égloga eclogue, idyll
egoísmo selfishness, egotism
egoísta selfish
egolatría self-worship
ejecución execution
ejecutar to carry out, execute
ejecutivo executive
ejecutoria patent of nobility
ejemplar exemplary
ejemplo example; fable; **por —— ** for example
ejercer to exercise
ejercia rigging (of ship)
ejercicio exercise; task; military drill; employment
ejercitar to exercise; to train; **—— se en** to exercise; to practise
ejército army
ejido commons; community
elección choice
eléctrico electric
elegancia elegance
elegante elegant, tasteful
elegantón *aug. of* **elegante**
elegir (i) to choose; to elect
Elena Helen
elevamiento absent-mindedness
elevar to raise; **—— se** to rise
eliminar to eliminate
elocuencia eloquence
elogiar to praise
elogio praise, eulogy
emancipar to emancipate
embajada mission
embajador ambassador
embalsamar to perfume
embarazado embarrassed; encumbered
embarazoso bothersome
embarcación ship
embarcarse to take ship, embark
embargar to check, hinder, hold back, suspend; to attach (legally)
embargo (legal) attachment
embeber to imbibe; **—— se** to be enraptured

embelesado engrossed; enraptured
embelesar to enrapture
embestir (i) to attack
emblemático emblematic
embocarse to swallow in haste, wolf
emborracharse to get drunk
emboscarse to hide in the forest
embozado *n.* masked person (with cape pulled over face); *adj.* muffled
embriagar to intoxicate
embriaguez intoxication
embridar to bridle
embrollo tangle; deception
embromar to make fun of
embuste trick, deceit
embustero deceiver
embutido inlay
emigrar to emigrate
empacho shyness
empalmarse to join, unite
empañar to sully
empapar to soak through
emparedar to wall up
empecatado incorrigible
empecer to harm
empecible harmful
empeñado en mixed up in, involved in
empeñar to insist; to pawn; **—— se** to insist; to persist; **la lucha está empeñada** the struggle has begun
empeño insistence; intense desire; care; influence, 'pull'; effort; pawning; **papeleta de —— ** pawn ticket
emperador emperor
emperatriz empress
empero however
empinado steep
empinar to raise; **—— el codo** 'to bend the elbow,' drink
empíreo celestial, empyreal
emplear to employ, use
empleo job
emplomado leaded
empollar to hatch
empotrar to embed
emprender to undertake, engage in
empresa business; undertaking; affair
empujar to push, impel
empujón shove
empuñar to seize, grasp

emulación emulation, imitation
émulo emulator
enaguas petticoat
enajenación derangement
enamorada lover, mistress
enamorado *n.* lover; *adj.* enamored, lovesick
enamoramiento love-making
enamorar to inspire love in; to make love
enano dwarf
enarbolar to raise
enardecerse to become heated, become angry
encajar to fit (into *or* on); to bring together, close; to pass off
encaje neck-piece (of helmet)
encalabrinar to make dizzy
encalar to whitewash
encaminar to direct; to destine; **—— se a** to approach, go toward
encanijar to make sick
encantado charmed
encantador *n.* magician, enchanter; *adj.* enchanting
encantamento *arch. for* **encantamiento**
encantamiento enchantment
encantar to enchant
encanto charm, enchantment
encaprichado given to whims, headstrong
encaramado mounted (on)
encaramar to exalt; **—— se** to climb
encararse con to face
encarecer to enhance; to extol; to overrate; to exaggerate
encarecimiento exaggeration
encargada manager
encargado de in charge of
encargar to entrust, charge; to request, order; **—— se de** to take charge of
encargo duty, commission
encariñado infatuated
encariñar to inspire affection
encarnado red
encarnar to incarnate, symbolize
encarnizado bloodthirsty
encarrilar to set on the path, set straight
encelarse to become jealous
encenagar to stir up, muddy

encender (ie) to kindle; ——**se** to become angry

encendido flushed

encerrar (ie) to enclose, shut in, imprison

encierro enclosure; detention

encima on top; **por** —— **de** above, on a higher plane than

encina evergreen oak

encinar oak grove

encoger to shrink; —— **los hombros, ——se de hombros** to shrug one's shoulders

encogido shy, timid

encogimiento shyness

encomendar (ie) to commend; to entrust

encomiador praiser, extoller

encomienda commission; decoration carrying with it the administration of and income from ecclesiastical estates

encomio praise, encomium

encontrado opposed, conflicting

encontrar (ue) to find, meet; —— **con (algo)** to come upon (something), find (something)

encrespar to curl; ——**se** to ruffle

encuadernación binding

encuadernar to bind (books)

encubierto disguised

encubrir to cover, hide, shield

encuentro meeting, encounter; **salirle al** —— **a uno** to come out to meet one

encumbrado lofty

encumbrar to raise; ——**se** to rise, soar

ende *or* **de ende** *arch.* of it, from it; from there; **por** —— on account of it, therefore

endecha dirge

enderezar to straighten; to go straightway; to direct

endiablado devilish, diabolical

endiosado deified; haughty

endulzar to sweeten

endurecer to harden

enemigo *n.* enemy; *adj.* inimical

enemistad enmity

enérgico energetic

energúmeno madman

enfadar to anger; to repel; ——**se** to become angry

enfadoso irking

enfermar to make sick

enfermedad sickness

enfermero, -a nurse

enfermizo sickly

enflaquecer to weaken

enfrascar to bottle; ——**se** to be wrapped up, absorbed

enfrenar to check, hold back

enfrente opposite, across the street

enfriar to cool; to become cold; ——**se** to become cold

engalanar to adorn

engañador deceiving

engañar to deceive

engaño deceit, trick

engañoso deceitful, treacherous

engarzar to set (jewels)

engendrar to engender, give life to

engolfar to engulf

engordar to grow fat

engreimiento self-satisfaction, conceit

engreír to encourage one's conceit; to elate

enhiesto upright

enhorabuena congratulations

enjaezar to harness; to saddle

enjalma pad

enjambre swarm

enjaretarse to insinuate oneself into

enjuagar to rinse

enjugar to dry

enjuto dry; lean

enlazar to bind, intertwine

enlosado paved

enlutar to dress in mourning

enmendar (ie) to mend, amend

enmudecer to become silent, keep silent

enojar to anger; ——**se** to become angry

enojo anger; annoyance; distress

enojoso burdensome, troublesome

enramada arbor; grove

enrarecido rarefied

enredadero climbing

enredado involved

enredar to tangle; ——**se** to entangle oneself, become involved in

enredo tangle; falsehood, deceit

enredoso involved, intricate

enronquecer to become hoarse

ensalzar to exalt, raise up

ensanchar to enlarge; ——**se** to broaden, widen; —— **el corazón** to cheer up

ensangostarse to become narrow

ensañarse to vent one's fury

ensartar to string together

ensayar to try; to rehearse; ——**se** *arch.* to try out one's powers, do one's first deeds, strike one's first blows

ensilar to ensilage, store away

ensillar to saddle

ensueño dream, illusion

entablar to start

entapujarse *arch.* to cover oneself

ente being

entena yard-arm

entendederas understanding, brain

entendedor one who understands, wise man

entender (ie) to understand; to know (of); to believe; —— **en** to give attention to, attend to; ——**se (con)** to get along (with)

entendimiento intellect, mind, intelligence

enterar to inform; ——**se de** to find out about

enternecer to move, soften; ——**se** to be moved

enternecido moved, stirred

entero entire; firm, unshaken

enterrador grave-digger

enterrar (ie) to bury

entibiar to cool off

entonar to entone, **chant,** sing

entornar to half close

entrada entrance; foray

entrambos both

entraña entrail, vital organ; *plu.* heart; vitals; depths; bowels; **sin** ——**s** heartless

entrañable heartfelt

entrar to enter; to bring in

entreabierto half-opened

entrecano grayish

entrecejo brow

entrecuesto backbone

entrega delivery; payment

entregar to hand over, give, give over; to pay; ——se to devote oneself

entrellano level space

entresemana: días de —— week days

entretanto *adv.* meanwhile; *n.* interval

entre tanto que while

entretejer to intertwine

entretener to converse with, keep one interested; to while away; to foster; ——se to amuse oneself; to take time

entretenido amusing, interesting

entretenimiento amusement, entertainment

entrever to glimpse, see vaguely

entrevista interview

entricado *arch.* intricate

entriega *arch. for* entrega

entristecer to sadden

entrometido meddlesome

entronizar to enthrone

entumecido numb

enturbiar to disturb, stir up

entusiasmar to enthuse

entusiasmo enthusiasm

entusiasta enthusiastic

envainar to sheathe (a sword)

envejecer to grow old

envergonzante modest, poor but proud

enverjado grating

enviado envoy, messenger

envidia envy

envidiar to envy

envidioso envious

envilecer to vilify

enviudar to become a widow

envoltorio wrapping, package

envoltura wrapping, coating

envolver (ue) to wrap; to swaddle

epiceno: género —— common gender

epicúreo epicure

epidemia epidemic

epifanía epiphany, appearance

epigrama epigram

epilepsia epilepsy

epílogo epilogue

epitalamio epithalamium, marriage song

época epoch

equilibrio balance

equitación equitation, riding

equivocarse to be mistaken

era field

erguir (i *or* ie) to erect; to hold high; to straighten up

erizo hedgehog; porcupine

ermita hermitage

ermitaño hermit

errante wandering

errar (ie) to err; to stray

erudición erudition, learning

erudito learned

esbeltez slenderness

esbelto slender, svelte

esbozar to sketch; to outline

escabel footstool

escabrosidad rough region

escabroso rough; scandalous

escabullirse to slip away

escala ladder; stairway

escalar to scale

escaldar to scald

escalera stairs, stairway

escalofrío chill, cold sweat

escalón step

escaloncito *dim. of* escalón

escalpelo scalpel, dissecting knife

escama scale

escandalizar to scandalize

escándalo scandal

escandaloso scandalous

escaño bench

escapar to escape

escapatoria escape; surreptitious trip

escapulario scapulary

escarbar to scratch, dig, pick (the teeth)

escarceo *plu.* prancing, capers

escarlata scarlet

escarmiento warning; lesson

escarnecer to scorn

escarnio scorn, jeering, derision

escarpado precipitous, steep; craggy

escasear to be scarce

escaso scanty

escatimar to hold back; to be stingy with

escena scene; stage

escenario stage; setting

esclavina pilgrim's cloak (ornamented with shells which betoken a visit to the

shrine of Santiago de Compostela, near the sea)

esclavitud slavery

esclavizar to enslave

esclavo, -a slave

escoba broom

escobajo stalk

escoger to choose

escogido choice; lo —— choiceness

escolar student

escombrera dump

esconder to hide

escondrijo hiding place; hoarding

escopeta shotgun, gun

escoria impurity, dross

escorpión scorpion

escribano notary

escribiente notary; scribe

escrito *n. plu.* writings

escritorio desk

escritura writing; divina ——, sacra —— Holy Scriptures

escrúpulo scruple

escrupuloso scrupulous; squeamish

escrutinio scrutiny

escuadra squadron; squad

escuadrón squadron

escuálido skinny, undernourished

escudar to shield

escuderil of a squire

escudero squire

escudilla trencher, wooden bowl

escudillar to dish out

escudo escutcheon, shield, coat of arms

escudriñar to scrutinize

esculpir to sculpture; to engrave

escupir to spit (forth)

escurecer *arch.* to make obscure; to surpass

escureza *arch.* darkness

escuridad *arch. for* oscuridad

escuro *arch. for* oscuro

escurridizo slippery

escurrirse to slip away; to slip

esencia essence

esfera sphere

esfinge sphinx

esforzarse (ue) to strive, make an effort

esfuerzo strength; effort; fortitude

esgrima fencing

esgrimidor fencer
esmaltar to enamel; to adorn (with bright colors)
esmerado painstaking; delicate
esmeralda emerald
esmerarse to take care
esmero pains, special attention
espabilar to wake up, make wide awake
espacio space; region, place; room; occasion; **con** —— at leisure
espacioso spacious; slow
espada sword; *plu.* spades (in cards)
espadachín swordsman
espadín rapier
espalda shoulder; back
espantable frightful
espantar to frighten; to surprise
espantoso fearful, frightful
españolismo the quality of being typically Spanish; love for typically Spanish things
esparcir to scatter, spread, spread abroad, divulge
esparto esparto grass (used in rugs and seats of chairs)
espasmódico spasmodic
espatarrarse to stretch out one's legs
especie kind, species, sort
espectáculo spectacle
espectador spectator
espectro spectre
especulación speculation; investment; business proposition
espejo mirror
espejuelos glasses
espera: sala de —— waiting room
espeso thick; heavy
espesura thicket; thick woods; thickness; density
espía spy
espina thorn; quill; suspicion; **dar mala** —— to cause doubt, suspicion
espionaje spying
espíritu spirit; ghost
espiritual spiritual
esplendente splendid
esplendidez munificence; magnificence
espléndido splendid, magnificent
espolear to spur

espolique groom
espontáneo spontaneous
esposa wife; *plu.* handcuffs
espuela spur
espuma foam
espumajo foam
esquela note
esqueleto skeleton
esquila bell
esquina corner
esquividad isolation
esquivo elusive; isolated; harsh
estable *adj.* stable
establecer to establish
establecimiento establishment, business
establo stable
estaca stake
estación season; station
estada stay, being
estado state; rank (in society), station; a measure of length (about 2 yds.); —— **mayor** general staff
estallar to burst, burst out, explode
estampa print, picture; figure; printing; appearance
estampar to print, imprint
estancarse to cease flowing, stagnate
estancia stay, sojourn; room; dwelling place
estandarte standard, banner
estante shelf; bookcase
estaño tin
estar: —— **por** to have a notion to; to be in favor of
estatua statue
estatura stature, figure
estera grass rug, mat
estéril sterile, unproductive
esterilizar to make sterile
estética esthetics
estético esthetic
estilarse to be the style; to be common
estilo style; kind; **a** —— **de** in the manner of; **por el** —— of that kind, like that
estimación esteem
estimar to esteem
estímulo stimulus, inducement, incitement
estío summer, dog-days
estirado stiff
estirar to stretch
estirpe race; lineage, family
estocada sword thrust
estómago stomach

estopa tow; ——**s de encenderse y apagarse** easily kindled and extinguished materials
estorbar to disturb; to impede
estorbo hindrance
estorcer (ue) *arch.* to turn aside
estoria *arch. for* **historia**
estrado dais
estrago loss, havoc, ravish
estrechar to tighten; to bind more closely; to press; ——**se** to become narrow
estrechez narrowness; constraint; straitened circumstances, straits
estrecho *n.* strait; *adj.* narrow; close, intimate
estrella star
estrellado starry
estrellar to break to pieces; ——**se** to burst; to break, be shattered; to bump
estremecer to tremble
estremecimiento quivering, trembling
estrenar to act a play for the first time; to inaugurate; to wear for the first time; ——**se** to begin
estreno first night (of play); beginning
estrépito noise
estrepitoso noisy
estribar to rest (on); to lie (in)
estribo stirrup
estropear to ruin; to harm, hurt
estruendo loud noise; **de** —— sonorous
estruendoso noisy
estudio study; school
estupendo stupendous
éter ether
eternidad eternity
eterno eternal
ético ethical
europeo European
evangélico evangelical
evangelio scripture, gospel
evaporar to evaporate
evidencia evidence; **con** —— clearly
evitar to avoid
evocación evocation
evocador evocative
evocar to evoke, call, call up
evolución evolution; turn
exactitud exactitude, correctness

exacto assiduous
exageración exaggeration
exagerar to exaggerate; to increase
exaltación excitement
exaltar to exalt; ——se to become excited
exánime in a faint, weak, lifeless
excelencia excellence; excellency
excelso noble, excellent
exceso excess
excitar to excite; to stimulate, urge
excomulgar to excommunicate
excomunión excommunication
excusa excuse
excusar to excuse; to avoid; ——se to spare oneself
exentar to exempt
exequia plu. funeral services
exhalar to exhale
exigir to demand
existencia reality; existence
éxito success
exótico exotic
expedicionario member of an expedition
experiencia experience; experiment; hacer —— de to try out, experiment with
experimentar to experience, feel
experimento experiment
expiar to expiate
expirar to die
explanadita little level space
exponente proposer, originator of a plan
exponer to expose; to expound, explain
expresivo expressive; amiable
exquisito exquisite
extasiado ecstatic, in ecstasy
extático ecstatical
extender (ie) to extend
extenso: por —— at length, extensively, in detail
extenuado extenuated
exterminador n. exterminator; adj. exterminating
exterminio extermination
extraer to extract, take away
extramuros outside (a walled city)
extranjero n. foreigner; adj. foreign

extrañar to surprise, amaze; ——se to be surprised, amazed
extraño strange; foreign
extravagancia wild idea
extravagante eccentric
extraviado wandering, strayed
extravío wandering, aberration
extremado extreme, great
extremaunción extreme unction
extremo n. extreme, end; adj. extreme
extremoso exaggerated, vehement
extrínseco extrinsic, objective

F

fábrica building
fabricar to make, manufacture
fábula fable
fabuloso fabulous; fictitious
facción feature
facilidad facility; opportunity
factura bill
facultad faculty; subject (of curriculum)
facha appearance, sight
fachada façade
faena task
faetonte Phaethon; driver
faisán pheasant
faja sash, band
fajo bundle, sheaf
falange phalanx
falaz deceitful
falcón falcon
falda skirt; shirt tail; slope (of mountain) —— de montar riding skirt; —— espesa thickly wooded slope
faldamenta tails (of coat)
faldear to skirt, traverse a slope
faldero lap; perrillo —— lap-dog
faldriquera pocket
falsar arch. to pierce
falsario fraud
falsía falsehood
falsificador falsifying, mendacious
falta lack; fault; flaw; hacerle —— a uno to need; sin —— without fail

faltar to be missing, be absent; to be lacking; to fail; —— a to offend against; no faltaba más that's the last straw
falto de lacking in; through lack of
fallar to pass judgment, sentence
fallecer to die; to falter, fail; —— de to falter in
fallecimiento decease, death
fallo judgment, sentence
fama fame; reputation; rumor
famélico hungry, starving, ravenous
familiar n. dependent, domestic; bosom friend; adj. familiar; unceremonious
fandango popular song and dance of Andalucía
fandanguero 'dizzy'
fanega land measure (about 1.59 acres); grain measure (about 1.60 bu.)
fanfarrón braggart
fanfarronada boasting, braggadocio
fantasear to day-dream, indulge in fantastic imaginings
fantasía fantasy, imagination; conceit
fantasma ghost, phantom, apparition
fantasmagoría illusion; melodrama
fantástico fantastic
fardel sack
farmacia pharmacy; medicine
farol lantern; light
fascinación fascination
fascinar to fascinate
fastidiar to bore, weary
fastidio boredom, ennui
fastidioso annoying
fatalidad unlucky chance; calamity, fatality
fatídico fateful
fatiga fatigue, toil, pain
fatigar to fatigue; to molest; ——se to worry
fauces jaws
fauna fauna
fausto happy
favorecedor favorer; flatterer
favorecer to favor
favorito favorite
faz face; surface

xxix

fe faith; a —— by my faith
fealdad ugliness
febril feverish
fecundidad fecundity, fertility
fecundo fertile, fecund
fecha date
fehaciente trustworthy
felice *poetic for* feliz
felicidad happiness, felicity
feligrés parishioner
feliz happy
fementido false, perfidious
fenecer to die; to end
féretro coffin
feria fair; market
feroz fierce, ferocious, savage
ferruginoso containing iron
ferviente fervent
fervoroso fervent
festejar to entertain; to celebrate; to do honor to
festejo rejoicing
festín feast
festivo gay
fetidez evil smell, stench
fétido fetid
feudalismo feudalism
fiar to trust; ——se de *or* en to trust in
ficción fiction; imagining
ficticio fictitious
ficus (*Latin*) fig tree
fidelidad faithfulness
fiebre fever
fiel faithful
fiera wild animal, beast
fiereza fierceness
fiero fierce, wild, terrible
fiesta party; festival; holiday; fun; *plu.* demonstrations of joy; hacer —— a to celebrate
figón low tavern
figura figure, build; face card; face
figurado imagined, imaginary
figurar to sketch, represent; ——sele a uno to imagine
fijar to fix, establish; to fasten; to stop; ——se en to notice, pay attention to
fijo fixed
fila rank, file
filete steak
filial filial
Filipinas Philippine Islands
filo edge, cutting edge
filósofo philosopher
filtro philter, love potion

fin end; object; *plu.* conclusion; en —— in short, finally; sin —— de a great number of
finarse to die
finca farm; property; house
fincar *arch.* to remain; to rest on; to fix on
fineza delicacy; *plu.* courteous deeds
fingir to feign, pretend; to imagine
fino fine; refined, courteous; skilful; labio —— thin lip
finura fine manners, delicacy, politeness
firma signature; estar a la —— to be waiting for a signature
firmamento firmament, heavens
firme firm, steadfast; (*military command*) hold firm!
firmeza firmness; strength; steadfastness
fisga banter
fisgonear to snoop
físico physical
fisiólogo physiologist
fisionomía physiognomy
fláccido flaccid, limp
flácido *see* fláccido
flaco thin; weak
flamante resplendent; brand-new
flamear to blaze
flamenco Flemish
flámula banner, flag
flaquear to weaken, falter
flaqueza weakness
flato gas
flecha arrow
flojo loose; slight
Flora Flora, goddess of flowers and gardens
florecer to flower; to flourish, thrive
floresta forest
florete foil
florido flowery, in flower
flota fleet
flotante floating
flotar to float, drift
foco focus
fogón stove
fogoso fiery
follaje foliage
folleto pamphlet
fomentar to encourage
fonda inn

fondo bottom; substance; background; backstage; al —— at the back
fontana spring; stream
forastero *n.* stranger; *adj.* foreign, strange
forcejear to struggle
forjar to forge
formación formation; ranks
formal serious, solemn; well-mannered; grown-up, mature
formalidad good manners; seriousness
formalizar to execute, legalize; to carry out
fórmula formula; de —— prescribed
formular to formulate, form
foro law court, forum
forro cover
fortaleza strength; fortitude; fortress
fortificar to fortify
fortuna fortune, fate; por —— fortunately
forzado necessary
forzar (ue) to force; —— la fuerza del tiempo to force events
forzoso necessary
fosfórico phosphorescent
foso ditch
frac frock coat
fracaso failure; calamity; ruin
fragilidad fragility; frailty
fragoso broken; rocky
fragua forge
fraguar to forge; to make
fraile monk, friar
franciscano Franciscan
franco frank; generous; clear; free and easy
franja fringe
franquear to pass through *or* over
franqueza frankness
fraque frock coat
frasco flask
fraterno fraternal
fraude deceit
fray brother (of a monastic order)
frecuencia frequency; con —— frequently
frecuentar to frequent
fregar (ie) to scour, scrub
freír (i) to fry
frenesí frenzy
frenético frantic

freno brake; curb, restraint
frente forehead, brow; front; **a su —** in front of him; **en** or **de — de** in front of, opposite; **— a** in front of, before
fresa strawberry
fresco, -a n. cool air, fresh air; **tomar el —** to enjoy the coolness, cool off; adj. cool; fresh
frescura coolness; freshness
fresno ash tree
frialdad coldness
friega rubbing, massage
frisado fuzzy
frisar to border (on)
frívolo frivolous
frondoso leafy
fronterizo frontier
frontero opposite
fructuoso fruitful
fruncir to wrinkle; **— las cejas** to frown
frutal adj. fruit
fruto product; fruit; **sin — fruitlessly**, without result
fuego fire; **al —** next to the fire
fuelle bellows
fuente fountain; source; spring; platter; tureen
fuera outside; get out!; **— de sí** beside oneself
fuero privilege, legal exemption
fuerza force; **a — de** by dint of, on account of; **a — de derecho** by rights, rightly; **por —** by force, necessarily; **sacar —s de flaqueza** to make a great effort; to screw up one's courage; **ser —** to be necessary
fuga flight; escape
fugarse to run away
fugaz fugitive(ly), fleeting
fugitivo fugitive
fulano so-and-so
fúlgido bright, shining
fulgor glow
fulgurar to shine brightly; to flash
fulminio giving off lightning flashes, flashing
fullero cheat
fumigar to fumigate
función function; party
funcionar to work

funcionario, -a functionary, official
fundación foundation
fundado well-founded
fundamento foundation, basis
fundar to found; to base; **—se en** to found one's belief on
fundir to fuse; to melt down
fúnebre funereal; **empresa de servicios —s** undertaking establishment
funebridad undertaking; gloomy business
funeral funereal, tragic, death-like
funerario undertaker
funesto very unfortunate, fatal
furia fury
furibundo furious
furor fury, madness
fusilería gunfire
fustán fustian (cotton cloth)

G

gabán overcoat, outer coat
gabinete sitting room
gacela gazelle
gacho bent down; **sombrero —** hat with brim turned down
gaita bagpipe
gala adornment, finery; glory; accomplishment
galán n. lover, dandy, beau; adj. gallant; elegant
galano elegant; clever
galante gallant; flirtatious
galanteo courting
galantería gallant speech, compliment
galanura elegance
galardón gift; reward
galera galley
galería corridor, passageway
galgo greyhound
galopar to gallop
galopín dim. of **galopo**
galopo rascal
gallardete pennant, flag
gallardía elegance, handsomeness
gallardo gallant, dashing; graceful; charming
gallego Galician, from Galicia
gallina hen, chicken
gallo cock, rooster

gallofero tramp, vagabond, loafer
gamo deer
gana desire; appetite; **lo que me ha dado la —** just as I pleased; **tener —s** to desire
ganadero cattleman
ganado cattle; flock; goats; animal; (slang) rabble
ganancia gain, earnings; conquest
ganapán day laborer
ganar to gain, win; to reach
gancho hook; **punto de —** crotchet, crotchet work
ganga bargain; (slang) cinch
ganso goose; stupid person
gañán farmhand
garbanzo chick-pea
garboso sprightly
garganta throat, gullet; narrow mountain valley
gárgara gargling
garguero throat
garra claw
garrafa carafe
garza heron
gasa gauze
gaseosa soft drink, pop
gastado worn; see also **gastar**
gastar to spend; to waste; to indulge in
gasto expenditure; waste
gatera (large) hole
gato cat; (slang) stake, hoard
gaviota sea gull
gazapón gambling den, dive
gaznate windpipe
gazpacho cold soup
gelatina gelatine, aspic
gemelo twin
gemido moan
gemir (i) to moan
genealogista genealogist
generación generation
género class, kind, type; goods
generoso generous; noble
geniecillo dim. of **genio**
genio genius; disposition, temper; bad temper; **corto de —** diffident, shy
gentezuela low people
gentil graceful; handsome; splendid, fine
gentileza nobility; courtesy
gentilhombre gentleman
gentuza low people
genuflexión kneeling, genuflexion

geranio-hiedra climbing geranium

germen germ

gesto expression (of face); face; attitude

gigante giant

giganteo of giants

gigantesco gigantic

gira excursion, outing; —— **campestre** picnic

girar to revolve, gyrate

girifalte hawk

giro gyration

gitano gypsy

glacial icy

globo balloon

gloria glory; **dar** —— to be a pleasure

gloriar to glorify

glorificar to glorify

glotón glutton

gobernador governor

gobernante governing

gobernar (ie) to govern; to control, manage

gobierno government; governing, managing, administration

godo Goth

golfo gulf

golondrina swallow

golosina sweetmeat, dainty

goloso gluttonous; fond of sweets

golpe blow; stroke; **en un** —— at one stroke; **de** —— suddenly

golpear to beat (on), pound

golpeteo beating

goma rubber

gordo fat, big

gorguera collar

gorjear to warble

gorrión sparrow

gorro cap

gota drop

gótico Gothic

gozar to enjoy; —— **de** to enjoy

gozo joy

gozoso joyful, glad

grabado engraving, etching

grabar to engrave; to mark

gracejo grace; humor

gracia grace; witty saying; wit; stunt; **tiene** —— that's funny

gracioso witty, funny, amusing; graceful; pretty; pleasant

grada step

gradación gradation

grado degree; will; pleasure; rank; **de buen** —— willingly

grana *n.* scarlet

granadero grenadier

granado pomegranate tree

grande *n.* grandee, nobleman of highest rank; **en** —— on a large scale

grandiosidad grandeur

grandor bigness, size

granero granary

granizo hail

granjear to gain

granjería gain

grano seed

granuja rascal

grasa grease

gratificar to recompense; to satisfy

grato pleasing

gratuito gratuitous, free; undeserved

gravedad gravity

graveza *arch.* heaviness

graznar to caw

graznido croak

gremio guild, union

gresca revolt, riot

griego Greek

grieta crack, fissure

grillo *plu.* irons (for prisoners), shackles

grima horror, revulsion

gris gray

gritar to shout, call

grito scream, shout; **poner el** —— **en el cielo** to shout to high heaven

grosería bad manners, crudeness

grosero crude, rough, coarse, vile

grotesco grotesque

gruñido grunt

gruñir to grumble

gruta cave, grotto

guadaña scythe

guantada blow (with glove), slap

guante glove

guapetón *aug. of* **guapo**

guapín *dim. of* **guapo**

guapo handsome; pretty

guarda guard; **guarda-agujas** switchman

guardar to keep; to save; to guard

guardesa guard's wife; switchman's wife

guardia guard; policeman; **cuerpo de** —— troop of guards; —— **civil** civil guard, national policeman, gendarme; national constabulary; —— **del orden** municipal police

guardián guardian; **padre** —— father superior

guarida den, lair

guarnamiento *arch.* adornment

guarnecer to adorn, embellish

guarnición trimming, ornament

guasón joker

guedeja lock

guerra war; **dar** —— to give trouble

guerrero *n.* warrior, soldier; *adj.* warlike

guerrilla band of irregular troops, guerrilla band

guía *m.* guide; *f.* guide-book

guiar to guide

guija pebble

guijarro stone

guinda cherry

guiñapo rag; ragged person

guiñar to wink; to close the eye to evil

guiropa stew

guisa way; manner

guisar to cook; —— **de comer** to cook

guiso dish

guitarra guitar

guitarrista guitar player

gula gluttony

gulusmear to nibble; to pry into

gusanera worm heap

gusano worm; —— **de luz** glowworm

gustar to please; to taste; —— **de** to like

gustazo *aug. of* **gusto**

gusto pleasure; taste; fancy, whim; **a** —— pleased, content; with pleasure

H

haba bean

habano of Havana

haber *n.* credit; property; *plu.* credit; property

hábil able, clever

habilidad ability

habilitar to enable

habitador dweller, inhabitant
habitar to live in, inhabit
hábito habit; robe; clothing
habituarse to become accustomed
habla speech
hablador talkative; slanderous
hablilla gossip
hacanea hackney, riding horse
hacendoso industrious
hacer to make; to hold (a market); —— **caso** to give attention to; —— **de** to act as; —— **por** to try; —— **que** to pretend; —— **ventaja** to be ahead of, surpass; ——**se cargo de** to realize; ——**se el tonto** to play the fool
hacerio arch. blame
hacienda estate; wealth, property, fortune
hacinamiento pile, accumulation
hacha torch
hachero torch stand
hachón torch; —— **de viento** torch
hada fairy; Fate (mythological figure)
hadar to enchant, bewitch
hado fate
hala move along!, come on!
halagador flattering, cajoling
halago flattery, insinuating way
halagüeño flattering
halcón falcon
hambriento hungry; lean
hanega same as fanega
haraposo ragged
harina flour
harpa harp
hartar to satisfy, fill; ——**se (de)** to get one's fill (of); to stuff oneself (with)
hartazgo satiety, fill (of food)
harto adj. sufficient, more than enough; satiated, satisfied; adv. quite, very; very well
hasta up to; until; even; as many as
hastiar to bore
haya beech tree
haz bundle; rank, file (of army); surface

hazaña deed
he behold, see; —— **aquí** here is
hechicera witch, enchantress
hechizar to bewitch, enchant
hechizo spell, charm
hecho fact; deed
hechura make; form
hedor stench
helado frozen, cold
helar (ie) to freeze
helecho fern
hembra female
hemisferio hemisphere
hemorragia hemorrhage
henchir (i) to stuff, fill
hendir (ie) to split open; to force one's way
heno hay
heredad field, land; fief
heredado having received an inheritance
heredar to inherit
heredera heiress
heredero heir
hereditario hereditary
hereje heretic
herejía heresy
herencia inheritance, legacy; heredity
herida wound
herir (ie) to wound; to strike
hermafrodita hermaphrodite
hermosear to beautify
héroe hero
heroico heroic
herradura horseshoe; **camino de** —— bridle path, lane
herramienta tool
herrería forge
herrero blacksmith
hervir (ie) to boil, seethe
hez dreg
hidalgo nobleman (of low rank); gentleman
hidalguía nobility
hiedra ivy
hiel gall, bitterness
hielo ice
hierático hieratic, priest-like
hierba grass; weed; herb; —— **corrompida** weed; **mala** —— weed
hierro iron; bar
hígado liver
higuera fig tree
hilado thread; **huevo** —— a mixture of eggs and sugar made in the form of threads

hilandera spinner
hilar to spin
hilo thread; theme
himno hymn
hincar to fix; —— **de rodillas,** —— **la rodilla** to kneel; ——**se** to kneel down
hinchar to swell
hinojo: de ——**s** kneeling
hipérbole hyperbole, exaggeration
hiperbólico hyperbolical, exaggerated
hípico equestrian
hipocondría hypochondria
hipocresía hypocrisy
hipócrita n. hypocrite; adj. hypocritical
hipoteca mortgage; security
hisopo sprinkler for holy water
Hispania Hispania, the Iberian peninsula
hispano Hispanic
historia history; story
historiador historian
hito: de —— **en** —— fixedly
hocico sing. or plu. snout, nose (of animal)
hogar hearth, home
hoguera fire
hoja leaf; —— **de lata** sheet metal; tin
hojaldre kind of pastry
hojarasca dead leaves; rubbish
hojear to glance over (book, writing)
hola hello
holgachón lenient, soft
holgado comfortable
holgar (ue) to enjoy, have a good time; to be pleased; —— **más** to prefer
holgazán lazy, idle
holgura ease; indulgence
hollar (ue) to tread, trample (on)
hombre man; one; —— **de bien** gentleman; man of worth
hombro shoulder
hombruno mannish, masculine
homeopático homeopathic
homicida murderer
homilía homily, sermon
honda sling
hondo deep, profound
hondonada ravine

hondura depth
honestidad modesty; purity; honor
honesto respectable, decent
hongo mushroom; derby; **sombrero ——** derby
honradez honesty
honrado honorable, honest; decent
honrar to honor
honroso honorable
hora hour; **a la ——** at once
horca gallows
horcajada: a ——s astride
horda horde
horizonte horizon
horno oven
horquilla hairpin
horrendo horrible
horrísono horrible sounding, deafening
horrorizar to horrify
hortaliza vegetable, vegetables, garden stuff
hortelano gardener
hospedaje lodging
hospicio refuge, asylum
hotel hotel; private home
hoyuelo dimple
huebra *arch.* ornament
hueco hollow; little space
huella trace, track
huérfano orphan
huero sterile, empty; **salir huera una cosa** to turn out badly
huerta vegetable garden; garden
huerto orchard; garden
huesa tomb, grave
huesecillo *dim. of* **hueso**
hueso bone
huésped, -a guest; host *or* hostess
hueste host, army
huir to flee
humanar to humanize, make human; **Dios humanado** God in man's form; the communion wafer
humanidad humanity
humanista humanist
humano human; humane, kindly
humareda cloud of smoke
humedad dampness
humedecer to moisten, water
humildad humility, humbleness; **hacer —— a** to humble oneself to

humilde humble
humillación humbling; humiliation; loss of prestige
humillar to humiliate
humo smoke; *plu.* airs
humor humor, vein
hundimiento sinking
hundir to sink; to plunge, fall
huracán hurricane
hurón ferret
huronear to ferret out; to pry into, investigate
huronera den, hole
hurtar to steal
hurto theft
huso spindle

I

ida going, outward trip
ídem the same, ditto
ides *arch. for* **vais**
idílico idyllic
idólatra idolater
idolatría idolatry
ídolo idol
idóneo appropriate
iglesia church; **—— mayor** cathedral
ignominia ignominy, shame
ignominioso ignominious
ignorar not to know, be ignorant of
igual *n. and adj.* equal; *adj.* same, similar; fitting
igualar to equal
igualdad equanimity
igualmente likewise; equally
ijada flank, side
ijar flank
ileso unharmed, unscathed
ilícito illicit
iluminar to light; to brighten; to enlighten
ilusión illusion, dream; hope
ilusorio illusory, fleeting
ilustración education
ilustrado enlightened; cultured
ilustrar to cultivate
ilustre illustrious
imagen image
imaginar to imagine
imaginativo thoughtful
imán magnet
imbuído steeped
imitador imitator
imitar to imitate
impacientarse to grow impatient

impedir (i) to impede, prevent, stop
impenetrable impenetrable
impensado unexpected
imperdonable unpardonable
imperial imperial; soldier of emperor
imperio empire; domination, sway
imperioso imperious
ímpetu impetus; rushing, headlong motion
impiedad impiety, lack of piety
impío impious; pitiless, heartless
implacable implacable, relentless
imponente impressive
imponer to impose
importar to matter, be important; to be at stake
importunar to importune, bother
importunidad persistence, importunity, annoyance
importuno importunate, persistent, annoying
imposibilitado prevented
impostor imposter
imprecación imprecation
impregnar to impregnate
imprescindible indispensable
impresionar to affect
imprevisión recklessness
imprevisor improvident
imprevisto unforeseen
imprimir to impress
impropio unbecoming, unfitting
improviso unexpected; **de —— ** unexpectedly
impudente shameless
impugnable inexpugnable, unconquerable
impulsar to impel
impulso impulse; **a ——s de** by force of
impune unpunished
impuro impure
inacabable unending
inaccesible inaccessible
inadvertido unwarned, unaware
inagotable inexhaustible
inanición inanition, weakness caused by hunger
inanimado inanimate
inaudito unheard of
inaugurar to inaugurate

incansable tireless
incapaz incapable
incendio fire; flame
incensario incense burner
incentivo incentive; impulse
incesable unceasing
incesante incessant
incienso incense
incitar to incite
inclinación inclination; love
inclinado bent; resting
inclinar to bend down, bow; ——se to take an inclination; ——se a to have an inclination for, be inclined
inclito illustrious
incluso including
incógnito unknown, nameless
incomodar to make uncomfortable; to disturb; ——se to become angry
incomodidad discomfort
incompatible incompatible
incomprensible incomprehensible
inconexo unconnected, incoherent
inconsciente unconscious
inconsistente unsubstantial
inconstante inconstant, fickle
inconveniencia undesirability; unsuitability
inconveniente objection
incorporarse to sit up; to stand up; to join
incorpórea bodyless
increado uncreated
incredulidad incredulity
incrédulo incredulous
increíble unbelievable
increpar to rebuke, reproach
incruento bloodless
inculto uncultivated; uncultured
incumbencia task
incurrir to incur; to commit
indagación investigation
indagar to find out; to investigate
indecente indecent, low
indecible unspeakable
indeciso undecided
indecoroso unbecoming
indefectible unfailing
indescriptible indescribable
indeterminado indeterminate, vague
indiano Spaniard who had spent some time in the American colonies and returned to Spain

indicar to point out, indicate
indicio indication, sign
indigestar to give indigestion
indignado indignant
indigno unworthy
indio Indian
indirecte indirectly
indiscreto indiscreet
indisculpable inexcusable
indispensable indispensable
indispuesto indisposed, ill
individuo individual; member
índole nature
indolente indolent
inducir to induce, persuade
indudable without doubt, certain
indulgencia indulgence
indulgente indulgent; compassionate
indulto pardon
indumentario pertaining to clothes
industria industry; trick
industriar to scheme
industrioso industrious; crafty
ineducado uncultured, unpolished
inefable ineffable, inexpressible
ineficaz ineffectual
ineluctable inescapable, irresistible
ineludible unavoidable
ineptitud ineptitude
inercia inertia; laziness; immobility
inerme unarmed, defenseless
inesperado unexpected
inestabilidad instability
inexperto inexperienced
inexplicable unexplainable, inexplicable
inextinguible inextinguishable; ceaseless
infamante insulting, defaming
infamar to defame
infame infamous, base
infamia infamy, base thing
infancia infancy
infanta princess
infantazgo rank or estate of prince or princess
infante prince
infantería infantry
infantil childish, infantile

infantina little princess
infatigable indefatigable
infección infection; corruption
infecto tainted; stagnant
infeliz unhappy
inferir (ie) to infer
infestar to pollute
inficionar to infect, poison
infidelidad unfaithfulness, infidelity
infiel faithless, unfaithful
infierno hell
infiltrar to infiltrate, seep (into)
inflamable inflammable; easily stirred
inflamado flaming
inflamar to kindle, inflame
inflar to inflate; to swell
influir to influence; to inspire
influjo influence
informante appraiser
informar to inform; to give evidence
informe report; plu news, information
infortunio misfortune
infractor violator
infringir to infringe
infundado unfounded, untrue
infundio trickery, deceit
infundir to instil
ingenio cleverness; genius; intelligence
ingenioso ingenious, clever; arch. insane, mad
ingénito innate
ingenuidad ingenuousness
ingenuo ingenuous
ingratitud ingratitude
ingrato ungrateful
ingreso admission
inicial initial
iniciar to initiate, begin
iniciativa initiative
inicuo iniquitous
iniquidad iniquity, foul deed
injerto graft
injuria insult
injurioso insulting
injusto unjust; unworthy
inmaculado immaculate, spotless, pure
inmarchitable unwithering, evergreen
inmarchito unwithered
inmaterial incorporeal
inmediato next, nearby

inmemorial immemorial

inminencia imminence

inmoralidad immorality

inmotivado unmotivated

inmóvil motionless

inmundo foul, filthy, unclean

inmutable immutable, unchangeable

innegable undeniable

inocente innocent

inopinado unexpected

inoportuno inopportune

inquebrantable irrevocable

inquietar to worry, disquiet, disturb; ——se to worry

inquieto worried, disturbed; restless

inquietud worry; restlessness

inquirir (ie) to inquire

insano unhealthy

insensatez senselessness

insensato senseless, foolhardy

insensible unfeeling

insidia ambush, snare

insigne famous, renowned

insinuante insinuating

insistencia persistence

insolente insolent

insoportable unbearable, insupportable

inspiración inspiration

inspirar to inspire

instable unstable

instalar to install

instancia insistence, urging

instantáneo instantaneous

instante instant

instar to urge

instintivo instinctive

instinto instinct

instituído instructed, informed

instrucción education

instruir to instruct

instrumento instrument

insuficiencia lack of learning

insufrible unbearable, intolerable

insulano islander

ínsulo humorous for insulano

insulsez insipidity

insultante abusive person

insultar to insult

insulto insult

integridad integrity; entirety

íntegro entire, complete

inteligencia intelligence; understanding

intendente: —— de ejército quartermaster general

intensidad intensity

intentar to try, attempt; to strive

intento intention, plan, purpose

interés interest; plu. money matters

interesar to interest; to be important

interior interior, inner

interlocutor interlocutor, one who takes part in a conversation

internarse en to penetrate, enter within

interpelación demand for an explanation

interpolar to interpolate; to assert

interponer to interpose

interpretar to interpret

intérprete interpreter

interrogar to interrogate, question

interrumpir to interrupt

intervalo interval

intervenir to intervene, take part; to play a part

intimar to become intimate

intimidad intimacy

íntimo intimate

intranquilo worried

intransitable impassable

intrépido intrepid

intricar arch. to make intricate

intriga plot, intrigue

intrincado involved

introducir to usher in; to introduce; ——se (en) to enter, penetrate; to extend

intruso intrusive

intuición intuition

inumerabilidad infinite number

inundación flood

inundar to inundate, flood

inútil useless

inutilizado disabled

invalidar to invalidate

inválido crippled, lame

invencible invincible, unconquerable

invención invention; trick, stratagem; cleverness; composition

inventar to invent

inventario inventory

inventivo inventive, clever

inverecundia shamelessness

inverosímil untrue; unbelievable

invertir (ie) to invest

inviolable inviolable, inviolate

invocación invocation

invocar to invoke, call upon

invulnerable invulnerable

ir to go; me va la vida en ello my life is at stake; no va mucho en esto this isn't very important

ira ire, wrath

iracundo wrathful

irascible irascible

irradiación radiation

irrealizable unattainable

irregularidad irregularity

irreverente irreverent

irrevocable irrevocable; unavoidable

irritado angered

isla island

islote aug. of isla

itálico Italian

ítem item; also; —— más also, furthermore

izquierdo left; a la izquierda to the left

J

ja ha!

jabalí wild boar

jaca pony

jaco pony; nag

jactancia boasting

jactarse de to boast of

jadeante panting

jaez trappings (for horse); kind

jalear to urge on dancers by clapping

jaleo high time, excitement; type of peasant dance

jalma pack-saddle

jamelgo nag

jamugas side-saddle

jaquita dim. of jaca

jarana carousal

jardín garden

jarra jug, pitcher

jarrazo blow with jar

jarro pitcher, jug

jaspe jasper (an opaque, colored variety of quartz)

jaula cage

jauría pack of hounds

jayán giant; burly fellow

jazmín jasmine

jazminero jasmine bed

jefe chief, head man, leader, boss; important person
jerarquía hierarchy, rank
jerga serge, dark-colored cloth; jargon
jergón pallet, straw mattress
Jesú heavens!
jilguero linnet
jineta a style of horsemanship; a la —— in fancy style
jinete rider, horseman
jira see gira
jornada act; journey, day's trip, expedition; circumstance
jornalero day laborer
Jove Jove, Jupiter
jovenzuelo dim. of joven
jovialidad gaiety
joya jewel
joyel piece of jewelry
joyero jeweler
ju whew!
jubileo jubilee, festival; indulgence
júbilo joy
jubón doublet
judía green bean
judío Jew
juego game; gambling; set
juez judge
jugador gambler, player
jugar (ue) to play; to gamble
juglar minstrel
jugo juice
juguete plaything, toy; de —— toylike
juicio judgment; good sense; sano —— right mind
juicioso sensible
jumento ass, donkey
junco rush, reed, cane
juntamente together; at the same time
juntar to join; ——se to meet, come together
junto together; at the same time; arch. plu. both; all
jurado court (of law); judge
juramento oath, pledge
jurar to swear
justa joust
justador tilter, jouster
justicia justice; judge; police; court
justiciero giver of justice
justificar to justify
justo just, proper; precise(ly); al mes —— just a month after

juvenil youthful
juventud youth
juzgar to judge; to believe

K

kilo kilogram
kilómetro kilometer

L

laberinto labyrinth, maze
labia 'gift of gab'
labio lip
laboriosidad industry
laborioso industrious
labrado wrought; carved; built
labrador farmer
labradora farm girl; farmer's wife
labrandera seamstress, embroiderer
labranza farming
labrar to embroider
lacayo lackey
lacayuelo dim. of lacayo
lacerado miserable
laceria hardship; miserable portion
lacerio misery
lacónico laconical
laconismo laconism, brevity of speech
ladearse to move to one side
ladera side, slope
ladrar to bark
ladrido bark, barking
ladrón, -a thief; cueva de ——es nest of thieves
lagar wine press
lago lake
lágrima tear
lagrimear to weep
lamentar to lament; ——se to lament
lamento lament
lamer to lick
lámina engraving, print
lámpara lamp
lampiño beardless
lana wool
lance affair; difficult position; affair of honor; occasion; matter
languidez languor
lánguido languid
lanteja arch. for lenteja lentil
lanzar to throw, cast
lanzón short thick lance

largar to come out with; to let fly; ——se to get out; 'to light out'
largo long; a lo —— de along
larguillo dim. of largo longish
lástima pity; plu. lamentations
lastimado pitiful, poor
lastimar to pain, hurt, wound
lastimero pitiful, piteous
lastimoso pitiful
latania latania palm
latido beat
látigo whip
latir to beat; to bark
laúd lute
laureado crowned
laurel laurel
lauréola mezereon (flowering shrub)
lauro laurel
lavandera laundress
lazo knot; snare; bond
lealtad loyalty
lebrel greyhound
lector reader
lectura reading
lecho couch, bed
lechoso milky
lechuga lettuce, head of lettuce
lechuza barn owl
legajo bundle, sheaf; file (of papers)
legal arch. for leal
legalizar to legalize
legislador legislator, lawgiver
legítima inheritance
legítimo legitimate
lego n. lay brother; layman; adj. lay, secular
legua league
leído well-read
lejanía distance
lejano distant, far
lejos: a lo —— in the distance
lema motto
lencero linen seller
lengua tongue; language; con media —— stammering
lenguaje speech, language
lentitud slowness
lento slow
leño firewood, wood
león lion
leona lioness
lercha wooden stringer

letal lethal
letanía litany, religious chant
letra letter
letrero sign
leve light; slight
levita Prince Albert coat
levitilla *dim. of* **levita**
ley law; rule; obligation; **a toda** —— under all circumstances; **de baja** —— of low standard
leyenda legend
leyente reader
liar to bind, fasten
libar to suck
libertar to free
libertinaje licentiousness
libra pound
libraco *aug. of* **libro**
librado: bien —— successful, lucky
librar to free
librea livery
librería bookstore
libreta loaf of bread weighing a pound
licencia leave, furlough; permission
licenciado licentiate, bachelor of laws
lícito lawful; permissible
licor liquid; liquor
lid fight, battle
lidiar to fight, struggle
liebre hare
lienzo linen cloth; canvas
liga birdlime
ligadura binding
ligar to bind
ligereza swiftness; lightness; ease
ligero light; swift, fast; slender; fine, delicate
lima lime
límite limit; boundary, border
limosna alms
limosnero *n.* almoner, almsgiver; *adj.* charitable
limpiar to clean, wipe off
límpido limpid
limpieza cleanliness; cleaning; clarity; emptiness
limpio clean; **poner en** —— to make a clear copy; to set aright; **sacar en** —— to see clearly
linaje lineage, family; kind
linajudo of noble descent
lince lynx
linde boundary

lindeza beauty; **a las mil** ——**s** very beautifully
lindo pretty, beautiful, handsome; **de lo** —— in fine style
lino linen
lío bundle, roll; tangle, mixup
lirio lily
lisiado crippled
liso smooth
lisonja flattery; caress
lisonjear to flatter; to fondle
lisonjero flattering
listo ready; clever
listón ribbon, tape
lisura smoothness
litera litter
litografía lithograph
liviandad licentiousness; frivolity
liviano frivolous; licentious; slight
lívido livid, pale
loar to praise
lobo, -a wolf
lóbrego gloomy
locuacidad loquacity
locuaz loquacious
locura madness; mad idea
lodo mud
lograr to attain, get; to succeed in
loma ridge
lomo back; loin
lona canvas
longaniza sausage
longura length
lontananza distance
loor praise, acclaim
loriga armor, cuirass
loro parrot
losa flagstone; stone slab; tombstone
lotería lottery; **caerle a uno la** —— to win the lottery
loza china
lozanía vigor; freshness; luxuriance
lozano strong, brisk
lucero bright star; morning star
lucidez lucidity; brilliance
lucido brilliant
Lucifer Lucifer
lucir to shine; to show, show off
lucha fight, struggle
luchar to struggle, fight
luego immediately; afterwards; **desde** —— immediately; of course

luengo long
lueñe *arch.* distant
lugar place; village; occasion
lugareño, -a *n.* villager; *adj.* rustic
lúgubre lugubrious
lujo luxury
lujoso luxurious
lujuria lust
lujurioso lustful
lumbre fire; light
lumbrera luminary
luminoso luminous, bright
lustre lustre, brilliance
lustroso shiny, glossy, lustrous
luto mourning
luz light; **de cortas luces** of little intelligence

LL

llaga sore; wound
llagar to wound
llama flame
llamado so-called
llamar to call; to knock; to ring
llamativo seductive
llanamente plainly
llano *n.* plain; *adj.* flat, level; clear, evident; smooth
llanto weeping, tears
llanura plain
llave key
llavecita *dim. of* **llave**
llegada arrival
llegar to arrive; —— **a** (*followed by infinitive*) to come to; to go as far as; ——**se** to approach
llenar to fill; to fulfill; to cover
llevadero bearable
llevar to take, carry; to take away; —— **a mal** to take badly; —— **dos días, tres meses,** etc. to have been two days, three months, etc.
lloricón whining
lloro weeping, tears
lloroso tearful, weeping
llovizna drizzle
lluvia rain

M

maceta flower-pot
macilento withered; pale; emaciated
macizo robust, husky

mácula stain

macho n. mule; adj. male

madeja skein; coser madejillas to tie up skeins

madera wood

madrastra stepmother

madre mother; —— política mother-in-law

madreselva honeysuckle

madriguera rabbit warren

madrugada early morning

madrugador n. early riser; adj. early rising

madrugar to rise early; to arrive early

madurar to mature, ripen

madurez ripeness; maturity

maduro ripe; mature

maestra teacher; boss (slang)

maestrante member of an aristocratic riding club

maestre grand master (of religious order)

maestrescuela rector

maestría skill

maestro, -a master, teacher, expert

magia magic

mágico magic

magín mind, imagination

magistral masterly

magnánimo magnanimous

magnético magnetic

magnificar to magnify

magnificencia magnificence; generosity

magnitud magnitude, immensity

mago, -a enchanter; reyes magos Magi, Wise Men

magullado mauled, bruised

Mahoma Mohammed

maitines matins (a church service)

majada fold

majadería silly speech

majestad majesty

majestuoso majestic

majo a dandy and bully of the lower classes in Andalucía

majuelo new vine

mal n. evil; ailment, sickness; misfortune; trouble

malacondicionado surly, disagreeable

malandante unfortunate

malaventurado unfortunate

maldad wickedness; plu. evil deeds

maldecir to curse

maldiciente n. slanderer; adj. slandering

maldición curse

maldito cursed

maleante villainous

maledicencia slander, calumny

maleta suitcase, bag

malévolo malevolent

maleza thicket

malhadado bewitched, cursed

malhechor evil-doer, criminal

malhumorado bad-humored

malicia malice

malicioso malicious; sly; mischievous

maligno malign, evil

malmascado badly chewed

malograr to come to an untimely end

maltratado bruised

maltrecho battered

malva mallow

malvado wicked

malla mail, armor

mamar to suckle

mamarracho grotesque figure, sight

mamotreto monstrosity

manada swarm; flock

manantial spring (of water); source

mancebo n. youth; adj. youthful

mancilla spot, blot

mancillar to stain

manco maimed; one-armed; one-handed

Mancha, La the southeast district of Castilla la Nueva

mancha stain, blot, spot

manchar to spot, stain

manchón aug. of mancha

mandado order

mandamiento commandment

mandar to send; to order

mandato command, order

mandil cloth (for wiping down horses)

mando command; power

manejar to manage, handle; to drive

manejo management

manera manner, means; de —— arch. in such a way

manga sleeve; ——s de camisa shirt sleeves

mangoneo meddling

manía mania, craze, whim

manicomio insane asylum

manifestación manifestation

manifestar (ie) to state

manifiesto manifest

manjar dish, portion (of food)

mano hand; front foot (of animal); tener buena —— to be skilful; tener mala —— to be unskilful

manojo bundle

manotada: dar ——s to paw the ground

mansedumbre gentleness, meekness

mansión dwelling place, mansion

manso gentle; quiet

manta blanket

manteca butter

mantener to maintain, support, keep, sustain

mantenimiento maintenance; sustenance

mantilla light scarf worn on head

manto robe; mantle, cloak

mantón shawl

manuscrito manuscript

maña skill; cunning; trick; evil trait

mañana morning; tomorrow; muy de —— very early in the morning

mañoso clever

máquina machine; structure; fabric

maquinal mechanical

maquinar to scheme

maravedí penny, small coin

maravilla marvel, wonder; a las mil ——s marvelously

maravillar to marvel; ——se to be surprised; ——se de to marvel at

maravilloso marvelous

marca brand

marcar to mark

marcial martial

marco frame; mark (about ½ pound)

marcha march; movement, progress; en —— en route; romper la —— to set out

marchar to go away; to walk

marchitar to wither

marchito withered

marea tide
mareante causing dizziness, heady
marfil ivory
margen margin
marido husband
marinero n. sailor, mariner; adj. seafaring
marino of the sea
mariposa butterfly
mármol marble
marqués marquis
marquesa marchioness
marroquí Moroccan
marrullero whining
Marte Mars
martillo hammer
mártir martyr
martirio martyrdom; suffering
martirizar to martyr; to torture
más: de —— unneeded, superfluous
masa mass; dough
mástel arch. for mástil mast
mastín mastiff
mastranzo mint
mata underbrush
matadero slaughter-house
matador killer, assassin
matanza slaughtering, killing
materia matter; material
material material; en lo —— with respect to physical things; lo —— the flesh, the physical being
materialista materialistic
materializarse to become materialistic
materialmente physically, in the flesh
matinal morning
matiz shade (of color)
matizar to tint
matón ruffian, bully
matorral thicket
matrimonio marriage; married couple
matrona matron
matutino morning
maulería trickery
mayonesa mayonnaise
mayor n. major; adj. greater, greatest; larger, largest; higher; important; chief; plu. betters; persona —— grown-up person
mayorazgo n. estate (inherited by eldest son); eldest son; adj. eldest

mayordomo steward
mayormente principally, especially
mazmorra dungeon
mazo hammer
mazorca ear of corn; bunch
mecachis the deuce!
mecánico mechanical
mecer to rock; to sway
mechón lock
mediado: a ——s de toward the middle of
mediano medium; medium-sized; moderate; mediocre
mediante by means of, through, by virtue of
mediar to intervene
medicamento medicine
médico doctor
medida measure; a —— que as, in proportion as
medio n. means; middle; adj. half; en —— between
mediodía noon; south
mediquillo dim. of médico
medir (i) to measure; vara de —— yardstick
meditabundo pensive, meditative
meditar to meditate
medrar to get ahead, progress
medroso fearful; frightening
mejilla cheek
mejor: ——que—— better than ever; estar——con to be on better terms with
mejora improvement
mejorar to better, improve
mejoría improvement
melancolía melancholy
melena mane; long hair
melifluo sweet, honeyed
melindroso prudish
melocotón peach
melodía melody; melodiousness
mella nick; impression
mellar to nick
mención mention
mencionar to mention
mendicante n. beggar; adj. begging; of a beggar
mendicidad begging
mendigo, -a beggar; —— de punto beggar having a regular station
mendrugo crust
menear to move from side to side; to stir; to wiggle; to manage, direct; to move

meneo swaying motion
menester need; occupation; haber or tener —— to need; ser —— to be necessary
menesteroso needy
mengano what's his name
mengua lack, need; flaw, shortcoming, fault; shame
menguado reduced; slight; short; stupid
menguar to lack; to diminish; menguado de lacking in
menor younger; smaller, smallest; less; —— edad youthful age
menos: por lo —— at least; venir a —— to fall into bad circumstances
menospreciar to despise, scorn
mensaje message
mensajería message carrying
mensajero messenger
mensual monthly
mentar (ie) to mention
mente mind
mentecato n. fool; adj. foolish, crack-brained
mentido false
mentir (ie) to lie
mentira lie; error; parece —— it seems impossible
mentís: dar un —— a to give the lie to, accuse of lying
menudear to become frequent, be frequent
menudo small, tiny; short; a —— often, frequently
mequetrefe jackanapes
mercader merchant
mercado market
mercancía merchandise, goods
mercantil commercial
mercar to purchase
merced grace; favor; arch. thanks; —— a thanks to
mercenario mercenary
merecedor meritorious, deserving
merecer to merit, deserve
merecido due, deserts
merecimiento merit; rank; plu. deserts
merendero summer house (for picnics)

merendona *aug. of* merienda

meridiano noonday; southern

merienda snack; picnic; lunch

merino merino, kind of wool cloth

mérito merit

merluza hake

mermar to diminish

mero mere

merodeo marauding

mesa table, desk; branch, subdivision (of a government office)

mesar to tear (the hair)

Mesías Messiah

mesmo *arch. for* mismo

mesón inn

mesonero innkeeper

mestizo half-breed

mesura restraint

metal metal; timbre

meter to put, put in, place; ——se a to set oneself up as; ——se con to meddle with, interfere with

metrificar to compose poetry

metro meter

mezcla mixture; de —— mixed color, spotted

mezclar to mix, mingle

mezcolanza mixture

mezquino wretched; mean; puny

mezquita mosque

miaja bit

microscópico microscopic

miel honey

miembro member; limb

mientes *arch.* mind; parar —— to fix one's attention on

miga crumb; soft part of bread

migaja crumb

milagro miracle

milagroso miraculous

milenario thousand year old; age-old

milicia troops, army; militia

militar *n.* soldier; *adj.* military

milla mile

millar thousand; a ——es by thousands

mimar to indulge

mimbre willow

mimbrón *aug. of* mimbre

mimo indulgence; fondness

minero spring (of water)

mínimo very small; smallest degree

ministro minister

minucioso minute, diminutive; thorough

minuta minutes; notes; copy

miopía near-sightedness

mira aim, object

mirada look, glance, gaze

mirado: mal —— with evil intent

miramiento consideration; circumspection

mirar to look at; —— a to aim at

mirilla peephole

mirón onlooker

misa mass

miserable base; miserable, wretched

miserere Miserere (a religious chant)

miseria misery; baseness, meanness; poverty; filth; miserable amount

misericordia pity, compassion, mercy

misericordioso merciful

miseriuca wretched trait

mísero miserable; mean

misión mission

misionero missionary

misterio mystery

misticismo mysticism

mitad half; cara —— 'better half'

mitigar to mitigate

mixto mixed

mobiliario furniture, household goods, furnishings

mocedad youth

mocito *dim. of* mozo

mocoso sniveling

moda style, mode

modal *plu.* manners

modelado modeling

modelo model

moderado moderate

moderar to moderate

modificar to modify

modo manner; good manners; sort; *plu.* means; a —— de a sort of, something like; de —— que so that; de todos ——s in any case

modorra stupor

modosito *dim. of* modoso

modoso modest; well-bred

modular to modulate

mofa mockery

mofarse to mock

mohino peevish, pouting

moho mould; rust

mojar to soak, wet

molde form

mole mass

moler (ue) to grind; to press; to beat

molestar to bother

molestia bother, trouble

molicie softness

molienda grinding

molino mill; —— de viento windmill

mollar soft; simple

mollera head, pate

momentáneo momentary

momento: al —— immediately, instantly; por ——s at times

momia mummy

mona *n.* ape, monkey; dormir la —— to sleep off one's drunkenness

monarca monarch

monasterio monastery

mondo clean; unembellished; trimmed

moneda coin; monedita de veintiuno y cuartillo a gold coin withdrawn from circulation in 1786, worth 21¼ reales

monería cute action

monigote lay brother, poorly painted figure

monja nun

monje monk

monomanía mania

monotonía monotony

monótono monotonous

monstruo monster; freak

montar to ride (horseback); to mount; to cock (a firearm); to set (precious stones)

montaraz wild; mountain

monte mountain; forest, woods; card game; vestido de —— in hunting costume; Monte de Piedad government pawn-shop and savings bank

montepío savings account (in the Monte de Piedad); savings

montero hunter

montiña mountain side

montón pile; lot

moño pug (of hair)

mora blackberry

morada dwelling place, house
morador dweller
moral m. black mulberry tree; f. ethics
moralista moralist
morar to dwell
morazo aug. of moro
morbidez smoothness
morcilla blood pudding; —— de sesos head pudding
morder (ue) to bite
moreno dark; dark-skinned
morería Moorish camp; Moorish quarter (of city); Moorish people
moribundo dying
morilla dim. of mora Moorish woman
morisco n. a Mohammedan converted to Christianity; adj. Moorish; a la morisca Moorish fashion
moro n. Moor; adj. Moorish
morrión helmet (without attached parts), morion
morrocotudo dandy, swell
mortaja shroud
mortecino sickly; wan; deathly
mortificación mortification
mortificar to mortify
mosca fly; —— de luz firefly
moscón horsefly; annoying person
mostaza mustard
mosto grape juice
mostrador counter
mostrar (ue) to show
mostrenco stupid
mota speck; burl, knot of thread
mote nickname; offensive title
motejar to call offensive names; to mock
motivo motive, reason, cause
mover (ue) to move; to wage (war)
movible movable
moza lass, girl
mozo lad, youth; servant; —— de caballo groom; stable boy; —— de cuerda porter
mozuela aug. of moza
mucho: de —— much; ni —— menos; ni con —— nor far from it
muchedumbre multitude
muda cosmetic
mudable fickle; undecided

mudanza change; move; fickleness; figure (of a dance); estar de —— to be in the process of moving
mudar to change; ——se to be fickle
mudo dumb; silent
mueble n. piece of furniture; plu. furniture; furnishings; adj. movable; capital —— personal property
mueca grimace
muela tooth; molar
muelle spring; dock, pier
muestra sample; sign
mugre filth
mugriento filthy
mujeriego womanish; a mujeriegas side-saddle
mujeril womanly
mujerona aug. of mujer
mula mule
mulato mulatto
mulero muleteer; servant in charge of mules
muleta crutch
mulo mule
multitud crowd, multitude
mundanal worldly
mundano worldly
mundo world; high society; gran —— high society
munificencia generosity, munificence
muñeco doll; puppet
muralla wall, city wall
murciano from Murcia
murmullo murmur
murmuración gossip; slander
murmurador gossiper
murmurar to murmur; to gossip, backbite
murria melancholy
musa muse
musculatura muscles
músculo muscle
musculoso muscular
musgo moss
música music; tune
músico n. musician; adj. musical
muslo thigh
mustio sad
mutilar to mutilate
mutuo mutual

N

nabo turnip
nácar mother-of-pearl
nacimiento birth
nadar to swim

nado swimming; a —— by swimming; arrojarse a —— to strike out swimming
naipe playing card
nalga buttock
napolitano of Naples, Neapolitan
naranja orange
naranjo orange tree
nariz nose; plu. nostrils
narrador narrator
narrar to narrate, tell
nata cream
natal native
nativo native
natura nature; kind
natural n. nature, character; adj. native
naturaleza nature
naturalidad naturalness
naufragio shipwreck
náufrago shipwrecked person
navaja razor; clasp knife; —— de afeitar razor
nave ship
navegar to sail, navigate
navío ship
nazareno Nazarene
neblí falcon
necedad foolishness, stupidity
necesitado needy
necio n. fool; adj. foolish, stupid
negar (ie) to deny; ——se a to turn a deaf ear to; to refuse
negativa negative; denial; refusal
negociar to handle
negocio business; affair; deal; matter
negro black; wretched
nelumbo water lily
nene baby; child
nervioso nervous
neurosismo neurosis
nido nest
niebla mist, fog
nieto grandson
nimio prolix; enduring, constant
ninfa nymph
Nínive Nineveh
niñería childish thing
niñez childhood
nitidez neatness; whiteness
nítido clean; pure; bright; neat

nivel level
nobleza nobility; generosity
nocturno nocturnal
noche: de —— at night, night; in evening attire
nodriza nurse
nogal walnut tree; walnut wood
nómada nomad
nombrar to name
nombre: mal —— depreciatory nickname
nominativo nominative
norte north; *fig.* guide
nostalgia nostalgia; yearning
notable remarkable, extraordinary
notar to note
notario notary
noticia report; information; notice; *plu.* news
noticioso aware
notorio evident; notable
novato beginner
novedad novelty; change; innovation
novel *adj.* novice
novela novel
novelero beginner
novelista novelist
novena novena (series of religious devotions lasting nine days)
novia sweetheart; bride
noviazgo engaged couple; engagement
novio suitor; bridegroom
nube cloud; poner por las ——s to praise highly, extol
nublar to cloud
núcleo nucleus
nudo knot
nuera daughter-in-law
nueso *arch. for* nuestro
nueva *n.* news
nuez walnut; Adam's apple
nulo null; nil
numen god; inspiration
nuncio messenger
nupcial nuptial
nupcias marriage
nutrir to nourish

O

obedecer to obey
obediencia obedience
obediente obedient
obelisco obelisk
obispado bishopric

obispo bishop
obligar to oblige; to cause; to place under obligation
obra work; deed
obrar to work; to act
obscurecer to darken
obscuridad darkness
obscuro dark; gloomy; stupid (of people); a obscuras in the dark
obsequiar to treat; to entertain
obsequias *arch.* obsequies, funeral service
obsequio gift
observante strict
observatorio observatory; lookout
obsesión obsession
obstáculo obstacle
obstante: no —— nevertheless
obstinado obstinate
obstinarse to persist; to insist
obstruir to obstruct
ocasión occasion; opportunity; situation, provocation
ocaso sunset
occidente west
ociosidad idleness
ocioso idle
octogenario octogenarian
ocultar to hide
oculto hidden
ocupar to occupy
ocurrencia idea
ocurrir to happen; to occur; —— a to take care of; to think of
ochavo coin; *plu.* money
odalisca harem beauty
odiar to hate
odio hatred
odioso odious
ofender to offend; to attack; to insult; to do harm
ofensa offense
oficial officer (of army); official; tradesman
oficinista office worker; bureaucrat
oficio religious service; job, position; career; trade
oficioso officious; accommodating
ofrecer to offer; ¿Qué se ofrece? What do you wish?
ofrecimiento offer
ofrenda offer
oída hearing; por ——s by hearsay

oído ear
ojeada glance
ojera circle under the eye
ojeriza ill will
ojeroso having rings under the eyes
ojival ogive, Gothic
ola wave
ole come on!; hurray!
oler (ue) to smell
olfatear to sense; to smell
oliente smelling
olímpico Olympic
oliscar to sniff; to seek out; to ferret out
olivar olive grove
olivo olive tree
olmo elm
olor odor, perfume; fragrance; agua de —— toilet water; —— de santo odor of sanctity
olorcillo *dim. of* olor
oloroso fragrant
olvido forgetfulness; oblivion
olla pot; stew
omecillo hate
omitir to omit; to leave undone
omnipotencia omnipotence
omnipotente all-powerful
onda wave
ondulante undulating
ondular to undulate
onza ounce; a gold coin (worth about $8)
opaco opaque
opalino opalescent
opinión opinion; public opinion; reputation
oponer to oppose
oportuno opportune
opresión pressure
oprimir to oppress; to weigh down
oprobio opprobrium; disgrace
óptica optics; ilusión de —— optical illusion
optimista optimistic
opuesto *n.* opponent; *adj.* opposite; opposed
oquedad hollowness
ora now; ora ... ora ... now ... now ...
oración prayer; sentence
orangután orangutan
orar to pray
oratoria oratory
oratorio oratory, place for prayer

orbe orb, earth

orden m. order; guardia del —— municipal police; —— público police; f. order, command; religious order; recibir las órdenes to be ordained

ordenación ordaining, ordination

ordenado well-ordered

ordenanza orderly; officers' handbook, manual of arms

ordenar to order; to ordain

ordeñar to milk

ordinario ordinary; unrefined; de —— ordinarily

orear to refresh

oreja ear

orfandad orphan's estate

organista organist

órgano organ

orgullo pride

origen origin

originar to originate

orilla border, edge; bank; shore

orín rust

oriundo de native to; coming from

orondo filled with vanity

osadía daring

osado bold, daring

osar to dare

oscilar to waver

oscuridad darkness

oscuro dark; obscure; a oscuras in the dark; ignorant

ostentar to show

otoñal autumnal

otorgar to grant; —— testamento to make a will

otrosí arch. likewise

oveja sheep

overo peach-colored, sorrel

P

pabellón canopy

pábulo food; dar —— to encourage

pacer to pasture, graze

paciencia patience

padecer to suffer

padecimiento suffering

padrastro stepfather

padrenuestro Lord's Prayer

padrino godfather; second (of duelist)

padrón column or post with inscription

paga payment

pagamento payment

paganismo paganism

pagano pagan

pagar to pay; arch. to please; ——se de to be pleased with

pago: en —— de in payment for

paisaje landscape

paisano n. peasant; adj. from the same region

paja straw; silla de —— cane chair

pajarillo dim. of pájaro

pájaro bird; (slang) fellow, guy

paje page boy

pajecico dim. of paje

palabra word; word of honor; tomar la —— to take the floor

paladar roof of mouth; palate

paladión safeguard; offering to Pallas

palafrén palfrey

palangana wash basin

paletilla shoulder-blade

pálido pale

paliza beating

palma palm

palmada blow (with palm of hand), slap, pat; dar ——s to clap

palmar palm grove

palmatoria small candlestick

palmetazo slap, blow (with ruler)

palmito dwarf fan palm

palmo palm; small amount

palo stick; blow

paloma dove

palomar dovecot

palomino pigeon

palosanto lignum-vitae (a tropical wood)

palpar to feel

palpitación palpitation

palpitante palpitating

palpitar to palpitate, beat

pámpano vine leaf; vine shoot

panal honeycomb; stick of honeycombed sugar for sweetening drinks

pandero tambourine

pantalón trousers, pants

panteón pantheon, burial crypt

pantuflo slipper

pañizuelo handkerchief

paño woolen cloth; cloth; —— de manos hand towel; —— de pared tapestry

pañolito kerchief

pañuelo handkerchief

papa Pope

papel paper; role; note; hacer un —— to play a role

papelejo old piece of paper

papelera filing case

papeleta pawn ticket; ticket; paper

papelucho aug. of papel old paper

papilla pap, baby food

paquete package

par pair, couple; a la —— con equal to; de —— en —— wide (open); —— de next to

par arch. for por

parada stop

paradero stopping place

parador inn; tenement house

paraíso paradise

paralítico paralytic

paramento adornment

parar to stop; to parry; to end; ——se to stop

parche sticking plaster

Pardillo a kind of wine

pardo dark gray, brown

parecer to seem; to appear; ——se to appear; ——se a to resemble; n. opinion; a mi —— in my opinion

parecido similar

pared wall

paredilla dim. of pared

paredón aug. of pared

pareja pair, couple

parentesco relationship

pariente, -a relative

parihuela stretcher

parir to give birth to

parlanchín chattering, talkative

parlotear to chatter

párpado eyelid

parra grape arbor; vine

parroquia parish church; parish

parte part; cause; place; plu. talents, qualities; de mi —— on my behalf; de —— de on behalf of; de —— en —— from one side to the other; en buena —— with good intention; dar —— to inform;

en mala —— with bad intention; **en todas** ——**s, por todas** ——**s** everywhere

participación sharing, share

participante participant, sharer

participar to share; to inform (of)

partícipe participant

particular special; peculiar; private

partida departure; group; *arch.* part

partidario partisan

partido match; band, party; marriageable person; decision

partir to depart, set out; to split, cut in two; to keep from; to take away; to divide, share

parto birth; confinement; offspring; **profesora en** ——**s** midwife

pasada: de —— on passing

pasaje passage

pasajero passing, temporary

pasar to pass; to happen; to run through; to lead across; to get along; to swallow; to suffer; —— **a** to come to be, turn into; —— **de** to go beyond; to be more than; ——**se** to bear; ——**se al enemigo** to go over to the enemy; ——**se sin** to get along without; **se me pasa** I forget

pascua festival; **buena** —— what a pleasure

paseante idler

pasear to walk; ——**se** to walk, take a walk; to ride; to travel

paseo walk; ride; **dar un** —— to take a walk; to take a trip

pasillo hall

pasión passion; emotion; suffering; illness

pasionado one who suffers

pasitamente softly

pasito softly

pasividad passiveness

pasmar to astonish, surprise; to chill; ——**se** to be overcome; to faint; to be surprised

pasmoso astounding

paso step; walk; pace; passage, way, course; diffi-

culty; feat; **a** —— at a walk; **abrir** —— to open a way; **al** —— **de** in proportion to; **cortar el** —— to intercept, block; —— **contado** measured step; —— **tendido** long stride; **sala de** —— antechamber; **salir al** —— to intercept, come to meet

pasta cookie

pasto food; fodder

pastor shepherd

pastora shepherdess

pastoril pastoral

pata foot (of animal); shank

patada kick

pataleta convulsion

patata potato

patatita *dim. of* **patata**

patear to stamp one's foot

patente *n.* patent; mark; *adj.* obvious

paterno paternal

paternostre Lord's prayer

patíbulo scaffold, gallows

patiecillo *dim. of* **patio**

patilla sideburn, side whisker

patitieso stiff-legged; dumbfounded

pato duck

patria fatherland, country

patriarca patriarch

patrimonio patrimony

patrio native, of one's home

patriota *n.* patriot; *adj.* patriotic

patrón patron; patron saint

patrono patron

patulea disorderly band

pausado slow, deliberate

pavimento pavement; stone floor

pavo turkey; —— **real** peacock

pavor fear, terror

peal good-for-nothing

peana pedestal

pecado sin

pecador, -a sinner

pecaminoso sinful

pecar to sin

peculio purse

pecho chest, bosom, breast; heart; tax; tribute; **tomar a** —— to take to heart

pedalear to pedal

pedantería pedantry

pedazo piece, fragment, bit; —— **de ángel** lovable person

pedernal flint

pedestal pedestal

pedestre pedestrian

pedigüeño demanding, grasping, begging

pedir (i) to ask for; to beg

pedrada stoning

pedregoso stony

pedrusco rough stone

pegajoso sticky

pegar to stick; to beat; to press; to set (fire to); to infect, give (a disease); ——**se** to be catching (of a disease)

pegujar small farm

peinar to comb

peine comb

pejuguar *see* **pegujar**

pelado plucked; hairless

pelar to pull out (hair); to peel

peldaño step

pelea fight, battle

pelear to fight

pelele nincompoop

peleón strong wine

pelgar ragamuffin; tramp

peligrar to be in peril

peligro danger

peligroso dangerous

pelo hair; **venir al** —— to be very apropos

peluona *slang for* **onza**

pellejo skin, hide

pellizco pinch; **dar** ——**s** to pinch; to nibble

pena penalty; pain; punishment; sorrow; suffering; **valer la** —— to be worth the trouble

penado grieved, grieving

penar to grieve

pendencia quarrel; struggle, combat

pender to hang

pendiente *n.* hill, slope; earring; *adj.* pending; hanging; —— **de** dependent on, living on

pendón banner, flag, pennant

penetrar to penetrate; to see; to see through

penitencia penitence; penance

penitente penitent, repentant

penoso painful; difficult

pensamiento thought; intention

pensativo pensive, thoughtful

pensil beautiful garden

pensión pension

penumbra shadow

penumbroso shadowy

penuria penury, poverty

peña rock, crag

peñasco crag

peón foot soldier; —— **de albañil** hod-carrier

peonza top

pepitoria stewed chicken

peplo tunic

pequeñez smallness; petty detail

pequeñuelo *dim. of* **pequeño**

pera pear

percal percale

percatarse to observe

perceptible perceptible

percibir to perceive; to receive

percha clothes-hanger, hattree

perder (ie) to lose; to ruin, bring to perdition

perdición perdition

pérdida loss

perdido *n.* debauchee, base fellow; *adj.* ruined, in wretched condition; **ratos** ——**s** spare moments

perdiz partridge

perdulario *n.* wastrel; *adj.* reckless

perdurable enduring, unending, everlasting

perecedero perishable

perecer to perish

peregrinación wandering, peregrination

peregrino *n.* pilgrim; *adj.* strange

perejil parsley

perenne perpetual

pereza indolence, laziness

perezoso lazy

pérfido perfidious

perfil profile

perfilar to outline

perfumar to perfume

perfume perfume

perfumera maker *or* seller of perfumes

pergamino parchment

pergenio disposition; appearance

perico parrot

período period; sentence

perjudicar to harm

perjuicio prejudice; harm

perjurar to swear, vow

perla pearl; **de** ——**s** wonderful, perfect

permanecer to remain

permanente permanent

perniquebrar (ie) to break a leg

perpetuador perpetuator

perpetuo perpetual

perplejo perplexed, perplexing

perra dog; —— **chica** five céntimo piece ($\frac{1}{20}$ of a peseta); —— **gorda** ten céntimo piece ($\frac{1}{10}$ of a peseta)

perrillo *dim. of* **perro**

perrita *dim. of* **perra**; —— **de lana** poodle

persecución persecution

perseguir (i) to pursue; to persecute

perseverancia perseverance

perseverante persevering

perseverar to persevere

persistencia insistence, persistence

persistir to persist

personaje person, person of importance, personage; character

personarse to present oneself

perspectiva perspective; view

perspicacia perspicacity

perspicaz perspicacious

perspicuo perspicacious, clear-sighted

persuadir to persuade

pertenecer to belong

pertinacia persistence, stubbornness

pertinaz pertinacious, persistent, obstinate, opinionated

pertrechar to provide; to arm

perturbador *n.* disturber; *adj.* disturbing

perturbar to disturb

perverso perverse, wicked

pesadilla nightmare

pesado insistent; stupid

pesadumbre sorrow

pesar to weigh; to grieve, sadden; to feel sorry about

pesar *n.* sorrow, grief, woe; **a** —— **de** in spite of; **a** —— **mío** in spite of myself

pescador fisherman

pescuezo neck

peseta silver coin ($\frac{1}{5}$ of a **duro**)

peso weight; burden; **tener en** —— to keep in abeyance

pespuntar to backstitch

pesquisa investigation

pesquisar to investigate, snoop

pestaña eyelash

peste plague

pestífero pestiferous

pestillo bolt; latch

petaca cigar case

petitorio begging

petrificado petrified

petulancia petulance; conceit

pez pitch

piadoso pious

picacho *aug. of* **pico**

picadero riding ring; slaughter-house

picajoso touchy, easily angered

picante ironical, stinging

picar to stick; to sting; to burn (of sun); to vex; to chop up fine; to pick; to spur; —— **en** to border on; to dabble in; —— **espuelas** to spur

pícaramente in a rascally fashion

pícaro *n.* rascal, rogue; *adj.* roguish

picaruelo *dim. of* **pícaro**

pico peak; point; corner; bit; talkativeness; mouth

picotear to chat, chatter

picotero chattering, talkative

pie foot; footing, basis

piedad pity; piety; act of mercy

piel fur; skin

pierna leg; **hacer** ——**s** to prance

pieza piece; way; game, quarry; coin; —— **de a dos** coin worth two silver **reales** (a fourth of a **duro**); —— **de a ocho** piece-of-eight, **duro**

pila baptismal font

pilar pillar

piloto pilot

pillo rogue

pim zing; —— **pam** whizz bang

pimienta black pepper

pimiento pepper

pinar pine grove
pincel brush
pingajo rag, tatter
pino pine
pinta edge
pintado excellent
pintar to paint, represent
pintiparado made to order, perfect
pintor painter
pintoresco picturesque
pintura painting, picture
piña pineapple; pine cone
piñón pine nut
piñonate candied pine nuts
pío *n.* chirping; *adj.* pious
pipa pipe; cask, hogshead
piramidal pyramidal
pirámide pyramid
pirata *n. or adj.* pirate
piropo compliment
piruetear to pirouette
pisada footfall, step
pisar to tread
pisaverde foppish
piso floor
pisotear to trample under foot
pista track
pistola pistol
pitañoso gummy
placentero pleasant, pleasing
placer to please; *n.* pleasure
plan plan
planchadora laundress
planchar to iron
planeta planet
plano *n.* plane; flat (of sword); **de —** with the flat of sword; *adj.* flat
planta plant; sole (of foot); *fig.* foot
plantación planting
plantar to plant; to set up; to rebuff; **—se** to hurry
plata silver
plataforma platform; level space
plateado silvery
platear to silver
platero silversmith
plática chat, talk
platicar to chat; to chatter
Platón Plato
playa beach, shore
plaza square; place; bull ring
plazo time; period of time, term
plebe populace, common people

plebeyo plebeian
plegar (ie) to fold
plegaria prayer
pleguería fold; roundabout phrase
pleito lawsuit; quarrel
pleno full, complete
pliego folded paper; envelope
pliegue fold; wave
plomo lead
pluguiera *imperfect subjunctive of* **placer**
población population; town
poblado *n.* town; *adj.* populated; clothed (with vegetation)
poblar (ue) to people, populate; to fill
pobretería poor people
pobretón *aug. of* **pobre**
pobreza poverty
poco: a — de after a short while of
podadera pruning hook
podenco hound
poder: no — menos de not to be able to help; *n.* power; power of attorney
poderoso powerful
podredumbre rot, putrefaction
poético poetic
poetizar to poetize, make poetical
polilla moths; mildew
política politics; policy
político *n.* politician; *adj.* political; **madre política** mother-in-law
polizonte 'cop'
polo pole (of the earth or sky)
poltrón indolent
polvo dust
pólvora gunpowder
polvoriento dusty
pollino, -a ass' colt, young donkey
pollo chicken; youth; dandy
pomito flask
pomo hilt, pommel
pompa pomp, ostentation
pomposo pompous
ponderación exaggeration; eulogy
ponderar to weigh, consider; to praise highly
poner to put; to arrange *or* furnish (a house); **— blanco** to wash white; **— la mesa** to set the table; **— por obra** to

set to work on; to carry out; **—se a** to begin; to take time to; **—se (el sol)** to set
poniente *n.* west; *adj.* setting
pontificio pontifical
ponzoña poison
ponzoñoso poisonous
popa poop, stern; **llevar el viento en —** to sail before the wind, make good progress
popular popular, of the people
por *arch.* in order to; **— que** (followed by subjunctive) so that
porcelana porcelain
porción portion
pordioseo begging
pordiosero beggar
porfía persistence; importunity; obstinacy; conflict; **a —** in competition, each striving to outdo the other
porfiado stubborn
porfiar to insist
pormenor detail
poro pore
porquería dirty *or* disgusting thing
porrada blow; knocking
portado dressed
portal entrance way, street door
portarse to bear oneself
porte bearing, carriage
portento marvel
portentoso astonishing, prodigious
portera janitress, janitor's wife
portería gatehouse; room of doorkeeper *or* janitor
portero doorman; janitor
pórtico entrance, portico
portón *aug. of* **puerta**
porvenir future
pos: en — de after, behind, following
posada inn; rooming house; dwelling place
posar to rest; to lodge; **—se** to rest
posas buttocks, seat
poseedor possessor
poseer to possess
pospuesto put in second place, put behind
posta post
poste post, pillar
posterior subsequent, following

xlvii

posternado prostrate
posternar to prostrate
postigo postern gate, small door within a larger one
postizo false
postrar to prostrate
postre dessert
postrero last, rear
postrimería last days
postrimero last
postulante supplicant
póstumo posthumous
postura posture
potente powerful
potestad ruler
poyo stone bench
pozo well
práctica practice, experience
practicable usable, workable
practicante doctor
práctico practical
pradecillo *dim. of* **prado**
pradera meadow
prado meadow
preámbulo preamble
preboste provost; **capitán —** officer in charge of military police
precario precarious
precaución precaution
preceder to precede
precepto rule, precept
preciar to value, esteem; **—se** to pride oneself; **—se de** to boast of
precio price; worth
preciosidad darling; lovely thing
precioso cute, lovely, darling; dainty
precipicio precipice; gulf
precipitación haste
precipitado fast, hasty
precipitar to hurry, hasten, rush forward; to impel; **—se** to rush; to throw oneself
precisamente precisely; right now
preciso precise; **ser —** to be necessary
preconizar to praise
precoz precocious; early
predecir to predict
predestinación predestination
predicación preaching
predicador preacher
predicar to preach; to say
predicción prediction

predilección preference, predilection
predilecto favorite
predominio predominance
prefación preface
preferencia preference; **con —** first
preferente of preference, choice
pregón announcement, proclamation
pregonar to cry out, proclaim
pregonero *n.* town crier; *adj.* loud; public
prelado prelate, bishop, abbot
premiar to reward
premio reward; prize
prenda object of value; treasure; good quality; token; garment; **juego de —s** game of forfeits
prendarse de to become fond of, fall in love with
prender to capture; *arch.* to take
preñado pregnant
preocupación preoccupation; fixed notion
preocupar to preoccupy
preparativo preparation
presa prey; captive; prize, booty; dam; pond (formed by dam); **tomar —** to take, help oneself to
presagio prognostication, sign
presbítero priest
prescindir to dispense with; to ignore
prescrito prescribed
presenciar to witness
presentado as a present
presente *n.* present (time); gift; *adj.* present; **tener —** to keep in mind
presentir (ie) to have a presentiment of
presidir to preside (over)
presión pressure
presita: tomar una — to take something, help oneself
preso, -a *n.* prisoner; *adj.* captive, captured; seized, caught
prestamista money lender
préstamo loan
prestar to loan, lend; to contribute; **—se a** to offer

presteza haste, speed
presto *adv.* quickly; *adj.* swift; **de —** swiftly
presumido presumptuous, conceited
presumir to presume
presunción presumption, conceit; assumption
presuroso swift, fast, hurrying
pretencioso pretentious
pretender to try; to intend; to pay court to; to aspire to
pretendiente suitor
pretensión intention; suit, courting
pretextar to give as a pretext
pretexto pretext; **dar —** to serve as a pretext
prevalecer to prevail
prevención warning; foresight; preparation
prevenir to warn, forewarn; to look after; to prepare; to forestall; to avoid; **—se** to prepare; to foresee
prever to foresee
previo *adj.* previous; *prep.* after
previsión foresight
prez glory, honor
priesa *same as* **prisa**
primaveral spring-like
primero que before
primicia first fruit
primo, -a *n.* cousin; *adj.* first; **a prima noche** in the early evening
primogénito first born; heir
primogenitura birthright
primor delicacy; elegance
primoroso graceful; exquisite; dexterous
principal principal; first, foremost; most important; illustrious; main floor
príncipe prince
principio beginning; first step; principle; **al —** at first
prior prior
prisa hurry; **a —** fast; **darse —** to hurry; **de —** in a hurry
prisión prison, jail; *plu.* shackles
privación privation
privar to deprive
privativo private
privilegio privilege

pro advantage; **en —— de** in favor of
probanza proof
probar (ue) to prove; to try, test, try out, put to trial; to taste
proceder to proceed; *n.* act
proceso trial
procurador lawyer
procurar to try
prodigalidad prodigality
prodigio prodigy, marvel
producto product; income
proeza prowess; *plu.* deeds of bravery
profanación desecration
profano *n.* layman; *adj.* profane, worldly; uninitiated
proferir (ie) to utter; to proffer
profesar to profess
profeta prophet
profético prophetic
prófugo, -a fugitive
profundidad depth, profundity
profundizar to delve deep
profundo *n.* depths; *adj.* deep, profound
prohibir to prohibit
prójimo neighbor (in Biblical sense); fellow man
prolijo prolix, tedious; constant; long
prólogo prologue
prolongar to prolong
promesa promise
prometer to promise
promover (ue) to stir up, set in motion; to move
pronosticar to predict, prognosticate
pronóstico prediction
prontitud speed
pronto: de —— suddenly; **por de ——** at first
pronunciar to pronounce, say
propaganda advertising
propagar to spread, propagate
propender to tend
propenso inclined, disposed
propicio propitious; appropriate
propiedad quality, nature; *plu.* nature
propietario landowner
propinar to give
propio own; characteristic; proper, appropriate; very;

himself, etc.; **lo ——** the same; **—— a, —— de** appropriate to
proponer to propose; to set forth
proporción proportion
proporcionado proportioned
proporcionar to provide, furnish, give
proposición proposal
propósito *n.* objective, intention, purpose, plan; subject; *adj.* appropriate, fitting; **a —— on** purpose; apropos; **a —— de** suited for
propuesto put in first place
prosa prose
prosaico prosaic
prosapia lineage
proscenio front of stage
proseguir (i) to continue
prosperado prosperous
prosperar to prosper
proteger to protect
protervo perverse, evil
protoencantador arch-enchanter
protomiseria poverty itself
provecto mature
provecho profit, advantage
provechoso profitable, beneficial
proveer to dispose, to provide; to manage; **—— de** to confer (the rank of)
provenir de to come from, spring from
providencia providence
provisión food
provisto provided
provocante provocative
provocar to provoke; to incite, tempt
próximo next; **—— a** about to
proyectil projectile
proyecto plan, project
prudencia prudence
prudente prudent
prueba proof; trial
prurito itch; intense desire
psicológico psychological
pubertad adolescence
publicidad publicity; public knowledge
publicar to make public, publish, declare
público public; well-known
puchero pot; stew
pueblo town, village; people

puerco *n.* hog; *adj.* dirty
pueril puerile, childish
puerto (sea)port; mountain pass
pues *adv.* so; *conj.* since; for; then
puesto stand; post; place
puesto caso que *arch.* although
puesto que *arch.* although, even though
pugilato struggle
pugnar to struggle
pujanza power, force, impetus
pujar to falter; to struggle
pulcritud pulchritude, beauty; neatness
pulcro beautiful; neat
pulga flea
pulgar thumb
pulido polished
pulimentado polished
pulir to polish
pulmón lung
pulmonía pneumonia
pulso pulse
pulular to swarm
pulla repartee, low wit; **echar —— s** to make smart remarks
pundonor honor; susceptibility (respecting honor)
pundonoroso punctilious; honorable
punir to punish
punta corner; end; point
puntada stitch
puntapié kick
puntear to strum
puntillas: de —— on tiptoe
punto point; bit; instant, moment, jiffy; dot; **al ——** instantly; **a —— fijo** precisely; **de todo ——** completely; **estar a ——** to be ready; to be just right; **poner —— final** to bring to an end; **por —— s** frequently; **—— final** period
punzante piercing
punzar to prick, pierce
puñada blow (with fist)
puñado handful
puñal dagger
puñetazo blow with fist
puño fist; cuff
pupila pupil; eye
pupilaje boarding school
pupilero master of boarding school

pupilo boarder; ward
purgatorio purgatory
puro *n.* cigar
púrpura purple
pusilánime pusillanimous
pusilanimidad pusillanimity, cowardice

Q

quebradero de cabeza puzzle
quebrantar to break; to violate
quebranto weakness; affliction; broken health; rough road
quebrar (ie) to break; —— **la cabeza** to torment
quedar to remain; —— **mal** to be in a bad position, come out badly
quedo quiet, still
quehacer task
queja complaint; trouble
quejarse to complain
quejoso complaining
quejumbroso complaining, whining
quema: vino de —— new wine
quemar to burn
querella complaint
querencia affection
querer *n.* will
quesito *dim. of* **queso**
queso cheese
quiá bah!
quicio door jamb
quietar to quiet
quietecito *dim. of* **quieto**
quietud quiet, repose
quilate carat; degree of excellence
quimera chimera; strange idea
quimérico chimerical, fantastic
quinta farm; estate; *plu.* draft
quinto fifth
quisquilloso touchy
quisto *arch. for* **querido**
quitar to take away, remove, take off; to get out of the way

R

rabia anger, wrath
rabiar to be mad; to rage
rabioso mad, raging
racimo bunch

raciocinio reasoning; argument
ración share, portion, helping; food
racional rational
radiante radiant
radical deep-seated
radio radius
raído worn, threadbare
raigón big root
raíz root; **bienes raíces** real estate
ralo sparse
rama branch; roof
ramo branch; species; bouquet; administrative division
rana frog
rancio old
rapacidad rapacity, greed
rapamiento shaving; trimming
rapar to shave; to crop the hair
rapaz rapacious, predatory
rapaza girl
rapiña plundering
rapto ecstasy, rapture
rareza rarity, strange trait, strangeness
raro curious, odd; rare
ras level; **al** —— **de** on the level of
rasgado large (of eyes)
rasgar to tear; to scratch; to destroy
rasguear to strum
rasgo trait, feature; stroke; deed; clever phrase
rasguñar to scratch
raso *n.* satin; *adj.* smooth; **lo** —— open country
rastro trail, track, trace
rata rat
ratero pickpocket
rato while; **dar mal** —— **a uno** to make things unpleasant for one; to make one suffer
ratón mouse
ratonar to gnaw
raudal flood
raudo swift
raya line; limit
rayar en to border on
rayo ray (of light); lightning flash
raza race
razón reason; right; word, speech, part of conversation; **dar** —— to give in-

formation; **puesto en** —— reasonable; **ser** —— **to** be right
razonable reasonable; fairly good
razonamiento reasoning, argument; speech
razonar to talk
reacio obstinate, stubborn
real *n.* coin (of copper, ¼ of a **peseta**; of silver, ⅛ of a dollar or **duro**); camp; *adj.* real; royal; handsome, fine; **camino** —— highway
realizar to realize; to bring about; to make real
realzar to elevate; to reestablish
reanimado reanimated
rebajamiento lowering
rebajar to lower
rebanada slice (of bread)
rebañadura pickings
rebasar to go past; to exceed
rebelde rebellious
rebeldía rebellion, revolt
rebelión rebellion
rebocillo *dim. of* **rebozo**
rebosar to overflow
rebotar to rebound; to exasperate
rebozado clandestine; muffled, disguised
rebozo shawl (worn over head); **sin** —— openly, frankly
rebramar to roar
rebueno very good
rebullir to squirm
rebutir to stuff
recado errand; message; —— **de escribir** writing set
recaer to fall
recapacitar to meditate, think carefully; to recollect
recatado cautious; quiet
recatar to hide
recato modesty; prudence
recaudo care, precaution
recebir *arch. for* **recibir**
recelar to fear, distrust, suspect
recelo fear, misgiving
receloso timid, fearful
receta recipe
recibo receipt
recién *adj.* recent; *adv.* recently
recio strong, stout; heavy; hard; loud

recíproco reciprocal
recitar to recite
reclamación claim
reclamar to claim, demand
reclamo lure; complaint; tale, yarn
reclinar to rest
recluta recruit
recobrar to recover
recoger to pick up, gather, get; to shelter; ——se to retire, withdraw; to take shelter
recogida arrest
recogido compact
recogimiento protection; withdrawal from the world, retirement; refuge, asylum
recomendar (ie) to recommend; to commend
recompensar to recompense
reconcentrar to bring together
reconciliar to reconcile
reconcomio suspicion
reconocer to recognize; to reconnoitre; to examine closely
reconocimiento gratitude; reconnaissance
recontar (ue) to recount
reconvenir to reproach
recordar (ue) to remember; to remind; to recall; arch. to wake up
recorrer to travel; to visit; to walk back and forth; to look over, glance through
recortar to outline
recostar (ue) to lean, lean back, recline
recovero poultry dealer
recrearse to delight oneself
recreo recreation; expansion; indulgence
recrudecer to increase
rectificar to rectify
rectitud honesty, rectitude
recto straight; upright, honest
rector rector; priest
recuerdo memory, remembrance, recollection
recurrir to have recourse
recurso recourse; resort, resource
rechazar to reject, refuse
rechifla hissing; mockery, ridicule
red net

rededor plu. surroundings, neighborhood; en —— around
redención redemption
redimir to redeem
redoble roll (of drum)
redondamente roundly; flatly
redondo round; a la redonda round about
reducir to reduce; to subjugate
redundante redundant, superfluous
redundar to redound
refectorio refectory, dining hall
referencia account
referir (ie) to tell, relate; ——se a to refer to
refinado subtle; artful
refinamiento refinement
reflejar to reflect
reflejo reflection
reflexión reflection, thought
reflexionar to reflect
reformar to reform, to amend; —— conciencia to salve one's conscience
reforzar (ue) to reinforce
refrán proverb; saying
refregar (ie) to rub, massage
refrenar to check
refrescar to refresh, cool
refresco refreshment
refriega scuffle, struggle
refrigerio cool drink
refugiarse to take refuge
refugio refuge
refulgente refulgent
refunfuñar to growl, grumble
regalado heartening; caressing
regalar to regale; to give (a present); to pet
regalo present; treat; easy life
regar (ie) to water, irrigate
regazo lap
regidor alderman
regimiento regiment
regio regal
regir (i) to rule; to manage; to drive
registrar to search
registro search
regla rule; en —— in proper order
reglado moderate

regocijado cheerful, merry
regocijar to make joyous
regocijo rejoicing, merry-making
regresar to go back, return
regreso return
regular regular; moderately good, ordinary; proper, right
rehabilitar to rehabilitate
rehusar to refuse
reinar to reign
reino kingdom
reja grating, window bars
rejón short spear; thrust with spear
rejuvenecer to rejuvenate
relación relation, account; love affair; plu. love affair
relámpago lightning flash; flash, spark
relampaguear to flash (of lightning)
relatar to relate
relente dampness, dew
relevar (ie) to stand out; to exonerate
relieve relief; plu. remnants
religioso monk
relinchar to whinny
reliquia relic; trace, vestige
reluciente shining
relucir to shine
relumbrar to shine
relumbrón lustre; tinsel
rematar to bring to an end, finish
remate end
remedar to imitate
remediar to help; to remedy
remedio remedy; help
remedo imitation
remembranza remembrance
remendado spotted
remendar (ie) to mend
remilgarse to act terrified
remitirse to send
remontarse to rise; to climb
remordimiento remorse
remoto remote
remover (ue) to move, stir
remozar to rejuvenate
remusgo keen cold wind
renacer to be reborn
rencilla bad humor; dispute
rencor spite, rancor
rencoroso spiteful
rendido worn out; submissive

rendir (i) to render; to pay; to humble; to surrender; to conquer, overcome; ——**se** to surrender
renegado, -a renegade; Moor
renegar (ie) to disown
renglón line
renovar (ue) to renew
renta income
rentar to yield
renuevo sprout, shoot
renunciar to renounce, give up
reñido con at odds with
reñir (i) to quarrel; to scold
reo criminal; —— **de muerte** man condemned to death
reparación reparation, amends
reparar to amend, correct; —— **en** to notice, pay attention to
reparo repair; help
repartimiento distribution
repartir to divide; to spread, scatter; to distribute
repasar to iron, press
repelar to pull out the hair of
repelón hair pulling
repente: de —— suddenly
repentino sudden
repercutir to reverberate
repicar to ring
repiqueteo clicking
replegar (ie) to fold back; ——**se** to bend back
repleto replete, full
replicar to answer; to talk back, answer impertinently
repliegue fold
reponer to replace; to reply
reportar to restrain
reposado calm
reposar to rest; ——**se** to rest
reposo repose; calm
repostería pastry
repostero caterer
represa dam; stop
representar to represent; to depict, picture
reprimenda reprimand
reprimir to repress
reprobación blame
reprobar (ue) to reproach
réprobo reprobate
reproducir to reproduce
repuesto recovered; reestablished; retired, hidden

repugnar to dislike; to oppose
repulsa rebuff; refusal
reputar to repute; to consider
requebrar (ie) to pay compliments to; to court
requerir (ie) to require; to request
requiebro compliment
requisito prerequisite, requisite
requisitoria (legal) requisition
res head of cattle; animal
resabio trace
resaltar to stand out
resbalar to slide, slip
resbalón slide
resbaloso slippery
rescatar to ransom
resentirse (ie) to become angry; to be offended; to be impaired
reserva caution; reserve
reservar to reserve
resfriado cold
resfriar to chill
resguardar to shelter
resguardo guard; customs guard; shelter; **a** —— **de** safe from
residir to reside
residuo residue; waste
resignación resignation; submission
resignar to resign
resolución determination; **en** —— in short
resolver (ue) to solve; ——**se** to make up one's mind
resonar (ue) to resound, ring, rumble
resoplido snort
resorte spring
respaldo back (of chair)
respecto: con —— **a,** —— **de** with respect to; —— **a** respecting, with respect to
respetar to respect
respeto respect
respirar to breathe
respiro breath, breathing; respite
resplandecer to shine, be resplendent
resplandeciente shining
resplandor glow, radiance
respondonzuelo saucy
responsabilidad responsibility

responso response (religious chant)
respuesta reply
resquebrajo (*humorous mistake for* **requiebro**) compliment
restablecer to reestablish; ——**se** to recuperate, recover
restablecimiento recovery
restañar to staunch
restar to remain
restaurar to restore
resto rest; remnant; relic, bones (of saint)
restregar (ie) to rub
resucitar to resuscitate
resuelto resolved, determined, resolute
resultado result
resultar to result, turn out
resumen résumé, summary; **en** —— in brief
retaguardia rear guard
retahila string; series
retama furze, broom
retar to challenge
retardar to put off
retardo delay
retazo piece, remnant; whisp; patch
retener to retain, hold back
reticencia reticence
retintín tinkling
retirar to take back, take away; to set back; to put away, set aside; ——**se** to retire, leave
retiro retirement, seclusion; retreat
retocar to touch up
retoque touch
retorcerse (ue) to writhe
retórica rhetoric, empty words
retórico rhetorician
retorno return; renewal
retozar to frisk
retraerse to withdraw, retire
retratar to portray
retrato portrait
retrechería evasion
retroceder to draw back, move back
rétulo *arch. for* **rótulo** sign, placard
reuma rheumatism
reumático rheumatic
reunión gathering; group
reunir to bring together, collect; ——**se** to come together, meet

revelación revelation
revelar to reveal
reventar (ie) to burst
reverdecer to renew
reverencia reverence; bow
reverendo reverent; revered; reverend; ——ísimo Right Reverend
revés backhand blow; al —— on the contrary, on the other hand; contrary-wise, backwards, the other way around; del —— back to front; inside out
revestir (i) to invest with; to clothe
revisar to look over
revista review; pasar —— to pass in review
revolar (ue) to flutter
revolcar (ue) to knock down; ——se to writhe
revolver (ue) to revolve, stir, churn; to dig around; to look over (books, papers); ——se to be upset; to be nauseated; to writhe
revuelta deviation, digression
revuelto mixed together
rezar to pray
rezo prayer; praying
rezumar to ooze
Rhin Rhine
riachuelo dim. of río
ribera bank; shore
ribeteadora seamstress
ricacho aug. of rico
rico-hombre arch. nobleman
ridículo n. ridicule; adj. ridiculous
riego irrigation
rielar to sparkle, glisten
rienda rein; —— suelta free rein
riesgo risk
rifar to wrangle
riffeño native of the Riff
rígido rigid, stiff, unbending
rigor rigor, harshness; en —— de verdad in strict truth
rigoroso severe, rigorous, strict, harsh
rima rhyme
rimar to rhyme
rincón corner
rinconada corner
riña quarrel
riñón kidney; plu. small of back

risa laughter
risco crag
risotada laugh, chuckle
risueño smiling; cheerful
ritmo rhythm
rizar to ruffle; to curl
rizo curl
robador robber
roble oak
robo theft
robustez robustness, strength
robusto strong; stout
roca rock
roce contact
rociar to sprinkle
rocín nag; —— de campo traveling horse
rocío dew
rodado dappled
rodar (ue) to roll; to pass; echar a —— to send rolling
rodear to surround; to turn around
rodela round shield
rodeo turn, twist; round-about course, detour
rodilla knee; de —— s kneeling
rodillazo blow with knee
roer to gnaw
rogar (ue) to ask, beg; to pray
rojizo reddish
rolar to veer
rollizo roly-poly
romance ballad
romano Roman
romanticismo romanticism
romántico romanticist; romantic author
romantizar to romanticize
romero rosemary (plant); pilgrim
romper to tear; to pierce
roncar to snore
ronco hoarse
ronda avenue, boulevard; police patrol
rondar to prowl about; —— la calle to patrol the street; ——le la calle a una mujer to flirt with a lady from the street
rondeña n. popular Andalusian folk-song and dance, named for the city of Ronda; adj. from Ronda
roña imperfection
roñoso miserable, wretched; dirty

Roque: vive —— ye gods!
rosa rose; rosa-enredadera climbing rose
rosado rosy
rosal rose bush
rosario rosary; prayers
rostro face
roto torn; broken; destroyed
rotundo round
rotura break; cut
rubí ruby
rubio blond
rubor blush
rucio gray
rudo severe; gross
rueca distaff
rueda wheel
ruego plea, request; a ——s de at the request of
rufián ruffian
rugir to roar
ruido noise
ruidoso noisy
ruin base, vile
ruina ruin
ruindad baseness
ruinoso miserable; worthless
ruiseñor nightingale
rumbo course
rumboso n. swaggerer, show-off; adj. splendid, liberal
rumor noise
rumoroso murmuring
run run rumor, report
rústico n. peasant; adj. rustic

S

sábana sheet
sabañón chilblain
saber to know; to taste; —— a gloria to taste wonderful
sabidor wise, learned
sabiduría wisdom
sabio learned, wise
sable sabre; reñir al —— to fight with sabres
sabor taste, flavor, savor; a mi —— to my pleasure; a —— de in the light of
saborear to enjoy
sabroso savory, delicious
sacar to take out, bring out; to get; —— en consecuencia to come to the conclusion; —— en limpio to see clearly
sacerdocio priesthood
sacerdotal priestlike
sacerdote priest
saciar to satiate, satisfy
saco sack

sacramento sacrament
sacre saker (a kind of hawk)
sacrificio sacrifice
sacrílego sacrilegious, un-holy
sacristán sacristan
sacro holy
sacudida shock
sacudimiento trembling
sacudir to shake; to brush off; shake off, free oneself from; to deliver (blows)
saeta arrow
sagaz wise, sagacious
sagrado sacred
sahumerio incense; burning of incense
sainete a one-act play, realistic and humorous in nature
sal salt; grace; wit
salado witty; vivacious
salario salary; a —— on a fixed salary
salchicha sausage
saldar to pay up, liquidate
saleroso witty, clever
salicilato salicylate
salida departure; sally; outburst; —— del sol sunrise
salir to leave, go or come out; to turn out, result
saliva saliva; gastar —— to talk
salmista psalmist
salmo psalm
salmorejo a sauce for rabbit
salón room, hall, salon, drawing room; social gathering
salpicón cold meat
salsa sauce
saltador jumping
salta-paredes wall climber; wild youth
saltar to jump, leap; ——le (a una) novio to get a sweetheart; ——le a uno las lágrimas to burst into tears
salteador highwayman
salto leap, bound, jump, start; dar un —— to jump; to make a hurried visit
salud health; salvation
saludable healthy; beneficial
saludar to greet
saludo greeting, salutation
salvado bran
salvaje savage, wild

salvar to save; to jump over, clear
salve hail!
salvo adj. safe, sure; a —— de safe from; sano y —— safe and sound; prep. except
sanar to cure; to get well
sandez absurdity
sandio foolish, inane
sangrar to bleed
sangre blood; ¡qué ——! what a mean disposition!
sangriento bloody
sanguinaria bloodroot
sanguinario sanguinary, bloody
sanguinoso blood-colored; sanguinary
sano healthy, well; wholesome; sane
santero sanctimonious
santidad holiness, sanctity
santiguarse to cross oneself
santo n. saint; saint's day; adj. holy, saintly; viernes —— Good Friday
santuario sanctuary, shrine
saña wrath, rage, madness
sarao soirée, party
sardina sardine
sardónico sardonic
sargento sergeant
sarmiento vine stalk
sarna itch; keen desire
sartal string
sartén frying pan
sastre, -a tailor
Satanás Satan
satisfacción satisfaction, explanation
satisfacer to satisfy; to explain
saúco alder, elder (tree)
savia sap
sayal robe; sackcloth
sayo jerkin, doublet, smock
sayón jailor; hangman
sayuelo little smock
sazón season; time, occasion
sazonar to season
sebo tallow
secar to dry; to dry up
sección section, department
seco dry; a secas simply; —— de carnes lean
secreto n. secret; secrecy; adj. secret, hidden, recondite
secundar to aid
seda silk
sedación calming
sedicioso seditious, mutinous

sediento thirsty
sedosidad silkiness; softness
seducir to seduce; to entice, captivate
seductor n. seducer; adj. seductive
segar (ie) to reap; to cut
seguidamente successively; in an orderly way
seguidilla folk-song and dance of Andalucía
seguido consecutive
seguridad sureness; security
seguro sure; safe; de —— certainly; irse del —— to leave the sure way; sobre —— on sure ground
selva forest
selvático rustic
sellar to seal
sello seal
semblante countenance
sembrado sown field
sembradura sowing
semejante like, similar; such (a); plu. fellow men
semejanza likeness, similarity
semejar to resemble; to seem, appear
semilla seed
seminario seminary, school
sempiterno everlasting, eternal
senado senate
sencillez simplicity
senda path
sendero path
sendo one apiece
senectud old age
seno hollow, cavity, recess; bosom, chest; plu. bosom, chest
sensación sensation
sensibilidad sensitivity, sensitiveness; emotion
sensible sensitive; perceptible, tangible
sensitivo sensitive
sensual sensual
sentencia sentence, verdict; meaning; wise saying
sentenciado n. condemned criminal; adj. condemned
sentenciar to sentence
sentido sense; meaning
sentimiento sentiment, feeling; pain, grief, mourning
sentir (ie) to feel; to feel sorry, regret; to hear; n. feeling

liv

seña sign; scar; *plu.* address; description; ¿qué señas? what does he look like?

señá *popular for* señora

señal sign

señaladamente especially, signally

señalar to point out, show; to mark, brand; to fix, assign

señoría lordship, excellency

señorico *dim. of* señor

señoril of the master

señorío lordly estate; domain; upper class

séptimo seventh

sepulcral sepulchral

sepulcro sepulchre, tomb

sepultar to bury

sepultura grave, tomb

sequedad dryness, aridness

ser: ¿qué será de mí? what will become of me? *n.* being

scrúfico angelic, seraphic

serafín seraph, angel

serenar to calm

serenidad serenity, calm

sereno *n.* night watchman; *adj.* serene, calm; al —— in the open air

sermón sermon

sermoncico *dim. of* sermón

serpear to bend, wind

serpentear to wind

serpiente serpent

serranilla mountain girl; poem about a mountain girl

serrano of the mountains

serreta nose piece (of bridle)

servicial helpful

servicio service; estar de —— to be on duty

servido pleased

servidor servant

servilleta napkin

servir (i) to serve; to be of use

seso brains, intelligence, mind, sense

severidad severity

severo severe

sibarítico sybaritical, epicurean, voluptuous

sien temple

sierra mountain range, mountains

siervo servant; serf

siesta nap after lunch, siesta; noonday heat

sigilo secrecy

siglo century; secular world

significado meaning

significante meaningful

signo sign, symbol

sílaba syllable

silbante *adj.* whistling, hissing; *n.* scoffer

silbido whistle; catcall

silueta silhouette

silvestre wild

silla chair; saddle; —— de caballo saddle

silleta chair

sillón armchair

sima abyss

simbólico symbolical

simetría symmetry

simoníaco simoniacal; selfish

simpatía friendship, liking; charm

simpático pleasant, agreeable

simpatizar to be in harmony with

simpleza simpleness, foolishness

simplicidad foolish saying; stupidity

simplificar to simplify

simulacro imitation, representation

sincero sincere; pure, uncontaminated

síncope fainting spell

singular singular; strange, unusual, rare; —— batalla *arch.* single combat

siniestro *n.* calamity; *adj.* sinister

sinnúmero multitude

sino *n.* fate

sinónimo synonymous

sinrazón unreasonable act; wrong

sintetizar to synthesize, sum up

síntoma symptom

sinvergüenza shameless person

sinvergüenzonaza *double aug. of* sinvergüenza

siquiera even; if only, at least

Siracusa Syracuse

sirviente, -a servant

sisa filching

sisar to filch

sisona petty thief; maid who steals from the household money

sistema system

sitial chair, seat

so *arch.* under

soberano *n. and adj.* sovereign; *adj.* supreme; superb

soberbia pride, haughtiness, self-confidence

soberbio proud; noble; superb

sobón, -a over-indulgent

soboncita *dim. of* sobona

sobra excess; leaving, leftover; de —— unnecessary; only too well; thoroughly

sobrado too much, more than enough; splendid

sobrante excess, leftover, superfluous

sobrar to be left over; to be more than enough, be superfluous; to be abundant

sobre envelope; cover

sobredicho aforesaid

sobrehumano superhuman

sobremesa: de —— after dinner; table talk

sobrenatural supernatural

sobrenombre nickname; surname

sobreponerse to overcome, overpower

sobrepuesto one above the other

sobrepujar to surpass

sobresaltar to startle

sobresalto start; anxiety

sobrevenir to come to pass, happen

sobrevivir to survive

sobriedad sobriety

sobrino nephew

socaliña trick

socarrón mischievous; joking; sly

socorrer to aid, help

socorro help

soez dirty, vile

sofá sofa

sofisma fallacy

sofocado out of breath

sofocar to suffocate, stifle

soga rope

sojuzgar to subjugate

solana sun porch, solarium

solapado sly

solar property, estate

solas: a —— alone

solaz solace; enjoyment

solazarse to amuse oneself

soldado soldier

soledad solitude; *plu.* lonely place

soledoso solitary, lonely

solejar sun gallery
solemnidad solemnity
solene *arch. for* solemne
soler (ue) to be accustomed
solicitar to ask for, solicit; to accost
solícito solicitous, anxious, diligent
solicitud solicitude, care; petition, request
soliloquio soliloquy
solitario solitary
solomillo filet mignon
solsticio solstice
soltar (ue) to loosen, let go of, set free; to come out (with)
soltera unmarried woman
soltero *n.* bachelor; *adj.* unmarried
solterón *aug. of* soltero old bachelor
solterona *aug. of* soltera old maid, spinster
soltura ease, freedom
solventar to settle
sollozante sobbing
sollozar to sob
sollozo sob
sombra shade, shadow; ghost
sombrío gloomy; shady, dark
somero superficial
someter to submit
somnolencia somnolence, stupor
son sound; tune; en —— de in the way of; as
sonable resonant, sonorous
sonante resounding
sonar (ue) to sound, resound, ring; —— a to sound like
sonatina sonatina
sonda probe
soneto sonnet
sonido sound
sonoro sonorous, ringing
sonrisa smile
sonrojo shame
sonrosado rosy
sonsacar to pilfer
soñado imagined
soñar (ue) to dream
sopa soup; sop
sopista *n.* poor student; *adj.* student
soplar to blow
soplo breath, puff; instant
soponcio fainting spell
sopor stupor
soportar to bear
sorbo gulp

sórdido sordid
sordo deaf; dull (of sound)
sorprendente surprising
sorprender to surprise
sortija (finger) ring
sortilegio sorcery
sosegado *adj.* calm
sosegar (ie) to calm, quiet; to repose; to be calm
sosiego *n.* calm
soslayo: de —— glancing
soso insipid; dull
sospecha suspicion
sospechar to suspect
sospechoso suspicious, doubtful
sospiro *arch. for* suspiro
sostén support
sostener to hold, hold up, support, sustain
sota jack (in cards)
sotabanco garret, attic
sotana cassock
sotita *dim. of* sota
soto grove
suave soft; gentle
suavidad gentleness; softness
suavizar to soften; to smooth
subida ascent
subido high
subir to rise; to go up, climb, mount; to raise, lift up; —— de punto to increase
súbito sudden; de —— suddenly
sublevar to cause to rebel
sublimado exalted
sublimar to elevate, exalt
sublime sublime
sublimidad loftiness
subsistir to exist
substancioso substantial
subteniente second lieutenant
subterráneo *n.* basement; crypt; *adj.* subterranean
subyugar to subjugate
suceder to happen; ——se to happen one after the other, succeed each other
suceso event, happening; *arch.* success
sucesor successor
sucio dirty; base
sucumbir to succumb
sudado sweaty; soiled
sudar to sweat
sudor sweat; labor
sudoroso sweaty
suegra mother-in-law

suegro father-in-law
sueldo salary
suelo floor; lower part: ground, earth; country, land
suelto loose; free; stray
sueño sleep; dream
suerte luck, fate; sort; manner; de esta —— in this way; de —— que in such a way that, in such a condition that, so that
suficiencia aptitude, ability
sufridero bearable
sufrido long-suffering
sufrimiento suffering; sufferance
sufrir to suffer; to bear
sugerir (ie) to suggest
sugestión suggestion
suicida *n.* suicide; *adj.* suicidal
suicidio suicide
Suiza Switzerland
sujeción subjection
sujetar to subjugate, conquer; to seize, hold
sujeto *n.* individual, person; *adj.* fixed, fastened
sulfonal sulphonal
suma sum; en —— in short
sumergir to submerge
suministrar to provide, supply
sumir to sink; to plunge; ——se to be sunk
sumiso submissive
sumo supreme, highest, greatest; lo —— the highest degree
superar to surpass
superficie surface
superfluidad superfluity, unnecessary things
superstición superstition
súpito sudden; impatient
súplica supplication
suplicación entreaty
suplicante supplicating, begging
suplicar to supplicate, beg
suplicio suffering; punishment
suplir to supply; to supplement; to take part
suponer to suppose; *n.* supposition
suprasensible supersensible, beyond perception
suprimir to suppress

supuesto fictitious, assumed, supposed; **por —— de course** of

surgir to spring up, rise, arise; to appear suddenly

surtir to supply; **—— mal efecto** to have a bad effect

sus get up! go on! (to horse or dog)

suspender to suspend, discontinue; to hold back; to hold in suspense

suspensión distraction

suspenso astounded; distracted; **—— de** hanging from

suspicacia distrust

suspirado longed for

suspirar to sigh

suspiro sigh

sustancia substance, essence

sustentar to sustain, bear; to nourish

sustento sustenance; support

sustituir to substitute

susto fright; **de ——** unexpectedly

sustraer to subtract; to remove

susurrar to whisper

susurro whisper, whispering; rustling

sutil subtle; slender, thin

sutileza subtlety; cunning

T

tábano horsefly

taberna tavern

tabernero tavern keeper

tabernucha low tavern

tabique partition, wall

tabla plank, board; —— **rasa** plank; —— **redonda** Round Table

tabladillo cot

tacilla dim. of **taza**

taciturno taciturn

taconazo blow with heel; **dar ——s** to make a noise with one's heels

tacto touch

tacha fault, bad point

tachar to find fault with

tahur low gambler; **hecho un ——** gambling furiously

taimado sly, cunning

tajar to slice, cut through; to divide, share

tajo blow (with edge of sword), cut; gorge; chopping block

talabarte sword belt

tálamo wedding bed, couch

talante will, desire; **de buen ——** good humoredly, willingly

tal cual just as

talego bag, money sack

taleguillo dim. of **talego**

talente arch. for **talante** desire, wish, will

talento talent, cleverness

talla carving; figure, stature; hand (at cards); importance

tallar to carve; to deal (cards)

talle height; figure

tallo stalk, stem

tamaño n. size; adj. so great, so big

tambalearse to stagger

tambor drum

tamizado filtered, sifted

tanto n. bit; adj. so much, as much; plu. so many, as many; such and such; **en —— que, entre —— que** while; **por ——** therefore, consequently

tañer to play (a musical instrument); to ring (a bell)

tapa cover

tapar to cover; to hide; to stop up

tapete table scarf; carpet

tapia wall

tapial wall

tapiz tapestry

tapizar to cover, hang with tapestry

taravilla chatterbox

tardanza delay

tardar to be long, delay

tarde late; too late

tardo slow

tarea task

tarima low platform; rough bed

tarjeta card

tarjetazo petition by card

tarro jar

tartamudear to stammer

tasa measure, limit

taza cup; basin (of fountain)

tazón aug. of **taza**

té tea

tea torch

teatral theatrical, dramatic

teatro theater; stage

teclado keyboard

techo roof; ceiling

teja tile

tejado roof

tejer to weave

tejido web; fabric

tela cloth; **—— pintada de flores** flower print

telaraña spider web

telón curtain

tema theme, subject; contention

temblar (ie) to tremble

temblor shaking, trembling

tembloroso trembling

temerario rash

temeridad temerity, rashness

temible fearful

temido feared, dreaded

temor fear

temoroso fearful

tempestad storm

tempestuoso stormy

templado tempered; mild; tepid, lukewarm

templanza temperance

templar to temper; to moderate; to tune; to manipulate; **——se** to cool off

temple temper; disposition; harmony

templete little temple

templo temple

temporada season; period of time

temporal temporary; temporal

temprano adj. and adv. early

tenaz tenacious; stubborn; tight

tenaza (or plu.) pincers

tendal tent

tendencia tendency

tender (ie) to stretch, stretch out; **—— el vuelo** to fly; **—— los ojos, la vista** to cast one's gaze

tendero shopkeeper

tendido stretched; **paso ——** long stride

tenebroso dark, shadowy, gloomy

tenedor, -a holder; m. fork; **—— de libros** bookkeeper

tener to have; to hold; to hold on; to stop; **—— de** arch. for **—— que; —— en mucho** to esteem highly; **—— en poco** to scorn;

tener entendido to understand, believe; —— por or a to consider as; —— por bien to agree to
tenería tannery
teniente lieutenant; —— coronel lieutenant colonel
tenor tenor; manner
tentación temptation
tentador n. tempter; adj. tempting
tentar (ie) to touch, feel; to tempt
tenue tenuous
teñir (i) to dye, tint, stain
teologal theological
teología theology
teólogo theologian
teoría theory
teórico theoretical
terapéutica remedy, cure
tercero, -a go-between, intermediary
terciado crosswise
terciar to lower (a lance); to mediate; to act as a go-between
tercio third; player
terciopelo velvet
terco stubborn
término end, limit; term; primer —— foreground
ternejal bullying
ternera calf; veal
ternerita dim. of ternera
ternura tenderness
terrenal earthly, of the world
terreno n. terrain, territory, land; adj. earthly, worldly
terrero n. mark; adj. earthen
terrorífico terrifying
terruño region
terso smooth
tertulia social gathering, circle; estar de —— to enjoy oneself
tesoro treasure; treasury
testador testator
testamentario executor
testamento will
testarudo stubborn
testigo witness; second (in duel)
testimonio testimony
tétrico gloomy
texto text
tez complexion
tibio tepid, cool
tiempo time; weather; proper moment; a un —— at the same time

tienda shop; tent
tiento examination (by feeling); staff; a —— groping; con —— cautiously, carefully
tierno tender; ojos ——s crossed eyes
tieso stiff
tiesto flower-pot
tifoidea typhoid fever
tigre tiger
tijera (or plu.) scissors
tila tea of linden flowers
tildar to stigmatize, brand
tilín ding dong; tinkling noise; ting-aling; hacerle a uno —— to please some one very much, be a great favorite with some one
timidez timidity
tímido timid
tinaja hogshead
tiniebla shadow, darkness
tino judgment; tact
tinta ink; tint
tin tin tinkling noise
tinto stained
tiña itch; desire
tira ribbon
tiranía tyranny
tirano, -a n. tyrant; adj. tyrannical; evil
tirar to throw, throw away; to shoot; to draw; to deal (cards); —— a to tend towards; —— de to drag, pull on
tiritar to shiver
tiro shot
tirón jerk, pull
tiroteo shooting, gunfire, fusillade
tísico consumptive
título title, heading; count; titled person
tiznar to smudge, blacken with soot
tizne soot
toba tartar
tocado head-dress
tocador dressing table; dressing room
tocante a respecting
tocar to touch; to play (an instrument); to ring (a bell); to fall to one's lot; to be one's turn; to affect
tocino bacon
todo: del —— completely; with neg. at all; de —— en —— completely; definitely

tolerar to tolerate, permit
tolondrón concussion, bump
tomate tomato
tomillo thyme
tonel cask
tono tone; a este —— in this style, of this sort; darse —— to give oneself airs
tontear to play the fool
tontería foolishness
tontillo dim. of tonto my silly dear
topacio topaz
topar to bump; to come upon, meet; —— con to encounter; topóme Dios con God made me come upon; ——se to come upon
tope butt; attack
torbellino whirlwind
torcaz: paloma —— ring-dove
torcedor source of pain
torcer (ue) to twist; to turn aside; to warp; —— el camino to turn aside; ——se to turn about
tordo dapple gray
torero bull fighter
tormenta storm; tumult
tormento torment; suffering
tornar to return; to turn; to change; —— a to do something again
tornátil well-turned
torneo tourney
torno arch. contour; en —— around; en —— de around
toro bull; plu. bull fight
torpe stupid, dull
torpeza stupidity; clumsiness
torre tower
torrente torrent, flood
torreón turret, tower
torrezno bacon
torta cake
tortícolis wry neck, stiffness of neck
tortilla cake, wafer
tórtola turtle-dove
tortuoso winding, tortuous
tos cough
tosco rough, rude
tostón roasted chick-pea
trabajado toilsome
trabajo work; hardship
trabajoso toilsome
trabar to bind; to seize, grasp; to form (friendship); arch. to blame; ——se to start

trabuco blunderbuss

traductor translator

traer to bring; to have; —— en boca to bandy about

tráfago dealing, affair, business

tragar to swallow

trago swallow, draught

traguito *dim. of* trago

traición treachery

traidor *n.* traitor; *adj.* treacherous

traje suit; costume

trama woof (of cloth)

trámite step; channel

tramontar to set behind mountains (of the sun)

trampa trap; trick, deceit

tramposo *n.* cheat, swindler; *adj.* tricky, deceitful

trance peril; critical situation; a todo —— at any cost

tranquilidad calm, peace

tranquilizar to calm

tranquilo tranquil, calm, quiet; easy

transacción compromise

transcribir to transcribe

transcurrir to pass

transcurso course

transeúnte transient, passer by

transformar to transform

transfusión transfusion

transigir to put up with

tránsito passage; end, terminus; circulation

transitorio transitory, fleeting

translúcido translucent

transmitir to transmit

transmutación change, transmutation

transparentado showing through

transparente transparent

transportar to transport, carry; ——se to be carried away, be in a transport

trapisonda subterfuge

trapo rag, cloth

traqueteo shaking, jerking

tras behind; beyond; —— de behind

trascendencia great importance

trascordarse (ue) to forget

trascurrir to pass (of time)

trasegar (ie) to change bottles *or* casks (of wine)

trasero back

trasgo ghost

trasladar to transport; to transfer, move

traslado copy

traslúcido translucent

traslucir to show through

trasparencia transparency

traspasar to pass through, pierce

trasplantar to transplant

trasponer to pass beyond; to traverse

trastornado upset; mad, unbalanced

trastornar to upset, agitate

trastorno upheaval, disorder

trasunto copy; likeness

tratable tractable

tratado treatise; chapter

tratamiento treatment

tratar to treat; to deal with; to discuss; —— de to try to; to discuss; —— del género to make purchases

trato manner, way of dealing with people, friendly intercourse; dealings; deal; treatment; pact

través: al —— through

travesía short cut, alley

travieso cute; lively, mischievous

trayecto distance; stretch

traza appearance; plan, scheme

trazar to trace; to plan; to write

trazo outline; profile

trebejar to toy, play

trecho distance

tregua truce

tremebundo awesome, frightful

tremendo tremendous, immense

trémulo tremulous

tren train; pomp, ostentation

trenza braid

trenzar to braid

trepar to climb, scramble up

tresillo a card game

tribu tribe

tribulación tribulation, affliction, suffering

tribunal court

tribuno orator

tributo tribute

trigo wheat

trigueño medium dark

trinar to trill; to become furious

trino warbling

tripas tripe; stomach

tripería tripe market

tristura *arch.* sadness

triunfar to triumph

triunfo triumph; triumphal parade

trocar (ue) to exchange, change

trocha trail

troje storehouse, barn

trompa trumpet; trunk (of elephant)

tronado quarrelsome

tronar (ue) to thunder

tronco tree trunk

troncho stalk

trono throne

tropa troops

tropel troop, band

tropezar (ie) to stumble; to slip; —— con to encounter

tropezón stumble; faux pas; dar ——es to stumble

tropiezo stumbling; slip

trotaconventos go-between

trote trot

trovador troubadour

Troya Troy

troyano Trojan

trozo fragment, piece

trueco exchange

trueno thunder; —— gordo debacle; great scandal

trueque change, exchange

truhán scoundrel, knave

trujo *arch. for* trajo

tuerto wrong; one-eyed man

tul tulle, gauze-like cloth

tullido maimed, crippled

tumba tomb

tumbado sprawled

tumbar to knock down

tumbo tumble; dar ——s to stagger

tumultuoso tumultuous

tunante rogue

tundir to clip

túnica robe

tuno rascal

tupido thick, dense

turba mob, crowd

turbación emotion; confusion, embarrassment; disturbance

turbado perturbed, disturbed

turbar to disturb, stir up; ——se to become dizzy; to become alarmed; to become upset

turbio muddy; indistinct; **de —— en ——** from dawn to dusk
túrdiga strip (of hide)
turrón nougat
turulato dumbfounded
tute a card game
tutear to use **tú**, speak familiarly
tutor guardian

U

ubre udder
ufano proud
último: por —— finally
ultrajar to insult
ultraje outrage
ultramarinos groceries
ulular to howl, ululate
umbral threshold
umbrío shady
umbroso shadowy, shady
uniforme uniform
unir to unite, bring together, join
unísono unison; **al ——** in unison
uña finger nail; claw; **—— de vaca** hock of beef
urgencia urgency
urna urn
urraca magpie
usar to use; to be accustomed; to follow (a trade)
usía *arch.* you
uso use; custom; **a** *or* **al —— de** in the manner of, in the fashion of
usufructo usufruct
usura usury; interest
usurero usurer
usurpar to usurp
utensilio utensil
útil useful
utilidad utility; pragmatism

V

v. gr. *abbreviation for* **verbi gratia** for example
vaca cow; beef
vacar to have a vacation
vacilación hesitance
vacilar to vacillate, hesitate
vacío *n.* space, void; *adj.* empty, void
vadera ford
vagabundo vagabond, good-for-nothing
vagancia vagrancy; **andar de —— ** to live as a vagabond

vagar to wander
vago vague; wandering
vaguido dizzy spell
vaho vapor, fume; breath
vaina sheath
vaivén coming and going; surge
vajilla set of dishes; plate (dishes of gold or silver)
val vale, valley
vale (*Latin*) farewell
valentía valor; arrogance, boasting
valer to be worth; to be the same as; to help; **——se de** to avail oneself of, make use of; *n.* worth
valeroso valiant
valía worth
valiente brave
valioso valuable
valor worth; valor
valladar wall
vallado hedge
valle valley, vale
vanagloria conceit
vanidad vanity
vano vain; useless; light, gentle; unreal, non-existent
vaporcillo small steamboat
vaporoso vaporous, airy, ethereal; filmlike
vapuleo beating
vápulo beating
vaquera shepherd girl
vara rod, staff, staff of authority; bridge (of nose)
varear to whip
variar to change, vary
vario various, several; varied
varita *dim. of* **vara**
varón *n.* man; *adj.* male
varonil manly, masculine
vasallo vassal
vasar shelf (especially for glasses)
vasco Basque
vasija vessel
vaso glass; vase
vástago offspring
vecindad neighborhood; neighborly relations
vecino, -a *n.* neighbor; townsman; *adj.* neighboring, near
vedar to prohibit
vee, vees *arch. for* **ve, ves**
vega fertile lowland
veinteno *arch.* twentieth
vehemencia vehemence
vejancona oldish woman

vejar to vex
vejestorio shriveled old man
vejete *dim. of* **viejo**
vejez old age; age, years
vela candle; sail; wakefulness; **en ——** sleeplessly; **estar en ——** to stay up, stay awake
velada evening festival, celebration
velador small table
velar to watch (over), keep a vigil; to veil, hide
velarte fine broadcloth
velero sailing ship
veleta weather-vane
velo veil
velocidad velocity, speed
veloz swift
velloncito little fleece
vellorí inferior broadcloth
velludo velvet
vena vein
venablo javelin
vencedor, -a *n.* conqueror; *adj.* surpassing, overcoming
vencer to conquer; to surpass; to win
vencimiento conquering; expiration; due date
venda bandage; blindfold
vendar to bandage
vendedor seller; sales person
vendimiador grape harvester
Venecia Venice
veneciano Venetian
veneno poison
venenoso poisonous
venerable venerable, revered
venerando venerable
venerar to venerate
venganza vengeance
vengar to avenge
vengativo vengeful, desirous of revenge
venia permission
venida coming; visit
venidero future
venir: —— a (*followed by infinitive*) to end by (*followed by present participle*); **—— en** to agree to; **lo por ——** the future
venta inn
ventaja advantage
ventana-verjel window filled with flowers
ventanero fond of looking out the window
ventilado airy
ventilar to air

ventura good fortune; happiness; **por** —— by chance
venturoso felicitous, fortunate, happy
ver de to see about; to try to
veras truths; serious things; **de** —— seriously
verbena verbena
verbigracia for example
verdadero true; real
verde green; youthful
verdín mould, mildew
verdinegro greenish black
verdiñal green-skinned
verdoso greenish
verdugo hangman, executioner
verdugón welt
verdura verdure; foliage; *plu.* vegetables
vergonzante shamefaced; proud
vergonzoso shameful; bashful
vergüenza shame; bashfulness
vericueto rough path; short cut
verídico true; truthful; real
verificar to fulfil, accomplish, carry out; ——**se** to take place, happen
verja grating; gate
verjel flower garden
verosímil likely, credible
versado versed
verso line (of poetry); stanza; —— **heroico** heroic verse
vertedero dumping place
verter (ie) to shed; to pour
vertiente slope
vertiginoso dizzy, giddy
vértigo dizzy spell, lightheadedness
vestido dress; garb
vestidura clothing
vestiglo horrid monster
vestir (i) to dress; to put on
vestuario wardrobe; dressing room
veterano veteran
vetusto old
vez: a la —— at the same time; **a su** —— in his turn; **en** —— **de** instead of; **hacer las veces de** to serve as
vía way; **por** —— **de** by way of
viaducto viaduct
vial path
vianda food

víbora snake
vibrar to vibrate; to brandish
vicario vicar
vicio vice
vicioso vicious, corrupt
víctima victim
victoria victory
vida life; living; **ganarse la** —— to earn one's living; **en (tu)** —— never
vidriera window
vidrioso of glass; fragile, delicate
vientre abdomen
viga beam
vigilancia vigilance
vigilante vigilant
vigilar to guard, watch over
vigilia night of wakefulness; fast; *plu.* long studies
vigor vigor, strength
vihuela guitar
vil vile
vileza vileness
villa city
villanía villainy, base deed
villano serf, churl; *adj.* base-born
vinagre vinegar
vínculo bond, tie
viña vincyard
violar to violate
violentarse to go against one's own desires
violento violent
violeta violet
virar to tack (a ship), turn
virgen virgin
Virgilio Virgil
virreinato viceroyalty
virrey viceroy
virtud virtue; power
virtuoso virtuous
viruelas smallpox
virus virus, germ
visaje grimace, face
visión sight
visita visit; visitor; **de** —— on a visit, visiting
vislumbrar to make out, see dimly, glimpse
víspera eve; **en** ——**s de** on the eve of
vista sight, view, gaze; **de** —— on watch; **estar a la** —— to be obvious
vistazo glance
visto: por lo —— apparently, obviously
vistoso brilliant, flashy, striking

vitalicio for life, life-long
vitalidad vitality
vítor hurrah!
vituperar to vituperate
vituperio censure, blame
viuda widow
viudez widowhood
vivacidad vivacity, liveliness
vivaracho lively
víveres food, provisions
vivez liveliness, keenness
viveza keenness, vividness
vivienda dwelling place
viviente living
vivificación vivification; enlivening
vivo alive, living; spirited, lively; keen, intense; **al** —— vividly
vizcaíno Basque
vizconde viscount
vocablo word
vocación vocation, calling
vocear to shout
vocería clamor
vociferar to shout
volandas: en —— through the air; flying
volandero soaring
volar (ue) to fly
volatería flight
volcánico volcanic
voltereta somersault; acrobatic feat
voluble voluble
volver (ue) to return; to turn; —— **en sí** to come to one's senses; ——**se** to turn around, turn back; —— **de comienzo** to begin over again
vomitar to vomit
voraz voracious
vos *arch.* for **os** or **vosotros**
voto vow, vote; opinion; —— **va** I swear!
voz voice; cry, shout; word; **a media** —— in a low tone; **a voces** loudly; **dar voces** to shout; —— **entera** firm voice
vuelco turn; leap
vuelo flight
vuelta return; turn; **dar la** —— to turn back; to return; **dar la** —— **a** to walk around; **dar media** —— to turn around; **dar una** —— to take a walk; to return; to change; **de** —— back

vueso, -a *arch. for* vuestro, -a
vulgar ordinary, common
vulgo common people

Y

y *arch.* there
ya already, now, soon; oh, yes
yacente lying
yacer to lie
ya que although; if
yedra ivy
yegua mare
yelmo helmet
yerba grass; herb
yermo desert place; wild region
yerno son-in-law
yerro error
yerto rigid, stiff; motionless
yugo yoke

Z

zafio coarse; ignorant
zafiro sapphire
zaga: no irle en —— a uno, no quedarle en —— a uno not to remain behind some one; to be as good as *or* equal to someone
zagala shepherdess; maiden
zaguán entrance hall
zahareño wild, untamed
zalamería flattery
zambullirse to dive
zancadilla tripping; dar ——s to trip
zancajo stride
zángano drone
zangoloteo shaking, rattling; hopping around

zanguango dunce
zapatero shoemaker
zarandeo 'whirl'; agitation
zarcillo earring
zarrapastroso ragged, slovenly
zarza bramble
zarzamora brambleberry
zinc zinc
zócalo base
zona zone; clime
zopenco dolt, blockhead
zorcico a folk-song of the Basque country
zozobra anxiety; foundering
zumbar to buzz
zumo juice
zupia wine full of dregs
zurcido darning